THE EXECUTION PREMIUM
Linking Strategy to Operations for Competitive Advantage

バランスト・スコアカードによる
戦略実行のプレミアム

競争優位のための戦略と
業務活動とのリンケージ

ロバート・S・キャプラン＋デビッド・P・ノートン【著】
櫻井通晴＋伊藤和憲【監訳】

Robert S. Kaplan
David P. Norton

東洋経済新報社

The Execution Premium: Linking Strategy to Operations for Competitive Advantage
by Robert S. Kaplan and David P. Norton
Copyright © 2008 Harvard Business School Publishing Corporation.
Published by arrangement with Harvard Business School Press, Massachusetts
through Tuttle-Mori Agency, Inc., Tokyo

日本の読者への序文

　最新のバランスト・スコアカードの著書の日本語版が出版されることを、心より歓迎したい。本書は日本の経営者と研究者にとって特に貴重な意味を持つはずである。日本企業はこれまで業務上の卓越性という面で世界のリーダーであり続け，TQM，JITおよびリーンマネジメントから得られる便益を，世界の他の国々に教えてきた。他方欧米企業は，競争優位を創出し，重点的な差別的顧客価値提案についての明確な意思決定を行えるような領域において，戦略の構築で世界をリードしてきた。著者たちは，この著書において，ビジョンと業務上の卓越性とをつなぐ重要な懸け橋を築いた。それゆえ，日本の経営者と研究者は，業務上の卓越した能力とプロセス改善能力を，戦略上の優先事項と結合させる方法を学ぶことができよう。日本の読者にとって，本書の特徴は次の3点にある。

　第1に，企業が業務上の改善活動を戦略上の優先事項に結合しようとするとき，企業が経験する困難をわれわれはこれまで何度か見聞きしてきた。多くの企業はこんにち，どれを優先的に適用するか，あるいはプロセス改善からの影響は何かについてはあまり顧慮せずに，TQMやシックスシグマなどを用いたプロセス改善を行っている。その結果，多くの努力をしてもその結果がハッキリ見えてこない。業務上の改善が戦略実行に最大の効果を及ぼしうる優先順位を決めるために，戦略目標を活用するうえで，企業は本書で述べた公式のプロセスが必要である。たとえていえば，品質改善とプロセス改善のプログラムは，**いかにして魚を釣るか（魚釣りの方法）**を教えるのに似ている。戦略マップとスコアカードは，**どこで魚釣りをするか（釣りの場所）**を教えるのに似ている。

　第2に，多くの企業では業務予算と財務計画を戦略的計画から区別している。業務計画と予算は戦略的計画における収益目標から導くのがよいと，本書で著者たちは述べている。本書では，戦略的計画の収益成長目標と，戦略的計画の売上げと生産のニーズを満たすのに必要なだけの量の資源キャパシ

ティを供給するための支出の承認との間で失われていた環を，時間適用ABCモデル（time-driven activity-based cost model）を使っていかにして解決できるかをも述べている。この収益目標と収益達成に必要な資金との結合関係がなければ，戦略的計画を遂行するには資源キャパシティが少な過ぎたり多過ぎたりすることになろう。

　第3の問題は，多くの経営会議が短期の業務上の戦術的な問題にのみ議論が費やされていることである。業務上の問題を議論し解決するために会議を持つことは大切なことではある。しかし，企業が喫緊の近い将来の問題だけにすべての時間を費やすことは誤りである。公式の戦略実行のシステムでは業務検討会議とは違った日程で戦略検討会議の開催を予定する。このように，それぞれの会議は，開催される会議の目的に最もよく合致するように，頻度，検討課題，情報システムおよび参加者を決める。両方の会議が重要であるが，それぞれの会議は異なっていて，異なったやり方で計画し管理される。

　以上，本書は，著者たちの5冊目のバランスト・スコアカードの著書として，過去の4冊の著書とも整合性があり，ミッション，ビジョン・ステートメント，SWOT（強み，弱み，機会，脅威）分析，戦略の策定，目標設定，戦略的実施項目の管理，ダイナミック予算と資源配分，プロセス改善，品質管理の方法論（シックスシグマ，リーンマネジメント，方針管理における"キャッチボール"），ダッシュボード，活動基準原価計算（ABC），ナレッジマネジメント，分析論といった，数多くの企業で広く使われているマネジメント・ツールを統合させている。著者たちは，本書で述べている6段階の循環型のマネジメント・システムが，日本の企業に戦略の枠組みと企画のため，また戦略的計画を業務改善，戦略実行およびマネジメントレビューとリンクさせるための包括的なシステムを提供しうるものと信じている。

2008年8月
ロバート・S. キャプラン
マサチューセッツ州ボストンにて

はじめに
Preface

　1992年に，著者たちはバランスト・スコアカードを業績測定システム[(1)]として世に問うた。当初，著者たちはこのアプローチを使ってバランスト・スコアカードを数社に導入したが，それらの会社では戦略の実行[(2)]を促進する新しいマネジメント・システムの核としてこの業績測定システムが用いられていることを発見した。その後，数年をかけてこの戦略的マネジメント・システムを精緻化し，その結果，著者たちの2冊目の著書である『戦略バランスト・スコアカード』(*The Strategy-Focused Organization*)[訳注1]を上梓した。この著書のフレームワークは5つのマネジメント原則にもとづいて構築されている。

　(1) エクゼクティブのリーダーシップを通じて変革を**促す**
　(2) 戦略を現場の言葉に**置き換える**
　(3) 組織の戦略への**アラインメント**
　(4) 戦略を全社員の業務に関係させて**動機づける**
　(5) 戦略を継続的なプロセスにさせるべく**管理する**

　3冊目の著書『戦略マップ』(*Strategy Maps*)では，バランスト・スコアカードの4つの視点である財務，顧客，内部プロセス，学習と成長に，因果関係を通じて関係づけられた目標に戦略を変換する一般的なフレームワークを紹介することで，原則2を詳細に述べた。このフレームワークは，プロセス，従業員，技術および文化を顧客価値提案と株主の目的に方向づけた。

　4冊目の著書『BSCによるシナジー戦略』(*Alignment*)では，原則3を詳述した。この著書では，戦略マップとスコアカードを用いて，ラインのビジネスユニットとスタッフユニットの両方にわたって，組織ユニットを包括的な経営戦略にいかに方向づけるかを示した。組織アラインメント[訳注2]によっ

訳注1 | 最初の著書1冊を除き，監訳者たちは，上梓された4冊すべての翻訳に関わったことになる。カギカッコの『 』内は翻訳書の書名，イタリックは原著名を表している。
訳注2 | 組織アラインメントは，組織連携，戦略の落とし込みなどの意味を包含する。

て，企業は同一の企業実体内の多数の業務ユニットからシナジーを得ることができる。著書『BSCによるシナジー戦略』の最後の章では，原則4を適用して，戦略をいかに伝達するかという問題と，個々人の目標とインセンティブをビジネスユニットと企業目的にいかに落とし込んでいくかを考察した。

　バランスト・スコアカードにもとづく戦略的マネジメント・システムを導入するにあたり，多くの企業では共通した連続的な導入の手順が見受けられる。一般に，原則1（経営幹部チームの改革意欲が促進される）からはじめる。すぐそれに続いて，原則2（戦略を戦略マップで表す。ただし，戦略マップは尺度と目標をともなったバランスト・スコアカードと戦略目標とをリンクさせる）と原則3（スコアカードとリンクさせて戦略を事業の各部署に落とし込む）がはじまる。原則4では主要な人事管理制度 [訳注3] の再設計（目標設定 [訳注4]，刺激給制度）が必要になる。一方，原則5では各種の事業計画，予算編成およびコントロールシステムの再設計が必要になる。通常，原則4と5が導入されるのは，バランスト・スコアカードの導入を1〜2年間経験してから後のことである。

　事実，まず企業全体に原則1，2，3を導入し，次に原則4については，戦略を従業員に伝達するといったような基本的な活動の一部を実行するだけでも企業は顕著な結果を生み出し得ること，そして，一連の導入が終わってから，原則5の1つとして戦略を検討するための経営会議を新たに設けることでも結果が出せることを著者たちは発見した。バランスト・スコアカードを導入したリーダーが職務から離任するまでこの方法を追求すれば，それなりにいい結果が生み出せた。このメッセージは明瞭である。原則1，2，3のツールを用いた強力なリーダーは，卓越した業績を達成するために組織を活性化し，焦点を明確にさせ，戦略を適切に落とし込むことができるということである。しかし，ここで提案する新しい方法は企業の現行のマネジメン

訳注3 ｜ Human resourcesは人的資源であるが，日本では人事管理制度がここではピッタリする。アメリカでは従業員を経営資源の1つとして捉えるが，日本企業では"人材"ではなく"人財"だとする議論もあり，従業員の扱いは日米で大きな差異がある。

訳注4 ｜ 目標管理制度の目標設定は，バランスト・スコアカードの戦略目標に合致させる必要がある。

ト・システム（原則5）に馴染んでいなかったために，高い業績を保持し続けられないこともあった。著者たちはまだその時点では，現行の戦略マネジメントを企業による事業遂行の方法に組み込む方法を発見していなかったのである。

　2004年に，バランスト・スコアカード・コラボラティブ（Balanced Scorecard Collaborative；BSCol）では，約12社からなる行動ワーキング・グループを立ち上げて，いかにしたら戦略実行に焦点をあわせることができるかを議論した。行動WGには，ヒルトンホテル，モトローラ，リコー，セローノ，キーコープ，キヤノン，アメリカ陸軍を含むバランスト・スコアカードの殿堂入りを果たした企業が含まれる。最も重要なイノベーションは，戦略実行に必要とされるいろいろなプロセスを監視するために，少人数ではあっても献身的な経営者グループを導入することであった。この経営者グループを著者たちは戦略管理室 訳注5 と呼び，そこでの発見事項を2005年に『ハーバード・ビジネス・レビュー』誌の論文[3]で発表した。

　アメリカと欧州の両方で行動WGに継続的に関与することによって，著者たちは原則5の「戦略を継続的なプロセスにする」を導入するのに必要となるすべての主要なプロセスが何であるかを実際に明らかにした。本書『戦略実行のプレミアム』（The Execution Premium）では，これらの発見事項を記述している。従業員の日々の業務活動が戦略目標を支援するために，戦略と業務活動の間に強い結合関係を樹立できると著者たちは述べた。経営検討会議の新しいフレームワークを導入し，業務検討会議――主要な業務プロセスの短期的な問題を解決し改善をモニター（監視）する――を戦略実行の検討と改善をする会議から明確に区別した。

　本書を執筆するに際しては，『戦略バランスト・スコアカード』の原則5のベスト・プラクティスを文書化しようとしたのであるが，最終的には戦略と業務活動を結びつける自己完結的で包括的なマネジメント・システムを述べるにとどめた。このマネジメント・システムには，先の4冊の著書の内容

訳注5 ｜ ある訳者は戦略管理オフィスと訳出している。しかし，監訳者の感覚だと，経営企画室との関係で，戦略管理室がピッタリする。戦略管理室はオフィスではなく，室とか部門である。

の一部と，戦略構築，業務管理と業務改善，活動基準原価計算（ABC），ビジネス・インテリジェンス，分析論など数多くの最新の経営イノベーションの研究成果を統合した。本書で述べた循環的なマネジメント・システムは，企業が業務の実行における卓越性を戦略的な優越性とビジョンに結合することのできる「最終的な達成目標」を表している。

戦略実行の循環型のマネジメント・システムは最近の展開であるから，読者からの建設的な意見を期待している。そのため，著者たちはWeb site Execution Premium.org を開設した。そのウェブサイトでは，本書にアイディアを提供してくれる経営者の便宜のために，調査，評価ツール，参照文献にリンクを張っている。加えて，そのサイトを電子掲示板として利用するとか，意見やベスト・プラクティスの交換ができるブログを開設するよう期待する。

【注】

(1) R. S. Kaplan and D. P. Norton, "The Balanced Scorecard: Measures that Drive Performance," *Harvard Business Review*（January-February 1992），pp.71-79.（本田桂子訳「バランスド・スコアカード」『DIAMOND ハーバード・ビジネス』1992年, 4-5月号, pp. 181-190）.

(2) R. S. Kaplan and D. P. Norton, "Using the Balanced Scorecard as a Strategic Management System," *Harvard Business Review*（January-February 1996），pp.75-85（鈴木一功訳「バランス・スコアカードによる戦略的マネジメントの構築」『DIAMOND ハーバード・ビジネス』1997年, 2-3月号, pp. 92-105）. Part Two, "Managing Business Strategy" in R. S. Kaplan and D. P. Norton, *The Balanced Scorecard: Translating Strategy into Action*, Boston: Harvard Business School Press, 1996（吉川武男訳「パート2　経営戦略をマネジメントする」『バランス　スコアカード』生産性出版, 1997）.

(3) R. S. Kaplan and D. P. Norton, "The Office of Strategy Management," *Harvard Business Review*（October 2005）: pp.72-80（井上充代訳「戦略管理オフィスの活用法」『DIAMOND ハーバード・ビジネス・レビュー』2006年, 3月号, pp.86-96）.

謝　辞
Acknowledgments

　著者たちは，本書で引用した組織体の経験から多くのことを学んできた。洗練された実例で著者たちのアイディアを拡張できたことは，経営上のイノベーションと進歩の真の源泉であったといえる。特に，著者たちは次の方々に謝辞を申し上げたい。

三菱東京 UFJ 銀行	南雲岳彦
ボレアリス	トーマス・ボーセン
ブラジル全国産業連盟	ジョゼ・オーガスト・コーホ・フェルナンデス
カナダ血液サービス	グラハム・シャー　ソフィー・ド・ヴィラーズ　アンディー・ショー
連邦捜査局（FBI）(Hillside Family of Agency)	デニス・リチャードソン　マリヤ・クリスタリ
HSBC 訳注1 レイル	ピーター・オールドリッジ
キーコープ	ミシェル・セイラニアン　レサ・エバンズ
ロッキード・マーチン	エド・ミーハン　パメラ・サンティアゴ　リチャード・ディナン　ランス・フリードマン　ジェフ・デレオン　マリア・ラスミー　ジョッシュ・スタルハー
LG フィリップス LCD	ロン・ウィラハディラクサ
ラックスファー・ガス・シリンダー	ジョン・ローズ　デビッド・リックス
マリオット・バケーションクラブ・インターナショナル	カール・スウィーニー
モトローラ GEMS	マーク・ハールバート

訳注 1｜香港上海銀行。

ヌムール	デビッド・ベイリー
オラクル・ラテンアメリカ	シェリル・マクダウェル
リコー・コーポレーション	サム・イチオカ（市川進）　ブラッド・ネルソン　マリリン・ミヒャエルス
SASインターナショナル	デイビッド・シュベールブロック
メルク・セローノ	ローランド・バウマン　ローレンス・ガンティ
スタットオイル（Statoil）	ビャルテ・ボグスネス
ステート・ストリート・コーポレーション	ジャック・クリンク
タイ・カーボンブラック	S. スリニバサン
リーズ大学	マイケル・アーサー
	サイモン・ドノヒュー

　著者たちは，本書のアプローチを使ってクライアントを支援し，『戦略実行のプレミアム』執筆にいたるアイディアを編み出したバランスト・スコアカード・コラボラティブとパラディウム・グループの専門スタッフに感謝する。特に，戦略テーマを数多くの戦略実行のプロセスにどのように用いるかを教えてくれただけでなく，本書の初期の草稿に貴重な貢献をしてくれたキット・ジャクソン氏に感謝する。戦略構築プロセスを執筆してくれたエド・バローズ氏にも感謝の意を表したい。アン・ネヴィアス氏はヘルスケア・マネジメントで原稿を執筆してくれた。ローラ・ダウニング氏は公的部門の組織の管理と本書の草稿を最初に作成したときに目を通して，建設的な提案をしてくれた。

　さらに感謝の意を表したいのは，次の方々である。実施項目の管理については，ピーター・ラカッセ，マイケル・コントラダ，マサイアス・マンゲルスの各氏が貴重な提言をしてくれた。ケアリー・グリーン，フィリップ・ペック，ドゥエーン・パネワートの各氏は，ダッシュボード，影響要因にもとづく計画設定，ローリング予測を執筆してくれた。シネティックスのレナルド・マンジーニ，ファニー・シュワルツといった仲間たちは，戦略を業務プロセスの改善にリンクさせるにはどうすべきかの事例を提供してくれた。

アンドレ・クーティンホ氏はブラジルのリオグランデ du・Sol 訳注2 といった地方都市で戦略マップ，スコアカード，戦略的実施項目のファシリテーション（導入と普及活動）を行ってくれた。グループ研究プログラムの管理を行ってくれたランディ・ラッセル氏にも感謝の意を表したいと思う。ロブ・ハウイーとリンダ・チャウの両氏には，バランスト・スコアカードの殿堂入りのマネジメントを担当していただいた。

　ハーバード・ビジネススクールのデニス・キャンベル助教授は，分析論を使って実務への適用が可能なダッシュボード（本書第6章のTDカナダトラストの事例を参照されたい）を設計し，戦略の因果連鎖（第9章のストア24の事例を参照されたい）をテストする方法を示してくれた。

　ハーバード・ビジネススクール出版（HBP）は，本書の最初の企画段階から製作・販売まで，いつもと変わらぬ強い励ましと支援をしてくれた。特に感謝の意を表したいのは，著者たちの5冊のバランスト・スコアカードのすべてを担当してくれたホリス・ハイムバウチ氏である。ブライアン・シュレット氏は，製作全般で編集の仕事を取り仕切ってくれた。製作実務はジェン・ウェアリング氏が，コピー・エディターはベッツィ・ハーディンガー氏が担当してくれた。

　最後に，複雑な図版の多くを製作してくれたスティーブ・フォーティニに感謝する。また，著者たちのアシスタントであるローズ・ラピアナとデイビット・ポーターの2人が執筆，図版製作，製作の段取りその他を行ってくれた。同世代の仲間たちの多くがゴルフのハンディを低下させて人生をエンジョイしているときに，執筆活動で継続的に緊張を強いる生活でも寛容に著者たちを見守ってきてくれたそれぞれの妻，エレンとメリッサには，心より感謝の意を表したい。

訳注2｜サンパウロから飛行機で2時間弱の都市で，ブラジルのヨーロッパと称されている。経営管理への関心度も高い。監訳者の印象では，ブラジルでは経営が最も進んだ都市の1つであると思う。

目次
CONTENTS

日本の読者への序文 iii
はじめに v
謝　辞 ix

第1章　戦略実行のプレミアム　　1

　◎マリオット・バケーションクラブ・インターナショナルの
　　戦略実行のプレミアム 4
戦略実行 4
戦略と業務管理ツールの増加 8
戦略的計画と業務の実行を統合するマネジメント・システム ... 10
　ステージ１：戦略の構築 12
　ステージ２：戦略の企画 13
　ステージ３：組織の戦略へのアラインメント 15
　ステージ４：業務の計画 16
　ステージ５：モニターと学習 19
　ステージ６：戦略の検証と適応 21
戦略管理室 22
リーダーシップの役割：必要条件と十分条件 25
戦略実行のプレミアム 27
　リコー・コーポレーション 28
　◎リコー・コーポレーションの戦略実行のプレミアム 30
　ラックスファー・ガス・シリンダー 31
　◎LGCの戦略実行のプレミアム 33
　ノルディア 33
　◎ノルディアにおける戦略実行のプレミアム 38
要約 39

第2章　戦略の構築　43

ミッション，バリュー，ビジョンのステートメントの明確化…… 47
- ミッション・ステートメント … 48
- バリュー・ステートメント … 48
- ビジョン・ステートメント … 50
- 戦略的チェンジ・アジェンダ … 52
- ビジョンの具体化 … 56

戦略的分析の実施 … 59
- 外部分析 … 59
- 内部分析 … 60
- 強み，弱み，機会，脅威（SWOT）の識別 … 61

戦略の策定 … 65
- 独創的な戦略の追求 … 65
- 戦略を選択する際の指針としての戦略マップ … 69
- ◎三菱東京UFJ銀行における戦略実行のプレミアム … 71
- OASステートメント … 72
- 戦略方向性ステートメント … 73

漸進的な戦略修正 対 戦略転換 … 74
- 戦略転換の引き金 … 77

要約 … 80

第3章　戦略の企画　85

戦略マップの作成 … 87
- ◎ヌムールの戦略実行のプレミアム … 92
- 戦略テーマのケーススタディ：ラックスファー・ガス・シリンダー … 93
- 公的部門における戦略テーマのケーススタディ：ブラジルの経済発展に向けた戦略マップ … 97

尺度と目標値の選定 ... 102
戦略目標に対応した尺度の選定 ... 102
目標値の選定 ... 104
戦略テーマにバリュー・ギャップを割りつける ... 105
目標設定のケーススタディ：シグナ傷害火災保険事業部門 ... 108
目標設定のケーススタディ：リコー・コーポレーション ... 109
目標設定のための因果関係の活用 ... 112
目標値のベンチマーキング ... 113
目標設定のケーススタディ：ビスタ・リテール ... 115
目標設定のケーススタディ：モービル US マーケティング・リファイニング事業部 ... 116
要約 ... 118
補論　戦略マップ ... 119

第4章　戦略的実施項目
——戦略を実行に移す　123

戦略的実施項目の選定 ... 124
戦略的実施項目選定のケーススタディ：リーズ大学 ... 133
◎リーズ大学の戦略実行のプレミアム ... 137
戦略資金の調達 ... 138
リコー・コーポレーション：戦略的実施項目のケーススタディ ... 142
戦略的実施項目に対する会計責任の確立 ... 144
戦略的実施項目のマネジメントにおけるケーススタディ：セローノ ... 148
要約 ... 149

第5章　組織ユニットと従業員のアラインメント　153

ビジネスユニットのアラインメント ... 156
戦略テーマを通じた落とし込み ... 164

垂直的アラインメントの連鎖 ································· 166
　サポートユニットのアラインメント ································· 167
　　　サポートユニットにおける戦略マップのケーススタディ：ロッキー
　　　ド・マーチンのインターナルITグループ ························ 170
　　　プロセスとしてアラインメントを管理する ······················ 172
　従業員の動機づけ ·· 173
　　　戦略の伝達と教育 ·· 173
　　　戦略伝達のケーススタディ ···································· 178
　　　◎ロッキード・マーチンのインターナルITグループの戦略実行の
　　　　プレミアム ·· 183
　　　個人目標とインセンティブを戦略にリンクさせる ················ 183
　　　従業員の能力開発 ·· 186
　　　従業員の能力開発のケーススタディ：キーコープ ················ 187
　　　◎キーコープの戦略実行のプレミアム ·························· 189
　要約 ··· 190

第6章　業務の計画
　　　——プロセス改善プログラムへの戦略の落とし込み　193

　重要なプロセスの改善 ·· 195
　　　重要なプロセス・マネジメントの事例：ローコスト航空 ············ 197
　　　改善のための戦略プロセスの識別 ······························ 200
　　　戦略的なプロセスと不可欠なプロセス ·························· 202
　　　戦略と品質を連結するケーススタディ：インフォメーション・コミュ
　　　ニケーション・モバイル ······································ 205
　　　ケーススタディ：タイ・カーボンブラック，モトローラGEMS，モ
　　　ビスター社（現オレンジ） ···································· 208
　　　◎タイ・カーボンブラックにおける戦略実行のプレミアム ·········· 209
　　　◎モトローラGEMSにおける戦略実行のプレミアム ················ 210
　　　◎モビスターにおける戦略実行のプレミアム ···················· 211
　プロセス・マネジメントの優先順位の設定 ···························· 212
　ダッシュボードの利用 ·· 216

　　　　ダッシュボードについてのケーススタディ：TD カナダトラスト 218
　ベスト・プラクティスの共有 224
　　　◎ヒルサイド・ファミリー・オブ・エージェンシーにおける戦略実行
　　　　のプレミアム 226
　要約 227

第7章　業務の計画
――販売予測，資源キャパシティ，ダイナミック予算　　229

　予算管理と脱予算経営 230
　　　ローリング財務予測 232
　　　バランスト・スコアカード 234
　　　固定費管理 234
　　　投資管理 235
　戦略的計画書と資源キャパシティ計画および業務予算との
　　リンク 236
　ステップ1：販売予測を行うために影響要因にもとづく収
　　益計画を利用する 237
　　　コストと費用の予測：ABC の役割 242
　ステップ2：販売予測を販売計画と業務計画に置き換える 243
　ステップ3：販売データと業務データを時間適用 ABC モ
　　デルに入力して資源キャパシティを予測する 245
　ステップ4：業務費用と資本支出の予測を行う 251
　　　自由裁量原価の予測 253
　ステップ5：製品別，顧客別，チャネル別，地域別の収益
　　性を算定する 255
　要約 257
　補論　時間適用 ABC モデルの構築 258
　　　会社情報 259
　　　時間適用 ABC モデル 260

第8章 業務と戦略の検討会議　271

- **業務検討会議** …………………………………………………………… 276
  - ケーススタディ：ニューヨーク市警のコンプスタット会議 ……… 279
  - ケーススタディ：3B 化学プラント ………………………………… 283
- **戦略検討会議** …………………………………………………………… 287
  - 戦略検討会議の頻度 ………………………………………………… 288
  - 戦略検討会議の出席者 ……………………………………………… 288
  - 戦略検討会議の議題 ………………………………………………… 290
  - ケーススタディ：HSBC レイル ……………………………………… 295
  - HSBC レイルの戦略検討会議の観察 ……………………………… 302
  - ◎ HSBC レイルの戦略実行のプレミアム ………………………… 303
  - ケーススタディ：リコー・コーポレーションの会議体制 ………… 303
- **要約** ……………………………………………………………………… 306

第9章 戦略の検証と適応の会議　309

- **戦略を検証する業務のフィードバック** ……………………………… 314
- **製品と顧客の収益性を測定する時間適用 ABC** ……………………… 315
- **業務上のリンケージの統計的検証** …………………………………… 321
  - ケーススタディ：シアーズにおける従業員・顧客・利益の連鎖 … 321
- **戦略の検証と適応** ……………………………………………………… 327
  - ケーススタディ：ストア 24 ………………………………………… 328
  - 公式の統計的検証のための必要条件 ……………………………… 336
- **外部データと競争情報の組み込み** …………………………………… 337
  - ◎ LG フィリップス LCD における戦略実行のプレミアム ……… 338
- **創発戦略** ………………………………………………………………… 339
- **業務と戦略の統合** ……………………………………………………… 340
- **要約** ……………………………………………………………………… 342

第10章　戦略管理室　345

企業にはなぜ戦略管理室が必要なのか？ ……… 348
  戦略管理室の役割を定義するケーススタディ：カナダ血液サービス ……… 349
  ◎カナダ血液サービスにおける戦略実行のプレミアム ……… 352
戦略管理室：設計者，プロセスの担当責任者，インテグレーター …… 352
  設計者としての戦略管理室 ……… 354
  プロセスの担当責任者としての戦略管理室 ……… 357
  インテグレーターとしての戦略管理室 ……… 359
戦略管理室の位置づけと人員配置 ……… 362
  戦略管理室の人員配置 ……… 364
  戦略管理室のケーススタディ：セローノ社 ……… 365
  ◎セローノ社における戦略実行のプレミアム ……… 370
要約 ……… 371

監訳者あとがき ……… 374
索引 ……… 380
訳者紹介 ……… 387

装幀／山田絵理花

第1章 戦略実行のプレミアム
Introduction

「戦術のない戦略では勝利への道は遠い。戦略のない戦術では負ける前の大騒ぎでしかない。」(1)

戦略の管理は，業務の管理とは異なる。しかしどちらもきわめて重要であり，両者は統合される必要がある。マイケル・ポーターによれば，「業務上の有効性と戦略はどちらも優れた業績をあげるためには重要であるが，……それらは非常に異なった方法で機能する」という [2]。
　卓越した業務やガバナンスプロセスに結びつかないビジョナリー戦略 <u>訳注1</u> は，実行することができない。逆に，業務の卓越性は，コストを下げ，品質を向上し，プロセスタイムとリードタイムを短縮するが，戦略のビジョンと導きがなければ，業務改善だけでは企業は持続可能な成功を享受しない。
　リエンジニアリングとプロセス・マネジメントのビジョナリーリーダーであるマイケル・ハマーも「業績を高く維持する業務プロセスは必要ではあるが，それだけでは企業の成功にとって十分ではない」[3] ことを認めている。『フォーチュン』20社のある戦略企画室長はハマーの言葉を補って，「あなたの会社が世界で最高のプロセスを持つことはできるとしても，ガバナンスプロセスが目標達成に必要な方向づけおよびコースの修正を生じさせないのであれば，成功は運の問題でしかない」と述べている。
　ガバナンスプロセスと戦略の方向づけという2つの重要なプロセスを統合し連携する包括的なマネジメント・システムがないと，企業は一般に，戦略を実行したり，業務を管理することに失敗する。マリオット・バケーションクラブ・インターナショナル（MVCI）社というマリオット・インターナショナル [4] の100％子会社を考えてみよう。MVCIは，マリオット・バケーションクラブ，マリオットのグランド・レジデンス，マリオット・バケーションクラブのホライズン，リッツカールトン・クラブという4つの有名ブランドの下で，5つ星リゾートを共同所有型，部分所有型，あるいはまた完全所有型の不動産を開発，販売，管理している。
　1990年代後半，MVCIの経営幹部チームは，高成長の企業からそれぞれのブランドと不動産を管理するために，プロセスの時間，コスト，品質という複数の測定尺度を利用したプロセスベースの企業に変換した。しかし，数

訳注1	ビジョンを持って組織を経営することをビジョナリーもしくはビジョナリー経営という。ビジョンにもとづく戦略を持つことは大切であるが，その戦略を実行する手法が確立されていないと，ビジョンと戦略は画餅になってしまう。

年先にはさらなる高い成長を計画しているので，経営幹部はMVCIの戦略について集中と連携を強めていこうとした。同社は，同時に無関連の実施項目をたくさん持っていたため，所与のプロセスでの効率性は限られた便益しか得られなかった。というのも，その利得が他のグループの努力を高めたり統合されたりしていなかったからである。

　2002年に，MVCIの戦略企画担当のシニア・バイス・プレジデントは，新たな戦略と全社レベルの戦略マップおよびバランスト・スコアカード（BSC）を構築するために，2人の仲間に戦略マネジメントチームへの参加を求めた。提案された戦略は，献身的なバケーション計画の支援と，24時間1週間まるまる情報へアクセスできるといったサービスを含めて，リゾート地のオーナーへの完全な顧客ソリューションの提供を強化した。その戦略は，同社の業務と支援のプロセスを完全に統合する必要がある[5]。MVCIの12人のメンバーからなる最高幹部会（Executive Council）は，新たな戦略を実施するために，戦略マップとBSCを議論し，最終的に承認した。

　戦略マネジメントチームは次に，スコアカードを業務プロセスに落とし込んだ。戦略マネジメントチームは，その多くが戦略的に重要でないようなMVCIの実施項目のポートフォリオを削除するために「実施項目の削減」キャンペーンを実施した。2004年までに，MVCIはリゾート地の業務に対しても，またそれぞれのリゾートの販売とマーケティングのチームに対しても，BSCを個人所有のレベルまで落とし込んでいって，その結果，120のスコアカードに展開した。プロセスの担当責任者は，最も重要なプロセス尺度だけをBSCシステムに組み込み，戦略を実行し監視するのに役立たない残りの測定尺度は中止した。MVCIのプロジェクト・チームはまた人事部門と共同して，すべての従業員が戦略と結びつくように，各従業員の1つ以上の個人目標をMVCIの戦略目標とリンクした。

　MVCIは戦略の策定を業務の実行に結びつけることで，急速に膨大な利得——著者たちが**戦略実行のプレミアム**（execution premium）と称するもの——を享受した。

　MVCIのCEOステファン・ヴァイズは，同社のブランドや資産で新たなマネジメント・システムを実行する便益に注目した。すなわち，「バランス

ト・スコアカードは，MVCIのすべての事業領域で目に見える改善に（集中させる）プロセスリエンジニアリングとともに（機能してきている）。」[6]

> **マリオット・バケーションクラブ・インターナショナルの戦略実行のプレミアム**
>
> ・営業利益は2003年の14億9300万ドルから2007年には30億6000万ドルへと年率20％の増加率を達成した。
> ・「仕事がしやすい」というMVCIの顧客評価の値は，2003年度レベルから70％向上した。
> ・組織のアラインメントが改善し，企業の戦略を理解し，自らの役割が戦略に貢献すべきことにあると回答したMVCIの従業員の割合は，74％から2007年度の90％に向上した。

　MVCIの戦略と業務を結びつけることで享受した成功事例は，まねることができる。本章では後で，戦略的優先事項を業務の実行およびフィードバックとリンクさせた新たなマネジメント・システムを実施することによって，戦略実行のプレミアムを享受した数社の企業のケーススタディを示す。本書で著者たちは，戦略実行の新たなマネジメント・システムの設計と利用について述べる。

戦略実行

　2006年度のグローバル調査で，モニターグループは，上級経営幹部に自らの優先順位について質問した。第1位は，突出して戦略実行であった。2007年度調査での検討会議の報告によれば，経営幹部の第1位は，「戦略実行の卓越性」であった。第2位に「持続的で安定したトップ成長」が続き，優先順位第3位に「トップマネジメントによる一貫した戦略の実行」と再び戦略実行が登場した。効果的な戦略実行に高い優先順位をおくのは，ほとん

どの企業が自らの戦略を実行しようとするとき被る多くの細かな問題があるためである。過去20年間のいろいろな調査では，自らの戦略的計画書に示された目標を達成できない企業が60％から80％もあると指摘している。2007年10月に，BP（ブリティッシュ・ペトロリウム）の新CEOであるトニー・ヘイワードが述べたように，「われわれの課題は戦略それ自体ではなく，戦略の実行なのである」[7]。

戦略実行の状況について，1996年に調査を行った。その調査から，ほとんどの企業は戦略の実行を支援する公式のシステムを持っていないことがわかった。企業の40％しか予算を戦略と結びつけていなかった。また，30％の企業しかインセンティブ報酬を戦略と結びつけていなかった。調査対象企業のほとんどは，企業の戦略を理解している従業員が10％以下であると回答した。戦略を理解していなければ，従業員は明らかに日々の活動を効果的な戦略実行に結びつけることはできない。

さらに，経営幹部チームの85％は戦略の議論に月に1時間以下しか費やしておらず，その50％は戦略を議論する時間が実際にはないと報告している。経営幹部 訳注2 は，資金管理，従業員の業績を動機づける目標管理（management-by-objectives；MBO）制度，および分散されたIT，マーケティングおよび販売計画といったような現場の戦術的業務システム（たとえば予算）をあてにしている。戦略の実行を管理するために明示的に設計されたシステムを企業は持っていない。

企業が戦略実行の管理に用いるシステムについて2006年にフォローアップ調査を行い，業績管理の専門担当者143名から回答を得た。図表1-1に要約するように，その調査結果は1996年の調査とある程度は似かよっていたが，明らかに異なる違いもあった。類似点として，公式の戦略実行システムを持っていなかったと報告したのが回答者の46％であった。これらのなかの73％は，平均から平均以下の戦略業績しか達成しておらず，この値は以前の戦略実行の調査で報告されたものとも一貫している。しかし，いまや回答者の54％が戦略実行を管理する公式のプロセスを持っていると回答し

訳注2 │ executiveは，経営幹部，役員，取締役，重役，理事などを意味する。そこで本書では，日本語としても認知されてきた経営幹部と訳出するのが妥当と判断した。

図表1-1

公式の戦略実行プロセスのある企業はない企業より優れているか

公式の適切な戦略実行のプロセスを持っているか	Yes (54%)	No (46%)	
企業の現在の業績			
・…飛躍的な結果	12%	7%	勝者
・…同業他社より高い業績	58%	20%	
小計	(70%)	27%	
・…同業他社と同程度の業績	18%	30%	
・…同業他社より悪い業績	9%	27%	敗者
・…持続可能なレベルを達成していない	3%	16%	
小計	30%	(73%)	

(出典) BSCol Research(143人の業績管理専門家への調査,2006年3月のBSColオンライン・コミュニティより)。

た[8]。これらのなかの70%の回答によれば,勝算の見込みがない同業他社より高い業績をあげているという。公式の戦略実行システムを持つことによって,そのようなシステムを持たない場合よりも2倍から3倍も成功の可能性が高まっている。

図表1-1の調査から描いたものであるが,図表1-2に公式の戦略実行システムを持つ企業と持たない企業との間で,6つの戦略実行プロセスの利用上の違いがあることを示している[9]。

- ・戦略の変換
- ・戦略的実施項目の管理
- ・組織ユニット[訳注3]の戦略へのアラインメント
- ・戦略のコミュニケーション
- ・戦略の検討
- ・戦略の更新

訳注3｜ビジネスユニット(BU)やサポートユニットなどを総称する組織単位。

図表1-2

戦略管理：優れた実務

公式のマネジメント・プロセスを適切に持っているか

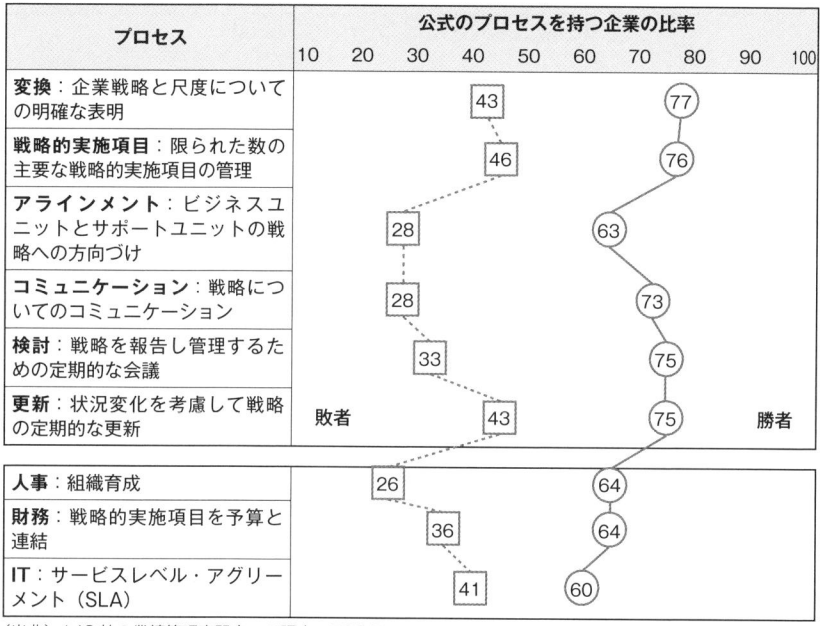

（出典）143社の業績管理専門家への調査、BSC Research, 2006。

　たとえば、めざましい業績を達成した企業の73％は明らかに戦略と戦略尺度を明確に伝達しているが、業績の芳しくない企業はその28％しかそのような行動をとっていない。

　2003年のクランフィールド大学が行った調査で、対象企業の46％が業績管理に公式のプロセスを利用していることがわかった[10]。これらの企業の25％は、主要な業績管理のシステムとしてTQMのような手法を利用しており、75％がバランスト・スコアカードによるマネジメント・システムを用いていた。米国管理会計協会（IMA）がスポンサーとなった調査報告によれば、バランスト・スコアカードはかなり前から、品質管理（ボルドリッジ規準、EFQM[訳注4]、シックスシグマ）や財務管理（たとえば、経済的付加価

値, economic value added；EVA) にもとづくシステムより勝るので, 企業の業績を管理する優れたシステムとなっている[11]。

戦略と業務管理ツールの増加

　バランスト・スコアカードにもとづく戦略実行システムの採用を高めていったとしても, 高いレベルの戦略的計画の策定と第一線の部門, プロセスチーム, 従業員による戦略的計画の実行になおギャップがあるということを著者たちは学んだ。この戦略と業務のギャップは, 部分的には, 過去30年間に導入されてきた戦略策定と業務改善の多様で大量のツールが提唱されてきたことによる。戦略の構築は, 企業の強み, 弱み, 機会, 脅威 (短縮してSWOT) という記述にまとめられる, 外部競争分析, 経済性分析, それに環境分析をともなって, ミッション, ビジョン, バリュー (MVV) の記述からはじめる。戦略策定の進め方には, マイケル・ポーターの5つの競争要因と競争的ポジショニングのフレームワーク, 資源ベースの戦略, コア・コンピタンス, 破壊戦略 (disruptive strategies), およびブルーオーシャン戦略[訳注5]がある。戦略の頑健性を検証するために, シナリオ・プランニング[訳注6], ダイナミック・シミュレーション, ウォーゲーム・シミュレーションを用いる企業もある。

　戦略マップとバランスト・スコアカードは企業が自らの戦略を変換し, 伝達し, 測定するのに役立つ。個々の従業員の目標設定は目標管理制度に従うが, 高いレベルで構築された戦略目標を業務部門の特定の目標や目標値に落とし込むのに, 日本の**方針管理**という方針展開プロセスの「キャッチボー

訳注4　EFQM (European Foundation for Quality Management) はヨーロッパ品質管理財団の略称。アメリカのマルコム・ボルドリッジ国家品質賞に対応している。また日本の品質管理は, 社会経済生産性本部が主導する日本経営品質賞と, 日科技連が主導するTQM (旧TQC) がある。

訳注5　キム&モボルニュ (Kim and Mauborgne) が提案した戦略である。競争戦略のように血みどろの争いをするのではなく, 事業領域を超えたところに新たな市場を創造するのがこのブルーオーシャン戦略である。

訳注6　起こりうるいろいろなシナリオを考察し, それにもとづいて戦略を策定する手法のことである。

ル」を用いる企業がある。業務プロセスの効率と応答性の継続的改善を向上するために TQM（シックスシグマ，カイゼン，マルコム・ボルドリッジ賞や EFQM 賞といったアセスメント）を実施する企業もある。プロセス改善を劇的に行うために，リエンジニアリングを展開する企業もある。

ビジネス・インテリジェンスのソフトウェアは戦略的計画を支援する無数のツールを提供するとともに，業務改善計画を促すようにカスタマイズされたダッシュボードの設計も提供する。顧客行動を捕捉し推測するために，顧客関係性管理のソフトウェアおよび分析モデリングなどを用いて戦略の業績を検討する高度な分析ツールを利用する企業もある。活動基準原価計算（activity-based costing；ABC）は，戦略が成功した重要指標である製品別収益性と顧客別収益性を評価するのに使われる。

企業はいまや，選択すべき多数の戦略ツールと業務ツールを持っていることはいいことであるが，いまだ多数のツールをうまく統合するための理論やフレームワークがない。一貫したシステムの下でこれらのいろいろな戦略的計画と業務改善ツールをともに機能させるには企業はどう対処するべきかという問題に取り組んでいる。ツールの導入はほとんど特別仕立てで，取り変えも調整も効かない。

企業のマネジメント・システムのなかで唯一共通した標準的な特徴を持つ財務の予算は，調整，予測，業績評価の主要なツールとして，いまも利用され続けている。しかし，予算の実施にも疑問が提起されている。1990年にバランスト・スコアカードを導入しようとした当初の意図は，短期業績を動機づけて評価するのに財務尺度だけを利用していることに対しての疑問であった。さらに最近では，ヨーロッパで起こって米国に広まった「脱予算経営」訳注7 運動によれば，将来の計画にも過去の業績評価にも予算の利用には厳しい批判が寄せられている[(12)]。

要するに，戦略構築（strategy development），および戦略と業務のリン

訳注7 | Hope と Fraser は *Beyond Budgeting* で伝統的な予算の運用には弊害があると主張した。彼らによれば，予算は労力の割に効果が少ない，環境適応できない，非財務を考慮しない，業績改善できないという。これらの弊害があるために，ローリング財務予測や BSC，ABC といったツールに変えるべきだというのが脱予算経営運動である。

ケージは問題ごとに異なり，多様で，そしてまたいまだに統合されていない。包括的で統合的なマネジメント・システムがあれば，企業は，特に新たな転換戦略を導入するとき生じてしまう障害と葛藤を克服してくれる。

戦略的計画と業務の実行を統合するマネジメント・システム

著者たちは，図表 1-3 で示すように，戦略の策定および計画を業務の実行と連結する包括的で統合的なマネジメント・システムのアーキテクチャーを構築してきた。そのシステムには，6 つの主要なステージがある。

- ステージ 1：経営者は，前節で記述した戦略ツールを用いて**戦略を構築する**（develop the strategy）。
- ステージ 2：企業は，戦略マップやバランスト・スコアカードのようなツールを用いて**戦略を企画する**（plans the strategy）。
- ステージ 3：高いレベルで構築される戦略マップとバランスト・スコアカードが明確にされると，経営者たちは，戦略マップとバランスト・スコアカードをすべての組織ユニットと結びつけて落とし込むことによって，戦略の組織への**アラインメントを行う**（align）。経営者は公式の伝達プロセスを通して従業員を方向づけ，従業員の個人目標およびインセンティブを戦略目標と連動する。
- ステージ 4：戦略へ方向づけられたすべての組織ユニットと従業員をともなって，経営者たちはいまや，品質管理とプロセス・マネジメント，リエンジニアリング，プロセス・ダッシュボード，ローリング予測，ABC，資源キャパシティ計画，ダイナミック予算といったツールを用いて**業務を計画する**（plan operations）ことができる。
- ステージ 5：戦略および業務の計画が実行されると同時に，企業は問題，阻害要因，挑戦的課題を**モニターし学習する**（monitor and learn）。このプロセスは，業務および戦略検討会議の注意深

図表 1-3

マネジメント・システム：戦略と業務の連結

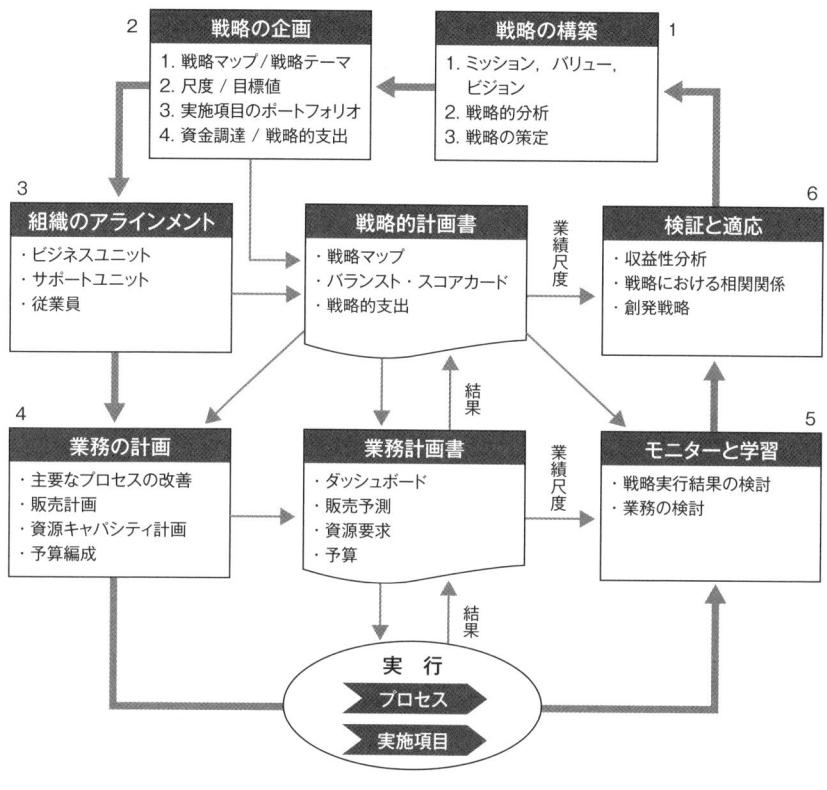

　　　　　　く設計された構造の下で、業務と戦略の情報を統合する。
ステージ6：経営者は内部業務データと新たな外部環境および競争上の
　　　　　　データを用いて、統合された戦略的計画と業務実行のシス
　　　　　　テムに関わるもう1つ別のループをはじめることによって、
　　　　　　戦略を検証し適応[訳注8]（test and adapt the strategy）させる。

　次に、統合したマネジメント・システムの6つのステージの1つずつを

第1章　戦略実行のプレミアム　　11

簡潔に述べた後，本書の各章でそれらを詳細に説明する。

ステージ1：戦略の構築

　経営者は，統合マネジメント・システムを戦略の構築からはじめる。このプロセスの検討を通じて，企業は次の3つの疑問に答えることができるようになる。

1. われわれはどんな事業を行うのか，そしてそれはなぜか（ミッション，バリュー，ビジョンの明示）：経営幹部は，戦略構築を組織目的（ミッション）の確認，組織の行動を導く内部の羅針盤（バリュー），将来の結果への組織の夢（ビジョン）からはじめる。そのガイドラインが組織の目的（ミッション）である。ミッション，バリュー，ビジョンを記述すると，戦略の策定と実行のガイドラインが明らかになる。
2. 主要な課題は何か（**戦略的分析の実施**）：経営者は，競争環境と業務環境の状況，特に，いまの戦略を作り上げたとき以来生じている主要な変更事項を検討する。この変更には3つの情報源がある。すなわち，**外部環境**（頭文字からPESTELとなる政治，経済，社会，技術，環境，規制），**内部環境**（人的資本，業務，イノベーション，技術の実用化の状況といった主要なプロセス），および**既存戦略**の進捗状況である。環境の評価は，戦略によって取り扱わなければならない一連の戦略課題を明らかにする強み，弱み，機会，脅威からなるSWOT表に要約される。経営幹部チームは，戦略を変革するニーズを明らかにする**戦略的チェンジ・アジェンダ**（strategic change agenda）^{訳注9}と称する一連のガイドラインを構築し伝達する。
3. いかにうまく競争できるか（**戦略の策定**）：戦略構築の最後の段階として，経営幹部は以下の課題によって戦略を構築する。

訳注8　adaptationとは，エイコフ（Ackoff, L. Russell, *A Concept of Corporate Planning*, Wiley-Interscience, 1970）によれば，システム行動の効率を実質的あるいは潜在的に引き下げる変化への対応，すなわち生起する減少を抑える対応と定義している。つまり，環境変化への対応のことである。

訳注9　戦略的な組織変革の検討事項であるが，詳細は第2章を参照のこと。

・どの**重点分野**で競争するのか
・どんな**顧客価値提案**がそのニッチでわれわれを差別化するのか
・どんな**重要なプロセス**がその戦略を差別化するのか
・その戦略に必要とされる**人的資本**のケイパビリティは何か
・その戦略を**可能にする技術**は何か

　第2章では，ミッション，バリュー，ビジョンの明示，戦略的分析の実施，戦略の策定という3つの戦略構築プロセスを詳述する。

ステージ2：戦略の企画

　このステージで，経営者は，行動を計画して資源配分する戦略目標，尺度，目標値，戦略的実施項目，および予算を編成することで戦略を企画する。企業はこのステージで5つの疑問に答えることができるようになる。

1. **戦略をどのように記述するか（戦略マップの構築）**：戦略には，短期の生産性向上から長期のイノベーションまで企業変革のいろいろな内容のものが含まれる。**戦略マップ**は，今日**戦略テーマ**と称するすべての戦略の次元を1枚の画で表す。企業は，典型的な戦略マップ上の15から25の目標で，業績を同時に管理することが困難であることがわかる。企業はいまや，戦略の主要な構成要素となる4つから6つの戦略テーマに関連する目標をまとめる。経営幹部は，戦略テーマという集合体の戦略マップを構築して，それらの構成要素をいまでも一貫性を持って取り扱いながら，戦略の主要な構成要素を一つずつ別々に計画し管理することができる。部門横断的で事業横断的な戦略テーマは，戦略実行の成功に必要な境界のないアプローチをも支援する。

2. **計画をどのように測定するのか（尺度と目標値の選択）**：このステップでは，経営者は，戦略マップと戦略テーマで明らかにされた目標を，バランスト・スコアカードの尺度，目標値，ギャップに変換する。戦略構築で明らかにされた野心的なビジョンの記述によって通常は明らかにされる全般的なバリュー・ギャップ（value gap）は，それぞれの戦略テーマが3年から5年にわたって完了するギャップに分割される。

3. 戦略ではどんなアクション・プログラムが必要か（戦略的実施項目の選択）：**戦略的実施項目**とは，戦略マップの目標に関わる目標業績を達成するためのアクション・プログラムである。戦略的実施項目は個別に考えることができず，戦略的実施項目の一つひとつが戦略テーマの目標値と全般戦略の目標値とを達成することにあるのであれば，成功裏に実行されなければならないような補完的行動の「ポートフォリオ」と見なされなければならない。
4. 戦略的実施項目をどのように資金調達するか（戦略的支出の設定）：戦略を実行するには，戦略的実施項目のポートフォリオを調整して同時に実行する必要がある。このためには，ポートフォリオで設定された戦略的実施項目に明確に資金調達する必要がある。伝統的な予算編成システムでは，既存組織である機能ユニットとビジネスユニットに提供される資源，またこれらのユニットの会計責任と業績に焦点がおかれる。部門横断的でビジネスユニット横断的な戦略的実施項目にとっては，戦略的投資は業務予算のなかから配分され，また経営幹部チームによって別々に管理されなければならない。**戦略的支出**（STRATEX, strategy expenditure）と称する特別の予算項目を設けることで，このプロセスがうまくいく。
5. 戦略実行を誰がリードするのか（戦略テーマ別チームの設定）：企業は戦略テーマを通して，戦略を実行するために新たな会計責任の構造を導入している。企業は**戦略テーマの担当責任者**として経営幹部を配置し，担当責任者ごとに戦略的支出を配分し，組織横断的な**戦略テーマ別チーム**訳注10が経営幹部を支援する。戦略テーマの担当責任者と戦略テーマ別チームは，各テーマのなかで戦略の実行に対して会計責任を持ち，フィードバックを行う。

第3章では，戦略テーマベースの戦略マップを構築し，戦略マップの目標

訳注10　戦略テーマ別チームは組織横断的に設けられるから，会計責任（accountability）を果たすためにも，戦略テーマ別の担当責任者（theme owner）を決めて管理していかねばならない。

ごとに尺度と目標値を選択することで，最初の2つの戦略の企画プロセスを記述する。第4章では，戦略テーマベースで確定されたポートフォリオの戦略的実施項目のために選択，資金調達，会計責任の設定という3つの戦略的実施項目の管理プロセスを記述する。

ステージ3：組織の戦略へのアラインメント

複数事業で複数機能の企業を経営して得られる便益を完全に獲得するために，経営幹部は会社の戦略を個々のビジネスユニットおよび機能ユニットに結びつけなければならない。従業員はみな，その戦略を理解しなければならず，またその戦略によって企業の成功を支援するように動機づけられなければならない。アラインメントのプロセスでは，企業は次の3つの疑問に答えることができるようになる。

1. **すべての組織ユニットをどうすれば同じ戦略の実行に向けさせられるか（ビジネスユニットのアラインメント）**：戦略は通常，個々のビジネスユニットのレベルで明らかにされる。しかし，企業は複数のビジネスユニットと機能ユニットからなる。本社レベルの戦略は，個々のビジネスユニットの戦略がお互いに独立して業務を行うビジネスユニットでは活用できないようなシナジーを創造するために統合することができる。企業戦略はシナジーという特定の源泉を明らかにする戦略マップによって記述される。次に経営者は，この戦略マップをビジネスユニットに垂直的に落とし込む。このビジネスユニットの戦略は，(1) 地域の戦略に関連した目標と，(2) 企業戦略と他のビジネスユニットの戦略を統合する目標を反映させることができる。
2. **サポートユニットをビジネスユニットおよび企業戦略とどのように整合性を持たせるか（サポートユニットのアラインメント）**：経営幹部はしばしば，サポートユニットと本社スタッフ機能を，間接部門の目標が業務費用を最小化するといった自由裁量センターとして扱う。その結果，サポートユニットの戦略および業務は，支援する企業およびビジネスユニットの戦略や業務とうまく連携しない。戦略実行を成功させるに

は,サポートユニットがその戦略を企業とビジネスユニットの価値創造戦略へと方向づける必要がある。サポートユニットは,提供する一連のサービスを明らかにするビジネスユニットとサービスレベル・アグリーメント (service-level agreement；SLA) 訳注11 を協議しなければならない。SLA にもとづいてサポートユニットの戦略マップとスコアカードを構築すると,各サポートユニットはビジネスユニットによって実施される戦略を強化する戦略を明らかにし,実行することができる。

3. **戦略の実行を支援するのに従業員をどのように動機づけるか（従業員のアラインメント）**：極論を言えば,従業員とは戦略によって求められるプロセスを改善し,プロジェクト,プログラム,戦略的実施項目を実行する人たちである。日々の業務をうまく戦略と結びつけるべきであるなら,従業員は戦略を理解しなければならない。従業員が戦略とは何かを知らず理解もしないで,その戦略の実行を支援することはできない。企業は,戦略を従業員に理解させ,その戦略を達成するよう動機づけるために公式のコミュニケーション・プログラム（「7 つの異なった方法で 7 回伝達する」）を用いる。経営者は,従業員の個人目標およびインセンティブをビジネスユニットおよび企業の戦略目標へと方向づけることで,コミュニケーション・プログラムを強化する。また,研修計画およびキャリア育成計画によって,従業員は戦略実行を成功するために必要なコンピタンスを獲得できる。

第 5 章では,ベスト・プラクティスの会社が組織ユニットと従業員を戦略へといかに方向づけるかについて述べる。

ステージ 4：業務の計画

本書で明らかにする包括的マネジメント・システムの著しい特徴は,長期

訳注 11 | サービスレベル・アグリーメントとは,サービスの品質や水準を低下させることなく適正な価格の製品サービスを購入するための契約のことである。詳細は櫻井通晴『ソフトウェア管理会計〈第 2 版〉』白桃書房,2006 年,pp.385-398 を参照いただきたい。

戦略と日常業務とを明示的に連結していることである。企業は，プロセス改善活動を戦略的な優先事項と整合させる必要がある。また，事業を行う資源に資金調達することと戦略の企画で一貫性を保たなければならない。業務の計画プロセスで，経営者は以下の2つの主要な疑問に答えることができるようになる。

1. **戦略の実行にとって最も重要なビジネス・プロセスの改善はどこか（重要なプロセスの改善）**：戦略マップにおけるプロセスの視点の目標は戦略をいかに実行するかを意味している。戦略マップの戦略テーマは，戦略マップで明らかにした重要なプロセスからはじめる[13]。たとえば，「イノベーションによる成長」という戦略テーマは，新製品開発プロセスによる際立った業績が求められる。また，「ターゲット顧客のロイヤルティを増強する」という戦略テーマは，顧客管理プロセスを十分改善する必要がある。プロセス改善は財務の視点の原価低減および生産性の目標に役立つが，同時に規制と社会の目標への役立ちに焦点が当てられるプロセス改善もある。顧客の視点と財務の視点の戦略目標で望ましい改善をもたらすうえで重要と見なされるプロセスの業績を企業が向上させるには，TQM，シックスシグマ，リエンジニアリングといったプログラムに焦点を当てる必要がある。

改善にとって重要なプロセスを特定すると，企業は現場のプロセス業績という重要指標で構成されカスタマイズされたダッシュボード 訳注12 を構築することによって，プロセス・マネジメントのチームを支援する。そのダッシュボードは従業員のプロセス改善の努力に焦点を当て，フィードバックしてくれる。プロセス改善を戦略の企画へといかに方向

訳注12　フランスにはタブロー・ドゥ・ボールという現場レベルの複数指標による管理ツールがある。日本語でタブロー・ドゥ・ボールは車のダッシュボードを意味する。KaplanとNortonはBSCの最初の論文でダッシュボードを飛行機のコックピットに変えた。彼らによれば，飛行機をナビゲートし飛行するのは複雑であり，パイロットは飛行にあたって多方面の詳細な情報が必要である。燃料，飛行スピード，高度，方位，目的地など現在と予想される環境を要約した指標である。このように現場レベルで多様な指標で管理することをダッシュボードと呼んでいる。

づけるか，またプロセス・ダッシュボードをどのように作成すべきかについては，第6章で述べる。

2. **戦略を業務計画および予算といかにリンクさせるか（資源キャパシティ計画の立案）**：プロセス改善計画およびバランスト・スコアカードで高いレベルの人々が設定した戦略尺度と目標値は，当年度の業務計画に変換されなければならない。その業務計画は，詳細な販売予測，資源キャパシティ計画，業務費用と資本支出の予算という3つの構成要素がある。

- **販売予測**：企業は戦略的計画の収益目標を販売予測へと変換する必要がある。前述した脱予算経営運動は，企業が今後第5，6四半期の間の販売量を再予測してダイナミックな環境に対応し続けるべきだと説く。年次あるいは四半期で行われる業務計画が販売予測からはじめるとしたら，影響要因にもとづく計画設定といった分析アプローチによって仕事がしやすくなる。詳細な業務計画を作成するにはニーズが予想されなければならないので，その販売予測には個々の販売注文，生産計画，および取引について予想数量，組合せ，特性が組み入れられなければならない。

- **資源キャパシティ計画**：詳細な販売予測を見積期間に必要とされる資源キャパシティ予測へと変換するには，企業は時間適用ABC（time-driven activity-based costing；TDABC）モデルを利用できる[14]。活動基準原価計算はプロセス，製品，顧客，チャネル，地域，ビジネスユニットに関わるコストと収益性を測定するツールとして広く用いられてきた。しかし，その「キラー・アプリケーション 訳注13」は資源計画および予算編成のためにある。TDABCモデルがプロセスごとに取り扱われる取引，製品，顧客に対して資源費用を測定するのにキャパシティドライバー（通常は時間）を用いるので，このようなモデルを用いることによって，計画達成に必要とされる人，設備，備品といった資源の量に対する予想販売量とプロセス改善を容易に見積もる

訳注13 | 人気が非常に高くて多くの人々が使うアプリケーション・ソフトウェア。アプリケーション・ソフトウェア（略して，アプリソフト）の決定版。

ことができる。
- **業務予算と資本予算**：経営者が将来にわたる資源投入量と組合せに同意すると，経営者は（財務上の利益計画にまとめられる）財務数値に及ぼす影響，および業務予算と資本予算を容易に計算できる。企業は資源1単位を供給する原価がわかっているから，資源の種類別の単位原価に，供給が認められた資源の数量を乗じると，販売計画と業務計画のために供給される資源キャパシティ予算が把握できる。資源キャパシティの多くは人件費であり，これは業務費用（OPEX）予算に含まれる。設備資源キャパシティの増加は資本予算（CAPEX）に示される。このプロセスによって，販売計画と業務計画にもとづいて迅速かつ分析的に導かれた業務予算と資本予算が完成する。

その企業は詳細な売上高の予測からはじめ，いまではこれらの予測に関わらせて資源コストも算定できるため，単純な差し引き計算で製品，顧客，チャネル，地域ごとに詳細な見積損益計算書を作成できる。

戦略的計画を資源キャパシティや業務費用および資本予算の計画へいかに変換するかについては，第7章で述べる。

ステージ5：モニターと学習

戦略が決定され，計画され，全般的な業務計画とリンクされると，企業は戦略的計画と業務計画を実行しはじめ，実績をモニターし，新たな情報と学習にもとづく業務と戦略を改善するよう行動する。

企業は**業務検討会議**[訳注14]によって，部門業績と機能業績を検討し，また発生したかあるいは追求すべき課題を取り扱う。**戦略検討会議**[訳注15]を開催

訳注14　原典では，operational review meetings のほかに operational control meetings が使用されている。それぞれ業務検討会議，業務管理会議あるいは業務コントロール会議と異なる表現が使われている。内容は同一なので用語を「業務検討会議」に統一した。

訳注15　原典では，この strategy management meetings のほかに，strategy review meetings と strategy management review meetings が使用されている。それぞれ戦略経営会議，戦略検討会議，戦略経営検討会議と訳出することもできる。しかし，内容は同一なので用語を「戦略検討会議」に統一した。

して，ビジネスユニットのバランスト・スコアカードで指標と戦略的実施項目を検討し，戦略実行の進捗と阻害する状況を評価する。業務検討会議と戦略検討会議を区分することによって，戦略の実行と適応についての議論を取り上げて，短期的な業務上の戦術課題を扱うという落とし穴を回避できる。その2つの会議で，異なる疑問に答えることができる。

1. **業務がコントロールできているか（業務検討会議を開催する）**：短期業績を検討し，すぐ注意しなければならないことが明らかとなったばかりの課題に対処するために，企業は**業務検討会議**を実施する。業務検討会議は，データが業務で生成できる頻度と，途切れなく生まれる多数の戦術課題に対してだけでなく，販売データと業務データに経営者が応答したいというスピードに合わせて開催される。多くの企業は週1回，週2回，あるいは日次に販売，帳簿記入，配送の業務ダッシュボードを検討し，またいま発生したばかりの短期の課題を解決する。たとえば，重要顧客からの不満，配送遅れ，欠陥品の生産，機械停止，当座の資金ショート，主要な従業員の度重なる欠勤，新たに明らかとなった販売機会などがその例である。業務検討会議は，販売，購買，物流，財務，生産業務といった部門の日々の課題を解決するために，その専門家や経験豊富な従業員にも加わってもらって，通常は部門および機能で開催される。この業務検討会議は短時間で終わり，焦点がしっかりと絞られ，データにもとづき，すぐ実施できるものでなければならない。

2. **戦略をうまく実行しているか（戦略検討会議を開催する）**：通常，企業は戦略の進捗を検討するために，リーダーシップ・チームと一緒に月次の戦略検討会議を計画する。リーダーシップ・チームは，戦略の実行が計画どおりに進んでいるかどうかを議論し，実行中に発生している課題を見つけ，その課題がなぜ発生したのかを突き止めて，原因を是正する行動を勧告し，ねらった業績を達成するために責任を割り当てる。PDCAサイクルという見方で戦略と問題解決を考えると，戦略検討会議は戦略のチェックとアクションの部分に相当する。

   戦略テーマの担当責任者は，会議の前にバランスト・スコアカードの尺

度および戦略的実施項目のデータを提供する。会議時間は，前回の戦略検討会議以降に持ち上がった課題に関わる行動計画を議論し選択することに焦点が当てられる。月次会議でBSCの目標，尺度，戦略的実施項目のすべてにわたって掘り下げた議論を行おうとすると，非常に多くの時間を費やしてしまうので，各検討会で戦略テーマの1つか2つについて徹底的に議論を行えるように，企業はいまや戦略テーマごとに戦略検討会議を開催している。このようにすると，各戦略テーマおよび目標について四半期に最低1回は十分な検討および議論が行える。

業務検討会議および戦略検討会議の構成メンバー，頻度，出席者，検討課題，行動については，第8章で述べる。

ステージ6：戦略の検証と適応

業務検討会議と戦略検討会議をたびたび開催するだけでなく，企業は重要な戦略仮説の妥当性を検証するための会議を別に開催する必要がある。最後の主要な検討となり，また戦略の更新となるので，企業の業務ダッシュボードと月次のバランスト・スコアカード測定尺度からの追加データ，競争と規制の環境変化に関わる新たな情報，および従業員が貢献している新たなアイディアと機会を企業は入手する。**戦略の検証と適応の会議**で，以下の基本的な疑問に答えることができる。

1. **戦略はうまく機能しているか（戦略の検証と適応の会議を開く）**：経営幹部チームは，定期的に疑問を投げかけ，戦略に挑み，必要があればその戦略を適応させる。どんな企業も（産業上の競争，技術，消費者のダイナミックなスピードに依存して）少なくとも年次に，おそらく四半期ごとに戦略の検証と適応の会議を開催する。この会議で，経営幹部チームは，戦略業績を評価し，外部環境における最近の重大な変化を考慮する。事実，既存戦略の検証と適応は，最初のマネジメント・システムのプロセスの一部として行われる戦略的分析の一部とならなければならない。このプロセスが第2章で述べるように，新たな転換戦略を導入

するのではなく，既存戦略を修正するためなので，これを別に取り扱って一覧表示する。既存戦略を検証し適応する会議によって，戦略的計画と業務計画の統合システムが循環する。

すでに述べたようにこの会議は，（PESTEL分析を通じて）現在の外部状況と競争環境から情報が入手されなければならない。しかし企業は今日，既存戦略の成否を記述する多数の情報を持っている。

第1番目の活動基準収益性報告書では，製品ライン別，顧客別，市場セグメント別，チャネル別，地域別の損益がまとめられる。これによって経営幹部たちは既存戦略がどこで成功し，どこで失敗したのかがわかる。経営幹部たちは損失を利益に転換し，既存の収益的業務の範囲と規模を拡大する新たなアプローチを形成することができる。

第2番目の報告書は，戦略測定尺度間の関係についての統計的要約である。その関係は，企業の戦略マップと戦略テーマに関わる仮説の関係の妥当性を確かめる。戦略の予想値に対して相関関係がゼロとかマイナスになることがあれば，ときには経営幹部チームは既存戦略の構成要素を問題視したり，中止したりする。

経営幹部チームがその戦略を更新すると，当該組織の戦略マップとバランスト・スコアカードも修正され，新たな戦略企画と業務実行のサイクルが開始される。このサイクルによって，新たな目標値，新たな戦略的実施項目，翌期の販売計画と業務計画，プロセス改善の優先順位，資源キャパシティ要求，財務計画が更新される。戦略的計画と業務計画の準備が整い，翌期の業務検討会議，戦略検討会議，および戦略の検証と適応の会議のスケジュールに必要な情報要件を設定する。第9章では，これらの検証と適応の会議について詳細な事例をいくつか紹介する。

戦略管理室

6つのマネジメント・プロセスは，戦略的計画を業務計画，実行，フィードバック，学習と結びつける統合的で包括的な循環システムを提供する。そのシステムは動かすことができる部分もあるが相互関係にある部分もたくさ

図表1-4

戦略管理室は3つの重要な役割を担う

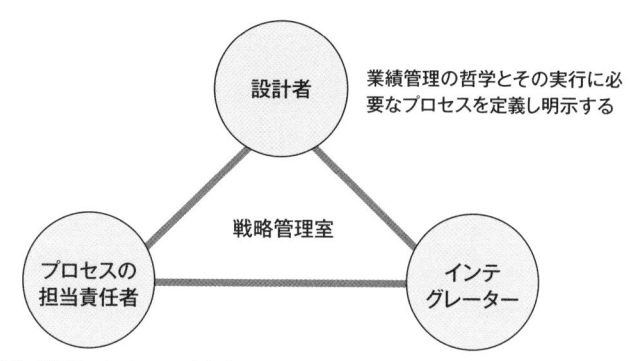

```
                   設計者
                     ●──────── 業績管理の哲学とその実行に必
                    ╱ ╲         要なプロセスを定義し明示する
                   ╱   ╲
                  ╱戦略管理室╲
                 ╱         ╲
   プロセスの ●───────────● インテ
   担当責任者              グレーター
```

戦略管理に必要なプロセスの実行を　　他の機能別経営幹部が担当責任者と
定義し，構築し，監視する　　　　　　なり実施しているプロセスを確実に戦
　　　　　　　　　　　　　　　　　　略とリンクさせる
　・戦略の構築
　・戦略の企画　　　　　　　　　　　・人事管理
　・組織のアラインメント　　　　　　・戦略の伝達
　・業務の計画　　　　　　　　　　　・戦略的実施項目の管理
　・戦略の検討　　　　　　　　　　　・財務資源の管理
　・戦略の検証と適応　　　　　　　　・主要プロセスの管理
　　　　　　　　　　　　　　　　　　・ITマネジメント

んあり，ラインとスタッフのすべての組織ユニットのなかで同時に調整が求められる。

　たとえば財務部による予算編成，人事部による個人目標と伝達，業務部門によるプロセス・マネジメントなどの既存プロセスは，今日企業のいろいろな部分で機能しているが，戦略的に整合させるには修正と調整が行われなければならない。そのような既存のプロセスは，今日実施しているものと同様に，未調整のままの一連のプロセスとしてではなく，1つのシステムとして機能しなければならない。さらに，著者たちは戦略に組織ユニットと従業員を方向づける戦略マップとバランスト・スコアカードの構築といった新たなプロセスを提案している。これらはほとんどの企業にとって新しいプロセスなので，既存の組織構造のなかでしっくりくるものではない。企業がこのよ

うな新たに導入された成熟したマネジメント・プロセスという複雑で相互関係を持つシステムを実施するには，明らかに複雑な仕事に直面する。

　ほとんどの企業のプロセスは，それを動かす担当責任者に割り当てられ，また，その業績に責任が求められる。CFO（chief financial officer；財務担当最高責任者）は予算編成プロセスの担当責任者であり，人事部長は従業員の業績管理のプロセスを担当し，品質部長はTQMやシックスシグマの改善プロセスを推進する。しかし戦略実行システムの複数の連結したプロセスを担当する個人あるいは部門を持つ組織がほとんど見当たらない。著者たちは，戦略実行システムのプロセスの担当責任者となる**戦略管理室**（office of strategy management；OSM）と称する新たな組織の機能が必要であることを認識した(15)。

　高い業績をあげている企業の戦略管理室は，機能ユニットとビジネスユニットをまたいで戦略と業務をリンクする活動を統合し調整する。戦略管理室は，いろいろな頻度で開催される多様な計画と統制のプロセスを同期化する訳注16。ダッシュボードと業務検討会議は日次ないし週次で開かれ，戦略尺度と戦略的実施項目の情報は戦略検討会議の情報として月次に収集され，そして外部環境と分析調査の系統立った調査は四半期および年次の戦略の検証と適応の会議のために準備される。これらのサイクルがすべてお互いに矛盾がなく統合されなければならない。

　新たな組織としての戦略管理室は3つの一般的な役割を担う（図表1-4に要約）。第1に，**設計者**（architect）としての戦略管理室は，新たな戦略と業務のマネジメント・プロセスを設計する。戦略管理室は，計画，実行，フィードバックの構成要素をすべて適切に行い，循環するシステムのなかで連結がとれるようにする。

　戦略管理室は，マネジメント・システムのたくさんの主要なプロセスの**担当責任者**でもある。戦略管理室は，戦略を構築し，戦略を企画し，戦略に組織ユニットを方向づけ，戦略を検討し，そして戦略を検証し適応することを含めて，ビジネスと機能のラインが交差するプロセスを実行しやすくする。

| 訳注16 | 同期化（synchronize）とは，複数の活動が一つの統一した方向に向けさせることである。ここでは多様な戦略と業務の活動を統合して進めていくことである。|

最後に，戦略管理室は財務管理，戦略の伝達，人事計画，業績管理，IT計画，戦略的実施項目のマネジメント，最適業務配分など，既存の多様なプロセス領域を戦略が取りまとめることができるようにしなければならない。ほとんどの組織では，これらのプロセスはすでに存在しており，担当責任者もいる。しかし，これらのプロセスは独立して動いており，戦略へと方向づけられていない。戦略管理室はこれら多様なプロセスのすべてを戦略に方向づける**インテグレーター**（integrator）として仕事をする。

第10章で，戦略的計画と業務実行のマネジメント・システムに組み込まれたプロセスの設計者であり，担当責任者であり，インテグレーターである新たな組織としての戦略管理室の役割と責任を記述して本書を締めくくる。

リーダーシップの役割：必要条件と十分条件

6つの戦略マネジメント・システムのいくつかは明示的なものばかりではないが，経営幹部のリーダーシップはマネジメント・システムのすべてのステージで影響力を発揮する。本書を通じて，戦略を成功裏に実施している（北と南アメリカ，ヨーロッパ，インド，日本など）いろいろな地域や国の企業について述べる。それらの企業は，製造，金融サービス，消費者サービス，非営利，教育，公的部門といった多様な産業で経営している。その戦略は異なっている。ある企業は低コストの日用品やサービスを提供し，他の企業は顧客にすぐれたソリューションを提供し，さらに高度な技術を持った製品で革新をはかる企業もある。これらの成功した多様な戦略の実行ですべてが共通に持っている唯一の共通要素は，優秀でビジョンを持ったリーダーシップである。どんな事例でも，ユニットのCEOは変革を起こし，ビジョンと戦略をすべての従業員に伝達することの意義を理解していた。このようなトップの強烈なリーダーシップがなければ，本書が採用する包括的なマネジメント・システムであったとしても，ブレークスルーできる業績を導くことはできない。

事実，リーダーシップは著者たちが**必要十分条件**であると考えるほど戦略マネジメント・システムにとってきわめて重要である。必要条件はバランス

第1章　戦略実行のプレミアム

ト・スコアカード殿堂入りとなった世界中の100以上の企業の経験からもたらされる。どんな場合でも，新たな戦略マネジメント・システムを実行する組織ユニットのCEOは，戦略を構築し，その戦略実行を監視させるプロセスの作成を主導しなければならない。戦略マネジメント・システムを持って成功したと報告する企業で，不熱心であったり消極的なリーダーはどこにもいなかった。

- **ステージ1**で，CEOがチェンジ・アジェンダを指揮し，ミッション，バリュー，ビジョンを強化するためにトップが動く。
- **ステージ2**で，経営幹部のリーダーは，ステージ1で明らかにされた戦略の可視化として戦略マップを確認し，すべての従業員が満足するよりも高い目標値に組織を挑戦させる。
- **ステージ3**で，リーダーシップは，組織ユニットを連携させ，またビジョン，バリュー，戦略をすべての従業員に伝達するのにきわめて重要である。
- **ステージ4**で，リーダーシップは組織ユニット横断的なプロセス改善を支援する。
- **ステージ5**で，戦略検討会議を運営するリーダーがどの程度広く意見を取り入れるか，またスキルを持っているかによって，その年の戦略の微調整が有効となるかが決まる。
- **ステージ6**で，リーダーは，新たな外部環境，既存戦略の業績について収集したデータ，および組織全体にわたる従業員の新たな示唆を考慮して，よく練って実行した戦略に挑戦させなければならない。既存の事業戦略に対して事実にもとづく挑戦を受け入れさせ，またそれを条件とさせることが効果的なリーダーシップを保証する一つである。

ところが，**十分条件**の要求はなお難しい。本書で記述するマネジメント・プロセスによって，有能なリーダーは優れた戦略実行のフレームワークを知ることになる。マネジメント・システムの6つのステージはいずれも，リーダーにとっては，戦略の構築，計画，実行，検討，適応を管理するための包

括的で証明されたシステムとはならない。

　本章の初めで戦略実行がしばしば失敗する残念な統計を示したが，世界中のあらゆる部門や地域の企業を18年間観察し，また仕事をしてきた結果が，戦略実行の科学を創発する原動力になっていると考えている。戦略マネジメント・システムの6つのステージ各々は，シニアレベルの戦略管理室が指導したときには特に実行可能である。著者たちが青写真を描けない要素の一つは，ビジョンを持った有能なリーダーシップである。というのは，経営幹部のリーダーシップは，いまや戦略実行が成功する必要十分条件であると考えるからである。

戦略実行のプレミアム

　BSCを紹介して8年が経過した2000年に，著者たちはバランスト・スコアカード・コラボラティブの仲間とともに，バランスト・スコアカード殿堂入りを設けた。著者たちの意図は，企業が自らの戦略を成功裏に実行し，躍進的な業績結果を達成するために，称賛に値する方法でBSCを利用した世界中の企業を公的に認めようということであった。著者たちはまた，成功した企業から最善の実務を特定し学習してきた。企業にこの賞を与えるときに2つの規準を用いた。

1. 公式の戦略実行システムとして戦略マップとバランスト・スコアカードを用いているか [16]。
2. 十分その資格があり，妥当と認められた結果を証拠として，戦略を成功裏に実行してきたか。

　BSCプログラムが最初に導入されてから，ほぼ100社が殿堂入りした [17]。殿堂入りした企業はすべての分野にわたり，また世界中のあらゆる国にわたっているが，戦略を記述し実行するアプローチは似かよった原則にしたがっており，また戦略実行のプレミアムをもたらした。本章は，2006年にBSC殿堂入りしたマリオット・バケーション・リゾートの経験を記述する

ことからはじめた。殿堂入りしたその他のいくつかの企業も，新たなマネジメント・システムの高いレベルのプロセスを構築し実行することで傑出している。リコー・コーポレーション，ラックスファー・ガス・シリンダー，ノルディアの短いケースで本章を締めたいと思う。

リコー・コーポレーション

　約10年前に多くの買収を開始すると，リコー・コーポレーションは，リコーUSA，ラニエ，リコー・カナダ，リコー・ラテンアメリカからなる4つのビジネスユニットを統合するグローバルで総合的な戦略が必要になった[(18)]。企業のOA機器と電子製品の市場需要が大きく変化したために，日本リコー傘下であるニュージャージー子会社の経営幹部はきわめて重要な行動に出る必要があると認識した。

　2001年，当時のCEOであったカツミ・カーク・ヨシダ（吉田勝美）氏[訳注17]は同社の伝統的製品である白黒デジタル複写機，ファックス，レーザープリンターの需要の伸びが落ち込み，カラー製品，複合複写機，それにプリンターの市場が急速に拡大していると結論づけた。さらに吉田氏は，リコー・コーポレーションがもはや製品の卓越性やイノベーションだけでは持続可能な価値創造の決定的な要因としてあてにできないことを知った。顧客関係重視がリコーの将来の成功にとってきわめて重要となり，このことはリコー製品に対してソリューションアプローチを取り入れるということを意味している。リコー・コーポレーションの多くのビジネスユニットが，包括的でカスタマイズされたソリューションを提供するようにもっと完全に統合されるべきであると吉田氏は考えた。そこで2001年に，同社は集中すべき新市場についての議論を開始し，必要とされる戦略転換のフレームワークとしてバランスト・スコアカードを導入しはじめた[訳注18]。

　時期がよかった。というのは，同社の第14期3カ年戦略的計画（中期計

訳注17	リコー・コーポレーションの日本人の氏名はすべて，リコー本社に確認したうえで漢字表記した。
訳注18	日本のリコーは，1999年に戦略的目標管理制度としてBSCを導入した。日本のリコーがBSCを導入した経緯については，伊藤和憲『戦略の管理会計』中央経済社，2007年，pp.39-43を参照いただきたい。

画；MTP）の作成を開始するために，リコー・コーポレーションの組織横断的な経営幹部チームがちょうど召集されたところだったからである。そのチームは企業の戦略マップと BSC を構築し，次に 4 つのビジネスユニットすべての戦略マップとスコアカードを構築した。ラテンアメリカでは，同社は戦略マップと BSC を 12 カ国の子会社へと落とし込んだ。吉田氏はすべてのビジネスユニットが同じページに BSC の主要な共通尺度を 10 個設定するようにし，またコンサルティングチームは BSC の構築と実行を通じて経営者を訓練した。従業員の連携を促すために，そのコンサルティングチームはビジネスユニットの BSC 上にある従業員の目標と尺度だけでなく，本社の目標および尺度とも整合性のある 3～5 個の目標ですべての従業員を測定した。従業員の個人目標を達成するために，従業員の報酬と業績連動型賞与を業績測定と結びつけた。

リコー・コーポレーションはさらに 2005 年の第 15 期中期計画を構築したとき，BSC プログラムを改定した。吉田氏の後継者であるススム・サム・イチオカ（市岡進）氏は，2007 年までに 29 億ドルの会社を 38.5 億ドルの企業にするという野心的な成長戦略を策定した。改定された戦略は，1999 年に設定された「ドキュメントソリューションでアメリカ No.1 企業となること」と同じミッション，ビジョン，コア・バリューをベースにした。リコー・コーポレーションが顧客への集中に変更したことを反映するために，ビジョンやバリューを再検討した。たとえば，ビジョンをさらに高いレベルに引き上げ，「顧客のドキュメント投資利益率が最大となってフォーチュン 500 社の仲間入りすること」とした。戦略テーマは，いまでは顧客ニーズがいっそう強化された。

企業はまた，戦略策定プロセスを改定し，新たな戦略マップと BSC を作成した。2004 年から 2005 年の 6 カ月間以上にわたって，4 社の戦略企画チームの経営幹部は，定期の戦略策定会議を開催して戦略的実施項目を特定した。戦略的計画を機能させるために 2004 年に設立された戦略企画室では，組織全体の戦略実行を監視する役割が課された 4 つの主要な機能横断的チームのために，一連の会議を開催した。戦略企画室長で副社長のサム・ホソエ（細江康彦）氏，およびその他の経営幹部は，改定した戦略を反映させた新

たな戦略マップとBSCを作成した。リコー・コーポレーションは、コーポレートとビジネスユニットのいずれにも四半期と月次の戦略検討会議のプログラムを設けた。

同社は通常の業務予算に加えてプロジェクトの定義、方向づけ、優先順位づけに独自のアプローチを取り入れた。ビジネスユニットは、毎年、戦略プロジェクト用の投資資金を競い合う戦略的実施項目を提案した。CEOと戦略企画室のメンバーは競争に勝った戦略的実施項目から、その戦略的実施項目の戦略的重要性にしたがって資金を配分した。

これらの活動を行った結果、リコー・コーポレーションは結果を向上させた。副社長とCFOのクニ・ミナカワ（皆川邦仁）氏は、「わが社の戦略マップとバランスト・スコアカードは事業を管理する革命的方法であり、すべての人が戦略達成の貢献を理解できるようにする方法である」と結論づけた。このアプローチを通じて、リコー・コーポレーションは戦略志向の組織に移行している。リコー・コーポレーションの戦略実行のプレミアムは、以下のとおりである。

リコー・コーポレーションの戦略実行のプレミアム

- アメリカでのリコー・コーポレーションの売上高は前年より増加し、2004年度は6.8％増加した。2004年にリコー・ラテンアメリカは事業を行っている国ではじめて利益がでた。
- カラーと白黒のデジタル複写機のマーケットシェアは、2001年の17.6％から2004年には24.1％に増加した。
- 顧客関係性を向上するために2003年にはじめた戦略的実施項目の連携プログラムは、丸一年（2004年度）で売上高を42％増加し、2005年後半までに、前年より172％の収益増となった。
- ブランド認知は独立調査会社のコンセンサス・リサーチ社によって測定されたが、2003年から2004年でかなり上昇した。
- リコー・コーポレーションはリサイクル可能なゴミの総量が2001年の19.1％から2004年の25.1％に増加した。アメリカでのリ

コーの製造設備は埋立ゴミをゼロ，すなわち100％の資源回収率を達成した。

ラックスファー・ガス・シリンダー

　ラックスファー・ガス・シリンダー（LGC）社は，1958年に英国で設立され，その後1972年に米国で業務を開始した[19]。LGCは，ガス詰め用シームレス押出成型のアルミニウム製と合金製の高圧ボンベの開発，生産および販売では世界のトップ企業である。LGCの製品市場は，医療ガス，消防とレスキュー隊の生命維持ガス，飲料用・消火器用・スキューバダイビング用のガス，自動車の代替燃料用ガスなどが含まれる。英国のノッティンガムとカリフォルニアのリバーサイドに本部があるラックスファーは，2006年度には世界中に981人を雇用し，売上高が120400万ポンドを記録した。米国に4つ，英国，フランス，中国にそれぞれ1つの製造設備，また世界中に販売，回収，流通センターがある。

　1996年から2000年までは，LGCは買収によって取得した新たなビジネスユニットの業績を統合するために業務の卓越性戦略を遂行した。LGCが提供する主要なマーケットすべてで主要なポジションを獲得することで，各ユニットは成功をおさめた。

　経営幹部が2001年の後半に外部を見たところ，市場脅威を発見した。大量生産の日用品のマーケットシェアは競争の高まりによって浸食され，技術の進展が中核事業を脅威に晒し，その結果，同社は市場と新技術の登場により能力がなくなった。LGCの社長であるジョン・ローズは，これからも大量生産品の業務の卓越性に集中していくとLGCの現在のポジションを維持できなくなり，ほとんど成長のプラットフォームにならない，ということを理解した。すなわち，「われわれがどこに向かっていたのかを問い直し，同じページにすべての人を向ける必要があったと強烈に感じた。というのは，経営者の何人かが私が感じた変化に強く抵抗するだろうと考えたからである。」

　米国医療市場（LGCにとって最大の市場）での激化した競争と価格戦争などの新たな展開によって，別の戦略が強く求められた。また，LGCヨー

ロッパのビジネスユニットの経営者たちの間で,「われわれ対彼ら」といった態度が蔓延している。「LGCは実際のところ1つの企業(として行動)しておらず,分権化した地域事業の集まりだ」とローズはいう。

ローズは,将来の新たな戦略的アプローチを展開するために2002年の第2四半期にグローバルマネジメントのオフサイトミーティングを開催した。その会議には,世界中の経営者が真剣で,ときには口角泡を飛ばす議論となるほど活発に参加して,広範囲にわたる部門横断的な取組みとなった。その参加者たちは,LGCが日用品の販売による短期への集中から,アルミニウム製に代わる軽合金製などのように,価値も利益率も高いものを積極的に取り入れる長期的な顧客志向の品へ移行するように新戦略を導入した。ローズによれば,新戦略は,LGCが「競争相手のように短期的な戦術によってもたらされる不安定な市場へ安易に反応するといったことではなく,価値にもとづく安定した市場リーダーシップを維持」できるようになることである。

マネジメント・チームは,同社の3地域のスコアカードはもちろんのこと,同社の最初の戦略マップとバランスト・スコアカードを新たな戦略に転換した。地域の戦略マップに本社の戦略マップと同じ要素をいくつか取り入れたが,地域の市場および戦略上のねらいも反映させた。たとえば,アジア・太平洋地域とヨーロッパ地域の戦略マップは,その他の地域より販売力が弱かったので,合金製の販売の拡大が強調された。

経営幹部チームはさらに,(第3章でもっと詳細に記述する)戦略マップの主要な戦略テーマを導入し,それぞれの戦略テーマに担当責任者を割り当てた。それぞれの戦略テーマには世界中の代表者からなる運営委員会もある。新たな組織構造により,LGCはもはや自律的な地域ユニットの集合ではなくなった。

戦略とは生きながらえることであるという認識を持って,ローズと経営幹部チームは2005年に,(たとえば,重要な原料の不足と価格上昇といった)グローバル市場の変化とBSCの3年間の経験から学んだ教訓とを反映させて,LGCの戦略マップを検討し改定した。新たな戦略マップは,非常に明確に顧客志向で市場志向のイノベーションに集中した。LGCは従業員のマーケティングスキルを強化するための訓練と製品開発への投資を増加した。

同社は，組織文化を通じてBSCが組み込まれた。ローズによれば，BSCはLGCの「DNA」のなかにあるという。経営者は新たなアイディアが提案されたとき「それは戦略マップにあるのか」，つまり「それは戦略なのか」と逆質問する。その答えがいいえなら，従業員はそのアイディアを調査するような「時間の無駄」はしない。LGCが構築した戦略実行のプレミアムは以下のとおりである。

LGCの戦略実行のプレミアム

・LGCの海外競争相手の1社が倒産し，国内の主要な競争会社もいま倒産しかかっているというように，売上高は（ヨーロッパで22.4%）増加し，利益は倍増した。
・LGCは売上高固定費率を31.9%から26.5%に削減し，6900万ポンド（1億2800万ドル）の利益留保をもたらした。
・LGCの製品ポートフォリオは今日，（アルミニウム製に対して合金製という）高い技術で高い利益の製品がほとんどを占めた。合金製の売上高は2倍を超え，（2001年の24.5%に対して）いまや総売上高の43.5%を占めている。
・LGCの頭脳集団は，低価格の競争相手にとられている以前の主要な顧客を取り戻すことができるように顧客サービスに焦点を当てた。他の数社も同じように行ってきたことではあるが，この同じ顧客がいまでは広告となってLGCブランドを著しく宣伝する主役となった。
（すべては2001年から2006年までの数値）

ノルディア

　ノルディアはデンマーク，ノルウェー，スウェーデン，フィンランドの国内銀行4社が合併して1つとなり1990年代に設立された金融機関である[20]。2000年までにノルディアは，北欧とバルト海地域の金融サービスでトップグループになった。同社の株式は，ストックホルム，ヘルシンキ，コペン

ハーゲンの取引所に上場された。従業員3万1000人，顧客1100万件，北欧諸国でのマーケットシェアは45％であった。1225支店のリテールバンキング業務は最大の事業領域であるが，法人取引，金融機関取引，およびアセットマネジメントの主要な業務も行っている。

　ノルディアのシニアマネジャーたちは，以前の企業で使用していた伝統的な損益予算に幻滅を感じるようになった。予算はマネジメントの注意を将来の業績ではなく，過去の業績に向けさせてしまうと感じられたからである。また，年次予算のプロセスは膨大な作業が必要であった。予算が承認された後で利子率と株式市場が変化すると，予算年度がはじまる前に予算そのものが陳腐化してしまうことがたびたび起こった。予算プロセスは硬直的で，事後承諾による予算の変更は認められず，経営者たちの間で不満がたまった。取扱いが厳格で編成・承認・実施のコストが高いということを別にしたとしても，予算は銀行の戦略課題とほとんど結びつかない。予算が市場環境の変化によって陳腐化してしまうと，経営者には戦略の進捗をモニタリングするフレームワークがなくなる。

　ノルディアの経営幹部たちは株主の価値創造に焦点を当てて，戦略を業務と結びつける新たなマネジメント・システムの導入を決定した。経営幹部たちは将来志向で行動志向であり，かつ現在と将来の業績を更新し続けてくれるシステムを求めた。そのシステムは，企業全体のあらゆる従業員にとって戦略実行の一助となる「一つの銀行――ノルディア・ウェイ」という企業文化に貢献するといえよう。

　計画と業績管理モデル（PPMM）という新たなシステムは，3つの新たな構成要素からなる。第1は，事業計画を業務測定尺度，目標値，行動計画に変換するために，PPMMはバランスト・スコアカードを構築した。第2は，年次の硬直的な予算を，PPMMは四半期ごとに5四半期の**ローリング財務予測**（RFFs）に取り替えた。第3は，戦略実行するビジネスユニットが必要とするコスト効率のよいサービスを確保するために，PPMMは内部サービス提供者とビジネスユニットとの間でSLAが求められた。

ノルディアのバランスト・スコアカード　ノルディア本社のバランスト・ス

コアカードは，以下の4つの戦略テーマを利用して戦略を記述した。

・資本効率と高品質の信用ポートフォリオの確保
・業務の卓越性，徹底したコスト・マネジメント，複雑性軽減の確保
・安定的利益と利益率向上の確保
・モチベーションがかなり高く，能力があり，業績志向の従業員（学習と成長の視点）の獲得，育成，雇用

　事業領域の長は自らの事業部の戦略を明らかにするためにノルディアグループの戦略マップを構築したときの経験を活用した。このようにしてノルディアは企業全体にわたって本社のスコアカードをビジネスユニットとサポートユニットに落とし込んだ。各事業領域の戦略マップには，多様な領域にわたる特定の戦略課題を反映させるために少し調整して，高いレベルの人々が構築した戦略マップの4つの戦略テーマすべてを取り込んだ。たとえば，ノルディアの法人取引と金融機関取引の領域のなかでリスクマネジメントを効果的に行うことは，「資本効率と高品質の信用ポートフォリオの確保」というノルディアグループの戦略マップの目標を支援することになる。

　2004年中旬までにノルディアは，主要な法人取引と金融機関取引，およびアセットマネジメントの各ビジネスユニット，さらにすべての主要なサポート機能（IT，財務，法務，人事など）のバランスト・スコアカードと同様に，リテール業務でも1000のスコアカードを作成した。

　ノルディアは企業全体にわたって，広範囲かつ体系的に同社の戦略を伝達した。同社のイントラネットによってすべての従業員がBSCの教育を受けられ，訓練のモジュールとして使え，そしてプレゼンテーションができた。ノルディアが中心的に事業を行っている国の従業員は，英語（グループ言語）はもちろんのこと，自国言語で現地の画面を見ることができる。このイントラネットへの関心が高まり，同社のホームページは2004年の第1四半期間に，月当り6000件以上の閲覧回数となった。同社の四半期ごとの（デンマーク，フィンランド，ノルウェー，スウェーデンおよびイギリスで発行された）社内誌 Nordic Ideas（北欧のアイディア）では，社内BSCユーザー

とのインタビューやBSCについての教育的記事を特集している。

さらに連携を強めるために，ノルディアはシニアマネジャー（および何人かのミドルマネジャー）の目標とインセンティブを自らのBSCと関連づけた。500人が個人のバランスト・スコアカードを持った。同社は経営業績を，業務のSLAの数およびすべての正規従業員の個人別人材育成計画の設置数というような尺度で評価した。

1000支店以上にわたってリテールネットワークのスコアカードを広範囲に展開したことで，主要な業績測定尺度について内部ベンチマーキングができるとともに，支店間の激しい競争が行われた。シニアマネジャーは，四半期ごとに戦略マップを検討し，また現状と予測される業務状況にもとづいて目標値を更新した。

ローリング財務予測　年次のボトムアップ予算プロセスを止めて，ノルディアは次の第5四半期間の主要な財務測定尺度について四半期ごとに予測を行った。同社のさまざまなバランスト・スコアカードで報告される直近の事業業績，および外部事業環境の現状と予想される状況にもとづいて予測が行われた。主要な事業領域とサポート機能の長，それにコントローラーがその予測プロセスを担当した。予測は，経営者による将来の財務業績の最も可能性の高い見積であった。経営幹部は，目標値を設定し業績を評価するときにはその予測を利用しなかった。

いまや廃止してしまった予算の詳細な勘定科目の様式とは対照的に，四半期別予測には，各ビジネスユニットのバランスト・スコアカード上で財務測定尺度と関係する高いレベルの人々が関心を持つ財務数値しか含めなかった。四半期別報告書は，1ページに前期と今年度の実績，および翌年以降の予測を示した。

経営者はみな，高いレベルの人々の新たな予測プロセスの実行が，予算を用いたときよりもすごく実施しやすくコストもかからず，非常に柔軟だと感じた。各予測に加えて，ビジネスユニットの長は主要な仮定，収益・コスト・業務量を変える重要な影響要因，それにビジネスユニットのバランスト・スコアカードに及ぼす予測の影響について意見を述べるようになった。

2004年中旬まで，四半期ローリング予測のプロセスは，リテールバンキングの4カ国の地域ユニットすべてと，法人取引および金融機関取引に関わる4つのビジネスユニット，アセットマネジメントと生命保険に関わる5つのビジネスユニット，それにITと業務に関わる4つのサポートユニットで実施してきた。短期的な事業状況の変化が起こってもその他のサポートユニットのサービス需要にはそれほど影響を及ぼさなかったので，そのようなサポートユニットは年次予測を行った。

会議のスケジュール　ノルディアは毎年の年次戦略の企画プロセスを第2四半期に開始し，第4四半期の予測で終了した。第4四半期の予測にはグループとビジネスユニットとの戦略的アラインメントと目標値設定，および次年度のSLAを組み込んだ。次年度の4つの四半期のローリング予測は，BSCの目標値とローリング財務予測が一致している場合には，当該年度のバランスト・スコアカードの財務業績目標値となった。

財務予測が変化するとBSCの業績目標値を変更するという管理を行うと同時に，次年度中にマネジメントは，ねらったBSCの業績目標値を実績と比較した。BSCからローリング財務予測への情報の流れには，バランスト・スコアカード業績の四半期別の検討で採択された新たな戦略的実施項目の影響が反映された。四半期別BSC検討とローリング財務予測更新との間に持ち上がったいろいろな問題や機会に対処して短期的で戦術的な行動をとるために，経営者は業務上の月次の重要業績指標（KPI）と週次の販売データをモニタリングした。

四半期の戦略検討会議で，四半期のバランスト・スコアカード報告書に示したように，経営者は市場の状況と市場競争，および全般的な業績を検討した。それぞれの戦略マップには業績を下回った理由についての経営者のコメントと，戦略的実施項目の最新の状態がつけられた。業績ギャップの根本的な原因を理解して是正措置を示唆するために，経営者は業績不振（赤）となっている目標や戦略テーマを徹底的に分析した。

赤への対応に加えて，マネジメント・チームは各四半期の会議で4つの戦略テーマの一つを掘り下げて検討した。経営者たちは，その戦略テーマが正

しい業績測定尺度，目標値，戦略的実施項目となっているかどうか，また戦略の変更が企図されるべきかどうかを議論した。戦略検討会議が行われた後，是正措置および戦略的実施項目の変更すべてについての知識を持って，経営者はローリング財務予測を更新した。

戦略実行のプレミアム　シニア・バイス・プレジデントでグループ企画室長のスベン・エドビンソンは新たなマネジメント・システムの影響について，以下のようにコメントした。「バランスト・スコアカードは，ノルディアの検討課題と思考様式を変えた。以前，マネジメントの議論は予算差異とその原因についてだった。いまでは，業績ギャップを埋めることについて話している。非常に将来志向かつ行動志向で，また戦略的アラインメントと戦略実行に非常に集中させるチームベースのマネジメント文化を創造してきた。会議ではBSCを使って，戦略的実施項目の現状を含めて業績の順位づけと業績報告をコミュニケートしている。」

ノルディアのCFOであるアーン・リジェダイは以下のように述べた。「明確に示されたBSCにもとづく目標値を持つことで，BSCは経営幹部，経営者，従業員のアカウンタビリティを高めるとともに，彼らの行動に強く影響を及ぼした。」

また，エドビンソンは次のように結論づけた。「BSCは，一つの銀行としてのノルディアを創造するために，戦略を継続したプロセスにするとともに，そのプロセスをも加速した。」ノルディアの戦略実行のプレミアムは，以下のとおりである。

ノルディアにおける戦略実行のプレミアム

・株主総利回りが2003年に47.9％に達し，ノルディアは同業20社のなかで第3位の銀行となった。
・2003年にノルディアの営業利益は17％増加した。
・市場上位ランキングで，2003年の15位から2004年には8位になった。

・シニアマネジャーは自らの活動をきわめてたやすく順位づけ，最大の戦略的努力を傾けることができる。

要約

　戦略実行システムを効果的に行うビルディングブロックの多くはすでにある。戦略的ビジョンの設定と戦略策定のツールが構築されている。戦略マップとバランスト・スコアカードなどの戦略の企画ツールは，10年以上にもわたって企業で利用できる状況にある。また，ほとんどの企業がみな，品質管理，プロセス改善，ダッシュボード，ABCといった業務ツールを利用する。ところが，適切に整合がとれ，同期がとれるように，これらのツールをすべて統合する包括的なフレームワークがない。

　本書で著者たちは，以下のような戦略実行プロセスを支援するために，企業がマネジメント・ツールと統合された6つのステージの包括的で循環的なマネジメント・システムを提案する。

- 戦略の構築
- 戦略の企画
- 組織ユニットと従業員の戦略へのアラインメント
- プロセス・マネジメントの優先順位を決め，また戦略を生み出す資源を配分して業務を計画する
- 業務と戦略をモニターし学習する
- 戦略を検証し適応する

　企業はこれらの要素について公式の構造が必要である。さらに，企業は統合システムを設計させ，そのなかで主要なプロセスを達成させ，そしてまたそれ以外のプロセスとその他の組織機能とを調整させる新たな組織ユニット（戦略管理室と称するユニット）が必要である。

　戦略実行プロセスと組織的インフラは新たな管理の方法である。戦略実行

のプロセスは，戦略を企画し，戦略を業務と結びつけるシステムアプローチを創造する。本章のケーススタディは，このアプローチを取り込んだ初期の採用企業で実現された戦略実行のプレミアム（戦略実行が成功した見返り）を例示したものである。概念，ケース，方法論を組み合わせて，本書は，バランスト・スコアカードで戦略と業務を管理するシステムの基礎を述べる。

【注】
(1) 出典不明。いくつかの翻訳書を注意して読んだが，この引用を実際に使っているところは明らかではないが，広く孫子の兵法から引用される。
(2) M. Porter, "What is Strategy ?" *Harvard Business Review* (November-December 1996)（中辻萬治訳「戦略の本質」『DIAMOND ハーバード・ビジネス』1997年2-3月号, pp.6-31）.
(3) M. Hammer, "Redesigning the Practice of Management,"これは, *Management: The Last Process Frontier*, Hammer & Company Conference, Cambridge, MA, December 4, 2006 のプレゼン資料である。
(4) 2007年のバランスト・スコアカード殿堂報告書（Boston: Harvard Business School Publishing, 2007）からの抜粋。
(5) 8つの主要なプロセスは，顧客関係管理，製品供給管理，市場への新製品，財務と会計，人的資源，情報資源，法務，リゾートサービスである。
(6) "Marriott Vacation Club International," *Balanced Scorecard Hall of Fame Report: 2007* (Boston: Harvard Business School Publishing, 2007).
(7) S. Hawkes, "Thousands of Jobs to Go at BP as Chief Acts to Cut Overheads," *The Times* (London), Business Section, October 12, 2007.
(8) www.bscol.com のオンラインコミュニティ・メンバーを調査した。そのメンバーは戦略実行のためにバランスト・スコアカードを用いることに関心があるとして自選でコミュニティに参加したので，その54％という数値は，民間企業と公的部門のすべての企業の戦略実行のマネジメント・システムの割合よりもほぼ確実に高い数値となっていた。
(9) これらのプロセスは著者たちの調査から描いた。これらのプロセスと，戦略の企画と業務の実行を統合する著者たちの6ステージシステムを混同すべきではない。この点については，本章の後半で紹介し，本書の残りの章で詳しく述べる。

(10) B. Marr, *Business Performance Management: Current State of the Art*, survey report, Cranfield School of Management and Hyperion, 2004.

(11) R. Lawson, D. Desroches, and T. Hatch, *Scorecard Best Practices: Design, Implementation, and Evaluation*（Hoboken, NJ: John Wiley, 2008），pp.59-60.

(12) J. Hope and R. Fraser, "Who Needs Budgets?" *Harvard Business Review*（February 2003）（スコフィールド素子訳「脱"予算管理"のマネジメント」『DIAMONDハーバード・ビジネス・レビュー』2003年6月号, pp.24-33）; T. Hope and J. Hope, *Beyond Budgeting: How Managers Can Break Free from the Annual Performance Trap*（Boston: Harvard Business School Press, 2003）（清水孝監訳『脱予算経営』生産性出版，2005年）．

(13) 学習と成長の視点あるいは財務の視点の目標を収集するためというような同種の戦略テーマは例外であって，プロセスの視点のなかだけではじめるものではない．

(14) R. S. Kaplan and S.A. Anderson, "Time-Driven Activity-Based Costing" *Harvard Business Review*（November 2004）, pp.131-138（スコフィールド素子訳「時間主導型ABCマネジメント」『DIAMONDハーバード・ビジネス・レビュー』，2005年6月号, pp.135-145）; Kaplan and Anderson, *Time-Driven Activity-Based Costing*（Boston: HBS Press, 2007）

(15) R. S. Kaplan and D. P. Norton, "The Office of Strategy Management", *Harvard Business Review*, October 2005, pp.72-80（井上充代訳「戦略管理オフィスの活用法」『DIAMONDハーバード・ビジネス・レビュー』2006年3月号, pp.86-96）．

(16) R. S. Kaplan and D. P. Norton, *The Strategy-Focused Organization*（Boston, Harvard Business School Press, 2000）（櫻井通晴監訳『戦略バランスト・スコアカード』東洋経済新報社，2001年）のなかで，戦略実行が成功する5原則を明らかにした．

(17) バランススコアカード殿堂入りの情報については，地域，産業，年度ごとのメンバーが http://www.thepalladiumgroup.com/about/hof/Pages/Welcome.aspx で探すことができる．

(18) 2006年バランスト・スコアカードリポート殿堂入り（Harvard Business School Publishing, Boston）．

(19) 2007年バランスト・スコアカードリポート殿堂入り．

(20) 2005年バランスト・スコアカードリポート殿堂入り．

第2章 戦略の構築
Develop the Strategy

戦略マネジメントのプロセスは循環的であって，しかも，システムを構成する各要素が他の要素にも影響を及ぼしている（図表 2-1 を参照）。この戦略マネジメントのプロセスは，戦略の構築からはじまる。戦略を戦略マップとバランスト・スコアカードへと変換する著者たちのいままでの研究は，戦略を行動へとつなげる手助けとなってきたが，その際一般に，戦略は所与とされてきた。過去 15 年間，多くの企業とともに研究を進めてきたことから，著者たちは戦略構築の実務を観察する機会を得た。さらには，戦略構築プロ

図表 2-1

マネジメント・システム：戦略の構築

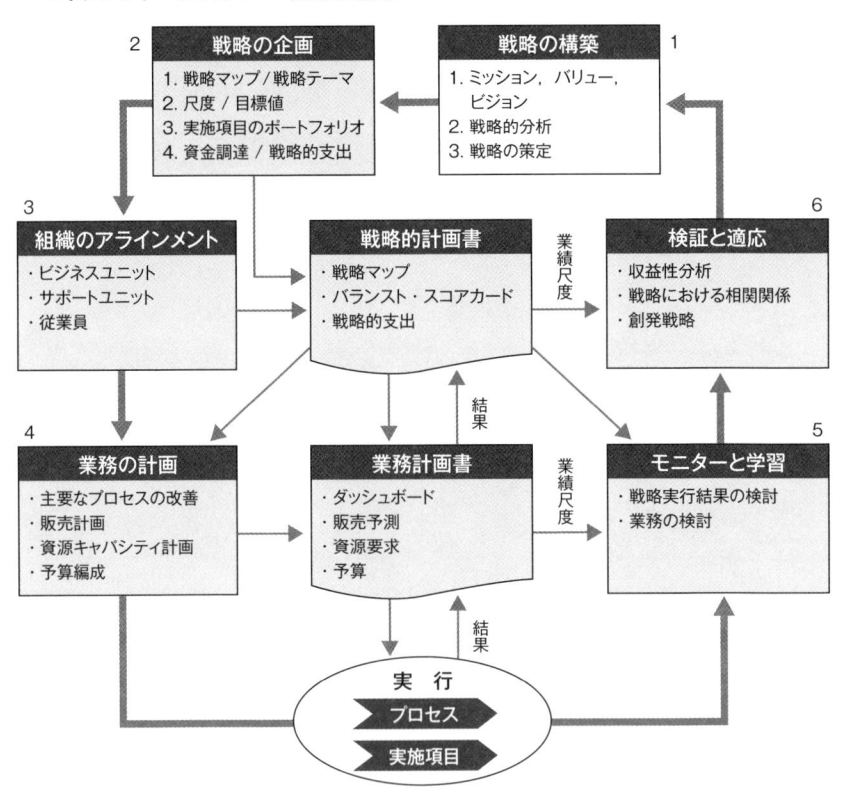

2　**戦略の企画**
1. 戦略マップ／戦略テーマ
2. 尺度／目標値
3. 実施項目のポートフォリオ
4. 資金調達／戦略的支出

1　**戦略の構築**
1. ミッション，バリュー，ビジョン
2. 戦略的分析
3. 戦略の策定

3　**組織のアラインメント**
・ビジネスユニット
・サポートユニット
・従業員

戦略的計画書
・戦略マップ
・バランスト・スコアカード
・戦略的支出

6　**検証と適応**
・収益性分析
・戦略における相関関係
・創発戦略

業績尺度

4　**業務の計画**
・主要なプロセスの改善
・販売計画
・資源キャパシティ計画
・予算編成

業務計画書
・ダッシュボード
・販売予測
・資源要求
・予算

5　**モニターと学習**
・戦略実行結果の検討
・業務の検討

業績尺度

結果

実　行
▶ プロセス
▶ 実施項目

結果

図表2-2

戦略的計画書の作成

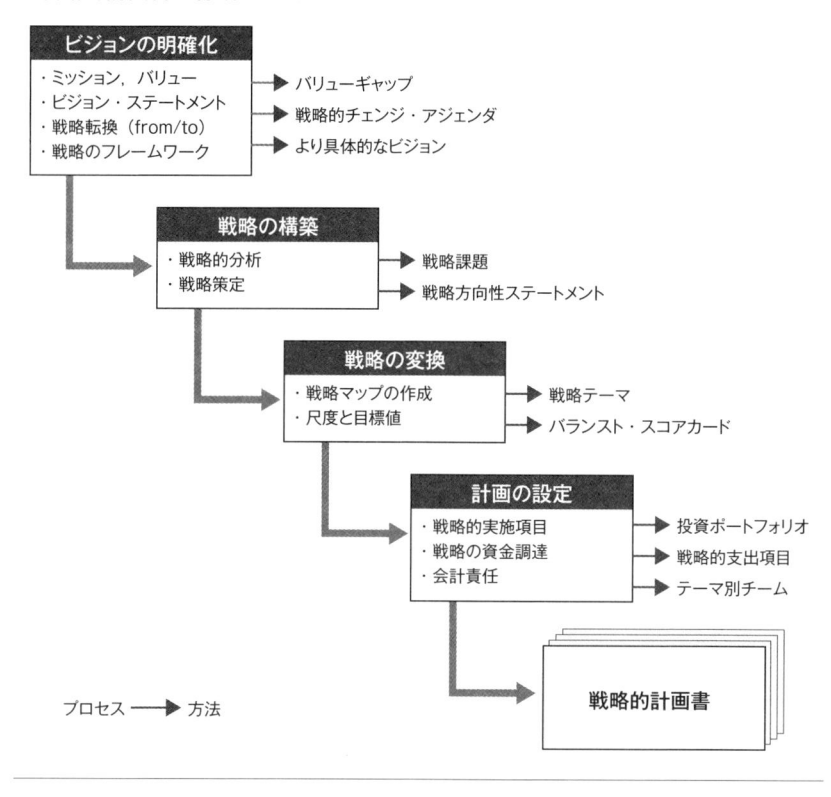

```
【ビジョンの明確化】
・ミッション，バリュー        → バリューギャップ
・ビジョン・ステートメント    → 戦略的チェンジ・アジェンダ
・戦略転換（from/to）         → より具体的なビジョン
・戦略のフレームワーク

    ↓

【戦略の構築】
・戦略的分析                  → 戦略課題
・戦略策定                    → 戦略方向性ステートメント

    ↓

【戦略の変換】
・戦略マップの作成            → 戦略テーマ
・尺度と目標値                → バランスト・スコアカード

    ↓

【計画の設定】
・戦略的実施項目              → 投資ポートフォリオ
・戦略の資金調達              → 戦略的支出項目
・会計責任                    → テーマ別チーム

    ↓

【戦略的計画書】
```

プロセス ——→ 方法

セスの新しい実務，たとえば，ビジョンを定量化したり，明確な戦略的チェンジ・アジェンダ[訳注1]を作成したりといった実務も目にしてきた。

図表2-2は，戦略を構築し変換する系統的なプロセスを示しており，それはベスト・プラクティスをまとめたものである。そのプロセスは，企業が進

訳注1　後述されているように，チェンジ・マネジメント（組織変革・企業変革のマネジメント）の一つのツールとして，本書で戦略的チェンジ・アジェンダと呼ぶ手法をキャプランとノートンは提唱している。もともとアジェンダ（agenda）は議題や議事を意味するが，ここでアジェンダは，「大きな構想と実施細目」（金井壽宏『組織変革のビジョン』光文社新書，2004年，p. 95）を意味している。

第2章　戦略の構築　45

むべき道のビジョンを経営上層部で定義することからはじまり、統一された一連の戦略的実施項目を実行し、経営幹部のリーダーとそのチームが組織を行動へと駆り立てることによって終わる。

　本章では、ビジョンを明確化し、戦略を構築する包括的なプロセスについて述べる。それは図表2-2の最初の2つのステップであるが、残りの2つのステップ、すなわち戦略実行のために戦略の実行手続きを明らかにし計画を設定するステップについては、第3章と第4章で考察する。

　本社主導の戦略的計画は命令・統制型システムであって、官僚的で階層的で柔軟性に欠け、権威主義的ですらあるとして、多くの批判をあびてきた。ところが、多くの批判と不満があるにもかかわらず、戦略的計画は上級経営幹部が好むマネジメント・ツールであり続けている。ベイン・アンド・カンパニーの「2007年度マネジメント・ツール調査」によると、戦略的計画は最も広く用いられている（88％の企業が戦略的計画を公式に用いている）[1]。さらに、調査対象の25個のマネジメント・ツールのなかで、戦略的計画はその満足度が最も高かった（1点から5点までのスケールで、3.93点）。最近行われたマッキンゼーの調査によっても、ベイン・アンド・カンパニーの調査結果が追認された[2]。その調査によると、対象企業800社のうち79％が戦略的計画を公式に採用していると回答している。そのうちの半数以上の企業が、戦略的計画は企業戦略の構築において重要な役割を果たしていると答えている。戦略的計画に満足している企業について見ると、その数はさらに増加する[訳注2]。

　図表2-3に要約されているように、企業はまず、ミッション、バリュー、ビジョンを作成ないし再確認する。次いで、戦略に影響する外的要因と内的要因を検討する。そしてそこから自然と、主要な戦略上の課題を識別し分析

訳注2 | ミンツバーグは、戦略的計画は戦略そのものを策定することではなく、むしろ策定された戦略の詳細を詰めて、その実行への橋渡しをするものであるとの理解から、戦略的計画を戦略策定と同一視する見解を批判している。図表2-2から判明するように、本書でも、基本的にはこのような立場が採られている。"The fall and rise of strategic planning," by Henry Mintzberg, 1972, *Harvard Business Review*, 72(1), pp. 107-114（「戦略プランニングと戦略思考は異なる」『DIAMONDハーバード・ビジネス・レビュー』2003年1月号, pp. 86-97）を参照のこと。

図表2-3

戦略構築プロセスのモデル

戦略構築プロセス	目的	阻害要因	代表的なツール
1. ミッション，バリュー，ビジョンの明確化 **なぜ事業を行うのか**	企業の目的と行為に関する経営上層レベルのガイドラインを確認する。	実行を助けるような言葉でビジョンを述べていないことがしばしばある。	・明確なミッション ・コアバリュー ・定量化されたビジョン（BHAG） ・戦略的チェンジ・アジェンダ ・より具体的なビジョン
2. 戦略的分析の実施 **どのような問題が戦略に影響するか**	構造化分析によって，戦略に影響し，その変更を引き起こすような事象，要因，経験を識別する。	分析の対象が，戦略への影響要因ではなく，成果へ向けられることがしばしばある。	・環境分析（PESTEL） ・SWOT分析 ・「記録されている戦略」の分析 ・戦略課題
3. 戦略の策定 **どのようにして競争に打ち勝つか**	どこで競争し，いかに競争するかを定義する。	無数の手法が存在している。どのアプローチをどの状況下で用いるかについて，意見の一致をみていない。	・主要課題分析 ・戦略策定の各種手法 ・戦略方向性ステートメント ・必須活動

するステップへとつながっていく。最後に，新しい戦略そのものを策定する。特にそれが転換戦略である場合には，組織全体にわたって変革の必要性を明らかにしていく。

以下では，これらの各ステップについて述べる。

ミッション，バリュー，ビジョンのステートメントの明確化

戦略を策定するには，その前に，企業の目的（ミッション），行動を導く内部的な羅針盤（バリュー），将来の結果への組織の夢（ビジョン）に関して，経営陣が合意している必要がある。一般に，ミッションとバリューは時がたっても変わらない。ビジョンも，ミッションとバリューほどではないが，3～5年の戦略的計画書の対象期間の間は不変であることが多い。このようにミッション，バリュー，ビジョンは不変であるけれども，ほとんどの企業はその再検討，再確認から毎年の戦略構築プロセスをはじめている。あ

るCEOによると、「自分たちが今行っていることの基礎にあるものを、経営幹部のチームは絶えず自覚しておかなければならない」とされるからである。

ミッション・ステートメント

ミッション・ステートメントは、なぜその組織が存在するかを明らかにした短い文章（通常、1～2文）である。ミッションは、その組織の基本的な目的、特に顧客（カスタマー）とクライアント 訳注3 （公的部門・非営利組織の場合には、市民・受益者）に対して何を提供するのかを示すべきである。ミッション・ステートメントは、経営幹部と従業員に対して、互いに協力して追及する全社的な目的を伝えるべきである。

たとえば、優れたミッション・ステートメントには、次のようなものがある。

- 「私たちは、病を予防し治療し、苦痛を和らげ、生活の質を高める革新的な製品を発見し、開発し、供給することを望んでいます。また、優れた業績を反映したリターンを株主に還元し、アイディアに富み労を厭わない社員に十分に報いることを望んでいます」……ノバルティス [3]
- 「世界中の情報をまとめて、世界中の人がアクセスして利用できるようにします」……グーグル [4]

バリュー・ステートメント

バリュー（コア・バリューと呼ばれることも多い）は、その会社の姿勢、行動様式、特徴を規定する。ホールフーズは、そのウェブページ上で、コア・バリューの重要性を、著者たちが表現するよりもうまく、次のように述べている。

訳注3 | customerもclientも日本語にすれば顧客である。しかし、clientは、法律事務所や会計事務所のような職業専門家から、対価を支払ってサービスの提供を受ける者を指すのに対して、customerは、商品等を（特にお店で）購入する者を意味する。

> 　コア・バリューは，私たちにとって組織として真に重要なものを反映しています。それは，時，状況，人によって変わってしまうようなものではなく，私たちの会社の文化に深く根ざしているものです。ホールフーズは活気に満ちた会社であって，その一員として働くのに特別な場所であると多くの人が感じています。このような印象を持たれる主な理由はコア・バリューにあって，それは私たちの会社の規模や成長率にも勝っています。どんなに大きい会社となったとしても，コア・バリューを維持することによって，ホールフーズが特別であり続けているものを私たちは守ることができます。コア・バリューは私たちの会社の魂のよりどころです[5]。

インディゴ（カナダ第1位の書店）は，以下のようにそのバリューを宣言している。

- 「私たちが存在しているのは，お客様の生活に喜びを与えるためです。お客様のニーズを先取りし，その期待をよい意味で裏切ります。」
- 「私たちが行うことすべてにおいて，卓越性を重視しています。」
- 「知識と成長を促進するオープンな環境において，優れた社員が協力して働くことによってのみ，成功が得られます。」
- 「書籍，読書，読み聞かせは，社会を前進させるうえで欠かせません。」
- 「イノベーションは成長の鍵であって，それはどんな人によっても，どんなときにも生み出されます。」
- 「私たちには，その一員として存在している社会に対して，還元する責任があります。」[6]

米アースリンク（Earthlink；インターネット接続業者）のバリュー・ステートメントは，以下のように広範囲に及んでいる。

- 「私たちは，個人を尊重します。そして，敬意を持って対応され，責

任を与えられた個人は，ベストを尽くすことでそれに応えると信じています。」
・「私たちは，質素倹約に努めます。私たちは，自らの財産を守り保護するのと少なくとも同じ用心さを持って，会社の財産を守り保護します。」
・「いかなる時にも，公正さと思いやり，親しみやすさと丁寧さを持つよう努めます。」
・「お客様にかかわることであれば，どんなことでも私たちはそれを最優先します。常に当事者意識を持って，すぐに対応します。私たちは，お客様第一で行動します。」[7]

ビジョン・ステートメント

　ビジョン・ステートメントは，企業の中・長期（3～10年）の目標を明らかにする。それは市場志向であるべきで，その企業が外部からどのように見られるのを望むのかを，（しばしば，夢に満ちた言葉で）表現するべきである。たとえば，「2012年までに，北米でトップ3の貨物・旅客の輸送業者になる」というステートメントは，明確で具体的な夢を表している。

　著者たちが1990年代にともに研究を進めてきたシグナ傷害火災保険のビジョンは，「5年以内に，業界で上位4分の1に位置するスペシャリストとなる」[8]というものであった。簡潔ではあるけれども，このビジョン・ステートメントには，次の3つの重要な要素が含まれている。

・**高い目標**：収益性において，「業界で上位4分の1」（当時，シグナは下位4分の1に位置していた）
・**重点分野の定義**：「スペシャリスト」（かつてのような一般目的の保険会社ではなく，専門に特化した保険会社）
・**期限**：「5年以内」

　ウェルズ・ファーゴ銀行のインターネット・バンキングの事業部によって，1997年に発表されたビジョン・ステートメント，「1999年末までに

100万人のオンライン・バンキング顧客を獲得する」[9]についても検討してみよう。この短い文章のなかにも，先ほどと同じ3つの重要な要素が含まれている。

- 高い目標：「100万人」という顧客の数
- 重点分野の定義：「オンライン・バンキング顧客」
- 期限：「1999年末まで」

　非営利組織，政府機関のビジョン・ステートメントは，そのミッションに関連する高い目標を定義するべきである。1961年に，米国大統領ジョン・F・ケネディは，米国の宇宙開発プログラムによって「1960年代の終わりまでに人類を月に着陸させ，無事に帰還させる」と宣言したが，これは最も有名で効果的な公的機関のビジョン・ステートメントの一つである。このビジョンは感動を呼び起こすだけでなく，成功に関する明確な尺度とその具体的な達成期限も示している。

　リーズ大学（英国）の「世界一流の研究，学問，教育を統合する独自の能力によって，2015年までに，世界のトップ50大学にランキングされる」[10]というビジョンは，非営利組織のよくねられたビジョン・ステートメントの例である。この文章にも，3つの重要な要素が含まれている。

- 高い目標：「世界のトップ50大学にランキングされる」
- 重点分野の定義：「世界一流の研究，学問，教育を統合する」
- 期限：「2015年まで」

　ビジョンにおける"高い目標"は，現状とは異なるものとされるべきである。目標設定に際しては，望みを高く持つことが重要であり，CEOがそれを先導しなければならない。実際，リーダーの重要な役割の一つは，業績がよい場合であっても，より上を目指して，緊張感を醸成し，全従業員のやる気を起こさせるような目標値を設定することである。強いリーダーシップがなければ，組織は自己満足に陥ってしまい，せいぜい現状からの漸進的な改

善ができるだけである。

　自己満足は敵であることを，偉大なリーダーたちは理解している。その伝説的な例の一つとして，GEのCEOに就任したジャック・ウェルチが，業界でナンバー1かナンバー2でない事業は，GEから切り離すとしたケースがある。コリンズとポラスが指摘しているところによると，「ビジョナリー・カンパニーは，外部者にとっては，融通が利かず保守的であるように思えるかもしれないが，"BHAG（社運を賭けた大胆な目標；Big Hairy Audacious Goals）"に恐れることなく果敢に挑む」[11]。高い目標値を設定し，その達成期限を設けることは，リーダーシップの最も重要な役割の一つである。

　バランスト・スコアカードを用いて常に成功を勝ち得てきた企業には，従業員を鼓舞するようなリーダーシップがあった。困難な状況のシグナ傷害火災保険の経営を引き受けた際に，ゲリー・アイソムが最初に取り組んだのは，収益性で下位4分の1という状況から5年以内に上位4分の1に移行する，という高い目標を掲げることであった。ウェルズ・ファーゴ銀行のオンライン・バンキング・ユニットのCEOであるダッドリー・ニグは，1997年同時，米国で第1位のオンライン・バンクとなっていたが，先行者利得を保持し続けるためにはさらに劇的によくならなければならないと考えていた。リーズ大学副学長に2004年に就任した際に，マイケル・アーサーは，当大学が世界最高水準の研究・教育機関となることを支援するよう，各学部長と教職員に求めた。

　偉大なリーダーは，組織にとって意欲的な目標値を設定する。ビジョン・ステートメントでは，経営上層レベルでの戦略に関する意欲的な目標値（成功に関する明確な尺度および達成期限も含む）を宣言するべきである。

戦略的チェンジ・アジェンダ

　ビジョン・ステートメントは，目標値を提示し，今後いかに価値を創造するかについて経営上層レベルで記述したものである。しかし，従業員は，新しい戦略の必要性，高い目標値を達成するために自分たちが変わらなければならない必要性を理解していないかもしれない。緊張感を醸成し，変革の必

要性を伝えることは，リーダーシップの重要な役割である[12]。リーダーは，著者たちが戦略的チェンジ・アジェンダと呼ぶマネジメント・ツールを用いて，抜本的な変革の必要性を従業員に理解させることができる。**戦略的チェンジ・アジェンダ**は，組織構造，組織能力，プロセスの現状を，3〜5年後のあるべき姿と比較する。

　グラハム・シャーが，カナダ血液サービス（Canadian Blood Services: CBS）のCEOに就任した際に直面した状況を考察してみよう。CBSは，カナダ赤十字社の恥ずべき不祥事を受け，1990年代の企業危機のときに，血液供給事業を継承する組織として創設された。その不祥事では，ガバナンス，経営，意思決定のさまざまな誤りから，汚染された血液によって数千人のカナダ人に感染が広まり，血液供給システム全体の信頼性は回復できないほど失われてしまった。CBSは，その最初の数年間は，血液供給システムを修復するための業務上の課題への取組みに集中した。約4年間に及ぶ徹底的な作業の後，カナダの血液供給システムは安心であり，十分な量の安全で，高品質な血液によって医療機関の必要性は満たされると報告できるまでにいたった。

　この時点で，設立時のCEOは退き，シャーがCBSのトップに就任した。シャーの指摘によると，当時，非常にたくさんの独立したプログラムが実行されていたけれども，一貫したマネジメントが行われず，各プログラムは同じ限られた資源をめぐってしばしば競合していた。CBSの業務上の課題はすでに解決されていたので，世界的に見て遜色のないような現代的で安定的な血液供給システムを作り上げ，さらに，その特徴的な業務モデルを"てこ"として，カナダにおける他の医療提供の問題を解決するための手助けを行う好機にあることをシャーは認識した。しかし，そうするには，明確な戦略，新しい戦略実行のプロセス，組織全体でのアラインメントの強化が必要であった。

　この困難な道のりに踏み出す前に，シャーとシニアマネジメント・チームは，図表2-4のような明確な戦略的チェンジ・アジェンダを作成して，すべての職員に対して変革の必要性を明示し，説明した。従業員が変革に抵抗を示すことは多いが，その理由は，変革プロセスに対するCEOの熱意に従業

図表2-4

現状から将来像への道のりを明らかにする
戦略的チェンジ・アジェンダ：CBS のケース

現状		将来像
血液製品	ミッション	強化された製品とサービス
戦術上，業務上の危機	幹部の関心	長期的な戦略的対話
抵抗があり理解されていない	品質システムの実行	支持され，自己のものとされている
短期的な単一の資金源	資金調達	複数の資金源，戦略的投資
受け継いできたもので，非効果的	インフラ	改修され，現代的で，専用のもの
反応的で，限定的な可視性	医療の研究開発	リーダーシップによりねらいが定められており，強力で，可視的
手作業	コア・プロセス	標準化，自動化
トップダウン	リーダーシップ	識別し，開発し，権限委譲する
不明確な基準	単位原価	基準が定義され，それに近い
戦略を意識せず，手近の仕事へ集中	職員	戦略への関心

員が疑いを抱くためであることが少なくない。CEO が，現状に満足していないことを明らかにしておくと同時に，変革の必要性をわかりやすく，詳しく，納得せざるをえないような形で説明することは，そのような抵抗をなくすうえで大いに助けとなろう。

　もう一つの例として，9.11 のテロ攻撃の余波として，米国連邦捜査局（FBI）が新たに直面した課題について考えてみよう。新たな難問と脅威に対応するため，FBI は，まったく新しい戦略を構築し，組織文化を抜本的に変える必要があった。FBI 長官のロバート・ミューラーは，これから先に待ち構えている大規模な変革のためには，すべての職員に十分な準備をとらせ，十分な教育を行う必要があると認識した。ミューラーは，変革の規模と範囲を説明するために，図表 2-5 の戦略的チェンジ・アジェンダを作成した。

　戦略的チェンジ・アジェンダは，事件対処型組織（すでに行われた犯罪に対して行動する）から，脅威対処型組織（テロ事件を未然に防ごうとする）

図表2-5

ビジョンをより明確化し，変革の必要性を明らかにする
戦略的チェンジ・アジェンダ：FBIのケース

過去	将来
国内	グローバル
法律の執行	国家の安全 法律の執行
事件への対処	脅威への対処
定量的な評価（事件ベース）	定性的な評価（脅威ベース）
貢献者	全面的なパートナー
戦術的	戦略的
「まず限定する。それから，行わなければならないことを共有する」	「まず共有する。それから，行わなければならないことを限定する」
効果的でないコミュニケーション	効果的で，目的関連的で，タイムリーなコミュニケーション
業務上の"サイロ"	統合的なチーム・アプローチ
非効果的，非効率的な人事プロセス	高度に効果的で効率的な人事プロセス
仲介者／支援者	専門家のチーム
旧式でバラバラのITシステム	ミッションを強化する統合されたITシステム；生産性のツール
既存の科学技術の適用	最適な科学技術の開発と適用
予算主導の戦略	戦略主導の予算

(出典) "Federal Bureau of Investigation (B) ," Case #9-707-553 (Boston: Harvard Business School, April 2007)：8.

へとFBIが大きく変化しなければならない状況を示している。FBIの職員は，秘密主義をとらずに伝統的な業務上の"サイロ"から抜け出て，一体化したチームの一員とならなければならなかった。ましてや断絶の時代にあるので，米国市民に危害を加える事件を防ぐため，FBIは他の政府機関と情報を共有し，協力し合うことを学ばなければならなかった。

このガイドラインは，組織中のいたるところで行われた広範囲の議論から生まれてきたが，それは，FBIのすべての組織レベルの職員を新しい戦略の方向性に関する目標設定に関与させ，その後構築された新しい戦略について広く理解と支援を得るのに貢献した。ミューラー長官は現地オフィスを訪れる際は常に，図表2-5の戦略的チェンジ・アジェンダ（ラミネート加工を

施してある）を携帯した。職員が新しいプログラムや組織構造に懐疑的であったり，抵抗を示すようなことがあったりしたときには，ミューラーはその1ページの要約を用いて，なぜ変革が必要かを思い起こさせるようにした。

いままでの内容をまとめると，戦略構築プロセスの最初の段階では，リーダーシップ・チームはミッション，バリュー，ビジョンを再確認し，必要に応じて，ビジョン・ステートメントの目標値を見直さなければならない。特に新しい大規模な戦略転換と組織変革に着手する際には，戦略的チェンジ・アジェンダを明示して，将来に向けて，文化上，組織構造上，業務上変化していかなければならない理由を説明するべきである。

ビジョンの具体化

戦略を確実に実行するには，戦略と企業内の多様なユニットの業務活動とを統合させるアーキテクチャが必要である。けれども，調査が示すところによると，今現在，戦略に関して統合的な視点が欠けており，人事，IT，財務といった職能部門がビジネスユニットおよび企業戦略と結合していない企業が60％以上にも及んでいる[13]。

戦略マップは，今までの著書で示したように，戦略を統合的に見るためのフレームワークを提供する[14]。戦略マップの詳細な設計は，この後の段階で行われるが，経営幹部のチームは戦略構築のプロセスにおいて，戦略マップの基本的な構造を取り入れることができる。図表2-6のように，**より具体的なビジョン**を作成するために，経営幹部のチームは，戦略マップの4視点のフレームワークを用いることができる。ビジョン・ステートメントが具体化されれば，ビジョンの達成を可能とする要素（顧客価値提案，主要プロセス，人材と技術という無形の資産）について，全貌が明らかにされる。

児童の健康と治療に特化した医療機関であるヌムールのアプローチについて検討してみよう。「障害からの開放」というビジョン・ステートメントはその意欲的な夢を簡潔に表しているが，戦略を具体化するための手引きにはほとんどならない。そこで，ヌムールはより具体的なビジョンを作成して，戦略マップを構築するための指針とした（図表2-7を参照）。戦略マップの

図表2-6

深く考察し戦略を導出するためのビジョンの具体化

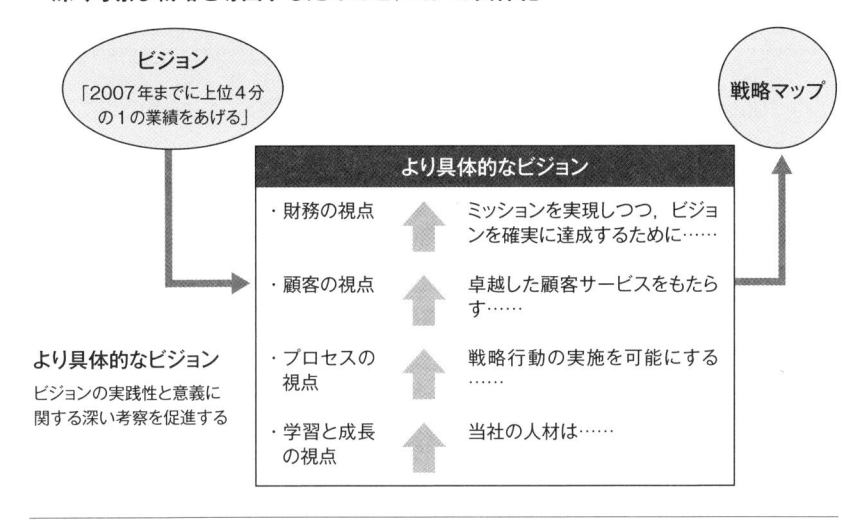

ビジョン
「2007年までに上位4分の1の業績をあげる」

戦略マップ

より具体的なビジョン

より具体的なビジョン		
・財務の視点	↑	ミッションを実現しつつ，ビジョンを確実に達成するために……
・顧客の視点	↑	卓越した顧客サービスをもたらす……
・プロセスの視点	↑	戦略行動の実施を可能にする……
・学習と成長の視点	↑	当社の人材は……

より具体的なビジョン
ビジョンの実践性と意義に関する深い考察を促進する

最上部には，ビジョンとミッションがおかれている。なぜなら，それらはヌムールの最終目標と説明責任を定義しているからである。コア・バリューはあらゆる取組みの基礎にあるとの認識から，その最下部におかれている。戦略マップの左側に沿って示されているより具体的なビジョンは，ビジョンから戦略への変換過程を示している。戦略マップの内部には，より具体的なビジョンとミッションの達成を後押しする戦略的優先事項が定義されている。

より具体的なビジョンによって，ヌムールの戦略は次の4つのサブ戦略へと分割された。

- **影響力と地域社会**：その統合的医療システムによって，児童の健康を改善するリーダーとなる。児童の優れた代弁者となる。
- **サービスと品質**：一人ひとりの児童を，わが子のように大事に看護する。
- **効率性と環境**：委託されたすべての資産を効果的に利用し，それらを

図表2-7

ヌムールの戦略マップの構造

ミッションをサポートする

ビジョン：障害からの解放
ミッション：受益者の財力に関係なく，品質と特質に関する高度な基準に従って，容易にはなされないような看護とプログラムを通じて，子供たちの健康を回復させ増進させるためのリーダーシップ，施設，サービスを提供します

受託責任を果たし，財務的な強みを確保する

受託責任
永続するための財務的な強み

きわめて満足の高い経験を与える

顧客
きわめて満足の高い経験

プロセス

戦略的プロセスを提供する

影響力と地域社会	サービスと品質	効率性と環境
その統合的医療システムによって，児童の健康を改善するリーダーとなる。児童のすぐれた代弁者となる。	一人ひとりの児童を，わが子のように大事に看護する。	委託されたすべての資産を効果的に利用し，それらを絶えず改善してミッションの達成に向けて前進する。

スタッフの能力を高める

人材と学習
働くのに素晴らしい場所を提供する。

コア・バリュー：・・卓越さ ・尊敬 ・奉仕 ・名誉 ・学習
コミットメント：患者，親，見舞い客，同僚，ビジネス・パートナーが，ヌムールとのあらゆる接点で，きわめて満足の高い経験を得るためであれば，私はどんなことでも行います

絶えず改善してミッションの達成に向けて前進する。
・**人材と学習**：働くのに素晴らしい場所を提供する。

第3章で例示するように，これらのサブ戦略は自然と，最終的な戦略を表現するものへとつながっていった。

戦略的分析の実施

ビジョンを明らかにし，それをより具体化すれば，何を達成する必要があるのかについて明確な絵が描かれたことになる。そこで次に，外部分析と内部分析を行う。これには，業界の趨勢に照らしたポジショニング分析のほか，競合他社と比べた自社の能力と業績に関する包括的な評価も含まれる。

外部分析

経営幹部のチームは，マクロ・レベルおよび業界レベルの趨勢が自社の戦略と業務に及ぼす影響を理解しておく必要がある。外部分析では，経済成長率，金利水準，為替動向，資源価格，規制，社会の一員としての企業への役割期待といったマクロ経済的な環境を評価する。それは，political, economic, social, technological, environmental and legal components（政治的，経済的，社会的，技術的，環境的，法律的な要素）の頭文字をとって，しばしばPESTEL分析と呼ばれる（図表2-8を参照）。

外部分析にはその他にも，マイケル・ポーターの5つの競争要因モデル（five forces model）（買い手の交渉力，売り手の交渉力，代替品の可能性，新規参入の脅威，業界の競争状況）[15]のように，産業経済学を応用した業界レベルの調査もある。5つの競争要因モデルは，業界の魅力度を測定するもので，業界を形作っている要因（有利な要因／不利な要因）を識別しようとする際の助けとなる。自社の複数の財務比率の業績を，業界内の競合他社と比べて要約することも業界分析に含まれる。

さらに外部分析には，競合評価も含まれる。主要な競争の次元（製品の幅，技術力，販売地域の広さなど）を表す軸を持った2×2の表の上に，業界内のすべての競合他社を位置づけて，競争状況を要約している企業もある。競争の次元を変えれば，業績を多様な側面から把握することもできる。競合他社のそれぞれについて，売上高，資産額，マーケットシェア，収益性のような重要業績指標（KPI）に見合う大きさの円を描くことで，2×2の表の上に，第3の次元として業績を重ね合わせることもできる。

図表2-8

PESTELのフレームワークによって整理した外部分析

政治分析
- 軍事侵略のリスク
- 契約履行のための法的フレームワーク
- 知的財産の保護
- 貿易規制および関税
- 最恵国

社会分析
- 人口統計
- 階層構造
- 教育
- 文化(女性の役割など)
- 起業家精神
- 意識(健康,環境への配慮,栄養)
- レジャーへの関心

環境分析
- 温室効果ガスの排出
- 固形廃棄物の排出
- 液体廃棄物の排出
- エネルギー消費
- リサイクル可能性
- 水質汚染
- 全体的な環境負荷

経済分析
- 進出国の経済制度の種類
- 自由市場への政府の介入
- 自国の競争優位
- 為替レートおよび自国通貨の安定性
- 資本市場の効率性
- インフラの質
- 労働力のスキル水準
- 人件費
- 景気循環の段階(例.上昇,後退,回復)
- 経済成長率
- 可処分所得
- 失業率
- インフレ率
- 金利水準

技術分析
- 最近の技術開発
- 製品に対する技術の影響
- コスト構造に対する影響
- バリューチェーン構造に対する影響
- 技術の普及率

法律分析
- 独占禁止法
- 価格規制
- 租税——税率および優遇措置
- 給与に関する法律——最低賃金および超過勤務手当
- 週間労働時間
- 義務的な手当
- 労働安全規制
- 製品表示要件

内部分析

　内部分析では,その企業自体の業績と能力を調査する。バランスト・スコアカードを作成していない企業は,当期の業績を評価するのに財務情報に強く依存することになろう。

　広く用いられている分析ツールは,**価値連鎖分析**(value chain analysis)

であり，これもまたマイケル・ポーターによって提案された[16]。**バリューチェーン**（価値連鎖）は，ある企業が製品・サービスを顧客に引き渡すのに必要な一連のプロセスを識別したものである。バリューチェーンには，市場の創造，製品・サービスの生産・提供，顧客への販売という主要活動に加えて，これらの主要な価値創造プロセスを促進する研究開発，人事管理，技術開発のような二次的な支援活動も含まれる。価値連鎖モデルは，持続可能な競争優位を確立するため，どの活動を競合他社とは異なる形で遂行し，競合他社よりもうまく遂行しようとするのかを識別する際の手助けとなる。

さらに，バリューチェーンの各プロセスについて，ABC（活動基準原価計算）によってコストを見積もれば，競合他社よりも低コストで遂行しているプロセス（競争優位の源泉）を識別したり，競合他社と比べてコストの点で現在不利な立場におかれているプロセスを識別したりすることの一助となる。差別化戦略を採用している企業にとっては，所与のプロセスを差別化することによる価値増加が，差別化された財・サービスの生産・販売によるコスト増を上回っているかどうかについて ABC モデルによって確認できる。

強み，弱み，機会，脅威（SWOT）の識別

外部分析と内部分析が行われると，戦略的計画の担当者はSWOT分析を行う。SWOT分析は，戦略に関する分析ツールのなかで，おそらく最も古く最も基本的なものであって，下記のマトリックスに要約されているように，その会社の既存の弱みと強み，新たな機会と懸念すべき脅威を識別する[17]。

	ビジョンの達成にとってプラス	ビジョンの達成にとってマイナス
内的属性	強み	弱み
外的属性	機会	脅威

外的属性は機会ないし脅威に分類され，内的属性は強みないし弱みに分類される。選択された属性は，戦略的計画のプロセスにおいて，分類され評価される。

外部分析と内部分析を適切に行えば，経営陣にとって多くの情報が得られるが，全体として見た場合には，混乱が生じることがある。SWOT分析の

図表2-9

バランスト・スコアカードの視点ごとに整理した SWOT マトリックス

	SWOT の情報			
	強み	弱み	機会	脅威
財務	現在の財務業績上の強みと弱み		現在の業績と包括的な財務目標との差を埋めるような増収および生産性向上の機会	財務業績の維持と向上に対する脅威；競合他社の脅威（防衛戦略に影響し，必要とされる改善の程度とその期限を明らかにする）
顧客	顧客，競争相手，市場によって認識された，その価値提案の現在の強みと弱み		顧客とその要求によって認識された，顧客ベースを拡張し，新市場をターゲットとし，顧客価値提案戦略を改善する機会	顧客および競合他社からの脅威
プロセス	内部プロセスの強み；すぐれている点	内部プロセスと価値連鎖における弱み	諸機会を達成するために，内部プロセスを改善する機会	内部プロセスの弱みによって引き起こされる脅威
成長	人材，文化，コア・コンピタンス，戦略的ケイパビリティの強みと弱み		戦略的優先事項を可能にする，文化，コンピタンシー，ケイパビリティを構築する機会	人材，組織構造，コンピタンス，文化におけるケイパビリティの不足を原因とする戦略実行に関する脅威とリスク

表は，そのような状況を簡潔なリストに要約しているので，戦略を策定する際に，自社が取り組まなければならない重要な課題を経営幹部のチームが理解するための手助けとなる。たとえば，強みは，機会を追求し脅威を回避するために活用でき，戦略によって克服されるべき内的な弱みと外的な脅威に対しては，経営者の注意が喚起される。インドに本社があるITコンサルティング・サービスプロバイダーであるインフォシスは，最善の状況と最悪の状況のシナリオについて検討している。最善のシナリオはその夢を明確に表現したものであり，最悪のシナリオは，軽減されなければならない重要なビジネス・リスクの識別を助ける。

　バランスト・スコアカードの4つの視点を用いて，SWOT分析をまとめている企業もある（図表2-9を参照）。たとえば，そのような方法でSWOT

図表2-10

ヌムールにおける SWOT マトリックス

		強み	弱み	機会	脅威
受託責任		・財務的強み ・委託者からの支援 ・債務負担能力 ・AAA の信用格付けおよび低資本コスト	・マネジドケア（管理医療）率の上昇の鈍化 ・州の歳入の低下 ・地域社会のパートナーにとっての収益源の減少 ・幼児育成室	・生物医学研究への外部からの資金拠出 ・ヌムールに対する慈善的援助 ・2008年大統領選挙（候補者への啓発）	・コスト圧力（労働組合および職業上の責任） ・貸倒れ（特に無保険者・過少保険者の増加と関連する） ・メディケイド（低所得者向け医療扶助）の償還 ・かなり多い資金需要 ・2008年のデラウェア州知事の交代
顧客		・無類の予防・支援プログラム ・児童の健康への焦点 ・児童の健康と健康問題の専門家としての尊敬	・入院料金の下落 ・アクセス（たとえば、電話、日程調整、ウェブサイトの案内）に関する患者と家族の不満	・児童の健康を支援する政策、プログラム、実務の変更の提唱 ・デラウェア州とフロリダ州におけるマーケットシェアの増加 ・ヌムールのブランド化、その他のソーシャル・マーケティング	・償還請求の対象とならない予防サービス ・デラウェア・バレーにおける激しい競争 ・出生率と人口統計の低下 ・訴訟社会
プロセス		・統合化された児童の健康システム ・堅牢な電子環境 ・児童の診察におけるIS の利用の確約 ・患者の安全と質の優先 ・特別プログラム：キッズ・ヘルス，NHPS, ブライト・スタート ・政策と実践の予防への転換を促進することに対する地域社会と政府の協力	・AIDHC におけるインフラの必要性	・治療の質、患者の安全性、児童の健康の促進における功績 ・サービスの卓越性の向上 ・アクセス問題（電話、予約、一括化）への取り組み ・治療と地域社会をベースとした予防との統合	・消費者主導の健康プラン ・ペイフォーパフォーマンス（成果に応じた診療報酬制度） ・料金の透明性 ・設備計画に対するインフレの影響 ・技術の陳腐化
人材		・優れた医療の専門家とその提供 ・低い欠員率 ・業界平均を下回る離職率	・競争相手の、特に医師に対する給与 ・手当 ・組織文化 ・業績管理 ・オーランドにおけるスタッフの配置要請	・文化変革プログラム	・小児科医と看護師の不足 ・スタッフの高齢化 ・"ホワイトウォーター"の変化 ・信頼の低下

図表2-11

戦略的分析によって明らかにされた戦略上の課題

ケーススタディ：服飾小売業

戦略的分析
・PESTEL分析
・SWOT分析
・「記録されている戦略」の分析

→

戦略課題	
1. 成長 ・成長目標／バリューギャップは何か	財務
2. 顧客 ・ターゲット顧客の明確化 ・顧客一人当り売上をいかに増加させるか ・新規顧客をいかに惹きつけるか	顧客
3. マーチャンダイジング（商品化計画） ・マージン戦略をどうするか ・ファッション・リーダーシップをいかに達成するか 4. 仕入 ・カテゴリーごとの調達においてどのような品質と確実性を達成しなければならないか 5. 購買経験 ・最適店舗数はいくつか ・いかに店舗を面白くするか 6. 在庫 ・在庫割り当てを改善するための戦略は何か	プロセス
7. 組織と人材 ・戦略的職務群は何か ・世界一流の才能をどのように開発するか	学習と成長

分析を表現している組織に，ヌムールがある（図表2-10を参照）。その表により，ヌムールのマネジャーは，新しい戦略で取り扱われるべき課題を，株主（ヌムールの例では受託責任），顧客，プロセス，人材の視点ごとに整理した，1ページの要約を手にしている。

　各種の戦略的分析によって，戦略上意義があると思われる課題が識別されてくる。そのなかから最も大きな意義のある項目を，経営幹部のチームとともに，計画担当者は選び出さなければならない。その際にも，戦略マップの分類方法を活用すれば，首尾一貫した処理を行い，焦点を明確化できる。図表2-11は，服飾小売業に属するある企業によって作成された戦略課題のリストを示している。その際，戦略マップは，戦略を構成する7つの分野を識

別する助けとなった。そして，外部分析（PESTEL 分析）と内部分析（SWOT 分析）によって，各分野の課題が識別された。

分野1（成長）では，全社的な成長目標を明らかにする必要があった。分野5（購買経験）では，その成長目標を店舗の数と種類に関する具体的な目標値へと変換しなければならなかった。分野5のもう一つの課題は，購買経験をより楽しくさせて，顧客一人当りの売上げをいかに増加させるかであった。

戦略課題は，第8章で述べる戦略検討会議における議題へとつながる。戦略課題のリストは，戦略の実行を成功させるために，継続的に検討し管理しなければならない重要な問題を示している。そして，そのリストは戦略構築の次のステップである戦略策定へと自然に結びついていく。

戦略の策定

この段階で，戦略構築プロセスの公式的な手順が戦略策定というアートと交わる。ここで経営幹部は，これまでの分析結果，目標，テーマ，重要な課題，機会，脅威に照らして，その構想をいかに実現するかを決定しなければならない。

独創的な戦略の追求

戦略の策定と構築に関する文献を見ると，数多くのアプローチや学派にあふれていて閉口する。戦略に関するよく知られたアプローチには，マイケル・ポーターによって代表されるポジショニングのほか，資源ベースの見方，コア・コンピタンス，バリューベースト・マネジメント（価値創造経営），コア事業への集中，ブルーオーシャン，創発戦略，共創経験，破壊的イノベーションなどがある[18]。これらのアプローチ以外にも，TQM（総合的品質管理），シックスシグマ，ISO（国際標準化機構），リーン生産，学習する組織のように，その採用が求められている業務改善の方法がある。さらに，戦略的アプローチと業務的アプローチを補うものとして，全社的リスクマネジメント（ERM），内部統制，財務報告制度のための COSO [19]のよう

に，リスクを最小化するための手法もある。

　戦略の実行に関する著者たちのこれまでの研究では，これらの多様な戦略アプローチ，業務の改善法，リスクマネジメント・ツールに関しては，議論を避けてきた。ただし，著者たちは，さまざまな企業が戦略策定のために各種の手法を効果的に利用しているのを確認している。いずれの手法が採用されたとしても，策定された戦略は，次の戦略実行段階において戦略マップへと変換され，次いで，戦略目標，尺度，目標値，実施項目からなるバランスト・スコアカードによって操作できるようにされる。

　さらに，図表2-12では，戦略マップを用いて，戦略上，業務上，そしてリスクマネジメント上の多くのアプローチを可視化している。上から見ていくと，ほとんどの企業は，何らかの財務的ポートフォリオ・アプローチを採用して企業戦略を立案している。ポートフォリオ・アプローチでは，各ビジネスユニットの財務上の特徴を把握し，成長とキャッシュフローとリスクの間で望ましいバランスを見出そうとする。経済的付加価値（EVA）のようなバリューベースト・マネジメントのアプローチでは，財務の視点の長期的な目標と整合的な目標を選択することに焦点が当てられる。COSOや内部統制を含め，全社的リスクマネジメントでは，戦略の実行可能性を損なうような財務リスク，業務リスク，技術リスク，マーケット・リスクを減少させることに焦点が当てられる。しかしながら，通常これらの財務戦略とリスクマネジメント・アプローチが，持続的な価値創造にとって重要な役割を果たす顧客価値提案，主要ビジネス・プロセス，無形の資産への投資を特徴づけるようなことはない。

　最も目に触れる機会が多い戦略策定アプローチは，顧客に焦点を当てている。ポーターの競争優位のフレームワークでは，対象とする市場・顧客セグメントを選択し，そのセグメントで低コスト戦略，差別化戦略のいずれによって競争に打ち勝とうとするかを決定することが重視されている。ベイン・アンド・カンパニーのクリス・ズックの主張によると，最も成功した企業は，コアとなる市場分野（顧客の選好について確かなノウハウと深い知識を有する分野）を中心として戦略を策定しているとされる。たとえば，ズックが引用しているところによると，ガートナー・グループ，ボシュロムな

図表 2-12

戦略策定プロセスで利用可能な多様な手法

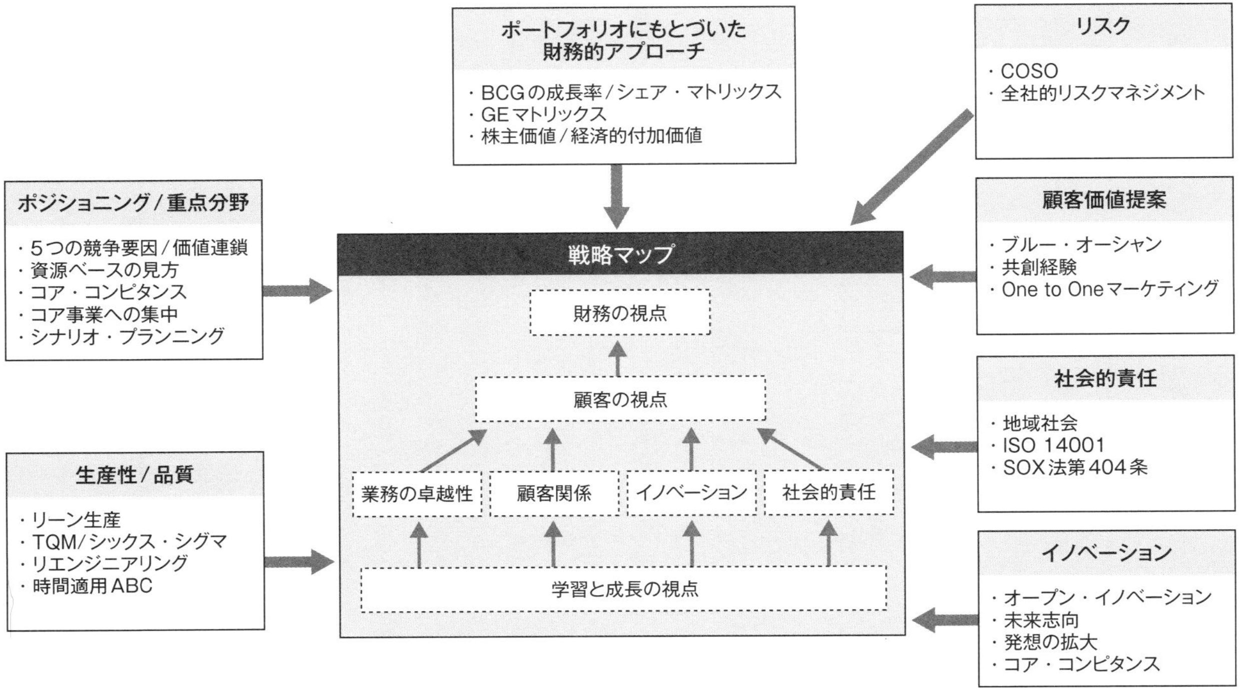

リスク
- COSO
- 全社的リスクマネジメント

顧客価値提案
- ブルー・オーシャン
- 共創経験
- One to One マーケティング

社会的責任
- 地域社会
- ISO 14001
- SOX法第404条

イノベーション
- オープン・イノベーション
- 未来志向
- 発想の拡大
- コア・コンピタンス

ポートフォリオにもとづいた財務的アプローチ
- BCGの成長率／シェア・マトリックス
- GEマトリックス
- 株主価値／経済的付加価値

戦略マップ
- 財務の視点
- 顧客の視点
  - 社会的責任
  - イノベーション
  - 顧客関係
  - 業務の卓越性
- 学習と成長の視点

ポジショニング／重点分野
- 5つの競争要因／価値連鎖
- 資源ベースの見方
- コア・コンピタンス
- コア事業への集中
- シナリオ・プランニング

生産性／品質
- リーン生産
- TQM／シックス・シグマ
- リエンジニアリング
- 時間適用ABC

第2章 戦略の構築　67

どの企業は，新しい分野に参入して基軸をぼやかしてしまって業績を悪化させ，その後，すでに成功体験のある分野に戻ってようやく成功を取り戻した[20]。

ブルーオーシャン・アプローチを採用する企業は，大規模な顧客基盤に関して，創造的で持続可能な新しい競争ポジションを確立しようとする[21]。たとえば，サウスウエスト航空は，空の旅のスピードと低料金で頻繁な定時離着陸とを結びつけることで新しい市場セグメントを創出し，長距離バスの多くの利用者を惹きつけた。価格に敏感な旅行者というサウスウエスト航空がターゲットとした顧客基盤は，低料金，頻繁なフライト，定時離着陸の見返りとして，座席が予約されない，搭乗のため長い列を作って待たなければならない，ファースト・クラスの座席設定がないといった不便さを容認している。

もう一つのブルーオーシャン戦略の例として，シルク・ドゥ・ソレイユは，サーカスが持つアクロバット的で絶え間なく続く刺激と，ミュージカルが持つ音楽・踊りとを結びつけることで，ヤング・アダルトを対象とした大きな市場を見出した。この会社は，伝統的な動物芸（それには運営費の50％近く要し，動物愛護団体からの抗議も招く）を止めることで，大幅なコスト削減を達成し，その分をショーの構成とオリジナルな音楽・踊りに投資した。サウスウエスト航空やシルク・ドゥ・ソレイユのような企業は，その革新的な財・サービスによって，業界のダイナミクスを変化させた。

共創経験（experience cocreation）によって，顧客とともに価値提案を構築している企業もある[22]。このアプローチに従って農作機器メーカーのジョンディアは，技術と農家同士のネットワークとを結合して必要な情報へアクセスできるようにすることで，農家の生産性を向上させ，その暮らしを楽にしている。ディア・トラックスと呼ばれるリアルタイム・システムによって，農家はトラクターなどの車両の作業状況を監視できる。さらにそのシステムは，同様の問題を抱えた同様の人員構成の農家をそれぞれのテーマ・コミュニティに結びつけることで知識を共有化させ，そのグループの共創経験を利用できるようにしている。ジョンディアの製品・サービスの設計は顧客との共創であって，農家がそのプロセスの中心におかれている。

もう一つの考え方としては，戦略を競合的な動作中のプロセスとして捉えるものがある。シェルによって考案された**シナリオ・プランニング**は，広く用いられているアプローチで，競争状況・環境の変化に応じて複数の対応策が作成される。LGフィリップスLCDは，ウォーゲーム・シミュレーションを用いて，自社のさまざまな戦略について競合他社がとりうる対応策を識別している（第9章を参照）。第5章では，TQM，プロセス・マネジメント，コスト・マネジメントなどの多様な業務改善プログラムと戦略とがいかに結びつくかを示す。

　どのような戦略策定アプローチを用いたとしても，その最終的な成果は，会社のポジションと財・サービスを競合他社から差別化する方向性を確立して，優れた財務業績（非営利組織にとっては，社会への好ましい影響）へとつながる持続可能な競争優位を構築することである。そのためには，戦略の独創性が重要となる。戦略的計画の担当者は差別化戦略を構築するために，図表2-12で例示されている各種の手法を利用することができる。経営幹部が戦略策定ツールに関する知識を増やすにつれて，自社の状況，歴史，文化，能力と最も適合的で有用と思われるアプローチを選べるようになろう。

戦略を選択する際の指針としての戦略マップ

　図表2-12の戦略マップのフレームワークは，戦略を選択する際の指針として役立つ。たとえば，資本の利用効率が悪いのであれば，何らかのバリューベースト・マネジメント・アプローチが財務戦略を定めるのに役立つであろう。あるいは，特徴的なブランドも市場での存在感もないのであれば，おそらくはポジショニングのフレームワークやブルーオーシャン・アプローチ，顧客との共創プロセスによって，魅力的な顧客セグメントを識別することに重点をおくのが最も適切であろう。重要なビジネス・プロセス（業務管理，顧客データマイニング，製品の特徴・革新性）において特殊な能力を有していて，それが競合他社よりも優れていたり，それを競合他社が持っていなかったりするような場合には，戦略策定のフレームワークとしては，資源ベースの見方とコア・コンピタンス・アプローチが効果的である。あるいは，スキルと経験を有し強く動機づけられた従業員からなる巨大な人的資

図表2-13 事業戦略の基盤：三菱東京UFJ銀行のケース

戦略マップ

"世界トップ5"の地位
- 増収
- コスト削減
- 貸借対照表構造の改善
- 資本効率の向上

	No.1のサービス	No.1の信頼度	No.1の国際性	社会
顧客	顧客満足度（リテール、法人、海外）	内部顧客満足度（経営、事業部門、関係会社）		地域社会 地球環境
価値創造	RM	PO	オペレーション	価値毀損の回避
	・マーケティング戦略 ・チャネル戦略 ・内外連携 ・ビジネス・モデル 等	・投資銀行商品 ・市場関連商品 ・決済性商品 ・IT製品等	・事務業務品質 ・生産性	・ガバナンス構造 ・コンプライアンスと倫理 ・内部統制 ・情報セキュリティ・マネジメント ・リスク管理、危機管理 等
人材・組織文化	・従業員満足度 ・能力開発 ・職場環境	・コミュニケーション ・業績管理 ・キャリア形成 等	経営インフラ・IT	・配当資本制度 ・ITガバナンス ・CRMシステム 等
			・新BIS対応 ・戦略的ALM ・人事システム	

顧客価値提案
- 顧客満足度調査
- 経営満足度調査
- 事業部門満足度調査
- 営業店満足度調査
- 実施項目の評価
- ISO9001/14001の内部監査

企業の社会的責任
- ブランド評価
- ステークホルダーの声

コンプライアンス・リスク管理
- 当局検査結果
- 内部監査と外部監査
- コントロール・セルフアセスメント、リスク・セルフアセスメント
- SOX法第404条のテスト結果
- コンプライアンスのチェックリスト
- 情報セキュリティのテスト結果

従業員との関係
- 従業員満足度調査
- 社員の声

（出典）BSCol Conference, Boston, July 2007.

本の基盤がある場合には，学習する組織を作り出すことに努め，創発戦略の提案を後押しすることによって，新しい戦略への有望な道を見つけ出せるようになる。

例として，資産額で世界最大の銀行の一つである三菱東京 UFJ 銀行のケースを考えてみよう。図表 2-13 は，当行が多様な計画手法を戦略構築プロセスといかに統合しているかを示している。その中心には，戦略マップに関する経営上層部の基本概念がおかれている。そして，オペレーションの質のようなトピックスが示され，そのための具体的な戦略目標が定義されている。戦略マップの両側には，次の戦略検討と戦略更新の段階において，4つの領域（顧客価値提案，従業員との関係，企業の社会的責任，コンプライアンス・リスク管理）で利用可能な手法が示されている。

三菱東京 UFJ 銀行では，戦略を毎年，漸進的に更新しているので，ほとんどのツールがデータ収集と業績評価のために用いられている。たとえば，顧客価値提案の手法を用いて，顧客，経営者，各事業部門，各営業店から満足度スコアが収集されている。戦略的実施項目のパフォーマンス，および ISO9001 と ISO14001 の監査結果を評価するためにも，顧客価値提案をレビューする他の手法が用いられている。これらの情報を用いて，三菱東京 UFJ 銀行は，次年度に向けて戦略を更新している。その戦略実行のプレミアムは，以下のように要約される。

三菱東京 UFJ 銀行における戦略実行のプレミアム

- 三菱東京 UFJ 銀行の経営幹部は，東京三菱銀行とその事業部の間ですでに存在していた戦略的アラインメントのおかげで，業務上ないしシステム上の障害をほぼ起こすことなく，2つのメガバンクの歴史的な合併を成功させることができた。
- 三菱東京 UFJ 銀行は，当初の戦略的計画よりも2年早く，世界トップ5の金融機関の一つとなった。
- COSO ベースのコントロール・セルフアセスメントをバランスト・スコアカードと結合させることによって，米国三菱東京 UFJ 銀行の

業務は，当局検査において高得点をマークした（米国では当局検査の詳細は，法律によって開示できない）。
・2004年3月から2006年3月までの2年間に，三菱東京UFJ銀行の業務純益は117.5%増加し，ムーディーズによる格付けはA2からA1へ，S&Pによる格付けはBBBからAに改善した。
・三菱東京UFJ銀行は，日経の企業ブランド調査において，日本の金融機関のうち第1位にランキングされた。

OASステートメント

経営幹部のチームが戦略を選択したならば，それを文章化して，その戦略を管理者と従業員の全員に伝達する必要がある。ハーバード・ビジネス・スクールでの最近の研究によると，よい戦略ステートメントは，どのようにして作ったものであっても，次の3つの基本的な要素を含んでいるべきであるとされる[23]。

・目　標（O）：戦略によってその達成が予定された目標
・優位性（A）：その目標を達成するための手段
・範　囲（S）：業務活動を行う領域（すなわち，前述した重点分野）

OASステートメント[訳注4]の目標部分は，前述したビジョン・ステートメントと類似している。すなわち，それには，定量的な目標（一般には，収益性や規模，マーケットシェアないし順位，株主総合利回り）と，「3年から5年のうちに」というような達成期限が設けられる。

OASステートメントの優位性は，競合他社と比べて勝っていたり独特であったりして差別化をもたらしている点で，顧客を惹きつけるための価値提案を描き出す。価値提案では，購買経験ないし顧客関係性のうち，競合他社と比べて独特である，あるいは著しく勝ると意図している部分を示すべきで

訳注4　OASステートメントのOASは，Objective（目標），Advantage（優位性），Scope（範囲）の頭文字を表している。

ある。優位性は，低コストあるいは（製品の特徴やサービス，顧客関係性による）差別化といった伝統的な戦略の用語によって表すことができる。

OASステートメントの**範囲**は，どの市場セグメントで競争に打ち勝とうとしているのかというそのセグメントを定義する。それには，ターゲットとする顧客セグメントや製品ラインの幅，採用する技術，対象地域，**垂直的統合**の程度（バリューチェーンのどの活動を行うか）がある。

OASステートメントを用いると，たとえば，サウスウエスト航空の戦略は次のように記述できよう[24]。

料金に敏感で，フライトの利便性を重視する旅行客に対して，……（範囲）
空の旅の速さを，電車，バス，車の料金，頻度，信頼性をもって提供することによって，……（優位性）
米国に拠点をおいた最も収益性の高い航空会社となる（目標）

最も収益性の高い航空会社になるという"目標"は，特に目を引くものではない。期限は省いてある。なぜなら，サウスウエスト航空は収益性ですでに第1位であり，その地位の保持を望んでいると思われるからである。前述のように，その"優位性"は，飛行機の速さを，電車，バス，車の料金と利便性をもって提供することにある。その"範囲"は，料金に敏感な旅行客（都市間を低料金で飛行機の速さで移動し，定時に到着するという機会を得る代わりに，座席が予約されない，搭乗手続に時間がかかる，ファースト・クラスの座席設定がない，空港ラウンジがないといった不便さを厭わない旅行客）にアピールすることである。この例は，企業のビジョンおよび経営上層レベルの戦略を，明瞭で力強い50語未満のOASステートメントによって表現できることを示している。

戦略方向性ステートメント

戦略が策定されると，次の手順は，尺度，目標値，実施項目，予算，会計責任のような事象を扱う詳細なレベル（続く2つの章で述べる）へと移っていく。この計画プロセスに移行する前に，経営幹部のチームは，本書で**戦略**

方向性ステートメント（strategy direction statement）と呼ぶツール（図表2-14を参照）を用いて，戦略構築プロセスの独創性を把握し，それを前進させることができる。戦略的分析の後，経営者は識別されたそれぞれの戦略課題について方向性ステートメントを作成する。戦略方向性ステートメントは戦略課題に関するビジョン・ステートメントのようなものであって，その後の詳細計画にとって不可欠な次の3つの要素を提供する。

- **戦略目標**：これは達成されるべき具体的な目標を定義する。
- **必須活動**：これは，戦略目標を達成するために習得しておかなければならない少数の重要な活動である。必須活動は，その後戦略マップおよび実施項目を設計する際の重要な投入要素となる。
- **暫定的尺度**：これは，バランスト・スコアカードで用いられるであろう潜在的な尺度のうち，最初の関門を通過したものである。

たとえば，「いかに店舗を面白くするか」という戦略課題の分析から，新しい店舗環境を描く戦略方向性ステートメントのほか，この課題に関する詳細な戦略目標，必須活動，暫定的尺度が明らかにされる（図表2-14を参照）。他の戦略課題に関しても，同様に戦略方向性ステートメントが作成され，策定された戦略から次の段階（戦略的計画書の作成）への変換が促進される。

漸進的な戦略修正 対 戦略転換

BSColカンファレンスの参加者で，マリオット・バケーションクラブ・インターナショナル（MVCI）の戦略マネジメント・オフィサーのカール・スウィーニーは，当社における年次戦略検討会議の目的に関する質問に次のように答えた。「仮に，昨年同じ質問を受けたならば，戦略の"漸進的な修正"と答えたでしょう。弊社は，戦略の実行に忙しく，成功もしていましたから。しかし，今年になって，何かが変わってしまいました。いまや，弊社のビジネスモデルは新たな難問に直面しています。次の会議では，新しい方

図表2-14

戦略策定を通じた課題の解決と新しい方向性の確立

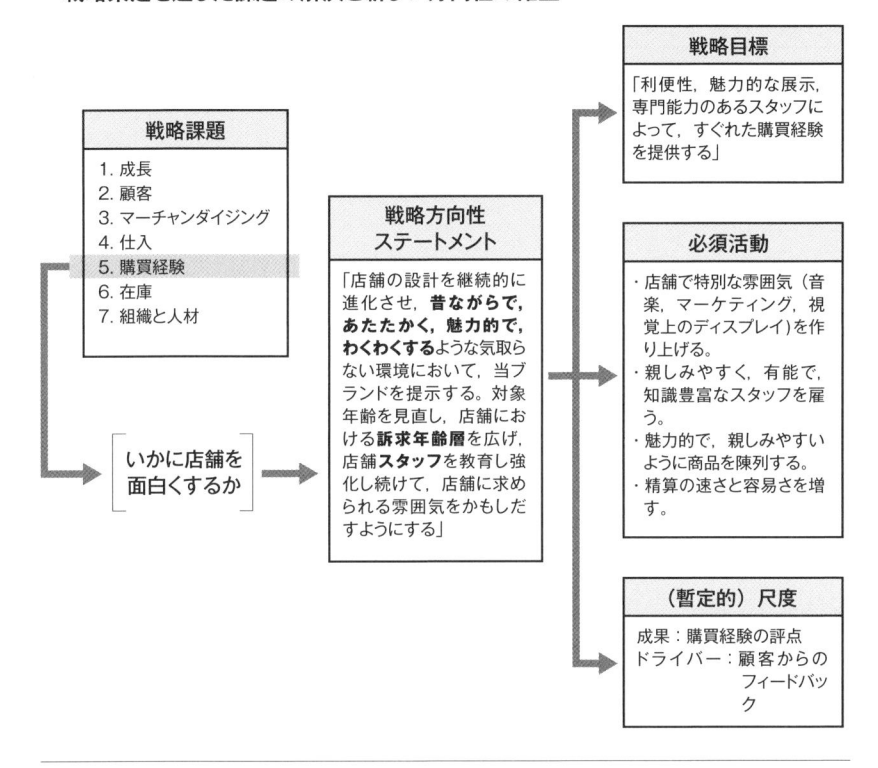

戦略課題
1. 成長
2. 顧客
3. マーチャンダイジング
4. 仕入
5. 購買経験
6. 在庫
7. 組織と人材

[いかに店舗を面白くするか]

戦略方向性ステートメント
「店舗の設計を継続的に進化させ、**昔ながらで、あたたかく、魅力的で、わくわくする**ような気取らない環境において、当ブランドを提示する。対象年齢を見直し、店舗における**訴求年齢層**を広げ、店舗**スタッフ**を教育し強化し続けて、店舗に求められる雰囲気をかもしだすようにする」

戦略目標
「利便性、魅力的な展示、専門能力のあるスタッフによって、すぐれた購買経験を提供する」

必須活動
・店舗で特別な雰囲気(音楽、マーケティング、視覚上のディスプレイ)を作り上げる。
・親しみやすく、有能で、知識豊富なスタッフを雇う。
・魅力的で、親しみやすいように商品を陳列する。
・精算の速さと容易さを増す。

(暫定的)尺度
成果:購買経験の評点
ドライバー:顧客からのフィードバック

向性が見い出せるよう、いままでの戦略を徹底的に再検討する必要があると考えています」[25]。

　MVCIの経験は、ほとんどの企業で起こりうる。戦略は、たとえそれが優れたものでも、いつかは寿命がくる。ある企業の成功している戦略に競合他社が気づいたならば、そのうちその先発者の優位性を打ち消すような対応をとる。ところが、競争状況の変化が企業業績に影響するには、一般に3年以上を要する。

　HSBCレイル[訳注5]のトップ、ピーター・オールドリッジは、優れた財務

業績を達成しているときであったけれども，戦略の抜本的な見直しを主体的にはじめた。HSBCレイルは当時，"晴れ"の区域にいたものの，いろいろな方向から嵐の雲がやってくるのが見えた，とオールドリッジは回顧している。親会社のHSBCは，資本効率の大幅な改善を要求していた。重要なステークホルダーである英国運輸省は，鉄道網への助成金の効果を大幅に高めようとしていた。旅客・貨物輸送の増加のほか，地球環境・気候への配慮といった業界の動向は，HSBCレイルの既存の戦略に対して大きな圧力となった。

嵐が来るのを待つよりはと，オールドリッジは，ミドルとシニアの経営管理者のために，10個の一連のワークショップを立ち上げた。最初のワークショップでは，今後の4つのシナリオを検討した。経営管理者たちは，各シナリオを分析し，それぞれに共通の優先課題と影響要因を突き止めた。そして，それらをチェンジ・アジェンダのなかに位置づけ，その後戦略マップとバランスト・スコアカードを構築する際に，そのすべてが確実に取り扱われるようにした。ワークショップは企業の目的（すわなち，ミッション），ビジョン，バリューを組織成員が真に理解し，受け入れる助けとなった。この受け入れによって，新しい戦略を構築し，戦略マップとバランスト・スコアカードを通じてその戦略を実施可能とするための準備が整うことになった（HSBCレイルの戦略マップについては，第8章を参照）。

BSColのクライアントおよびカンファレンスへの出席者に対する調査から得られた著者たちの暫定的な結論は，新しい戦略の寿命は一般に3〜5年だということである。その間，既存の戦略が優れた業績をもたらしているとすると，戦略は毎年，漸進的に修正される。戦略の寿命がきた，大きな変化を経験した，あるいは業績が低下しはじめたと認識されたときのみ，戦略転換の検討が決断される。

新しい転換戦略を構築するために，既存戦略の主要な構成要素を再調査し，それを変更することからその取組みをはじめる企業もある。その対象となる要素には，長期的なミッション，バリュー，ビジョン，戦略テーマのほ

訳注5 | HSBCレイルのHSBCとは，Hongkong and Shanghai Banking Corporation（香港上海銀行）の頭文字を表している。

か，財務的な（ミッションの）見通し，顧客セグメントと価値提案，主要な戦略的プロセス，人的資本・情報資本・組織資本の能力がある。

戦略転換の引き金

戦略転換の引き金には，戦略の失敗という**バーニング・プラットフォーム**_{訳注6}のようなネガティブなものもなりうる。著者たちが1990年代にその発生を観察したのは，いくつかの会社が，財務的危機をきっかけとして，従来とはまったく異なる戦略の実行を支援するために，バランスト・スコアカードを導入した際であった。シグナ傷害火災保険は，コンバインド・レシオ（保険料収入に対する費用の比率）が140もあり，業界で最大の損失を出していた。モービルUSマーケティング・リファイニングの年間キャッシュフローは5億ドルのマイナスで，業界で最も収益性に劣る企業であった。AT&Tカナダは，1996年に3.5億カナダ・ドルの損失を出した。バーニング・プラットフォームの状況下では，失敗が明らかな既存戦略によって"焼き殺される"よりも，新しい戦略を追求することへと強く動機づけられる。

新しいリーダーの，特に外部からの採用は，既存戦略を包括的に再検討し転換を図ろうとするきっかけとなる。新しいリーダーは，バーニング・プラットフォームに取り組むために招致されることが多いが，リーダーの交代はすべての組織（米国の公的部門では，選挙後に民間から新しくリーダーが登用され，軍隊ではリーダーの在任期間は限られている）において一般に見られる。

1990年代に，インターネットが新しい強力なチャネルとして突如出現した際に，多くの小売業と金融機関が学んだように，技術の変化も戦略を転換する引き金となる。ドットコム・ブームにおいて，多くの企業が話題にしたのは，"アマゾン化"であった。ウェルズ・ファーゴ銀行はインターネットを，伝統的な実店舗型のリテールバンクにおける生産性向上と原価低減か

訳注6 | バーニング・プラットフォーム（burning platform；燃えさかるプラットフォーム）という言葉は，海上の石油掘削用プラットフォームで火災が起きた際に，そこで焼け死ぬよりはと，極寒の海へ飛び込んだ労働者の逸話から生まれたもので，変革のインセンティブを作り出すためには，他に選択の余地がないような緊迫した状況が必要であることを意味している。

ら，オンライン・バンキングによる増収および顧客関係性の強化へと戦略を転換させる触媒として理解した。とりわけ，クレイ・クリステンセンは，多くの業界において，技術変化が既存戦略をいかに破壊しているかを立証している[26]。

戦略転換の引き金には，エネルギーのような資源価格の高騰や外国為替の平価切上げなどのマクロ経済的要因もなりうる。規制の変更も戦略転換の契機となる。たとえば，既存市場への参入が新しい競争相手に許可されたり，以前禁止されていた新しい市場・事業領域への当社の参入が許可されたりといったケースがそれである。

要約すれば，新しい転換戦略の導入は，リコーが3年ごとに行っていたように，定期的に行うこともできるし，あるいは既存戦略の寿命がつきて新しいアプローチが必要であると経営幹部のチームが認識したときに行うこともできる。たとえば，アンディ・グローブが1980年代に，メモリーチップからマイクロプロセッサーへとインテルの戦略転換の引き金を引いたのは，グローブが経営陣に，「仮に，今日この会社をはじめるとして，汎用的なメモリーチップを生産する施設を一から建設しようとするだろうか」と問いかけたときであった。

2007年の時点で，MVCIには，5年間実施されてきた戦略があった（図表2-15を参照）。その最初の4年間は，毎年戦略の実施状況を検討しても，その実行はうまくいっていると解釈され，既存戦略について小さな修正を行うだけであった。しかし，先の引用でスウィーニーによって指摘されていたように，5年度目には，競争環境は変わってしまっており，経営幹部のチームはその既存戦略を書き直す必要性を認識した。そこで，次回の年次戦略更新会議で新しい転換戦略を構築するための準備として，MVCIの経営陣はそれまでの間，新しい競争環境を理解するために多くの時間を費やした。

外見からすれば，年次の戦略更新プロセスがうまく機能し，ビジネス環境の変化に合わせて新しい戦略が導入された。しかし，あるシニア・オフィサーは次のように述べた。「昨年の計画プロセスには満足していません。環境分析を適切に行い，前回の年次戦略更新会議の際に手元にあったデータをきちんと分析していれば，問題が生じる1年前にそれに気づき，その対応に

図表2-15

戦略転換の引き金：マリオット・バケーションクラブ・インターナショナルのケース

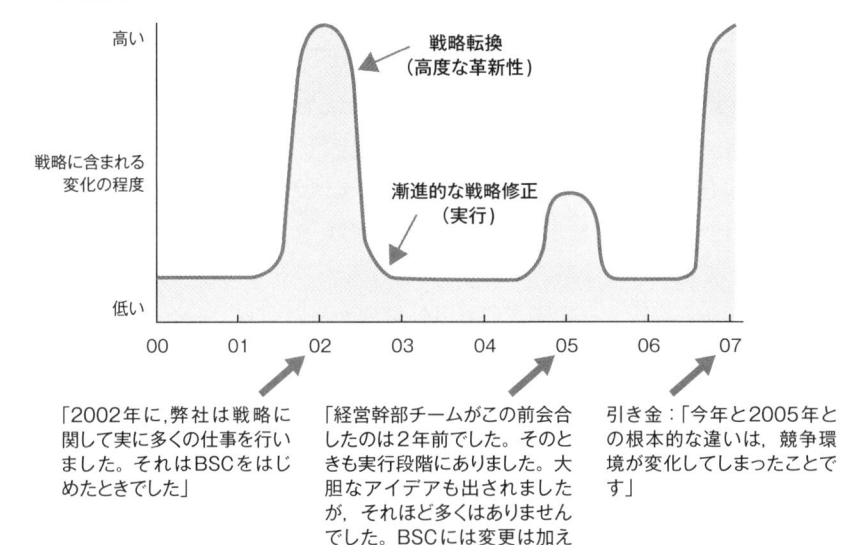

縦軸：戦略に含まれる変化の程度（高い／低い）
横軸：00 01 02 03 04 05 06 07

- 戦略転換（高度な革新性）
- 漸進的な戦略修正（実行）

「2002年に，弊社は戦略に関して実に多くの仕事を行いました。それはBSCをはじめたときでした」

「経営幹部チームがこの前会合したのは2年前でした。そのときも実行段階にありました。大胆なアイデアも出されましたが，それほど多くはありませんでした。BSCには変更は加えられませんでした」

引き金：「今年と2005年との根本的な違いは，競争環境が変化してしまったことです」

毎年，戦略の実施状況を検討する結果としての"引き金"

要した時間を大幅に削減することができたでしょう。このビジネスでは，1年前に行動を起こすことの価値は計り知れないのです。」[27]

これと同様のケースを，第9章において，ストア24というコンビニエンスストアに関して紹介する。特殊調査（戦略マップ上の因果関係に関する事後的な統計分析）によって明らかになったことであるが，ストア24では，既存戦略の失敗の兆候が，経営陣がそれを認識する1年も前にすでに存在していた。それゆえ，既存戦略はうまく機能していると思われ，大きな変化が明確には把握されていない場合であっても，その戦略を次年度も続けるのが妥当であるかを確認するために，外的要因の変化と内部データを毎年，注意深く分析することを，経営幹部のチームが望むことがある。年次の戦略更新

会議への情報提供に，このように業務遂行上の業績データを用いるケースについては，第9章で再び取り上げる。

　戦略を更新する方法は，既存の戦略を修正する，あるいは新しい転換戦略を導入するという2つの極端なケースだけに限られない。第3章で述べるように，戦略は通常，いくつかの同時に追求する戦略テーマから構成されている。戦略テーマの一つには大幅な変更が必要であるとしても，他のテーマにはほとんど変更を要しないということもある。たとえば，1990年代に大きな吸収合併を行ったチェース銀行の経営陣は，「100％の顧客維持」という掲げられていた目標は誤りであることを学んだ。なぜなら，多くの既存顧客，特に資産残高が少ない顧客の収益性は悪かったからである。そのため，チェース銀行では，収益性の高い顧客だけを確保しようとして，顧客関係性の戦略テーマの目標を「顧客維持」から「資産保持」へと変更した。他方で，企業ブランドの確立，業務の卓越性，人材開発に関する戦略テーマは変更されなかった。

要約

　経営幹部のチームは，戦略を更新するために，少なくとも年1回は会合を持つべきである。その会合で，経営幹部のチームは，企業のミッション，バリュー，ビジョンのステートメントを再検討し再確認する。そして，外部情報と内部情報を分析し，重要な戦略上の課題をSWOT分析の形にまとめる。今後数年のうちに，戦略と組織文化を大幅に変更する必要があると認識したならば，経営幹部のチームは，戦略的チェンジ・アジェンダを用いて変革の必要性を明確にして，それを組織全体に伝える。

　既存戦略がなお効果的に機能しているならば，その漸進的な修正を経営幹部のチームが選択することもある。しかし，すべての戦略の有効期間は限られている（一般には，5年以下）ことを前提とすると，経営幹部のチームは周期的に，多様戦略策定ツールを活用して，今後数年間にわたって企業を導いていくような転換戦略を構築する場面に遭遇するであろう。

【注】

(1) D. K. Rigby, *Management Tools 2007: An Executive's Guide*, Boston: Brain & Company, 2007.
(2) "Improving Strategic Planning: A McKinsey Survey," *McKinsey Quarterly* (September 2006).
(3) http://www.novartis.co.uk/about/mission.shtml を参照のこと。
(4) http://www.google.com/corporate/ を参照のこと。
(5) ホールフーズのバリュー・ステートメントは長大である。http://www.wholefoodsmarket.com/company/corevalues.html を参照のこと。
(6) Indigo 2007 Annual Report.
(7) http://www.earthlink.net/about/cvb/ を参照のこと。
(8) R. Nolan and D. Stoddard, "Cigna Property and Casualty Reengineering (A)," HBS Case #9-196-059 (August 1995): pp.3-4.
(9) R. Kaplan and N. Tempest, "Wells Fargo Online Financial Services (A)," HBS Case #9-198-146 (June 1999): p.4.
(10) "Our Vision & Purpose," University of Leeds Strategic Plan 2006: p.4.
(11) J. Collins and J. Porras, *Built to Last: Successful Habits of Visionary Companies*, New York: Harper Collins, 1994, 9. (山岡洋一訳『ビジョナリー・カンパニー：時代を超える生存の原則』日経BP社, 1995年)
(12) J. Kotter, *Leading Change*, Boston: Harvard Business School Press, 1996, pp.21-22. (梅津祐良訳『企業変革力』日経BP社, 2002年)
(13) SHRM/Balanced Scorecard Collaborative, Aligning HR with Organization Strategy Survey Research Study 62-17052 (Alexandria, VA: Society for Human Resource Management, 2002); "The Alignment Gap," *CIO Insight*, 1 July 2002.
(14) R. S. Kaplan and D. P. Norton, *Strategy Maps*, Boston: Harvard Business School Press, 2004 (櫻井通晴・伊藤和憲・長谷川惠一監訳『戦略マップ：バランスト・スコアカードの新・戦略実行フレームワーク』ランダムハウス講談社, 2005年); Kaplan and Norton, *The Strategy-Focused Organization*, Boston: Harvard Business School Press, 2000 (櫻井通晴監訳『戦略バランスト・スコアカード』東洋経済新報社, 2001年)
(15) 最近、5つの競争要因のフレームワークに、6番目の要因として補完相手 (complementors) の役割が追加された。M. E. Porter, "The Five Competitive Forces That Shape Strategy," *Harvard Business Review* (January 2008) pp.86-87 を参照のこと。

(16) M. E. Porter, *Competitive Advantage: Creating and Sustaining Superior Performance*, New York: Macmillan, Free Press, 1985, pp.33-163（土岐坤・中辻萬治・小野寺武夫訳『競争優位の戦略：いかに高業績を持続させるか』ダイヤモンド社，1985 年）

(17) SWOT 分析に関する初期の文献の一つは，E. P. Learned, C. R. Christensen, K. Andrews, and W. D. Guth, *Business Policy: Text and Cases*, Homewood, IL: Irwin, 1969 である。

(18) 戦略策定に関しては，多数の論文と著書が発表されている。そのうち最も重要なもののいくつかを以下に示す。

Porter, M. E. *Competitive Advantage: Creating and Sustaining Superior Performance*, New York: Free Press, 1985.（序を書き直した再版，1998 年）（土岐坤・中辻萬治・小野寺武夫訳『競争優位の戦略：いかに高業績を持続させるか』ダイヤモンド社，1985 年）

Porter, M. E. *Competitive Strategy: Techniques for Analyzing Industries and Competitors*, New York: Free Press, 1980.（序を書き直した再版，1998 年）（土岐坤・中辻萬治・服部照夫訳『競争の戦略』ダイヤモンド社，1982 年）

Porter, M. E. "What Is Strategy？" *Harvard Business Review* (November-December 1996).（中辻萬治訳「戦略の本質」『DIAMONDO ハーバード・ビジネス』1997 年 3 月号，pp. 6-31）。

Barney, J., *Gaining and Sustaining Competitive Advantage*, 3rd ed, Saddle River, NJ: Prentice-Hall, 2006（2002 年の第 2 版：岡田正大訳『企業戦略論（上・中・下）』ダイヤモンド社，2003 年）。

Barney, J. B., and D. N. Clark. *Resource-Based Theory: Creating and Sustaining Competitive Advantage*, Oxford: Oxford University Press, 2007.

Hamel, G., and C. K. Prahalad. *Competing for the Future,* Boston: Harvard Business School Press, 1994.（一條和生訳『コア・コンピタンス経営』日本経済新聞社，1995 年）

Collis, D. J., and C. A. Montgomery. "Competing on Resources: Strategy in the 1990s," *Harvard Business Review* (July-August 1995), pp.118-128.（白鳥東吾訳「コア・コンピタンスを実現する経営資源再評価」『DIAMOND ハーバード・ビジネス』1996 年 7 月号，pp. 93-106）。

Kim, W. C., and R. Mauborgne, *Blue Ocean Strategy*, Boston: Harvard Business School Press, 2005.（有賀裕子訳『ブルー・オーシャン戦略：競争のない世界を創造する』ランダムハウス講談社，2005 年）。

Christensen, C. M., and M. E. Raynor, *The Innovator's Solution: Creating and Sustaining Successful Growth*, Boston: Harvard Business School Press, 2003.（玉田俊平太・櫻井祐子訳『イノベーションへの解：収益ある成長に向けて』翔泳社, 2003年）

Zook, C., and J. Allen, *Profit from the Core: Growth Strategy in an Era of Turbulence*, Boston: Harvard Business School Press, 2003.（須藤実和監訳, ベイン・アンド・カンパニー訳『本業再強化の戦略』日経BP社, 2002年）

Mintzberg, H. "Crafting Strategy," *Harvard Business Review*（July-August 1987）.（「戦略クラフティング」『DIAMONDハーバード・ビジネス・レビュー』2003年1月号, pp. 72-85）

Hamel, G., "Strategy Innovation and the Quest for Value," *Sloan Management Review*（Winter 1998）.

(19) COSOは, トレッドウェイ委員会のCommittee of Sponsoring Organizations（組織委員会）の略語で, 企業倫理, 内部統制, コーポレート・ガバナンスに関する基準を設定する民間任意団体のことである。

(20) C. Zook and J. Allen, *Profit from the Core*.

(21) Kim and Mauborgne, *Blue Ocean Strategy*.

(22) C. K. Prahalad and V. Ramaswamy, *The Future of Competition: Cocreating Unique Value with Customers*, Boston: Harvard Business School Press, 2004.（有賀裕子訳『価値共創の未来へ：顧客と企業のCo-Creation』ランダムハウス講談社, 2004年）

(23) この部分は, D. Collis and M. Rukstad, "Can You Say What Your Strategy Is？" *Harvard Business Review*（April 2008）, pp.89-90.（松本直子訳「戦略を全社員と共有する経営」『DIAMONDハーバード・ビジネス・レビュー』2008年7月, pp. 20-34）を参考にしている。

(24) サウスウェスト航空のOASステートメントは, 例示するために著者たちが, 公表されている情報にもとづいて作成した。戦略に関するこの表現に当社が同意するかは不明である。

(25) マサチューセッツ州ボストンで開催されたバランスト・スコアカード・コラボレティブ（Balanced Scorecard Collaborative；BSCol）のカンファレンス, "Achieving and Sustaining Breakthrough Performance: 2007 Leadership Conference"（2007年7月）におけるスウィーニーのコメント。

(26) C. M. Christensen, *The Innovator's Dilemma: When New Technologies Cause Great Firms to Fail*, Boston: Harvard Business School Press, 1997（伊豆原弓訳

『イノベーションのジレンマ:技術革新が巨大企業を滅ぼすとき』翔泳社,2000年)

(27) マサチューセッツ州ボストンで開催されたバランスト・スコアカード・コラボレティブのカンファレンス,"Achieving and Sustaining Breakthrough Performance: 2007 Leadership Conference"(2007年7月)におけるスウィーニーのコメント。

第3章 戦略の企画
Plan the Strategy

第2章で述べた戦略の構築のプロセスは，戦略の実行のための出発点である。戦略を構築する経営者は，組織のミッション，バリューおよびビジョンを再確認し，現状での強み，弱み，機会および脅威を評価し，さらには，ビジョンにもとづく目標を達成するため，行動についての特定の方針を選択する。しかし，戦略の構築は一般に，あいまい過ぎてうまく実行できない言葉を記述するだけで終わってしまう。**戦略の企画**のプロセス（図表3-1の第2ステージ）は，戦略を方向づけただけの記述を，特定の目標，尺度，目標

図表3-1

マネジメント・システム：戦略の企画

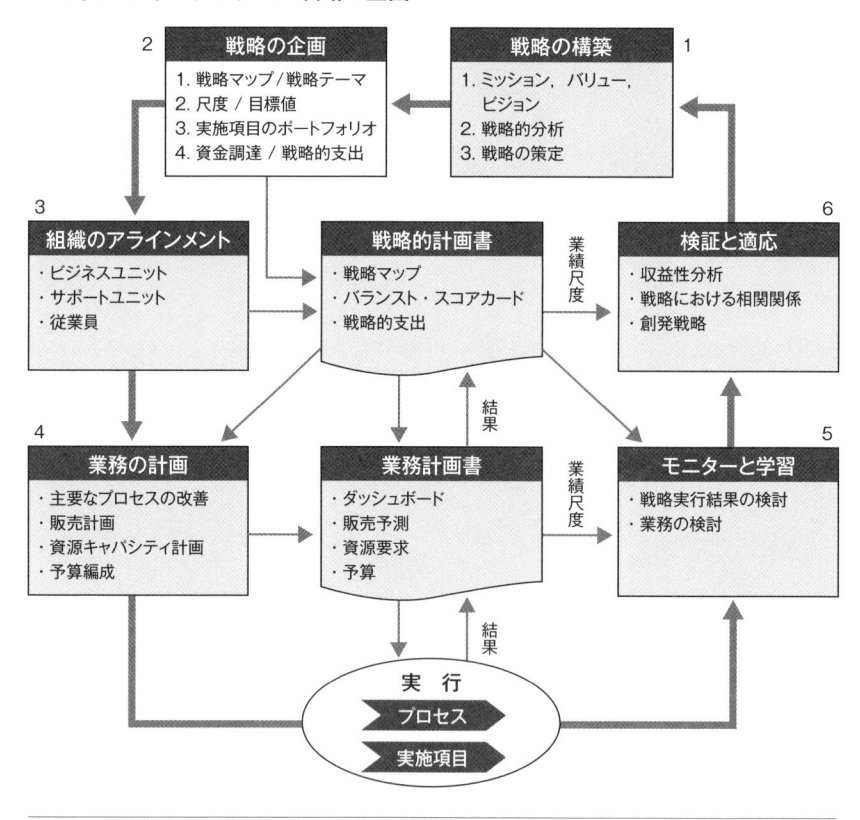

```
2    戦略の企画                戦略の構築      1
     1. 戦略マップ/戦略テーマ    1. ミッション, バリュー,
     2. 尺度/目標値               ビジョン
     3. 実施項目のポートフォリオ 2. 戦略的分析
     4. 資金調達/戦略的支出     3. 戦略の策定

3                                                          6
組織のアラインメント    戦略的計画書         業績    検証と適応
・ビジネスユニット      ・戦略マップ          尺度    ・収益性分析
・サポートユニット      ・バランスト・スコアカード      ・戦略における相関関係
・従業員                ・戦略的支出                  ・創発戦略

4                                                          5
業務の計画              業務計画書           業績    モニターと学習
・主要なプロセスの改善  ・ダッシュボード      尺度    ・戦略実行結果の検討
・販売計画              ・販売予測                    ・業務の検討
・資源キャパシティ計画  ・資源要求
・予算編成              ・予算

                       結果              結果
                         実　行
                         ▶ プロセス
                         ▶ 実施項目
```

図表3-2

戦略展開プロセスのモデル

戦略展開プロセス	目標	阻害要因	目標達成を可能とするツール
戦略マップの構築 (戦略をいかに示すか)	戦略を，計画における数多くの多様な構成要素をまとめて包括的に統合したモデルに展開すること。	一般的な戦略は，企業のいろいろな部分の多様なグループで構築されている。これらは統合されていない。	・戦略マップ 　(因果関係) ・戦略目標
尺度と目標値の選定 (戦略をいかに測定するか)	戦略の方向づけの記述を，マネジメントシステムと関連づけることができる尺度と目標値に変換すること。	低い組織階層の目標および目標値は，高い組織階層の目標と調和がとれていない。	・バランスト・スコアカード 　─尺度 　─目標値 　─ギャップ

値，実施項目および予算に置き換えることにより，行動を導くとともに，効果的な戦略の実行のために組織を方向づける。

この章では，戦略から，戦略テーマをめぐって構築された戦略マップ，それに関連するバランスト・スコアカード，マップ上の戦略目標に関する尺度と目標値へといかに展開するかについて検討する（第4章では，戦略的実施項目の選定，資金調達および管理について述べる）。戦略マップとバランスト・スコアカードを構築すると，図表3-2で示された疑問と論点に答えることができる。

戦略マップの作成

戦略マップは，企業内に散らばっているさまざまな部門における戦略と業務とを統合させるためのアーキテクチャーを提供する[1]（戦略マップとバランスト・スコアカードをご存じない方は，本章補論の簡潔な概説を参照されたい）。直近のベスト・プラクティスでは，図表3-3に記載しているとおり，著者たちは，**戦略テーマ**（マップのなかにある，関連する戦略目標の集まり）によって戦略マップを構築している。

戦略テーマの多くは，戦略が実行されるプロセスの視点からはじまる目標

図表3-3

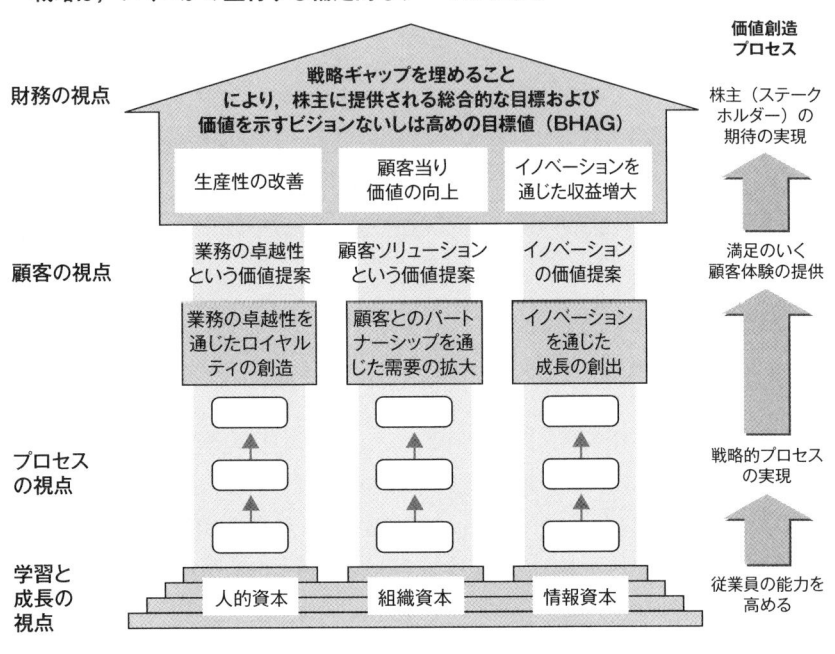

戦略は，いくつかの並行する補足的なテーマからなる

視点		価値創造プロセス
財務の視点	戦略ギャップを埋めることにより，株主に提供される総合的な目標および価値を示すビジョンないしは高めの目標値（BHAG） ・生産性の改善　・顧客当り価値の向上　・イノベーションを通じた収益増大	株主（ステークホルダー）の期待の実現
顧客の視点	業務の卓越性という価値提案／顧客ソリューションという価値提案／イノベーションの価値提案 業務の卓越性を通じたロイヤルティの創造／顧客とのパートナーシップを通じた需要の拡大／イノベーションを通じた成長の創出	満足のいく顧客体験の提供
プロセスの視点		戦略的プロセスの実現
学習と成長の視点	人的資本　組織資本　情報資本	従業員の能力を高める

のタテの組合せからなる。プロセスに基盤をおく戦略テーマは，戦略マップの上方では顧客と財務の成果につながるだけでなく，下方では学習と成長の視点における組織力を高めることができる。しかし，戦略テーマはまた，バランスト・スコアカードの視点をまたいで定義づけられることもある。たとえば，従業員のケイパビリティ，文化およびバリューを構築させることにより，顧客に焦点をあてたプロセスにおける改善に弾みをつけるため，企業はしばしば学習と成長の目標を含めて戦略テーマを定義づけている。

戦略テーマは，戦略をいくつかの明確な価値創造プロセスに区分する。もちろん，それぞれの企業は，財務の視点における収益増大や生産性の目標と同様に，戦略テーマについて，戦略の核心である顧客価値提案に応じてあつ

らえて作成する必要もある。たとえば，図表3-3にある戦略テーマは，業務の卓越性を通じた生産性と顧客のロイヤルティの向上に焦点を当てるものもあるが，イノベーションを通じた収益増大を特徴としているものもある。明らかにいずれも重要であるが，それぞれには，実行のためには異なったアプローチが必要となる。

たとえば図表3-3に示したような3つの戦略テーマは，一般に，異なった時間軸で便益が生み出される。業務プロセスの改善による原価節減からは，短期（6〜12カ月）の便益が得られる。顧客価値提案の変更と顧客関係の改善からは中期（1〜3カ年）の便益が得られる。イノベーションのプロセスが収益や利益の改善をもたらすためには，通常，より長い期間（3〜5カ年）が必要である。テーマのすべてが戦略には重要である。短期の高い収益性を得るために長期のイノベーションを無視する戦略は，持続可能ではない。顧客関係を無視する戦略は，現実的ではない。短期的な業務の改善を無視する戦略は，製品，顧客および財務上の達成目標に何ら貢献しない。いくつかの並列的な戦略テーマによって構成された戦略マップによって，企業は，短期，中期および長期の価値創造プロセスを同時に管理することが可能となる。戦略テーマのいくつかのまとまりに基礎をおいた戦略マップを構築することによって，経営幹部は個別に計画を立てたり，戦略の中心となる個々の要素を管理したり，また，同時に経営することすらできる。機能やビジネスユニットを横断するテーマはまた，戦略の実行を成功させるために必要となる，これらの境界を越えたアプローチを支援する。

図表3-4を参考に，戦略テーマをより詳細に検討する。そこには，製品のイノベーションを通じて競争力を有する企業である，ネオシステムの戦略テーマ（イノベーションを通じた収益の増大）が示されている。同社は，対象とした顧客向けの新製品に組み込まれる最先端技術を提供している。ネオシステムは，その革新的な製品から，顧客維持およびアカウント・シェアによって測定される顧客の高いロイヤルティを獲得することを期待している[2]。この戦略テーマに組み込まれた同社の仮説は，革新的な製品を最初に市場に提供するために，製品開発プロセスを継続的に改善することによって，顧客の持続するロイヤルティを作り出すことにある。この価値を顧客に提供する

図表3-4

ネオシステムのイノベーションの戦略テーマ

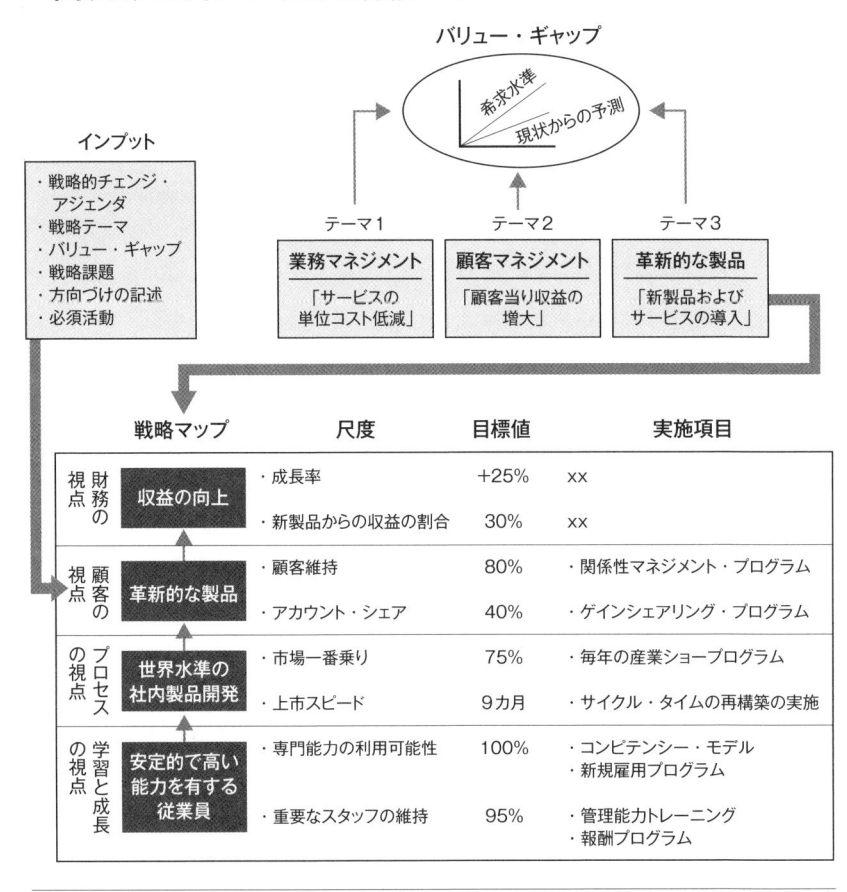

	戦略マップ	尺度	目標値	実施項目
財務の視点	収益の向上	・成長率	+25%	xx
		・新製品からの収益の割合	30%	xx
顧客の視点	革新的な製品	・顧客維持	80%	・関係性マネジメント・プログラム
		・アカウント・シェア	40%	・ゲインシェアリング・プログラム
プロセスの視点	世界水準の社内製品開発	・市場一番乗り	75%	・毎年の産業ショープログラム
		・上市スピード	9カ月	・サイクル・タイムの再構築の実施
学習と成長の視点	安定的で高い能力を有する従業員	・専門能力の利用可能性	100%	・コンピテンシー・モデル ・新規雇用プログラム
		・重要なスタッフの維持	95%	・管理能力トレーニング ・報酬プログラム

インプット:
- 戦略的チェンジ・アジェンダ
- 戦略テーマ
- バリュー・ギャップ
- 戦略課題
- 方向づけの記述
- 必須活動

バリュー・ギャップ（希求水準／現状からの予測）

- テーマ1　業務マネジメント「サービスの単位コスト低減」
- テーマ2　顧客マネジメント「顧客当り収益の増大」
- テーマ3　革新的な製品「新製品およびサービスの導入」

重要なプロセスは，製品開発サイクルの短縮に卓越することにある。

　素早い製品開発に卓越したネオシステムの能力は，学際的な領域から得られた新技術を最終製品に統合していくという，技術的な専門知識と能力を含めた同社の技術スタッフの優秀さにかかっている。同社は，必要な才能を持つ人材を雇用するために，新規雇用と人材育成プログラムを実施している。

図表3-5

戦略テーマによって体系化されたヌムールの戦略マップ

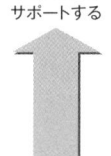

ビジョン：障害からの解放
ミッション：受益者の財力に関係なく，品質と特質に関する高度な基準にしたがって，容易にはなされないような看護とプログラムを通じて，子供たちの健康を回復させ増進させるためのリーダーシップ，施設，サービスを提供します

↑ ミッションをサポートする

受託責任

S1－、戦略目標を達成するための十分なキャッシュフローと営業利益の確保

S2－フロリダとデラウエア・バレーでのインパクトのあるサービスを提供することを通じた成長の達成

S3－プロセスの効率性と資源にかかる意思決定を通じたコスト/支出の管理

↑ 受託責任を果たし，財務的な強みを確保する

顧客

C1－児童と家族：「児童それぞれがわれわれの子供として扱われるような環境を創り出す」

C2－コミュニティ：「児童の健康を改善するために，信頼される存在であるとともに，変化のための触媒であれ」

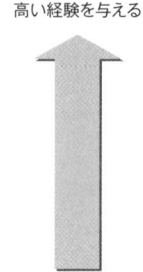

↑ きわめて満足の高い経験を与える

プロセス

影響力と地域社会

P01－生命力と生育力を確実なものとするために，デラウエア・バレーとフロリダにおけるわれわれの勢力範囲を拡大すること

P02－児童の健康について統合されたシステムを創り出すこと

P03－コミュニティのパートナーおよび行政とともに活動し，児童の健康と福祉に関連する課題に影響を及ぼし，変化を促進すること

P04－研究と教育を通じて児童の健康を改善すること

サービスと品質

P05－慈悲深い，個人的な，洗練された経験を提供するために，サービスの卓越性を確実なものとすること

P06－調和のとれた，根拠にもとづいた看護，健康増進および医療プロセスを通じ，優れた成果を達成すること

P07－プロセスの改善，質の向上，安全性およびサービスの卓越性のために，技術をテコとして活用すること

P08－効率的かつ効果的な看護環境を作るために，医師などの看護者と協力すること

効率性と物理的環境

P09－物理的環境を創りだし，強化して，患者中心で，養育に優れた看護とすること

P10－効率的で効果的な業務を確実なものとすること

P11－効率と効果を考えて資金その他の資源を配分すること

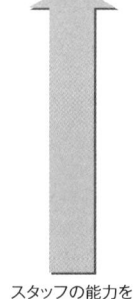

↑ 戦略的プロセスを提供する

人材と学習

L01－適材を適所に採用し，維持すること

L03－卓越性に向け同僚の情熱を方向づけ，報い，そして鼓舞すること

L02－熟練労働者を確保すること

L04－われわれのコア・バリューを示すことにより，多様性を尊重し，信頼の文化を強化すること

↑ スタッフの能力を高める

コア・バリュー：卓越，尊重，尽力，信用，学習
コミットメント：患者，親，訪問客，同僚およびビジネス上のパートナーのために……数多くの独創的な方法で満足させる体験につながることを，われわれは何であろうと行う

しかし,従業員の最も重要な資格は,ネオシステムでの勤続年数である。経験豊かな従業員は組織文化を理解しており,これまでの製品開発の経験を引き出すことができる。ネオシステムは,イノベーション戦略のため,土台となる学習と成長の目標として,「重要なスタッフの維持」を明示している。

ネオシステムのイノベーションのテーマに関わる戦略マップは,戦略の背後にある因果関係を可視化している。次の段階(図表3-4に示している)では,ネオシステムは,戦略マップ上の戦略目標を,それぞれの目標を定義づけるのに用いた用語の意味を明らかにし,操作を可能にするバランスト・スコアカードの尺度に展開する。目標値は,それぞれの尺度の達成に向けた明確な期待値を表す。戦略的実施項目は,同社が達成するべき業績目標のために必要となる行動計画と資源を明らかにする。

図表3-5は,第2章で紹介した児童の医療機関であるヌムールの戦略マップを示している。その戦略マップは,4つの戦略テーマ,すなわち影響力と地域社会,サービスと品質,効率性と物理的環境,および人材と学習によって支えられた「戦略ハウス」として描かれている。戦略マップでは,3つの戦略テーマのそれぞれに,3つから4つの目標を置いている。戦略について組織内外で容易にコミュニケーションをとるために,また,業績と説明責任を促進する尺度,目標値および実施項目を構築するために,戦略テーマは一つの体系を提供している。

図表3-5で示した戦略マップにもとづいて,戦略マネジメント・システムを用いてもたらされたヌムールの戦略実行のプレミアムを,以下のように要約する。

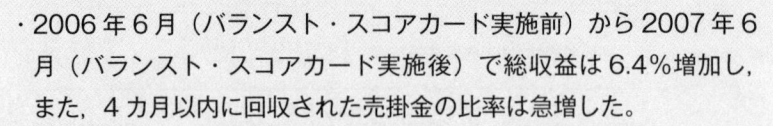

ヌムールの戦略実行のプレミアム

・2006年6月(バランスト・スコアカード実施前)から2007年6月(バランスト・スコアカード実施後)で総収益は6.4%増加し,また,4カ月以内に回収された売掛金の比率は急増した。
・患者満足度は10%だけ増加した(全病院を母集団とするセグメントの公式調査による測定)。

・従業員の好感度，効率性および効果性を改善するための訓練により，2007年上半期で医師の面接を求める要望が30％増加した。
・電子的医療記録（EMR）の完全実施により，予定時期を迎えた患者への予防注射の15％増加（1年間）および文書作成時間の30％削減を達成した。
・バランスト・スコアカード主導による機能横断的な協力とコミュニケーションの改善により，臨床の標準化が向上した。

戦略テーマのケーススタディ：ラックスファー・ガス・シリンダー

著者たちは第1章で，ラックスファー・ガス・シリンダー（LGC）のマネジメント・チームが2002年に，新戦略を策定するために集められたことを述べた。そこでは，戦略を，5つの戦略テーマによって構成された，いわゆる戦略ロードマップ（図表3-6参照）で表現した。LGCの社長であるジョン・ローズが戦略テーマについて原理的な説明として述べたところによれば，「戦略テーマは楽曲を通じて繰り返される主演者の旋律である。これは基本的な一連の調べであり，その周りをほかの音楽的な装飾が施される。作曲が優れていれば，テーマは記憶に残りやすい——鼻歌を歌えるだろうし，口笛も吹きやすいだろう。記憶に残りやすいという特色は，音楽のみならず，組織のダイナミクスでもまた非常に重要である。交響曲は口笛では吹けない。だから楽団が必要となる。楽団が調子を合わせ，個々の団員が同じテーマに忠実で，チームとしてともに働くのであれば，その結果はすばらしい調べとなり，楽しいものとなろう。BSCの戦略マップはわが社のロードマップであり，楽譜でもあるのだ。」[3]

LGCのマネジメント・チームは，同社には多様な市場の異なる製品グループに異なる価値提案が必要であることを理解した。戦略マップは，伝統的な大量生産市場への業務の卓越性を基盤とした顧客価値提案を採用していた。その戦略マップには，ほかの戦略テーマとして，革新的な新しい技術を組み込んだ製品が評価されている市場におけるのと同様に，完璧なソリューションやサプライヤーとの密接な関係が評価されている市場における機会を

図表 3-6 戦略テーマによって構成されたラックスファー・ガス・シリンダーの戦略ロードマップ

ミッション・ステートメント：ラックスファー・ガス・シリンダーは、ガス装入を最大化するために、成長、戦略的意図を「利益率を最大化するために、ガス装入市場において最も革新的な製品とサービスを提供することを通じて、顧客ニーズに応えること 業務上の卓越性におけるわれわれの強みを一丸となって強化することによる」

ビジョン：世界的な水準の構築

2007年までに有機的な成長を通じて最低でも＿％のROS[売上高利益率]をもって、年間＿の売上収益を達成すること

	有機的成長		事業部の戦略マップ
財務の視点	1. 顧客重視	2. イノベーション	4. 業務の卓越性
	─AFV市場でのプレゼンスの向上 ─サービス市場への浸透 ─世界のSCBA市場でのプレゼンスの向上	─医療市場での売上高増大するために製品リーダーシップを利用すること ─7000シリーズのリーダーシップポジションの開発	─低い利益率の事業の販売量確保	段階的なプログラムを通じ2005年までに＿のコスト低減
顧客の視点	─「どこにでもニーズに応じた製品／サービス／システムを提供」 ─「ラックスファーとの容易なビジネスの実現」	─「より軽量で、コンパクトで、あつらえたガス装入配達システムの提供」	3. イメージ／ブランド構築 「ラックスファーを求む」	─「品質要件を満たし安全で低コストの製品の供給」
プロセスの視点	─顧客ソリューション提供において優れていること ─顧客への理解	─新製品とサービスの迅速な特定、選択および商品化 市場志向の組織づくり	─世界中の顧客─特に─最終消費者─におけるラックスファー・ブランド志向の構築	─低コスト立地での低い利益率の製品の製造	─世界水準の優れた製造 ─業務支出を通じたコスト節減 ─資本支出を最小化し、過剰設備を削減することによる最適構造化
	事業部門間でのベスト・プラクティスの共有と実行		
5. 学習と成長の視点	─誰もが顧客のニーズに焦点を当てるように求める環境の整備	─企業全体へ適材適所かつ適時に配置	─事業部の戦略的な優先順位の実施に必要な資源および組織の提供	─戦略上の方向性を支えるマーケティングについての内部的な知見の強化	─われわれの成功を公表するにあたり、包括的に伝達されるよう、明確で一貫した環境的なメッセージ

捉えるためのテーマも含めた。

　LGCの5つの戦略テーマ，すなわち顧客重視，イノベーション，イメージ／ブランド構築，業務の卓越性，および，学習と成長を次に記述する。

　「顧客重視」のテーマは，完全なソリューションおよび最高のサービスを提供することによって，価値を創造することを強調している。ラックスファーは，その市場セグメントにおける顧客にとって，低価格のサプライヤーである必要はなく，最上のサプライヤーと見なされることを望んでいた。たとえば，代替燃料車両（AFV）を対象とした戦略テーマにおける目標には，圧縮天然ガス車両，燃料配送システムおよび水素の実用化が含まれている。ラックスファーにとっての最上のサプライヤー戦略とは，川下の連携する高付加価値パートナーと一緒に，優れたバリューチェーンを展開するとともに，リードタイムの短縮，柔軟な製品開発や競争力のある価格設定の点で，きわめて優れたサービスを提供することを意味する。

　イノベーションのテーマは，製品のイノベーションを通じた価値創造を包含する。その目的は，同社が新製品を迅速に特定し，選定し，商品化するように集中することである。このテーマの目標によって，LGCは以下のような疑問に取り組むことができる。

- 市場の動向を知覚するためのプロセスと，他のすべての新製品開発のデザイン・プロセスを発展させてきたか。
- 製品の多くではLGCは最終消費者に直接接していないことから，顧客や販売チャンネルと調和が取れているか。
- 市場で評価される新製品を開発できるように，正しく質問することを学んできたか。もしくは，昨年のモデルを単にひねっているだけではないか。
- 利益が得られそうか。

　当初，マーケティング部門は，「イメージ／ブランド構築」と呼んでいるテーマを担当した。その後5年間を通じて，ラックスファーが業務に焦点を当てた企業から市場志向の企業へいかに変化するかに注力するため，テーマ

はより機能横断的となり，その焦点はマーケティング以外にも拡張された。このテーマの目標には，LGCのブランド構築と向上，新製品開発およびビジネスを容易にすることが含まれる。これらの幅広い目標は多数の部門や地域にも及んでいる。

「業務の卓越性」のテーマは，大量生産品の日用品における原価低減を強調している。これらの製品にとって，競争は優れた製品技術ではなく，優れたサプライヤーとして選択されるようになることでもない。ビジネスは価格，安全性，一貫した品質および信頼性によって獲得される。世界水準の製造，品質管理システム，サプライチェーンおよび新規の資本支出を通じた原価改善といった実施項目もまた必要となる。

業務的に卓越した価値提案であっても，製品リーダーシップとイノベーションを意図したプロセスを生み出しえないことをLGCは認識していた。そこでLGCは，世界的に展開している工場の一つひとつが卓越した価値提案に焦点を与えるように，「焦点を絞った工場」になるような戦略を採用した。一例をあげれば，収益性の低いすべてのアルミ製シリンダーの生産は，成熟製品の大量生産に最適な工場で生産することにした。

「学習と成長」のテーマは，環境の整備，組織連携，業績管理，会社の価値観，プライドに関連する目標が含まれる。そこでは，LGCが従業員をいかに扱い，従業員が他の人々をいかに扱うのかという点を強調している。

LGCの戦略テーマは，機能ではなく，活動やコア・コンピタンスに基礎をおいていることには注目すべきである。マーケティングはテーマではなく，「顧客重視」がテーマである。人的資源はテーマではなく，「学習と成長」がテーマなのである。戦略テーマを機能に置き換えることはできない。

率直にいえば，経営者がそれぞれの地域拠点に戻ってからも，すべての者が議論を続けたわけでは必ずしもなかった。何人かは，その狭い地域ないしは機能的な焦点に戻ってしまった。ローズは，2003年には新戦略を開始すると考えていたので，いくらかの組織内改革と経営システムの変更を行った。他の経営幹部は，グローバルな戦略上の優先順位を明確に理解し，機能横断的なテーマにもとづいた新しい戦略に，言葉だけではなく行動をもって自ら貢献することとなった。ローズは，不屈の決断力のある行動を進んでと

り，組織の慣性および数人からの変化への抵抗を阻止した。これは，戦略の実行が成功するためには，トップの強力なリーダーシップをいかに必要とするのかについてのもう一つの例である。

公的部門における戦略テーマのケーススタディ：ブラジルの経済発展に向けた戦略マップ

　ブラジル全国産業連盟（The Confederation of National Industries；CNI）は，テーマにもとづく戦略マップにおいて，最も革新的で複雑な応用の一つを実施してきている。CNIは，ブラジル産業の競争力の改善を目指す民間部門の業界団体である。CNIは，よりよいビジネス環境，市場志向の経済政策，よき規制および健全な投資環境を目指してロビー活動を行っている。

　ガードゥー・スティール・グループの会長で，CNIの役員会メンバーでもあるジョージ・ガードゥーは，CNI議長のアーマンド・モンテーロとのブラジルの長期的視点と民間部門の役割についての対話において，バランスト・スコアカードを使って成長に向けた検討事項を推し進めることを提案した。2人は，過去数十年にわたって続いてきたブラジル経済の低迷する業績を変えたいと思っていた。GDP成長率は平均年率でたった0.7％に過ぎず，このような成長率では，ポルトガルのような国が現在享受している一人当り所得に達するまでに，ブラジルでは100年かかることとなってしまう。経済成長率が低いために，ブラジル経済の能力では，仕事を生み出し，より公正で機会の公平を有する社会に向けた発展を促すことができない。

　ガードゥーには，すでに，ガードゥー・スティールで非常な成功を収め，バランスト・スコアカード殿堂入りした経験があった[4]。国家レベルの戦略マップとスコアカードがブラジルの経済・社会の発展に関する筋の通った方針を明確に定義でき，これによって行動に移すことができると彼は信じていた。CNIは課題を定義し実行計画を展開するため，国家産業フォーラムという専門の政策助言協議会を指名した。シムネティックスからのコンサルティングチームに率いられたフォーラムの50人のビジネスリーダーは，ブラジルの経済発展のための最初の戦略マップを立案した。そして，ビジネスリーダーは戦略マップを共有し，フォーラムに所属する企業の従業員，CNI

図表3-7

ブラジルの国家経済発展戦略

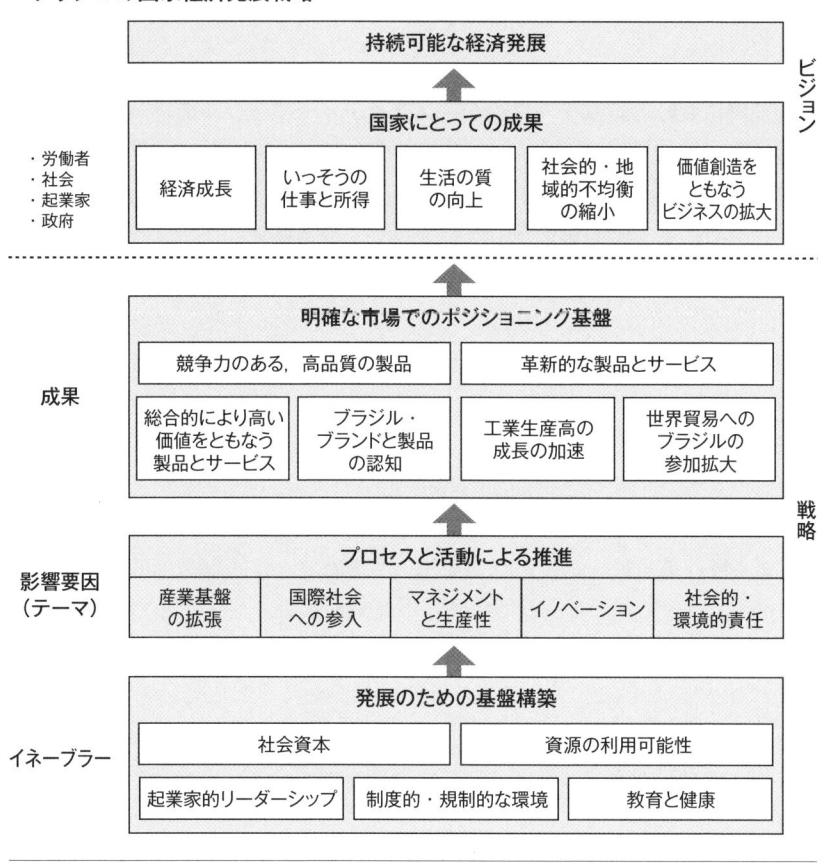

ビジョン：持続可能な経済発展

国家にとっての成果
- 経済成長
- いっそうの仕事と所得
- 生活の質の向上
- 社会的・地域的不均衡の縮小
- 価値創造をともなうビジネスの拡大

・労働者
・社会
・起業家
・政府

成果：明確な市場でのポジショニング基盤
- 競争力のある，高品質の製品
- 革新的な製品とサービス
- 総合的により高い価値をともなう製品とサービス
- ブラジル・ブランドと製品の認知
- 工業生産高の成長の加速
- 世界貿易へのブラジルの参加拡大

戦略

影響要因（テーマ）：プロセスと活動による推進
- 産業基盤の拡張
- 国際社会への参入
- マネジメントと生産性
- イノベーション
- 社会的・環境的責任

イネーブラー：発展のための基盤構築
- 社会資本
- 資源の利用可能性
- 起業家的リーダーシップ
- 制度的・規制的な環境
- 教育と健康

評議会やそのスタッフを含めて，300人以上から意見を聴いた。ビジネスリーダーは，図表3-7に示されている修正された戦略マップを完成させた。

　ブラジルはおよそ2億人の人口を有する国である。それでも，持続的な社会・経済発展のための戦略マップは，一枚の紙にうまく描かれる。戦略マップの最上位には国家のために戦略に命を与える「持続可能な経済発展」というビジョンが描かれている。戦略マップではビジョンは，高いレベルの目標

である5つの目に見える成果（株主価値の公的部門版）に展開されている。

・2010年までに年5.5％，2015年までに年7％の経済成長を達成
・市民のためのいっそうの仕事の増加と所得の上昇
・生活の質の向上
・社会的・地域的な不均衡の縮小
・持続的に価値を創造するビジネスの拡大

　高いレベルの5つの目標の下には，望ましい結果をもたらすと期待される戦略上の成果が示されている。CNIは民間セクターのみが持続的な経済成長を生み出すことができると信じており，「投資への好ましからざる風土は企業人を意気消沈させ，社会の便益を生み出すための社会的支出やサービスに資金調達する仕事を生み出すうえで障害となる。株式会社は成長のエンジンなのである。」[5]
　ブラジルが望ましい結果を達成するためには，ブラジルの会社に「明確な市場でのポジショニング」を作り出すことが必要であることを戦略マップは示している。ポジショニングは，次に示すようないくつかの経営上の成果で測定される。

・競争力のある，高品質の製品
・革新的な製品とサービス
・総合的により高い価値をともなう製品とサービス
・ブラジル・ブランドの認知
・工業生産高の成長の加速
・世界貿易へのブラジルの参加拡大

　産業基盤の拡張，国際社会への参入，マネジメントと生産性，イノベーション，および社会的・環境的責任という5つのドライバー，すなわち，戦略テーマによって成果が得られる。これら5つの戦略テーマのなかにある主要なプロセスを，CNIが戦略テーマのもとに集めた一連のイネーブラー

図表3-8

ブラジルのイノベーションのテーマにかかる因果関係

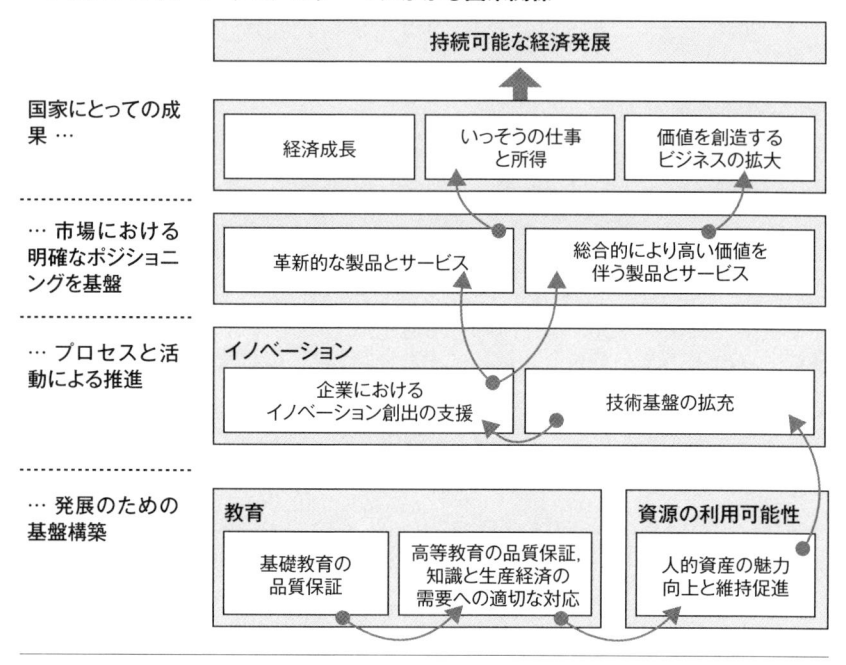

国家にとっての成果…	持続可能な経済発展 ← 経済成長／いっそうの仕事と所得／価値を創造するビジネスの拡大
…市場における明確なポジショニングを基盤	革新的な製品とサービス／総合的により高い価値を伴う製品とサービス
…プロセスと活動による推進	イノベーション：企業におけるイノベーション創出の支援／技術基盤の拡充
…発展のための基盤構築	教育：基礎教育の品質保証／高等教育の品質保証、知識と生産経済の需要への適切な対応／資源の利用可能性：人的資産の魅力向上と維持促進

(enabler)【訳注1】が支えている。その戦略テーマは「発展のための基盤構築」であり，バランスト・スコアカードの学習と成長の視点に相当する。これには，社会資本，資源の利用可能性，起業家的リーダーシップ，制度的・規制的な環境，および，教育と健康が含まれる。

図表3-7に示した戦略マップは全体的な構造を提供するが，それ自体では実行のために十分ではない。詳細なほかのレベルのものが必要となる。図表3-8は，イノベーションのテーマのために，プロジェクト・チームが特定の戦略目標とその間の因果関係をいかに展開したかについて示したものであ

> 訳注1　enablerは，イネーブラーと表現されることが多くなった。一般的には，組織構造，スキル，人材，教育，システムなど，目標達成のための仕組みの意味で使われている。

る。イノベーションのテーマは，2つのビジネス上の成果である革新的な製品とサービスおよび総合的により高い価値をともなう製品とサービスを通じて，国家レベルの結果である経済成長，いっそうの仕事と所得および価値を創造するビジネスの拡大を作り出すよう設計されている。これらの成果は，イノベーションプログラムおよびいくつかの学習と成長のイネーブラーとリンクしている。図表3-8に描かれた因果関係は，イノベーションの戦略テーマを実行するために必要となる一連の活動やその内部的な関係を明らかにしている。

　ブラジルの経済発展戦略についてのこの簡潔な説明によって，国家のリーダーは，はじめて国家にとって望ましい方向を明確に意思疎通できる能力を持つこととなった。「ブラジルの経済発展に関する戦略マップ」は2万枚以上が印刷され，配布された。TV番組やラジオ，新聞でも取り上げられ，国務大臣，最高裁判事，大学人，財界人を含む人々に示された。

　CNIは，国家戦略の実行のためには，人々の幅広い協力が必要であると認識していた。そこで，協会広報と呼ばれる新部門を設置するとともに，業務部門の役割を再定義して，両方ともCEOに直接報告させるようにした。この構造上の変更は2つの目的を有している。すなわち，一つが戦略実行プロセスの有効性を高めることである。もう一つが，戦略プロジェクトの実行を加速化するために，政府の大臣や起業家といったさまざまな利害関係者の努力を方向づけ，圧力を加えることにより，それらの者の間に強い協力関係を構築するという目標を，戦略マップに設定することにある。CNIの執行役員であるジョゼ・オーガスト・コーホ・フェルナンデスは，次のように話している。「戦略マップの目的は，CNIの内部目的を超えたところにある。それは，産業と国家のための戦略である。その戦略の実行そのものはCNIの支配下にはないので，その主たる成果は，振り返ってみることができることおよびベストを尽くしたといえることであろう。成果を支配することはできなかったが，戦略を持ちこれを成功裏に管理できた。戦略マップは，社会的・経済的成果に関して，戦略実行の可能性を確実に高めることができるであろう。」[6]

　要約すれば，戦略マップは，（財務および顧客の視点での）戦略の望ましい成果と，このような成果を達成するために必要となる重要なプロセスおよび（人々，システムおよび文化といった）インフラとを提供する明確な図で

ある。戦略テーマを基本的なビルディングブロックとして使うと，戦略マップは情報伝達や理解が容易になる。戦略テーマは戦略に内在する因果関係仮説をより明確に指し示し，そしてまた，資源配分，説明責任，方向づけおよび報告のための強力な構造を提供する。

尺度と目標値の選定

戦略テーマは戦略の論理を明らかにする。戦略テーマは，全体的な戦略を，それぞれのテーマのなかで関連づけられた目標からなる，論理的で管理可能であり理解可能な細分化された戦略に区分する。戦略的計画のプロセスの次の段階は，それぞれの目標に，尺度と目標値を設定することである。

戦略目標に対応した尺度の選定

1992年にバランスト・スコアカードを紹介した際の著者たちのそもそものねらいは，長期的な価値創造を導く幅広い（よりバランスのとれた）一連の尺度を経営者に提供することであった。業績改善に導く方法として著者たちの関心事である測定は，英国の著名な科学者であるロード・ケルビンが1世紀以上前に述べた言葉からきている。「話していることについて測定でき，数字で表現できるときは，それについて知っている。しかし，測定できないとき，数字で表現できないときは，その知識は乏しく不満足なものである，と私はしばしば申し上げている。」(7) 測定できないのなら改善できないのである。

測定が科学者にとって基本的なものであるとロード・ケルビンが考えているように，経営者にとって尺度は必須であると著者たちも考えている。企業が，顧客関係，業務上・イノベーション上のプロセス，および（従業員，システムおよび文化といった）無形の資産 訳注2 についての管理を改善しようとするのであれば，そのマネジメント・システムでこれらの項目を測定する必要がある。

戦略目標と戦略マップは，短期・長期の業績の実現に向けた企業の目標を言葉と図表で可視化する。しかし，ロード・ケルビンの助言に従えば，著者

図表3-9

バランスト・スコアカードは，顧客マネジメントにかかわる戦略テーマのための行動可能な尺度および目標値を提供する

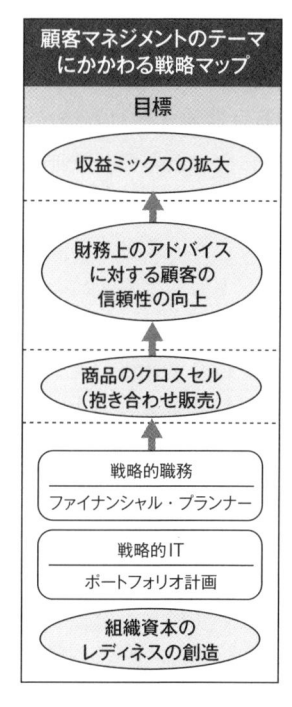

顧客マネジメントのテーマにかかわる戦略マップ	バランスト・スコアカード	
目標	尺度	目標値
収益ミックスの拡大	・収益ミックス ・収益成長率	新規＝＋10％ ＋25％
財務上のアドバイスに対する顧客の信頼性の向上	・セグメント・シェア	25％
	・ウォレット・シェア（訳注）	50％
	・顧客満足度	90％
商品のクロスセル（抱き合わせ販売）	・クロスセル比率 ・接客時間	2.5 1時間/列
戦略的職務 ファイナンシャル・プランナー	・人的資本のレディネス	100％
戦略的IT ポートフォリオ計画	・戦略的アプリケーションのレディネス	100％
組織資本のレディネスの創造	・BSCと関連づけられた目標	100％

目標：
戦略が達成しようとするもの

尺度：
目標に対する（業績の）成功ないしは失敗の程度についての監視方法

目標値：
戦略のために必要となる業績のレベルないしは改善率

（訳注）一定期間内における顧客ごとの累計消費可能額に占める当該企業の割合のことをいう。本文中ではアカウント・シェアと表記している。

たちはさらに戦略目標の尺度を選ぶことによって，戦略目標をより意味のあ

訳注2　無形資産（intangible assets）には，①特許権のような法律上の権利，②ソフトウェア，③買収にともなって計上されるのれん（営業権）が含まれる。従業員，技術，組織文化はオフバランスのブランドやレピュテーションなどと同様，将来の経済的便益があるから広い意味で資産であるといえる。しかし，オンバランスの対象にはならない。これらの"資産"のことは，最近では正しくはインタンジブルズ（intangibles）といわれる。ただ，インタンジブルズはまだ一般になじみがない。そこで，ここでは無形の資産と表現した。

る行動しやすいものとする必要がある。

　たとえば，ある銀行の顧客管理という戦略テーマの戦略マップを示した図表3-9を見ていただきたい。マップの戦略目標ごとに，マネジャーは少なくとも一つの尺度を選ばなければならない。測定すると，「財務上のアドバイスに対する顧客の信頼性の向上」や「組織資本のレディネスの創造」といった言葉の特有のあいまいさが低減される。尺度とそれに関連する目標値は，特定の期間における戦略目標を表し，当該目標の達成に向けた企業の進捗を追跡できるようにする。

　著者たちは本書で測定の重要性を指摘するにとどめている。これまでの論文や著書で，測定について広範にわたって述べてきた。本書では測定について述べなければならないほど目新しいことはない。本書の焦点は，業績測定システムを，戦略と業務活動を管理するための包括的で統合されたシステムに組み込むことにある。測定尺度の選定について以前の記述を繰り返すことはしないので，関心のある読者は，測定についてかなり詳細に述べた2冊の著書，『バランス　スコアカード』と『戦略マップ』を参照されたい[8]。

目標値の選定

　バランスト・スコアカードの尺度に目標値を設定していく際に，経営者は最上位のレベル（たとえば株主価値）で設定されたバリュー・ギャップを，顧客，プロセスおよび学習と成長の測定尺度のための論理的に一貫した目標値，たとえば，主要なプロセスの業績や，中核となる従業員のケイパビリティに分解することに挑戦することになる。目標値の達成により企業がバリュー・ギャップを埋め，そのビジョン上で特定された成果を達成できるのであれば，当該目標値には一貫性があるといえる。

　測定についてはいろいろな角度から記述してきたが，著者たちは測定尺度のための目標値の設定方法についてはそれほど述べてこなかった。プロセスを導くいくつかの洞察を積み上げてきたが，目標値の選定は困難な仕事である。目標値の設定を容易にするには2つのやり方がある。一つは，全体的なバリュー・ギャップを個々の戦略テーマに応じた目標値に分解することであり，いま一つは，戦略マップの因果関係を基礎とする個々の戦略テーマごと

に目標値を設定することである。

戦略テーマにバリュー・ギャップを割りつける

　目標設定はビジョン・ステートメントからはじめられる。その際，リーダーは組織にとって高めの目標値（Big Hairy Audacious Goals；BHAG）を設定する。目標値は，希求水準と現実──現在の戦略を含めて，現状を継続することにより達成できるであろうこと──との間のバリュー・ギャップを生み出す。戦略は，このバリュー・ギャップを埋めるものでなければならない。

　経営幹部は，バリュー・ギャップをさまざまな戦略テーマについての副次的な目標値に分解することができる。戦略テーマは異なった方法で価値を創造し，そして全体としてみれば個々の戦略テーマによって創造された価値は，合計すれば全体のバリュー・ギャップとなるはずである。個々の戦略テーマに応じて設定された目標値は，テーマごとの相対的な影響を反映しつつ，戦略のさまざまな構成要素を創造し実現しやすくする。

　たとえば，われわれが一緒に仕事を行った数多くのリテールバンクの混成であるコンシューマー・バンクは，2000万ドルという現在の営業利益を，次の5年間で1億ドル以上増加させるというバリュー・ギャップを設定した（図表3-10参照）。当初，経営者と従業員はこの野心的な目標値を達成することはできないと思った。しかし，目標値を3つの戦略テーマに分けることにより，個々の戦略テーマが与えられた役割に貢献するならば，同社がどうすればギャップを埋めることができるかを示すことができるようになった。

　コンシューマー・バンクは，まず第1に，業務の卓越性のテーマについて，顧客へのより一貫したサービスを提供しつつ，顧客当りのコストを25％低減する目標値を設定した。第2に，顧客関係のテーマについて，ターゲット顧客にとって信頼されるファイナンシャル・プランナーになり，数多くの商品とサービスをクロスセル（抱き合わせ販売）することを通じて，顧客当りの売上を50％増加させる目標値を設定した。たとえば，金融プランに従った顧客は，定期貯蓄預金，貸付プログラム，保険，証券売買仲介手

図表3-10

コンシューマー・バンクにおける,バリュー・ギャップの財務上の目標値への分解

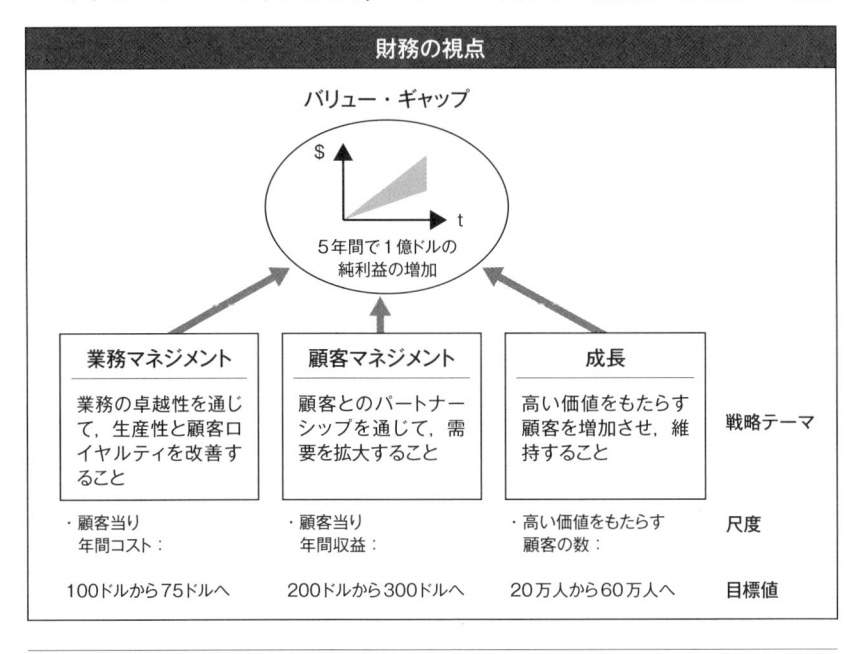

```
┌─────────────────── 財務の視点 ───────────────────┐
│                                                  │
│                   バリュー・ギャップ              │
│                  ╱─────────╲                    │
│                 │ $│  ╱│    │                    │
│                 │  │ ╱ │    │                    │
│                 │  └──┴─→t  │                    │
│                 │ 5年間で1億ドルの│                │
│                  ╲純利益の増加╱                  │
│                    ↑   ↑   ↑                    │
│  ┌──────────┐ ┌──────────┐ ┌──────────┐         │
│  │業務マネジメント│ │顧客マネジメント│ │  成長    │  戦略テーマ
│  │業務の卓越性を通│ │顧客とのパートナー│ │高い価値をもたらす│
│  │じて,生産性と顧客│ │シップを通じて,需│ │顧客を増加させ,維│
│  │ロイヤルティを改善│ │要を拡大すること│ │持すること│
│  │すること     │ │          │ │          │         │
│  └──────────┘ └──────────┘ └──────────┘         │
│  ・顧客当り     ・顧客当り     ・高い価値をもたらす  尺度
│   年間コスト:    年間収益:     顧客の数:
│                                                  │
│  100ドルから75ドルへ 200ドルから300ドルへ 20万人から60万人へ  目標値
└──────────────────────────────────────────────────┘
```

数料,投資および定期的な金融プランの更新を含む金融商品やサービスを抱き合わせで購入するであろう。第3に,最高の業績と革新的な商品により40万人の新規顧客を獲得するために,イノベーションのテーマを通じた売上高増加の目標値を設定した。個々の戦略テーマについて業績目標値を達成することにより,野心的なバリュー・ギャップを埋めることができよう。

図表3-11に示すように,コンシューマー・バンクは,3つの戦略から,異なった時間軸で利益が得られると予測している。業務効率のテーマでは,目標とする節減額の80％が最初の2年間で実現され,相対的に短期間で原価節減による利益を生み出すことが期待されている。既存の顧客との関係性強化による収益の向上には幾分時間がかかり,3から4年で利益のほとんどを生み出す。革新的な新商品とブランドイメージの強化を通じた顧客基盤の

図表 3-11

コンシューマー・バンクにおける価値創造のスケジュールの設定

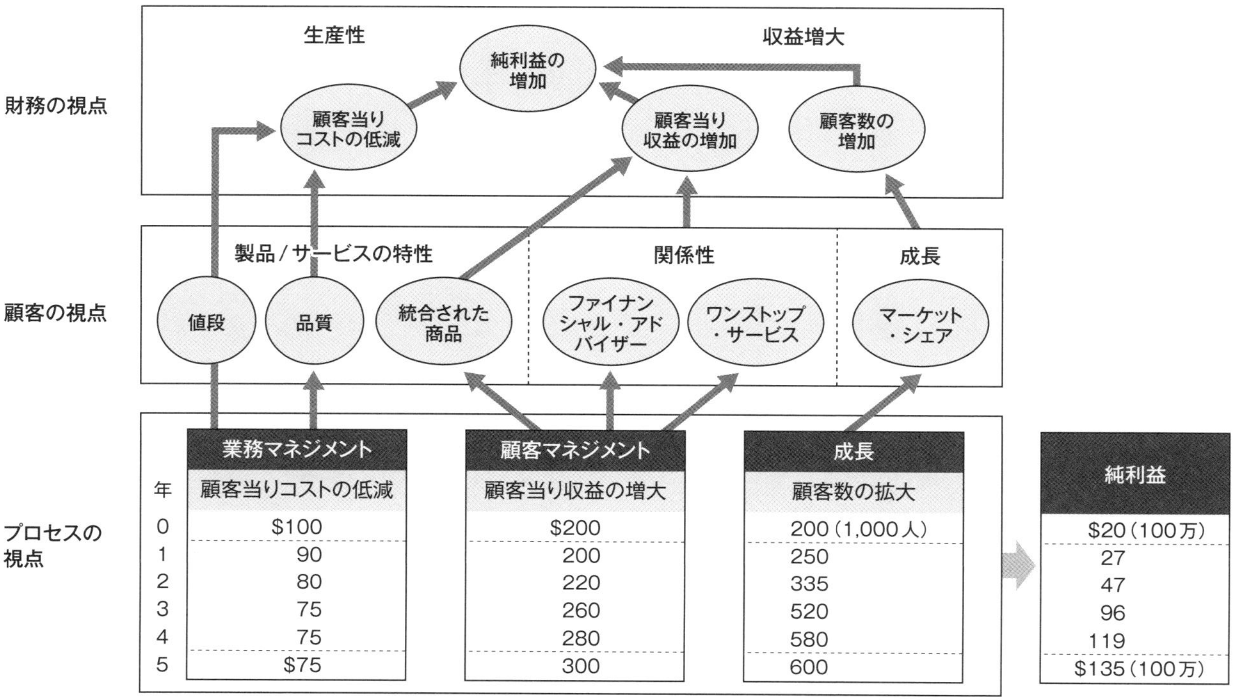

財務の視点

収益増大
- 顧客数の増加 → マーケット・シェア（成長）
- 顧客当り収益の増加

生産性
- 顧客当りコストの低減

→ 純利益の増加

顧客の視点

製品/サービスの特性
- 値段
- 品質
- 統合された商品

関係性
- ファイナンシャル・アドバイザー
- ワンストップ・サービス

成長
- マーケット・シェア

プロセスの視点

年	業務マネジメント 顧客当りコストの低減	顧客マネジメント 顧客当り収益の増大	成長 顧客数の拡大	純利益
0	$100	$200	200 (1,000人)	$20 (100万)
1	90	200	250	27
2	80	220	335	47
3	75	260	520	96
4	75	280	580	119
5	$75	300	600	$135 (100万)

第3章 戦略の企画

拡大は，最も時間がかかる。

　戦略テーマによる結果のタイムスケジュールによって，経営者は，利益をあげるために必要な時間を現実的に評価したうえで，個々の戦略テーマの業績上の目標値を特別に作り込むことができるようになる。5年後までに3つの戦略テーマのすべてが目標値を達成すれば，同社は現在の2000万ドルから1億ドル以上の営業利益を増加させることによって，バリュー・ギャップ上で特定された財務上の目的を達成することになる。

目標設定のケーススタディ：シグナ傷害火災保険事業部門

　業界における最上位1/4の利益率を達成するための，シグナ傷害火災保険事業部門が定めた強気のビジョンを（第2章から）思い出していただきたい。同事業部門の当時の状況は四分位の4番目という最下位にあり，費用と保険金支払請求からのキャッシュ・アウトフローの，保険料からのキャッシュ・インフローに対する割合と定義されている**コンバインド・レシオ**[訳注3]の劇的な改革を必要としていた。改革という旅の開始段階で，シグナ傷害火災保険事業部門のコンバインド・レシオは140であった。4分位のトップを走る高業績の同業者の比率は103であった。こうして，シグナ傷害火災保険事業部門の新戦略では，5年間で37ポイントのコンバインド・レシオで示されたバリュー・ギャップを埋めなければならなかった。

　図表3-12は，すべてのマネジャーが投げかける組織上層レベルへの2つの質問について，シグナがどのように説明するかを示している。その質問とは，コンバインド・レシオで示されたバリュー・ギャップを埋めるような劇的な改善はどこでなされるか，および，このような改善はいつ行われると期待されているかである。エグゼクティブチームは，全体的な戦略を各々が相対的に独立した価値創造プロセスを表す4つの戦略テーマに分けた。チームは，4つのテーマそれぞれがバリュー・ギャップを埋めることにどれくらい貢献するのかを評価し，戦略の5年間という時間軸のなかで，個々のテーマ

訳注3	コンバインド・レシオは，ここで定義づけられているように，保険会社の収益性を見る指標の一つであって，営業収入である保険料収入と，営業費用である支払保険金額および営業費の合計額との比である。

図表3-12

シグナにおける，現実的な高めの目標値が設定された4つのテーマへの，コンバインド・レシオにかかわるバリュー・ギャップの分解

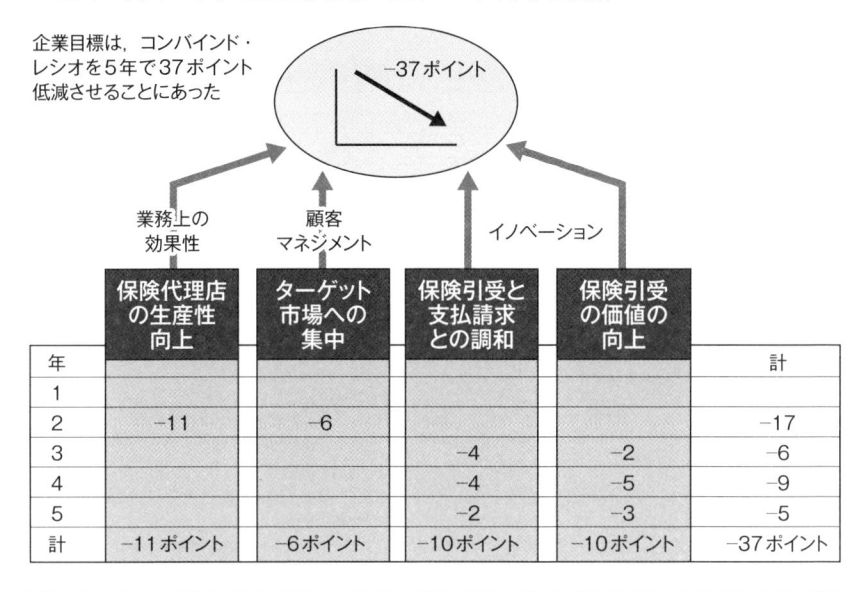

企業目標は，コンバインド・レシオを5年で37ポイント低減させることにあった

−37ポイント

- 業務上の効果性 → 保険代理店の生産性向上
- 顧客マネジメント → ターゲット市場への集中
- イノベーション → 保険引受と支払請求との調和
- 保険引受の価値の向上

年	保険代理店の生産性向上	ターゲット市場への集中	保険引受と支払請求との調和	保険引受の価値の向上	計
1					
2	−11	−6			−17
3			−4	−2	−6
4			−4	−5	−9
5			−2	−3	−5
計	−11ポイント	−6ポイント	−10ポイント	−10ポイント	−37ポイント

における進捗のタイムスケジュールを見積もった。この最初の過程は，ビジョンの高い目標の達成可能性を示すとともに，4つの戦略テーマのそれぞれにおける目標，尺度および目標値についての詳細を検討するための基礎となった。

目標設定のケーススタディ：リコー・コーポレーション

　リコー・コーポレーションの経験は，戦略的計画のプロセスの開始時に，バリュー・ギャップをより小さな，達成可能な下位戦略に分けることについてのもう一つの例を示している。第1章で述べたように，リコー・コーポレーションは，中期計画（MTP）として知られる3カ年計画を基礎にした公式の計画プロセスを使っている。（2005年4月から2008年3月までの）

図表3-13

リコー・コーポレーションにおける，4つのテーマへのバリュー・ギャップの分解

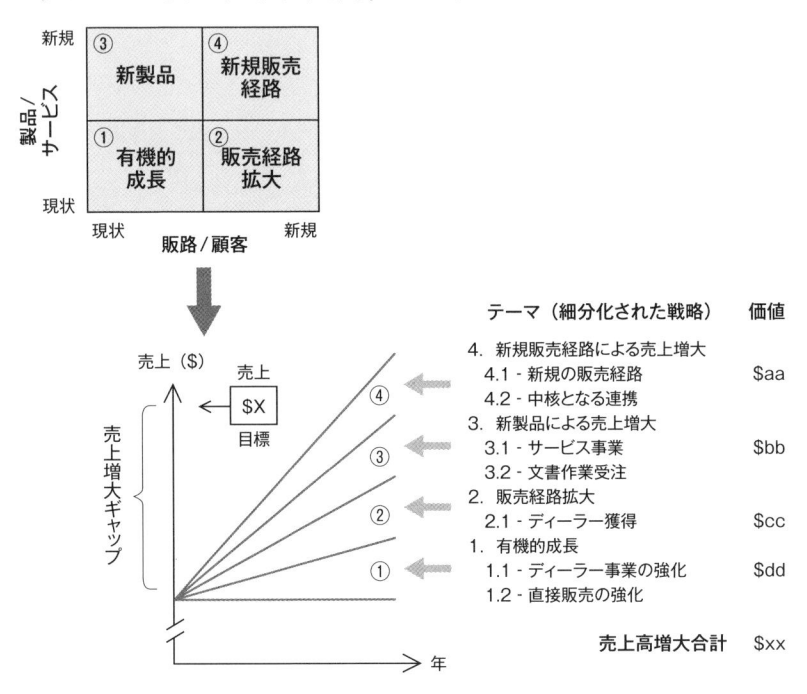

	現状	新規
新規	③ 新製品	④ 新規販売経路
現状	① 有機的成長	② 販売経路拡大

縦軸：製品／サービス　横軸：販路／顧客

売上（$）／売上増大ギャップ　売上目標 $X

テーマ（細分化された戦略）	価値
4. 新規販売経路による売上増大	
4.1 - 新規の販売経路	$aa
4.2 - 中核となる連携	
3. 新製品による売上増大	
3.1 - サービス事業	$bb
3.2 - 文書作業受注	
2. 販売経路拡大	
2.1 - ディーラー獲得	$cc
1. 有機的成長	
1.1 - ディーラー事業の強化	$dd
1.2 - 直接販売の強化	
売上高増大合計	$xx

　第15期中期計画のとりまとめに際し，会長兼CEOであるサム・イチオカ（市岡進）氏は，野心的な収益増大目標を設定するとともに，戦略チームを動員し，総売上げ目標を達成するため，主だった戦略とそれぞれについての究極的な目標値を定義づけさせた。イチオカの野心的な挑戦は，リコー・コーポレーションのリーダーシップ・チームを通じ，強い危機感を作り出した。

　図表3-13は，戦略の主な要素をまとめている。左上の隅にある小さな行列は，戦略の簡潔な論理を示している。すなわち，有機的成長，販売経路拡大，新規販売経路および新製品と新サービスである。第1の戦略テーマは「有機的成長」であり，これは現在のディーラーと販売経路を通じて既存の

図表3-14
因果関係のシナリオにもとづいた目標値の設定

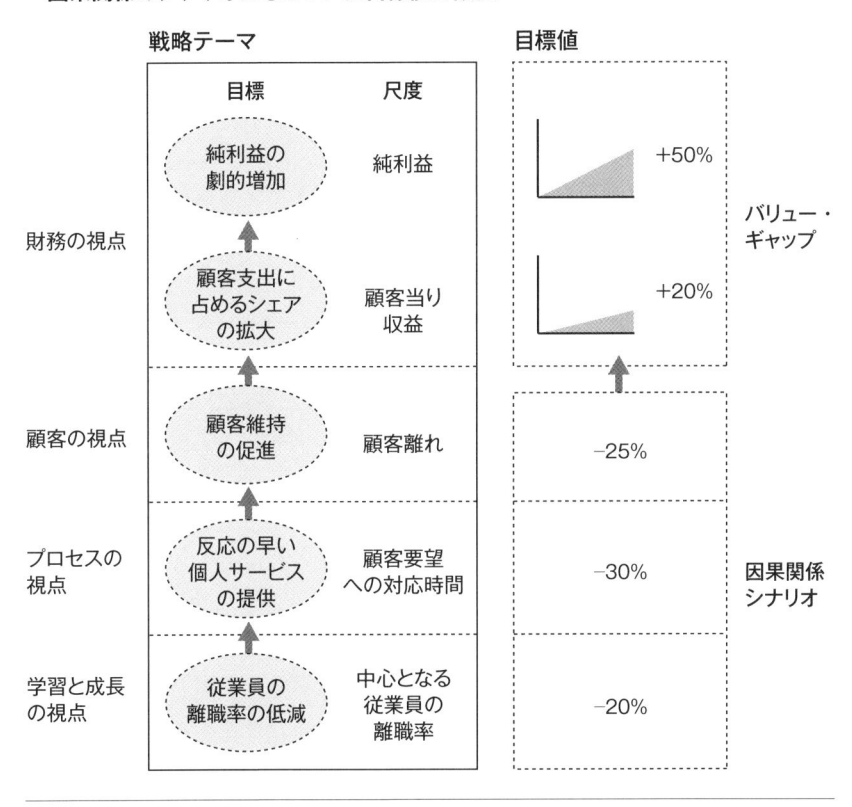

視点	戦略テーマ		目標値	
	目標	尺度		
財務の視点	純利益の劇的増加	純利益	+50%	バリュー・ギャップ
	顧客支出に占めるシェアの拡大	顧客当り収益	+20%	
顧客の視点	顧客維持の促進	顧客離れ	−25%	因果関係シナリオ
プロセスの視点	反応の早い個人サービスの提供	顧客要望への対応時間	−30%	
学習と成長の視点	従業員の離職率の低減	中心となる従業員の離職率	−20%	

製品とサービスの販売の品質を向上させることによって達成される。第2のテーマである「販売経路拡大」とは，新規ディーラーの獲得によって得られる販売増に焦点を当てている。第3のテーマである「新製品」は，ディーラー網への新製品と新サービスの導入による成長を生み出すと考えられ，第4のテーマである「新規販売経路」とは，新しい市場と戦略的提携による売上高を生み出すと考えられた。

次の3年間を通じ，全体としては4つの戦略によって，CEOが設定した

バリュー・ギャップを埋めるのに十分な売上高の増大を実現するであろう。4つの戦略テーマのそれぞれを率いた主だった経営幹部とともに，市岡氏は効果的に同社を動員して，業績の顕著な躍進を実現するための新戦略を編み出してきた。

目標設定のための因果関係の活用

個々の戦略テーマの目標はさらに，それぞれのテーマのなかでの戦略目標における目標値に分割される必要がある。戦略テーマのなかにある目標ごとの目標値は，単独で設けられるものであってはならない。おのおのの目標値は，因果関係の連鎖のなかで，他のテーマの目標に対応した目標値と関連づけられなければならない。

図表3-14に描かれた顧客サービスの戦略テーマを検討する。(右側に示された) 目標設定プロセスは，戦略によって埋めなければならないバリュー・ギャップである「純利益の50％増加」からはじまる。このテーマの財務の視点の下位目標は，顧客当り収益の20％増加となる。この収益の増加は，目標とされた純利益の増加に貢献する。この目的を達成できる多くの戦略のなかから，この会社は最高の個人サービスを迅速に提供することによって，顧客維持をはかることに焦点を当てることに決める。改善された顧客サービスは，今度は従業員のコンピテンシーの向上を求めるが，能力の優れた従業員の離職を減らすことでこの目標が達成されるようになる。そこから導かれる仮説は，中心となる従業員の離職率の20％減少が，サービス水準の30％改善につながる。このようなサービスの改善は，顧客離れを25％減少させることとなり，今度は，その企業が希望している顧客当り収益の20％増加を達成することとなる。

図表3-14にある因果連鎖は，戦略が実現可能かどうかについてボトムアップによる明瞭な論理的テストとなっている。企業が提案した戦略を現実的と考えるのであれば，中心となる従業員の離職率を減少させる実施項目を実行し，ついには減少した顧客離れと希望する額の収益の増加につながるという一連の事象を生み出すという因果関係シナリオが開始されることとなる。

目標値のベンチマーキング

さまざまな戦略目標に特定の目標値を設定する際には，プロセスの最初の段階では特に判断が必要とされる余地が残る。尺度についてより多くの経験が得られるにつれて，企業は尺度の特性と改善の実現可能性について，よりよく理解できるようになる。

業績尺度についての**外部ベンチマーク**は役に立つ可能性もあるが，企業の環境を外部の業績が生じた際の条件と比較できるように注意して扱う必要がある[9]。図表3-14で描かれているように，外部ベンチマークは，4つの視点すべての尺度について役立つと思われる。企業は，その尺度として達成に努めるパーセンタイル 訳注4 表示の業績を，公表されたデータと業界団体やコンサルタントのデータベースから学ぶこともできる。目標値は，75パーセンタイルの業績レベルとするのか，99パーセンタイルのレベルとするのか。企業の環境と外部ベンチマーキング調査の環境とが類似していると想定したうえで，これらの目標値について当該企業の目標値として高めの数値を設定する。

民間企業は，財務の視点における外部ベンチマーキングからはじめることもできる。同業の競争相手は上場企業と思われるので，企業は同業他社の詳細な財務業績をすぐに知ることができる。企業は，資本利益率，増収率，営業利益率および生産性といった測定尺度において，同業者間でベストなものの一つとなるような業績を目指して努力すべきである。そのような尺度で，第1位か第2位，もしくは特に現状の業績が業界中位より下ならば，少なくとも上位4分の1か上位5分の1の業績を目指して努力すべきである。公共部門もしくは非営利企業は多くの場合，たとえば選挙民に直接的に役立つ支出に対する業務支出の割合といった，同規模の組織の財務業績に関する公表されたデータを知ることができる。

マーケットシェアの改善やアカウント・シェアの増加のような顧客の成果についての測定尺度は，定義上，外部に焦点がおかれ，競争相手をベンチマークとする。企業はまた，中心となる顧客に，競合関係にある供給業者の

訳注4 | パーセンタイルとは，データを小さい順に並べたとき，初めから数えて何％にあるのかを示す用語であり，中央値は50パーセンタイルとなる。

間で業績をランクづけしてもらうこともできる。その測定尺度としての高めの目標値は、「顧客にとって第1位にランクされる供給業者となる（であり続ける）こと」ということとなろう。

　小売店チェーン、ホテル、銀行、ファースト・フードのレストランなどの数多くの同質的な販売経路を持つ企業においては、プロセスと従業員のケイパビィリティに関する目標値を決めるために、統計的な分析を使うことができる。これは**内部ベンチマーキング**の例である。たとえば、第6章で述べるとおりカナダの銀行では、数百の支店からの月次業績尺度で構成される一連のデータについて多重回帰分析を行い、個別支店の目標値を設定している。多重回帰分析から得られる係数はプロセス業績と従業員満足の改善に関連するもので、収益性、顧客満足およびロイヤルティの増加率を測ることとなる。この銀行では、望ましいレベルの顧客と財務業績を生み出すことを目的として、支店ごとに必要なプロセスと従業員の業績レベルを評価するために、これらの係数を積極的に使っている。

　企業はまた、特に主要なプロセスのコスト、品質、サイクルタイムに関連するプロセスの測定尺度については、目標値として業界最高のベンチマークを使うことができる。たとえば、リテールバンクは、主要なプロセスとして、抵当権や貸付の承認を使ってきた。銀行は、顧客の借入申込みから与信の承認まで、同業種で最短の応答時間で提供するという目標値を設定する。別の銀行では、ATMの故障時間の割合を同業種で最も低い率にする、あるいはさらに低い割合に努力することもありうる。あるいは銀行が、販売促進活動を通じて獲得した新規顧客から、最も高い収益をあげることを期待することもありうる。イノベーション・プロセスでは、製造業あるいはソフトウェア会社は、アイデアを生み出したときから商業製品として販売できるようになるときまでを測定することにより、業界で最短の商品開発期間の目標値を設けることができる。重要なプロセスについてこのような外部ベンチマークを使うためには、企業は、業界団体のデータにアクセスしたり、ベンチマーキング・サービスに登録したり、ベンチマーキングの研究を率先して行ったり参加したりしなければならない。

目標設定のケーススタディ：ビスタ・リテール

　ビスタ・リテール（仮名）では，バランスト・スコアカードの尺度として，非常に数多い小売販売店の間で以下の内部ベンチマーキングを使っている。

・支払利息・税金・減価償却前の利益（EBITDA [訳注5]）
・競争業者と比較した販売店1店当りの収益
・顧客のロイヤルティ
・従業員のロイヤルティ

　ビスタは毎年，それぞれの尺度について，1000以上の販売店のそれぞれの指標を，最高の業績をあげたものの指標と比べている。この2つの間の差異は，**完全達成とのギャップ**であり，翌年にそのギャップの割合を埋めなければならない。ビスタは企業目標値を設定し，1年で25％といった特定のパーセンテージによって，完全達成とのギャップを埋めさせている。たとえば，ある測定尺度で現在のスコアが45でしかない業績の悪い販売店を仮定してみる。一方，同規模の販売店における最高の業績スコアが89であったとする。この場合，業績の悪い販売店の翌年の目標値は，以下のようになる。

$$45 + [0.25 \times (89 - 45)] = 56$$

　この方法は「ローマは一日にして成らず」として知られている。個々の販売店には高めではあるが，それでも達成しうるゴールである。ビスタの完全達成とのギャップにおける目標値設定のプロセスはまた，完全な業績に近づくにつれて改善の実現がより難しいものとなることを認識している。現在の75という点数の販売店は，翌年の目標値では78.5となるが，これは業績の

訳注5 | EBITDA（Earnings Before Interest, Taxes, Depreciation and Amortizationの略称）とは，支払利息，税金，減価償却費を差し引く前の利益のことであり，経常利益に支払利息と減価償却費を加算することなどにより求められる。これまでのところ，定訳はない。

悪い販売店が達成を求められるものより，かなり低いパーセンテージの改善となる。

上記のシステムで達成可能な業績にもとづく目標値を設定するだけでなく，ビスタでは高得点の販売店の実績を特定して研究している。そして，その知識を使って，企業中にベスト・プラクティスを移植している（ベスト・プラクティスの共有について，著者たちは第6章でさらに徹底して検討する）。このように，販売店は，最高の業績を上げたものを基準とした目標値を決めるだけでなく，業績のよい販売店の経営実践についてもまた学んでいる。

目標設定のケーススタディ：モービルUSマーケティング・リファイニング事業部

戦略テーマについての測定尺度として高い目標値を設けることは重要である。しかし，マネジャーに高い目標値を自分のものとさせることと，目標値を達成するために努力させることは，まったく別の課題である。おそらくはマネジャーに自らの責任において，高めの目標値を設定させることとなる。いくつかの企業では，目標値における高めの度合いに応じ，業績の達成度に応じてボーナスを支払うことにより，マネジャーに高めの目標値への参加を動機づけてきた。

モービルUSマーケティング・リファイニング事業部では，マネジャーに，個々のバランスト・スコアカードの尺度に応じて目標値を設定させるとともに，目標値達成の困難さについて認められている度合いを示す業績上の要素を導入させた。1.25という最高の指数は，目標値が業界最高の業績を示すときに与えられた。平均的な目標値には1.00という業績係数を与え，0.7程度の低い業績係数は，目標値が低い業績であったり，達成が非常に容易であると考えられる場合に適用された。

個々のビジネスユニットの経営幹部は，個々の尺度に応じた業績係数を提案し，経営幹部からなるリーダーシップ・チームとシェアードサービス部門長が出席する会議で，これらについて説明したり答弁したりしなければならなかった。全体的にいえば，このグループは個々のビジネスや提案された目

標値の高さに関して非常に多くの知識を有しており，この知識によって，マネジャーが楽観的に考えて業績係数に他の要素を組み込んでしまうことを防いでいた。

　モービル US マーケティング・リファイニング事業部は，ダイビング競技の採点とほぼ同じ方法で，全業績の合計に達するように，尺度の実際の値に業績係数を乗じていた。ダイビング競技では，簡単な飛込みをする者は，非の打ちどころなく（目標値を）実行し，芸術点では 10 というトップの点を得る。しかし，難易度が低い（たとえば 0.8）ため，その飛込みで得られた総得点は（8）という低いものとなろう。他の競争相手が極端に難しい飛込み（2 回転半をともなう 3 逆回転，難易度 2.8）を試み，満足にやり切ったが完全ではなかった（7.1 を得る）ものの，その飛込みに対してははるかに高い合計点（19.9）を得ることになろう。難易度を基礎とした業績係数を設けることで，地理的にそして製品の異なる多様な部門にわたって，目標値の困難さの程度を比較できるようにすることによって，より公平な競技場のうえで部門のマネジャーに報酬が支払われることが促される。

　高い目標値を設けるいま一つの観点として，たとえ目標値にほんの少し足りなかったときでも，マネジャーに報酬を与えることである。さもなければ，マネジャーは高い目標値に多少届かないリスクよりも，達成可能と十分に確信しうる目標値を選ぶことによって，目標値を控えめに表明する（サンドバッグ）こととなろう[10]。この控えめな目標値の表明というサンドバッグ効果を緩和するために，報酬は，二進法ではなく，業績に応じた非直線型にすべきである。たとえば目標値に 10％足りないマネジャーは，報酬が 30 〜 50％減少することを経験するかもしれない。しかしその不均衡な報酬であっても，マネジャーの業績がいくぶん達しないと予想されるときでさえ，マネジャーにとってはできる限り目標値に近づけようという動機づけとなる。

　先に図表 3-7 で示したブラジルの CNI の戦略マップについて，簡潔に補足しておくと，CNI のチームは，個々の戦略テーマについて一連の尺度と目標値を構築した。たとえば，戦略目標である「企業におけるイノベーション創出の支援」は，「GDP に占めるイノベーションへの民間投資の比率」と

された。チームは，この尺度についての目標値を，現状の0.6％（2007年）を2015年までに1.4％に増加させることにした。CNIの戦略マップに関する多くの尺度についての目標値は，世界中の，同規模ではあるがベスト・プラクティスになりうる実際の経験をもとにしていた。

要約

　本章では，著者たちは第2章で述べたプロセスを通じて策定された戦略を企画した。第1に，著者たちは，戦略について，それぞれのテーマにおいていかに価値が創造されるべきかを描写している関連する目標を用いて，戦略テーマにもとづく戦略マップに展開した。われわれはまた，企業のビジョンの達成および個々の戦略目標と，関連づけられた個々のバランスト・スコアカードの尺度に応じた目標値とに一貫性を持たせつつ，それぞれの戦略テーマに応じていかに目標値を選定するかについて述べた。

　本書における戦略の構築と企画のアプローチの顕著な特徴は，戦略マップを系統だてられた枠組みとして使うことにある。戦略の構築への多くのアプローチでは，戦略の望ましい**成果**に焦点を当てる。たとえば，戦略は，顧客ニーズや企業が競合するであろうニッチ市場を満足させるために提供しようとする顧客価値提案を記述する。しかし，顧客価値提案の考察では，それがいかに達成されるかについては説明していない。事業戦略の策定のための一般的なアプローチの多くは，**いかに**ではなく，**何か**を明らかにする。完全な戦略は，いかにと何かを明らかにする。すなわち，著者たちの用語で表現すれば，希望する成果とその成果の影響要因を明らかにすることである。

　戦略マップの体系は，戦略を設計し実行するための包括的で論理的な枠組みを提供する。戦略マップは経営上の革新的手法である。戦略マップによって企業は戦略をより効果的に管理し，戦略実行の成功体験をもとに戦略実行のプレミアムを達成できるようになる。

補論　戦略マップ

　戦略マップ（図表3-A1参照）は，バランスト・スコアカードの4つの視点[11]に関する目標間の一連の因果関係を通じて，価値創造プロセスを説明する。

- ・企業の究極的な目的は，株主（民間セクターの場合）またはステークホルダー（公共部門の場合）にとっての長期的な価値を創造することにある。
- ・企業の価値は，顧客への価値提案を満足させることによって創造される。
- ・内部プロセスは，顧客を満足させる価値を創造し提供するとともに，財務の視点にかかる生産性目標にも貢献する。
- ・無形の資産（従業員，技術，組織文化）は，顧客や株主に価値を提供する際の決定的に重要なプロセスにおける業績改善を促進する。

　財務の視点は，なじみのある測定尺度，たとえば，投資利益率（ROI）や経済的付加価値（EVA），顧客当り収益および単位製品当りコストといった尺度を使って，戦略の目に見える成果を記述する。これらの成果，すなわち遅行指標は，戦略が株主に目に見えるように成果の提供に役立つことを示す。

　顧客の視点は，顧客成果尺度として，たとえばターゲットとされた顧客セグメント用に選択した価値提案の測定尺度はもちろんのこと，顧客満足，顧客維持，成長をも含む。価値提案は戦略の核心である。それは企業が，顧客の目でいかに差別化するかについて記述する。これはまた，戦略のほかの部分との関係を決定づける。顧客のために最低のコストを達成しようとする価値提案は，完璧に特別にあつらえた顧客ソリューションを提供しようとする価値提案とは，非常に異なったプロセスと人的資本のより高い卓越性が必要となる。

　要するに，戦略マップとバランスト・スコアカードにおける財務の視点と顧客の視点は，企業が何を達成したいのかについて記述する。具体的には，

図表3-A1

戦略マップは、企業がステークホルダーのために、いかに価値を創造するかを表す

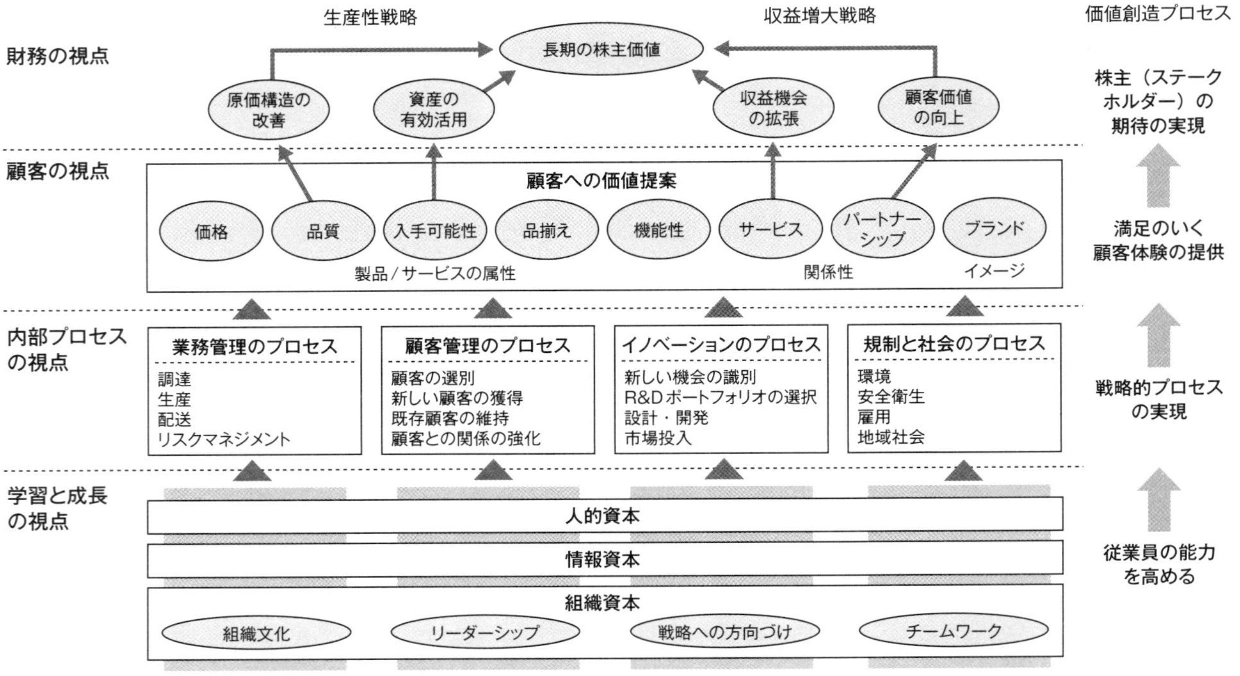

財務の視点

価値創造プロセス
株主（ステークホルダー）の期待の実現

生産性戦略　　　　　収益増大戦略

- 原価構造の改善
- 資産の有効活用
- 長期の株主価値
- 収益機会の拡張
- 顧客価値の向上

顧客の視点

満足のいく顧客体験の提供

顧客への価値提案

製品／サービスの属性　　　関係性　　　イメージ
- 価格
- 品質
- 入手可能性
- 品揃え
- 機能性
- サービス
- パートナーシップ
- ブランド

内部プロセスの視点

戦略的プロセスの実現

- 業務管理のプロセス
  - 調達
  - 生産
  - 配送
  - リスクマネジメント
- 顧客管理のプロセス
  - 顧客の選別
  - 新しい顧客の獲得
  - 既存顧客の維持
  - 顧客との関係の強化
- イノベーションのプロセス
  - 新しい機会の識別
  - R&Dポートフォリオの選択
  - 設計・開発
  - 市場投入
- 規制と社会のプロセス
  - 環境
  - 安全衛生
  - 雇用
  - 地域社会

学習と成長の視点

従業員の能力を高める

人的資本
情報資本
組織資本

- 組織文化
- リーダーシップ
- 戦略への方向づけ
- チームワーク

収益の増大と生産性の改善による株主価値の増大か，それとも顧客獲得，顧客満足，顧客維持，ロイヤルティおよび成長を通じた顧客の支出に占める当社のシェアの拡大をはかるのかについて記述する。

プロセスの視点は，顧客とそして財務の目標を満足させる決定的ないくつかのビジネス・プロセスを可視化させる。企業は，給与支払計算や四半期財務諸表の印刷から，機材や施設を維持したり新製品を作り出したりすることまで，何百にもわたるプロセスを行っている。すべてのプロセスが適切に行われなければならない一方で，ごくわずかだが限られたプロセスが戦略のための真の差別化を作り出す。戦略マップはこのような重要なプロセスを特定するので，経営者および従業員はそのプロセスの継続的改善に専念することができる。

学習と成長の視点は，職務（人的資本），情報システム（情報資本），風土（組織資本）を可視化する。これらは価値創造プロセスを支援する。あわせていえば，プロセスの視点および学習と成長の視点とは，企業がいかに戦略を実行するかについて記述する。

戦略目標間の因果関係について，戦略マップによる可視化は広く採用されてきており，この可視化こそがすべてのバランスト・スコアカードの導入プロジェクトの出発点である。

【注】
(1) R. S. Kaplan and D. P. Norton, *Strategy Maps: Converting Intangible Assets into Tangible Outcomes*, Boston: Harvard Business School Press, 2004（櫻井通晴・伊藤和憲・長谷川惠一監訳『戦略マップ：バランスト・スコアカードの新・戦略実行フレームワーク』ランダムハウス講談社, 2005 年）; Kaplan and Norton, *The Strategy-Focused Organization*, Boston: Harvard Business School Press, 2000（櫻井通晴監訳『戦略バランスト・スコアカード』東洋経済新報社, 2001 年）。
(2) **アカウント・シェア**は，企業の属する分類における顧客の総支出額に占める当該企業の割合をいう。たとえば，金融取引シェア，洋服箪笥シェア，食品飲料品消費シェアなど。
(3) "Balanced Scorecard European Summit," Prague, June 2007.

(4) "Gerdau Açominas," in *Balanced Scorecard Hall of Fame Report 2007*, Boston: Harvard Business School Publishing, 2007, pp.19-20.
(5) "Growth: The Industry's Vision," National Confederation of Industry, Brasilia, 2006.
(6) 2006年11月にサンディエゴで開催されたバランスト・スコアカードに関する北米サミットでのプレゼンテーションより。
(7) Lord Kelvin [William Thomson], "Electrical Units of Measurement," in *Popular Lectures and Addresses*, vol.1, London and New York: Macmillan and Co., 1894.
(8) R. S. Kaplan and D. P. Norton, *The Balanced Scorecard: Translating Strategy into Action*, Boston: Harvard Business School Press, 1996 (吉川武男訳『バランススコアカード:新しい経営指標による企業変革』生産性出版, 1997年), Kaplan and Norton, *Strategy Maps* (櫻井通晴・伊藤和憲・長谷川恵一監訳『戦略マップ:バランスト・スコアカードの新・戦略実行フレームワーク』ランダムハウス講談社, 2005年).
(9) R. S. Kaplan, "Limits to Benchmarking," *Balanced Scorecard Report*, HBS Publishing Newsletter, November 2005.
(10) サンドバッグの元来の意味は文字どおりであり、洪水、銃火および爆発からの防御のため、砂をつめた袋を使うことである。それが、競争相手に対する優位を確保するため、自らの強みを隠すことを意味するようになった。サンドバッギングは、意図的に仕向けた他人の予想よりもほぼ確実によりよい実際の業績を出すように、将来の成果への自らの最善の見積もりを注意深く控え目に述べるという行為と結びつけて考えられるようになった。
(11) Kaplan and Norton, "Strategy Maps," Chapter 3 in *the Strategy-Focused Organization* (櫻井通晴監訳『戦略バランスト・スコアカード』東洋経済新報社, 2001年)。

第4章 戦略的実施項目
——戦略を実行に移す
Strategic Initiatives: Launching the Strategy into Motion

第3章で，著者たちは，戦略を企業が達成したいと望んでいる**何か**を表す戦略テーマ，戦略目標，尺度および目標値に落とし込む方法を述べた。戦略的実施項目は，戦略を**いかに**実行するかを表す。ニュートンの運動の第1法則[訳注1]を企業にあてはめると，静止した企業は依然として静止したままであることを示す。ニュートンの第2法則は，集団を行動に移させるためには力が必要とされていることを示す。**戦略的実施項目**は惰性や変革に対する抵抗に打ち勝って，組織集団を行動に加速させる力であることを表す。戦略的実施項目は期間が限定されて継続する任意のプロジェクトとプログラムの集合であり，企業の日常業務の範囲を超えて，業績目標値を達成するのに役立つように設計される。

　長期戦略を直近の行動計画にリンクさせる必要性は当然のことのように思えるが，第1章で述べたとおり，著者たちが行った経営管理実態調査では，50％の企業が戦略を短期計画と予算にリンクさせていなかった。ある上級経営幹部が，戦略と行動計画の間で戦略の落とし込みがうまくいっていないことに対して多くの経営幹部が持つ欲求不満を簡潔に述べてから，「私の戦略的実施項目の半分は戦略目標を達しているが，戦略の落とし込みが不十分なのであとの半分は目標を達成するかどうかはわからない」と述べた。

　企業は戦略的実施項目のポートフォリオをマネジメントするために図表4-1に要約されたような3つのプロセス，すなわち戦略的実施項目の選定，戦略テーマに対する資金の調達，および戦略テーマの遂行に対する会計責任の確立というプロセスを用いる。以下ではそれぞれの事項について順番に述べていく。

戦略的実施項目の選定

　戦略的計画は，機能とビジネスユニットの横断的なプロセスを含む企業横

訳注1 ｜ ニュートンの運動の第1法則は「慣性の法則」。静止している物体は，力を加えられない限り，静止を続ける。第2法則は「ニュートンの運動方程式」。加速度は物体に加えられた力の方向に生じ，その大きさは力の大きさに比例し，物体の質量に反比例する。ちなみに第3法則は「作用・反作用の法則」である。

図表4-1

戦略的実施項目のマネジメント・プロセスモデル

戦略的実施項目のマネジメントのプロセス	目的	阻害要因	目標達成を可能にするツール
1. 戦略的実施項目を選定する どのような行動計画がわれわれの戦略に必要か？	業績ギャップを埋めるのに必要な戦略的実施項目を定義する。	戦略的投資は企業のさまざまな部門のなかの独自の基準で正当化される。	・それぞれの戦略テーマに対する戦略的実施項目のポートフォリオ
2. 戦略に資金を調達する どのようにわれわれは戦略的実施項目に資金を調達するか？	業務予算から切り離されている戦略的実施項目の資源を調達する。	ビジネス横断的なポートフォリオに資金を調達するのは，予算編成のプロセスのヒエラルキーである部門構造とは相容れない。	・戦略的支出（STRATEX） ・優先順位づけされた戦略的実施項目
3. 会計責任を確立する 誰に戦略的実施項目をリードさせるか？	事業横断的な戦略テーマを実行するための会計責任を確立する。	通常経営幹部のチームのメンバーは機能またはビジネスユニットの範囲で責任を持つ。	・経営幹部のテーマ責任者 ・テーマ別チーム

断的で多様な戦略的実施項目を調整できる管理を必要としている。バランスト・スコアカードの最初の概念では，著者たちは企業が各々の戦略目標のための戦略的実施項目を，他の戦略的実施項目とは関係なく自由に選定するよう奨励していた。企業は，しばしば提案された戦略的実施項目の優先順位づけのための重みづけされた指数を得るために，正味現在価値（NPV），投資利益率（ROI）などの財務的な収益性分析を，プロジェクトのリスク，プロジェクトの継続期間やビジネスユニットへの横断的影響といった非財務的な要素を加味しながら行うことができた。しかしながら，著者たちは戦略目標に対して戦略的実施項目を他の戦略的実施項目とは関係なく自由に選定することが，複数の関連する戦略的実施項目間の複合的な影響を無視していたことに気づくようになった。

　戦略的実施項目を，互いに孤立させるような形で切り離して選定してはならない。顧客の視点または財務の視点における戦略目標を達成するためには，一般に人事，IT，マーケティング，販売，業務などのような，異なっ

た組織から提案される複数の補完的な戦略的実施項目が必要である。著者たちは，図表4-2に示されているように，それぞれの非財務的な目標は少なくとも1つの業績を達成するための戦略的実施項目を持つだけではなく，その戦略的実施項目は戦略テーマに対し1つに統合化されたポートフォリオとして組み込まれるよう推奨し続けている。

図表4-2に示されている顧客管理の戦略テーマは，その戦略テーマが業績目標を達成することにあるなら，戦略的実施項目の集まりすべてを実行することが必要とされる。人的資本レディネスを高めるには，たとえば2つの戦略的実施項目が必要とされる。1つは従業員間の関係性マネジメントのスキルの育成であり，他の1つは公認ファイナンシャル・プランナー（CFP）**訳注2**としての認定者の増員である。これらの2つの戦略的実施項目を成功裏に達成できれば，ターゲット顧客に接客する従業員に対しての人的資本レディネスを高めるという目標は100％達成されたことになる。

しかしながら，戦略目標に対する他の戦略的実施項目が効果的に実行されないなら，この戦略テーマに対する総合的な業績は悪くなろう。人的資本レディネスの向上は，統合化された新製品の提供，新しくて統合化された顧客情報システム，そして完璧な顧客関係性を生み出して育てる従業員に報いようとする新しいインセンティブ制度がともなっていなければならない。このように，包括的な戦略的実施項目のポートフォリオの管理プログラムがうまくいくためには，戦略テーマに対するすべての戦略的実施項目が同時に実行されることが必要である。個々の実施項目は必要であるが，それだけでは十分ではない。

多くの企業がすでにあまりにも多くの戦略的実施項目を実行させているので，新しい実施項目にとりかかるだけの財務的あるいは人的資源がない，と一見もっともらしく聞こえる弁明をしている。しかし，これがまさに，企業がどの戦略的実施項目にとりかかるかを決める前に，まず戦略と戦略テーマ

訳注2 | 公認ファイナンシャル・プランナー（certified financial planner；CFP）は公認投資コンサルタントともいい，個人的な資産運用・金融に関する総合的なアドバイスをする職業・職種，およびその職に就く者をいう。日本では国家資格としてのファイナンシャル・プランニング技能士と民間資格である日本FP協会の認定がある。

図表4-2

各テーマのための戦略的実施項目のポートフォリオが展開すべきもの

戦略マップ（テーマ）	バランスト・スコアカード		行動計画	
	尺度	目標値	実施項目	予算
収益ミックスの拡大	・収益ミックス ・収益成長率	新規＝+10% +25%		
われわれの財務上のアドバイスによる，顧客からの信頼の向上	・セグメント・シェア ・ウォレット・シェア ・顧客満足度	25% 50% 90%	・部門の実施項目 ・満足度調査	$XXX $XXX
製品ラインのクロスセル	・クロスセル比率 ・接客時間	2.5 1時間／四半期	・財務計画実施項目 ・統合された製品の提供	$XXX $XXX
戦略的な職務 ファイナンシャル・プランナー	・人的資本レディネス	100%	・関係性マネジメント ・公認ファイナンシャル・プランナー	$XXX $XXX
戦略システム ポートフォリオ計画	・戦略的アプリケーションのレディネス	100%	・統合された顧客ファイル ・ポートフォリオ計画のアプリケーション	$XXX $XXX
組織資本レディネスの創造	・BSCに関連づけられた目標	100%	・MBOの更新 ・インセンティブ報酬	$XXX $XXX
			総予算	$XXX

を作成すべき理由である。1990年代後半のウェルズ・ファーゴ銀行のオンライン・バンキング事業部における状況を例にとってみよう[1]。この事業部はオンライン・バンキングの市場でのリーダーであり，爆発的な成長を遂げた。従業員は新たな戦略的実施項目のネタを次々と提供し続けた。それぞれの戦略的実施項目はオンライン・バンキング事業部の急速な成長を支え，市場のリーダーとしてのポジションを維持するのに魅力的に思われた。ある時点では，その事業部では600以上の戦略的実施項目を進行させていて，上級経営者のチームは，毎週半日集まって，新しく提案された戦略的実施項

図表4-3

戦略テーマと目標に対応する実施項目の整合性の分析

プログラム／プロジェクト 戦略テーマ／実施項目の ポートフォリオ	調達の再設計	販売員の育成	倉庫機能の向上	品質の同一性の証明	よどみない商品開発	財務システムの再構築	カスタマーコールセンターへの接続性	実施項目「n」
サービス提供力を高める ・目標1 ・目標2	×		(テーマに役立たない実施項目)	×				
パートナーとの関係を強くする ・目標3 ・目標4		×					×	
将来の価値を向上させる ・目標5					×			
標準規格に合わせる			(実施項目がないテーマ)					
顧客が着目する組織能力を伸ばす ・目標7 ・目標8		×					×	

目をただ検討して承認し，進行中の戦略的実施項目の進捗をモニターし，どの戦略的実施項目を中止するか，残されたままの戦略的実施項目のどれに人と資金をどのように再配分するかを決定するだけの会議を行っていた。

　著者たちは，多くの企業がこの爆発的に急増する戦略的実施項目の対応に追われているのを見続けてきた。それは，戦略的実施項目の提案および選定を，何1つとして戦略的なフレームワークによることなく，個々に他の戦略的実施項目とは関係なく決定してきたことに対する当然の帰結である。図表4-3に示されているように，企業が戦略的実施項目を検討して合理化のプロセスを実行すれば，最初の戦略マップとバランスト・スコアカードを構築した当初からすぐに便益が得られる。

　この分析作業で，経営者は行にBSCの戦略テーマと目標，列に既存の戦略的実施項目を持ったマトリックス（2次元の表）を作成する。それぞれ既存の各戦略的実施項目に対して，その戦略的実施項目が成功裏に行われるな

らば大幅な改善が見込まれる戦略テーマと目標を（適切なセルのなかに「×」のマークをつけて）特定する。

図表 4-3 に示されているように，1 つの既存の戦略的実施項目は，どの戦略テーマにも影響を与えていない。著者たちの経験からいえば，既存の戦略的実施項目の 20 〜 30％ までがこの傾向を持っている。これらの戦略的実施項目はそれがないと規制上の条件を満たさないか，あるいはこの戦略的実施項目による現場での業務活動の改善により 1 年未満の短期間で目に見えるほどの財務的な回収が必要とされなければ，整理されるか削除される主な対象となる。

戦略マップを作成したらただちに行われるべき戦略的実施項目の合理化のプロセスは，一般に BSC プロジェクトの導入費用に支払う以上の直接的な財務費用の節約になる。ウェルズ・ファーゴ銀行のオンライン・バンキング事業部では，経営幹部のチームが積極的に監督して，業務上の戦略的実施項目をいくつかのビジネスユニットと機能ユニットに統合して委譲することによって，戦略的実施項目の数を 600 以上からおよそ 10 ほどに削減することができた。

同様に，目標の 3 倍あるいはそれ以上の戦略的実施項目を持っているにもかかわらず，企業はいくつかの戦略目標にはそれらを改善するよう意図された戦略的実施項目がないことを発見する。戦略的実施項目と戦略目標とのこれらの整合性の欠如は，提案されるべき新しい戦略的実施項目が必要な状態であることを明らかにする。最も有益な戦略的実施項目のアイディアのいくつかは，現場の従業員から得られる。いったん従業員が戦略マップとバランスト・スコアカードの活発なコミュニケーションを通して戦略に関して学習すると，経営者は従業員を鼓舞して，企業が業績目標値を達成するのに役立つ新しい戦略的実施項目のアイディアを生み出すよう求める。

任命されたグループ（次の項で述べることになっている典型的なテーマ別チーム）は山積みしているすべての新規案件を見直して，公式な評価と優先順位づけのプロセスを実施する[2]。いまでは多くの企業が次のものを含む標準的な戦略的実施項目を提案するテンプレートを持っている。

図表4-4

比較を容易にする戦略実施項目のスコアづけ

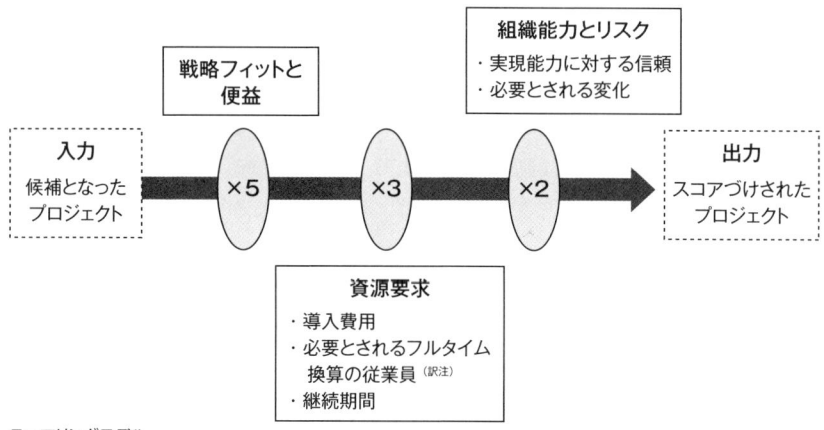

```
                    戦略フィットと        組織能力とリスク
                    便益                  ・実現能力に対する信頼
                                          ・必要とされる変化

   入力                                                         出力
   候補となった    →  ×5  →  ×3  →  ×2  →                  スコアづけされた
   プロジェクト                                                  プロジェクト

                            資源要求
                            ・導入費用
                            ・必要とされるフルタイム
                              換算の従業員 (訳注)
                            ・継続期間
```

スコアリングモデル
・各々の戦略的実施項目はすべての基準に照らして順位づけされる。
・そしてランクづけは基準の重みづけにより掛け算される。
・基準に対するスコアは一緒にして合計点に加算される。

(訳注) 原文は「FTEs」(Full Time Equivalent)。フルタイムに換算した従業員。
　　　 常勤と訳すこともある。

・戦略的実施項目の記述
・戦略テーマまたはそれを支援する戦略目標
・期待される結果
・資源，費用，時間的要件

　次に，戦略的実施項目を評価して優先順位をつけるための公式なプロセスを適用する。図表4-4は，既存および提案された戦略的実施項目を選別し，計量可能なスコアに到達するまでの典型的なプロセスを示している。そのプロセスは次の3つの基準を持っている。戦略フィット（訳注3）と便益（50％の重みづけ），資源要求（30％の重みづけ），そして組織能力とリスク（20％の重みづけ）である。もちろん，各企業は企業自身に適合した基準と相対的

図表4-5

戦略テーマのポートフォリオに対する戦略的実施項目のスコアづけ

それぞれの戦略的実施項目は3つの基準に照らして1から9までの目盛りでスコアづけされる。それぞれの基準は重みづけされている。戦略的実施項目の基準に対するスコアは，基準の重みづけで掛け算されて基準のすべてにわたって合計点に達するまで加算される。一番高いスコアは，より見込みのある戦略的実施項目である。

基準1（50%） 戦略フィットと便益	基準2（30%） 資源要求	基準3（20%） リスク
・戦略フィットでふるいにかける。 ・目標へのおおまかな計画を立て，影響を測定する。 ・戦略的便益を測定する。	フルタイムに換算され　費用 た従業員と継続期間　・投資額 ・人の数　　　　　　・SG&A＊ ・資源の品質 ・プロジェクトの継続期間	・プロジェクトのリスク（複雑さ，複数のユニット，実行，そして業務上の課題） ・予算にさらされる ・職員とスキルの可用性
1. 戦略にあまり方向づけられていないので，戦略的便益はほとんどない。 3. 戦略に方向づけられているが，並みの戦略的便益。 9. 戦略に方向づけられているので，大きな戦略的便益が得られる。	1. 実行と維持に多くの高価な資源を必要とする。 3. 実行と維持にいくらかの資源を必要とする。 9. 実行と維持にほとんど資源を必要としない。	1. 高いリスク 3. 中位のリスク 9. 低いリスク

（注）＊SG&A（Selling,general,and administrative expense）販売費，一般経費および一般管理費。

な重みづけを選択すべきである。

　図表4-5は図表4-4の3つの基準における戦略的実施項目にスコアをつけるときに用いられる典型的な重みづけの体系を示している。有望な候補である戦略的実施項目にスコアをつけて優先順位をつけた後で，最終決定をするために，プロジェクト・チームはすべての戦略的実施項目とそれらのスコアをリーダーシップ・チームに照会して討議して選定する。最終的に承認されたリストには，業績を向上させるための資金が割り当てられることになる必要最小限に絞り込まれた戦略的実施項目が含まれる。

> 訳注3　戦略フィット（strategic fit）とは，戦略を構成する多様な要素を補完する諸活動の内部的一貫性のことである。M. E. Porter, "What Is Strategy ?" *Harvard Business Review*, November-December 1996（中辻萬治訳「戦略の本質」『DIAMONDハーバード・ビジネス』1997年2-3月号，pp.6-31；竹内弘高訳『競争戦略論Ⅰ』ダイヤモンド社，1999年）を参照のこと。

図表4-6

カナダ血液サービスにおける戦略的実施項目のスコアづけ

- **2×** 戦略フィット
  - 1. 低い
  - 5. 普通
  - 9. 高い

  - 1. 低くて並な影響
    - ・具体的な尺度に対する業績ギャップを埋める影響が10%未満
    - ・何もしなくても影響は少ない

- **2×** 提供される価値
  - 5. かなりの価値
    - ・具体的な尺度に対する業績ギャップを埋める影響が11～25%
    - ・何もしないと若干の影響がある

- **1×** 便益を生む時間の長さ
  - 1. 24カ月超
  - 3. 18～24カ月
  - 5. 12～18カ月
  - 7. 6～12カ月
  - 9. 6カ月未満

  - 9. ブレークスルーした成果
    - ・具体的な尺度に対する業績ギャップを埋める影響が25以上
    - ・何もしないと影響が大きい

- **1×** 導入総費用
  - 1. 2,500超
  - 3. 1,000～2,500
  - 5. 500～1,000
  - 7. 250～500
  - 9. 250未満

- **1×** プロジェクトチームの立ち上げ
  - 1. カナダ血液サービス（CBS）のスタッフとスキルは十分でなく、外部の資源を手に入れるのも難しい

- **1×** プロジェクトのリスク
  - 1. 高いリスク
  - 5. 普通のリスク
  - 9. 低いリスク

  - 5. CBSのスタッフとスキルは十分でないが、外部の資源は入手可能であるか、またはCBSのスタッフとスキルは十分であるが、内部の資源は手に入れるのが難しい

- **1×** 変更の深さと広がり
  - 1. 組織的な変更度合いが高い
  - 5. 適度な変更
  - 9. 変更が少ない

  - 9. CBSのスタッフとスキルは十分であり、内部の資源も手に入れられる

＝合計点

　カナダ血液サービスでは，プロジェクト・チームはそれぞれの戦略テーマに対して提案された戦略的実施項目を，戦略フィット，提供される価値，便益を生む時間の長さ，導入総費用，プロジェクト・チームの立ち上げ，プロジェクトのリスクおよびプロジェクトの実施にともなう変更の深さと広がりに根拠をおいてスコアをつける（図表4-6参照）。最初の3つの要素は2倍

の重みづけであり、他のすべては1倍の重みづけである。この重みづけは、最も高い戦略フィットと潜在的な便益を持った戦略的実施項目に対してより高い優先度をおいている。残りの要素は、低いコストで便益を早く生み出し、プロジェクト・チームを立ち上げやすく、低いリスクで比較的小さな組織変更しか必要とされない戦略的実施項目を有利にする。

戦略的実施項目選定のケーススタディ：リーズ大学

　著者たちが第2章でそのビジョンを簡潔に述べたイギリスのリーズ大学は、教育と研究に基礎をおいていて3万人以上の学部大学生と大学院生を擁している教育研究機関である[3]。マイケル・アーサーは副学長になって、大学が2015年までに世界の大学のトップ50になるとのビジョンを達成するのに役立つ戦略を構築する必要があると考えた。大学の戦略チームは図表4-7に示された戦略マップを作成した。戦略は研究と教育という異なった特色を持った2つのものを統合させて、研究と教育がいずれも等しく重要であると位置づけた。リーズ大学は、次のような4つの戦略テーマに対応させて戦略マップを作成した。

　　・国際的な学問業績と地位を高める
　　・有力で、世界一流の研究機関にする
　　・学生を奮起させて学生の潜在的能力を最大限に発揮させる
　　・企業心を高め、知識移転を促進する

　世界一流の研究機関にするという戦略テーマを達成するために、大学はおよそ10ほどの**卓越した研究拠点**（COE）　訳注4　を選定するプロセスを実施し

訳注4　卓越した研究拠点（centers of excellence；COE）とは、優れた人材をそろえ、基礎研究の拠点となる研究機関をいう。日本でも、日本の大学院の教育研究機能をいっそう充実・強化し、世界最高水準の研究基盤のもとで世界をリードする創造的な人材育成をはかるため、国際的に卓越した教育研究拠点の形成を重点的に支援し、国際競争力のある大学づくりを推進すること目的とし、平成14年度より「21世紀COEプログラム」を実施し、現在はその成果を踏まえた「グローバルCOEプログラム」として、毎年度補助金を交付している。

図表 4-7

リーズ大学の戦略テーマ

ビジョン	2015年までに，世界クラスの研究，学問と教育を統合させたわれわれの独自の能力により，世界の大学トップ50の地位を確保する。
目的と価値	われわれは，以下のことに努力し，研究に特化した大学となる ■ 知識を創造し，提言し，普及させる ■ グローバルな社会で強い影響を与えられる，傑出した卒業生と学者を育成する　　　　われわれの価値

利害関係者とパートナー

スポンサーが期待する私たちの研究…
- P1 …社会に対し重要で高品質な研究
- P2 …その分野で対外的に最も認められている専門家
- P3 …講演や専門的技術に対する評判を大学に与えられる

学生——われわれ大学のコミュニティの終生のメンバーとして——が期待する…
- P4 …強くて，永続的な評判を認められた第一級の大学で研究する
- P5 …知識の最先端である大学から学ぶ
- P6 …素晴らしい成功を生む機会を提供する教育
- P7 …個人の成長を支援する刺激的な環境

主要なテーマ
- 国際的な学問業績と地位を高める
- 有力で，世界一流の研究機関にする
- 学生を奮起させて学生の潜在的能力を最大限に発揮させる
- 企業心を高め，知識移転を促進する

戦略のイネーブラ
- われわれの有効性を高める
- 財務的な耐久力をつける
- われわれのすべてのスタッフを評価し，成長させる

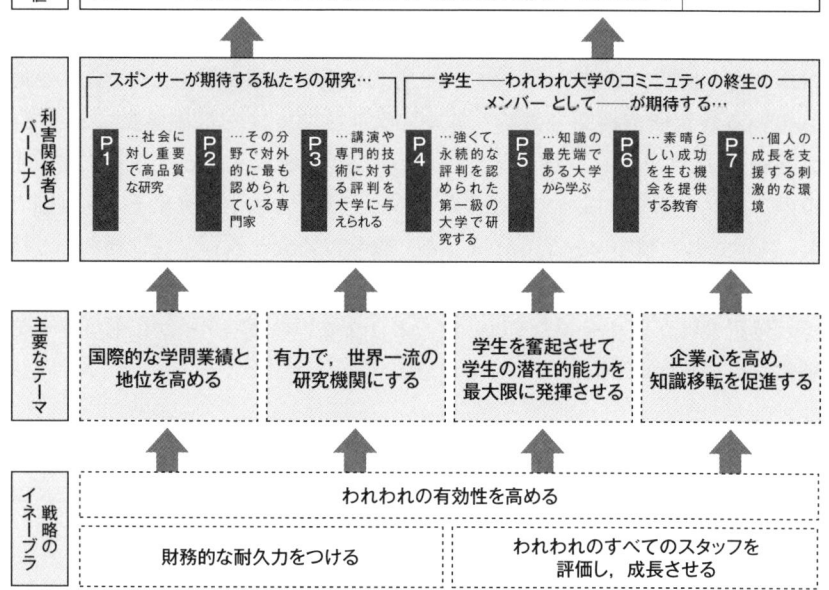

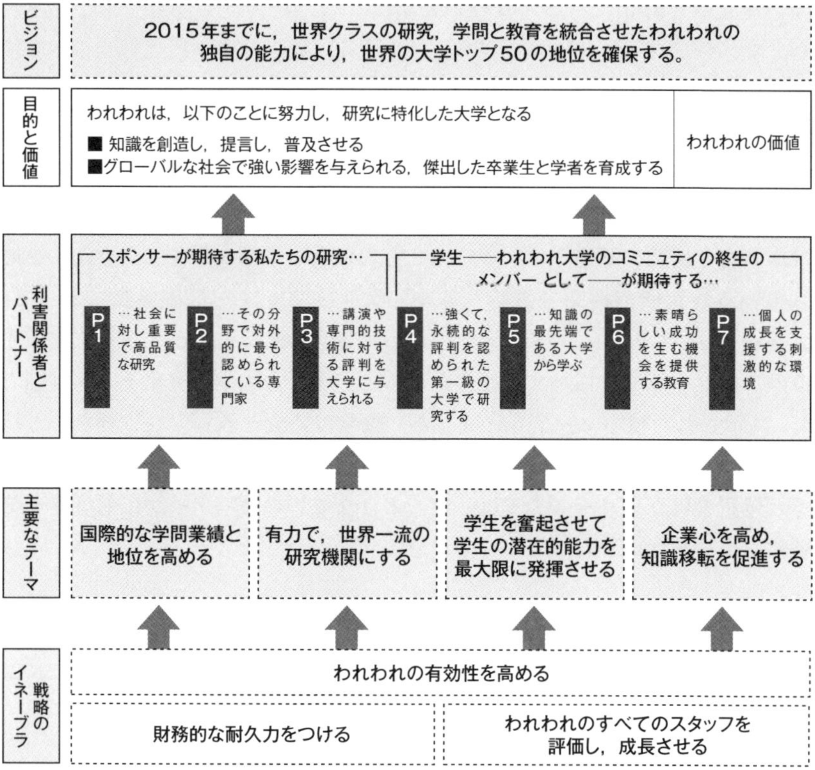

た。卓越した研究拠点は世界一流の研究機関になるという戦略テーマに着手すべく，世界一流の地位を確保するために目標とする資金を受けることになるであろう。図表4-8は，3番目のテーマである「学生を奮起させて学生の潜在的能力を最大限に発揮させる」を実行するための戦略マップを描いている。この戦略テーマは，人生での成功の機会を生み，学生が発見と知識創造の最先端にある大学で学べる教育を提供することで，学生の期待に応えるものである。この戦略テーマには4つの目標がある。

図表4-8

リーズ大学の戦略マップ(テーマ3)

ビジョン	2015年までに,世界クラスの研究,学問と教育を統合させたわれわれの独自の能力により,世界の大学トップ50の地位を確保する。
目的と価値	われわれは,以下のことに努力し,研究に特化した大学となる ■ 知識を創造し,提言し,普及させる ■ グローバルな社会で強い影響を与えられる,傑出した卒業生と学者を育成する / われわれの価値

利害関係者とパートナー

スポンサーが期待する私たちの研究…
- P1 …社会に対し重要で高品質な研究
- P2 …その分野で対外的に最も認められている専門家
- P3 …講演や専門的技術に対するレビューテーションが大学に与えられる

学生—われわれ大学のコミュニティの終生のメンバーとして—が期待する…
- P4 …強くて,永続的な評価を認められた第一級の大学で研究する
- P5 …知識の最先端である大学から学ぶ
- P6 …卓越した成功を生む機会を提供する教育
- P7 …個人の成長を支援する刺激的な環境

テーマ3: 学生を奮起させて学生の潜在的能力を最大限に発揮させる

戦略目標	尺度	目標値	戦略的実施項目
1. 学生を奮起させる卓越した学習と教育を提供する	□学生満足度	□高等教育分野で上位4分の1にする	「学生こそが重要である」 □学生満足度調査
2. 卓越した研究成果と学識を,学生の学習の機会に落とし込む	□学生/スタッフ比率 □コースの要求のレベル	□15:1まで減少させる □1場所あたり8つのアプリケーションを増やす	□学習と教育プロセスを改善するプログラム □学生との協定
3. 学生に特別な体験を提供する	□募集された学生の試験の平均点	□420まで増やす	□学生どおしの仲間によるアドバイザリーシステム
4. 参加によって便益を得ることのできる学生を増やす	□社会経済的に下層階級出身の全日制の学部学生群の割合	□24%まで増やす	□学生ポータル

1. 学生を奮起させる卓越した学習と教育を提供する

　教育プログラムは,絶えず開発され最新のものに維持される。

　プログラムは国際的な規準に照らして検討し,国際的な経験,職場での学習,起業家養成といった専門分野を含む学生のための生涯学習

に焦点を当てた開発が行われる。
2. **卓越した研究成果と学問を，学生の学習の機会に落とし込む**
　　大学の研究は，あらゆるレベルにおいて，あらゆる教育プログラムの基礎である。
3. **学生に特別な体験を提供する**
　　大学は，学生が体験で得られる知識が何であるかを学生の視点で理解し，「学生との協定」を通して，このことを明確に伝達する。
4. **参加によって便益を得ることのできる学生を増やす**
　　評価の低い学生や伝統にとらわれない学生を含むあらゆる分野からの学生を募集する包括的なアプローチを導入する。

　リーズ大学のプロジェクト・チームは，これら4つの目標に図表4-8に示されているようなそれぞれ高い目標値を与えて，5つの尺度で計量化した。戦略テーマの目標，尺度および目標値は，大学のさまざまなステークホルダーが討論して得た合意内容を凝縮したものである。

　テーマが目指す到達点を定義したあと，リーズ大学のプロジェクトは，次に戦略的なビジョンを実現するための一連のプログラムを特定した。リーズ大学はそのプログラムを大学のさまざまなパートナーやステークホルダーの視点を統合した「学生こそが重要である」という包括的な戦略的実施項目にまとめた。戦略的実施項目のなかの具体的なプログラムは以下のとおりである。

・戦略目標と尺度で識別された主要なフィードバックを提供するための，**学生満足度調査**を実施する。この調査は，他の大学で用いられる全英の調査を補足した。大学は，学生集団の要求が確実に実施されるように，大学の学生組合と共同で作業を行った。
・新しいコースの開発，品質保証および研究の統合などを通じて，教育に役立つ能力を高めるように意図して調整されたプロジェクトを通じて，**学習と教育のプロセス**を改善する。
・教員が学生から何を期待できるかだけでなく，学生がコースと教員か

ら何が期待できるかを明確に定義した新しくて双方向の**学生との協定を制定**する。
・学生どおしの**仲間によるアドバイザリーシステム**を導入して，支障なく大学にとけ込み，継続的にメンターからの助言が受けられるようにする。
・オンラインでの学生証明書の発行，受講登録，授業料等の支払いおよび主要な学習／教育機能を提供する技術ベースの戦略的実施項目である**学生ポータル** 訳注5 を作成する。

　大学のその他3つの戦略テーマにも，大学固有の戦略目標，尺度，目標値および戦略的実施項目がおかれていた。戦略の実行に新しい焦点を当てることによって，熱意と優れた結果を生み出した。副学長のマイケル・アーサーは初期の進捗状況について次のように説明した。「いまだ初期の段階ではありますが，有望な徴候は現れました……そこには，すばらしくて新しいスタッフを惹きつけ，ほかからのうまい誘い話には乗らないように他人を説得するというような新しい信頼がわがキャンパスに生れました。リーズ大学の戦略目的を教職員のすべての職場の生活のなかに適切に組み込むプロセスは最優先事項になっています」[(4)]。大学の戦略実行のプレミアムは以下に示す。

リーズ大学の戦略実行のプレミアム

・2007年11月，the THES-QC 世界大学ランキングは，リーズ大学を1年の間に41位上げて80位にランクした [(5)]。

　要約すると，戦略的実施項目は組織をそのビジョンの実現に向けた軌道に乗せる短期の活動である。企業は戦略目標と尺度に対して目標とした業績を

訳注5 | インターネットで，ユーザーが情報を得るためにアクセスするウェブページ。入り口。この場合は，学生がインターネット上からサービスを受けるためのウェブサイトを指す。

達成することの影響を評価することによって，戦略的実施項目をふるいにかけて選定する。それぞれの戦略テーマは，その野心に満ちた業績目標値が達成されなければならないのであるなら，目標達成に必要な戦略的実施項目がすべて揃っているポートフォリオが必要となる。

戦略資金の調達

　戦略を行動に落とし込むことはたやすいことではない。伝統的なマネジメントコントロール・システムである予算は，プロフィットセンター，コストセンターなどの責任センターや機能別の部門の業績や会計責任に焦点を合わせている。ビジネスユニット，サポートユニットおよび機能別の部門にはそれぞれの予算がある。

　戦略的実施項目に対する資金調達をこれらの予算から得なければならないならば，戦略の成功は危険にさらされてしまうだろう。たとえば，「特定の従業員の能力の向上をはかる」という戦略的実施項目に対する資源ですら，人事部門[訳注6]の教育訓練予算から得なければならない。戦略的実施項目は人事部門が支援したいと思っている他のプロジェクトと資源を競わねばならない。このような戦略的実施項目の分断は，しばしば戦略を実行するために必要とされる会計責任と資金調達を弱めるばかりか破壊すらしてしまう。必要な戦略的実施項目を支援するための1つの資金が，ある1つの戦略に対応しているわけではない。会社の戦略的実施項目のための資金は職制上の担当責任と会計責任が分断されている複数の資金源から引き出されてきた。著者たちの経験では，部門が予算オーバーを避けるために，ある戦略的実施項目を途中で取り消したかまたは延期したために，戦略的実施項目の実行が失敗した事例を数多く目撃してきた。

　従業員にせよ資金にせよ，資源はそれぞれの戦略テーマが落とし込まれた

訳注6 ｜ 原文は human resources organization であり，人的資源管理部門と訳すこともできる。アメリカで従業員は資源の1つと考えられている。一部の外資系企業で human resources division を用いているが，一般的には人事部は personnel division としていることが多い。

図表4-9

戦略的実施項目に資金を調達する

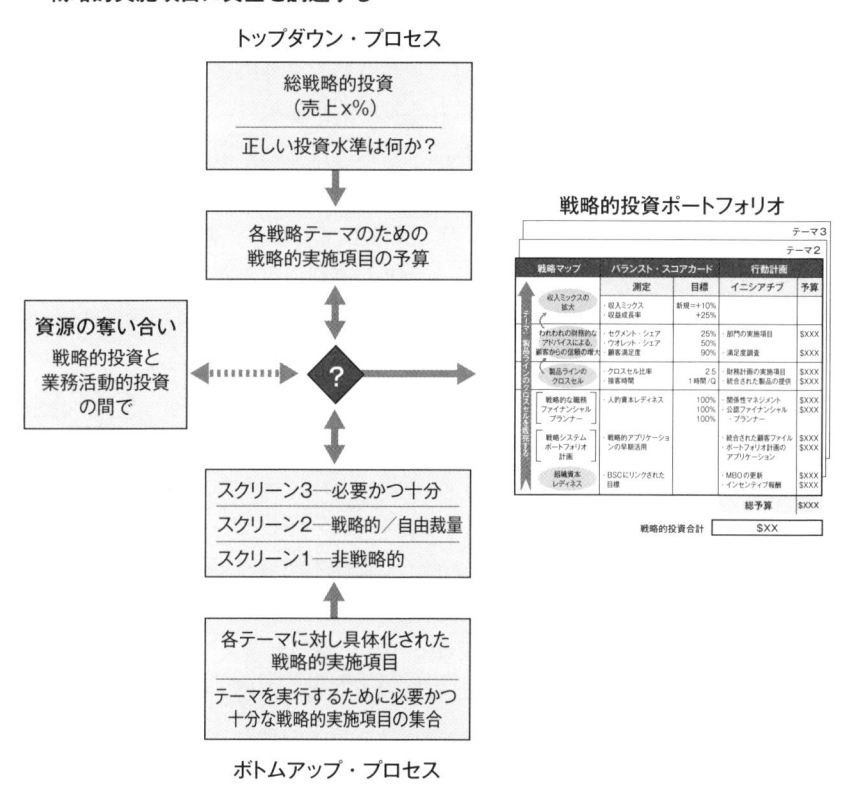

トップダウン・プロセス

- 総戦略的投資（売上×x%）
- 正しい投資水準は何か？

↓

各戦略テーマのための戦略的実施項目の予算

資源の奪い合い
戦略的投資と業務活動的投資の間で

↓ ? ↓

スクリーン3——必要かつ十分
スクリーン2——戦略的／自由裁量
スクリーン1——非戦略的

↑

各テーマに対し具体化された戦略的実施項目
テーマを実行するために必要かつ十分な戦略的実施項目の集合

ボトムアップ・プロセス

戦略的投資ポートフォリオ

戦略マップ	バランスト・スコアカード		行動計画	
	測定	目標	イニシアチブ	予算
収入ミックスの拡大	収入ミックス・収益成長率	新規=+10% +25%	部門の実施項目	$XXX
われわれの財務的なアドバイスによる、顧客からの信頼の増大	セグメント・シェア・ウォレット・シェア・顧客満足度	25% 50% 90%	満足度調査	$XXX
製品ラインのクロスセル	クロスセル比率・接客時間	2.5 1時間/Q	財務計画の実施項目・統合された製品の提供	$XXX $XXX
戦略的な職務ファイナンシャル・プランナー	人的資本レディネス	100% 100% 100%	関係性マネジメント・公認ファイナンシャル・プランナー	$XXX $XXX
戦略システム・ポートフォリオ計画	戦略的アプリケーションの早期活用		統合された顧客ファイル・ポートフォリオ計画のアプリケーション	$XXX $XXX
組織資本レディネス	BSCにリンクされた目標		MBOの更新・インセンティブ報酬	$XXX $XXX
			総予算	$XXX

戦略的投資合計　$XX

戦略的実施項目のポートフォリオに供給されなければならない。各テーマのポートフォリオのための資源量の決定に，一般的にいえばトップダウンで総資金調達レベルを決定するプロセスと，資金を受けることになる特定の戦略的実施項目を選定するためのボトムアップのプロセスの両方が含まれている。図表4-9はこのプロセスの主要な構成要素について概説したものである。

　経営幹部のチームはまず，すべての戦略テーマに対して戦略的実施項目の

ポートフォリオを支援するため，使途が戦略向け資金として特定され理想的にはもっと制約を持った資金プールを設ける。短期に業績を出さなくてはならないプレッシャーの下におかれたビジネスユニットと機能別の部門の経営者は，長期の成果をあげるように意図した戦略的実施項目に割り当てられた資金を，短期の改善から成果が生まれる戦略的実施項目に流用してしまうことがある。資金を隔離していなければ，経営者は短期の業務活動が期待した結果を出している限り，戦略的実施項目のポートフォリオに対する資金も自分に都合よく自由に処理できるものと見なしてしまう。近視眼的な経営者は，直近の業務上の業績を改善させようとして利用可能な人的資源と資金に目がいってしまい，戦略的実施項目を遅らせるかまたは戦略的実施項目から資金を移し換えてしまうといった誘惑に簡単に負けてしまう。

　企業は長いこと，複数の年度にわたって便益を提供する資金から直近の改善を支援するための支出を分離するため，業務資金と資本的資金 <u>訳注7</u> とを区別してきた。そして，それらの支出を財務システムでは業務費用（**OPEX**）か，それとも資本予算（**CAPEX**）に分類している。初めのほうで述べたように，著者たちはこれらに加えて長期の便益の実現を意図する戦略的実施項目を実行するための資源を区分するため，3番目の費用項目として，戦略的支出（**STRATEX**）を設けるべきであると考えている。

　資本予算は，一般に，提案された有形固定資産，工場・機械設備への投資に適用される。経営者は，投資から得られる将来のキャッシュフローがその投資の初期投資を回収して，その投資にかかわる資本の機会原価 <u>訳注8</u> を回収できるかどうかを評価するため，割引キャッシュフロー（DCF）法による計算をしている。より新しいアプローチのほうが固定資産，工場・機械設備への投資から得られる多少不確実で無形の便益を計量化できるとしても，新しい投資からの将来のキャッシュフローを明確に見積もることができるときにはDCF法が最良の働きをする[6]。戦略的支出は教育訓練や顧客データ

訳注7	会計学では収益的支出と資本的支出の区分が行われる。前者の支出は費用，後者は固定資産になる。前者の管理には業務予算が，後者の管理には資本予算が用いられてきた。
訳注8	機会原価（opportunity cost）とは，ある資源を別の用途に用いた場合に獲得できたはずの最大の失われた利益をいう。

ベースのような組織能力を提供する無形の資産を強化することを意図している。戦略的支出の資金調達レベルを決定するための公式のプロセスがあれば，まさに有形資産に費やされる資本予算に対して行ったように，会社が戦略的実施項目を厳正で規則に従った検討の対象とすることができるようになる。これらの投資によって推定される効果は，ローリング財務予測の更新に反映される。この問題は第7章でとりあげる。

たとえば第1章で紹介した北欧の銀行であるノルディアは，戦略的実施項目の計画と資金調達のために，通常とは別のプロセスを走らせている。ノルディアの経営幹部のチームは，年に1度の企画会議で戦略，戦略マップおよびバランスト・スコアカードを更新したあと，BSC上の業績目標値を達成するのに必要な戦略的実施項目を特定している。これらの戦略的実施項目には，従来のものとは別の予算配分（戦略的支出という考え方）で資金をつけている。

いうまでもないことであるが，業務的か，資本的か，または戦略目的であるか否かにかかわらず，すべての資金は会社の単独の資金である現金勘定から支出される。会社は，新しくて費用のかかる戦略的実施項目に対して無制限に資金を供給することはできない。そのため，会社はそのような資金の要求を制限しながらも，うまく配分する方法を必要としている。著者たちは，上級経営幹部のチームが経験と最良な判断によるトップダウンで，すべての戦略的実施項目のための資金調達レベルを主体的に決定するよう推奨している。資金調達レベルの決定に着手するための第一段階としてふさわしいのは，既存の戦略的実施項目へのすべての支出を積み上げて，それが総支出の何％を表すかを確かめることである。既存の戦略的実施項目を合理化して新しい戦略的実施項目を選定するために新たにプロセスを設ければ，同じレベルの支出がより大きな影響を与える戦略的実施項目のポートフォリオに適用されるか，または戦略テーマに対する戦略的実施項目のポートフォリオをやり遂げるための追加資金調達の妥当性の評価が可能になる。

自由裁量原価 訳注9 への資金調達を経験則，たとえば売上高の5％で算出することができる。経営幹部は，一般管理費，販売費および研究開発費のような範疇にある資金調達量を確定させるために，同様の経験則を使用している。

このような経験則は，業界のベンチマーク[訳注10]とか売上げに対する自由裁量原価の比率についての投資アナリストの予測値から生まれている。

戦略的実施項目に対して目標にした支出額は，理想的には，将来の業績への資金調達から得られる便益を勘案して，将来の便益が適切な収益を生み出さない戦略的実施項目に費用をかけ過ぎるリスクとバランスさせることである。支出が戦略的支出の目標値より下回っているなら，その企業は将来の成長に対して資金の供給が過少な状態にある。支出がこの目標値を超える場合には，統制の妥当性に対して疑問が投げかけられるであろう。戦略テーマの担当責任者は，もちろんいくぶん高価な戦略的実施項目のポートフォリオがどのように業績のブレークスルーを会社にもたらすかについての説得力のある事例を用意することによって，戦略的実施項目に配分され資金の目標値をいくらか超過しても常に説得することができる。

事業横断的な戦略的実施項目のポートフォリオのための戦略的支出の資金調達は非常に重要であるので，会社の内部予算あるいは財務予測（図表4-10を参照）において個別に承認された項目を持つだけの価値があると著者たちは考えている。このように，戦略的実施項目のための資金調達は，これまでは避けられなかった短期の原価低減と支出の抑制というプレッシャーから開放してくれる。個別に承認された項目である戦略的支出は，企業が財務予測と業務プロセスを検討する際に，長期と短期の考慮事項をバランスさせてくれる。

リコー・コーポレーション：戦略的実施項目のケーススタディ

リコー・コーポレーションは，通常の業務予算と資本予算には含まれていないプロジェクトのための戦略的投資の資金を創設している。3年の中期戦

訳注9 | 自由裁量原価は研究開発費や広告費のように，経営者の方針によって決められ費用と収益との対応関係が困難であるという特徴を持つ。基礎研究費を売上高の1％と決めている日本企業もある。

訳注10 | ベンチマーク（benchmark）とは，本来は測量において利用する水準点を示す。転じて金融，資産運用などの株式投資における指標銘柄などなど，比較のために用いる指標，この場合は財務指標を意味する。製品，サービス，プロセスを継続的に測定し，業績のよい競合他社やその他の優良企業の業績と比較するベンチマーキング（benchmarking）とは区別される。

図表 4-10

戦略に対応する予算は戦略的支出（STRATEX）を通してリンクされる

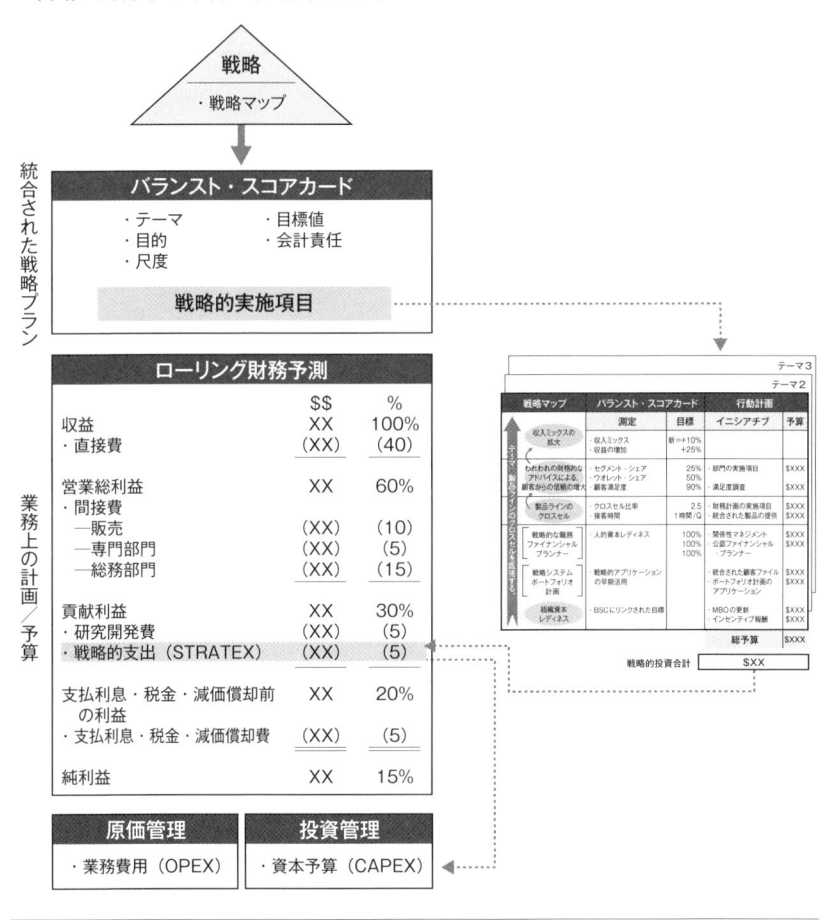

統合された戦略プラン

戦略
・戦略マップ

↓

バランスト・スコアカード
・テーマ　　・目標値
・目的　　　・会計責任
・尺度

戦略的実施項目

業務上の計画／予算

ローリング財務予測

	$$	%
収益	XX	100%
・直接費	(XX)	(40)
営業総利益	XX	60%
・間接費		
―販売	(XX)	(10)
―専門部門	(XX)	(5)
―総務部門	(XX)	(15)
貢献利益	XX	30%
・研究開発費	(XX)	(5)
・戦略的支出（STRATEX）	(XX)	(5)
支払利息・税金・減価償却前の利益	XX	20%
・支払利息・税金・減価償却費	(XX)	(5)
純利益	XX	15%

原価管理
・業務費用（OPEX）

投資管理
・資本予算（CAPEX）

（右側の表）

テーマ3
テーマ2

戦略マップ	バランスト・スコアカード		行動計画	
	測定	目標	イニシアチブ	予算
	収入ミックスの拡大	収入ミックス 収益の増加	新+10% +25%	
	われわれの財務的なアドバイスによる、顧客からの信頼の増大	セグメント・シェア ウオレット・シェア 顧客満足度	25% 50% 90%	・部門の実施項目 ・満足度調査	$XXX $XXX
	製品ラインのクロスセル	クロスセル比率 接客時間	2.5 1時間/Q	・財務計画の実施項目 ・統合された製品の提供	$XXX $XXX
	戦略的な職務ファイナンシャル・プランナー	人的資本レディネス	100% 100% 100%	・関係性マネジメント ・公認ファイナンシャル・プランナー	$XXX $XXX
	戦略システムポートフォリオ計画		戦略的アプリケーションの早期活用	・統合された顧客ファイル ・ポートフォリオ計画のアプリケーション	$XXX $XXX
	組織資本レディネス		BSCにリンクされた目標		・MBOの更新 ・インセンティブ報酬	$XXX $XXX
			総予算	$XXX

戦略的な投資合計　$XX

略的計画をうまく機能させるために，ビジネスユニットと機能ユニットは，それぞれの計画で特定した戦略的実施項目に資金をつけてもらうための詳細な提案書を作成して提出する。CEOと戦略企画室からなるチームは，提案書を徹底的に分析して，戦略上最も重要と思われるプロジェクトにリコー・

コーポレーションの戦略投資資金を配分する。

　CEOと戦略企画室は、資金がつけられたプロジェクトの進捗状況を検討するため、四半期毎に検討会議を開催する。複数期間にわたる戦略的実施項目について、資金調達が次年度以降に続くなら、スポンサーは各期間に期待される結果に関する達成目標を決める。リコー・コーポレーションの本社はBSCを適用する前に、資金を調達する戦略的実施項目を決定した。新しい資金の申請、資金調達および監視のプロセスによって、本社は現地法人が戦略的実施項目のポートフォリオのために資金をつける意思決定を許容するのに十分な確信を得た。

戦略的実施項目に対する会計責任の確立

　戦略的実施項目のポートフォリオをマネジメントするための3つのプロセスにおける最終段階は、戦略を実行するための実行責任と会計責任を割り当てることである。2つの要因がこの段階を挑戦的な仕事にしている。第1は、戦略がすでにいくつかの戦略テーマに分割されているからである。多くの戦略テーマは機能とビジネスユニットを横断している。それゆえ、戦略テーマは現在の上級経営幹部の責任とはならない。第2は、戦略テーマはいまだ計画であるからである。それゆえ必要とされている変革が業務およびプロセスレベルで実行されるまでは、結果が出ない。

　適切な資源を得て継続的な可視性を確保し、行動から検閲までの一連の作業をうまくやりたいのであれば、戦略テーマの実現には経営幹部層の強力なリーダーシップが必要である。通常、会社はそれぞれの**戦略テーマの担当責任者**として経営幹部のチームの1人か2人のメンバーを選任し、事業部長や部長の仕事に加え、割り当てられた戦略テーマの実行を監督する"夜の仕事"となる任務を与える。そのような割り当ては経営者のチームのメンバーに、二重の任務を与える。昼の仕事は経営者のチームのミーティングに技術的、機能的な専門性を与え、戦略テーマの担当責任者としての夜の仕事の任務は、会社が成功するための戦略的な見方と会計責任を教える。

　ラックスファー・ガス・シリンダーでは、戦略テーマの担当責任者は次の

責任を負っている。
1. そのテーマの機能横断的な戦略目標が，ビジネス**全体**にわたってどれくらいうまく実行されているか評価する。
2. 戦略の実現に影響するかもしれない主要な問題点と状況を特定し，適切な行動と会計責任を提案する。
3. 教育，学習および理解を促進するために，戦略テーマの役割遂行能力の中心として，自身のチームの指導者として，および他の戦略テーマ別チームとの連絡係りとして行動する。
4. 戦略テーマの尺度と戦略的実施項目を，戦略テーマの目標に確実に方向づける。そしてチームの他のメンバーとの共同作業で必要な場合には，変更案を提案する。
5. 新しい戦略的実施項目を支持するか，あるいは既存の戦略的実施項目を変更して，これらの変更案を検討事項として提出する。

それぞれの戦略テーマの担当責任者は，自らの仕事がテーマの戦略目標を業務上の仕事に落とし込むことであり，複数の事業，地域およびサポートユニットから選び出された個人の集まりである**戦略テーマ別チーム**を指導する。戦略テーマ別チームのメンバーは戦略テーマに専念することができるか，それとも兼任の場合は自らの通常の仕事と責任とともにチームのメンバーの一員としての仕事を分担する。戦略テーマの担当責任者は専門的な能力とプロセスに対する専門的な知識があるのでチームに参加するのである。社長のジョン・ローズは，ラックスファー・ガス・シリンダーにおける戦略テーマ別チームの役割を以下のように述べている。

> 私たちが機能横断的なチームと働きはじめたとき，一時私たちにはかなりの不協和音があった。戦略テーマ別チームは，結成してから怒鳴り合いのような議論をしたが，調整のための行動規範を作成して最後には仕事を成し遂げる，といったいくつかの局面を辿った。一緒に演奏する方法を学んでいるロックバンドのメンバーが，ちょっとばかりの合図をきっかけにして演奏をはじめるのに似ている。

> 　私たちは，戦略テーマ別チームのメンバーに，私たちが独裁者や尋問者ではなく，伝達者，影響を及ぼす人，説得者であると教える。戦略テーマ全体を通してのポイントは，私たちの戦略目標を達成するために人々がそれぞれ違ったやり方で，より賢く，より協力して，より生産的に一丸となって働きたがるようにさせることである。人々は，ただ言われるのではなく，納得させられなければならない[7]。

　戦略テーマ別チームは複数の機能あるいはビジネスユニットにまたがった権限は持っていない。個々の関連の認識の上に立って多種多様なものごとを全体的に把握する能力，精神力，そして才能を提供する。すなわちチームのメンバーは傑出した考え方の持ち主であり，詳細化に向けて連携する施工者であり，とても勤勉で機能的な専門家である。そして企業のいたる所で従業員に対し方針に沿うよう一生懸命働きかける。

　たとえば，ラックスファーの製品リーダーシップの戦略テーマ別チームのメンバーは製品開発は引き継がないが，さまざまな既存の機能やプロセスと交流する。それは必要なところで役に立ち，戦略目標では方向づけられない製品開発のあらゆる面で気づきを引き出す。戦略テーマ別チームの役割として，より知識範囲が広いグループを戦略の管理と，戦略目標の達成による企業業績の課題への影響の評価に従事させる。ラックスファーは，会社内で戦略管理における能力レベルを絶え間なく向上させるための仕組みと同じように，戦略テーマ別チームもまた能力に対してのすばらしいインキュベーター 訳注11 であることがわかった。

　戦略テーマ別チームはテーマの戦略を実行するために必要な戦略実施項目のポートフォリオを特定して，戦略的支出からの配分で資金をつけることに対して最も重要な責任を負っている。戦略テーマ別チームは戦略的実施項目のポートフォリオのために資源を選択して割り振ったあと，各戦略的実施項目を実行する仕事を誰に委ねるかを検討する。

訳注11　インキュベーター（incubator）は，新規事業支援者（機関）の意味であるが，ここでインキュベーターは，バランスト・スコアカードという新しい経営の手法を導入し成功させる意味で用いている。

戦略テーマ別チームは，しばしば既存の組織ユニットに戦略的実施項目に対する責任を持たせることができる。たとえば，IT 部門に ERP（Enterprise Resource Planning）の適用に対して責任を持たせているのに対して，特別訓練と能力開発プログラムの責任を人事部門に持たせている。

　しかしながら，ポートフォリオのいくつかの戦略的実施項目は多分に機能横断的である。この場合，これらの機能横断的な戦略的実施項目の責任は，既存の組織ユニットではなく戦略テーマ別チームに残されるか，または大規模なプロジェクトマネジメントに関して特別な専門的知識を持っている集権的なプロジェクトマネジメント室に割り当てられる。戦略テーマの担当責任者である上級経営幹部に高レベルの権威と会計責任を持たせれば，企業は戦略的実施項目のポートフォリオを実行して全体としては首尾よく結果を引き出すことができる。その場合でも，実行が指定された戦略的実施項目に対して機能別経営者と戦略テーマ別チームに上級経営幹部は間接的な会計責任を負っている。

　戦略テーマ別チームは高レベルな戦略プロセスの目標を詳細化して，実行可能なサブプロセスに落とし込むことができる。戦略テーマ別チームはしばしばチームの戦略的プロセスの主要なパフォーマンス・ドライバーを特定して分析的な研究をする。次に，これらのパフォーマンス・ドライバーはチーム活動の中心でありチーム活動のためのフィードバックとなる業務ダッシュボードにまとめ上げられる。

　戦略と短期の戦略的実施項目をリンクさせるための最終プロセスは，上級経営者のチームが戦略的実施項目のポートフォリオから導かれる行動計画の実行と結果を定期的に検討することである。われわれは月次の戦略検討会議の詳細を第 8 章で述べるが，その会議で上級経営者が戦略的実施項目の進捗状況を検討する。本章では，やや狭く，戦略テーマの担当責任者とテーマ別チームによって行われる検討に焦点を絞る。

　戦略的実施項目の一部が捨てられるかまたは効果的に実行されないならば戦略的実施項目に関連する戦略目標／尺度／目標値が失われ，戦略テーマに対応するすべての戦略的実施項目の業績が危険にさらされるかもしれないので，戦略テーマの担当責任者とテーマ別チームはすべての戦略テーマの業績

をモニターしなければならない。戦略テーマの担当責任者は，通常，機能別の部門またはプロジェクトマネジメントのグループに割り当てた戦略テーマに対し，実施と管理の両方の戦略的実施項目の進捗状況を直接検討するために月次のチーム会議を開催する。戦略テーマの担当責任者は，戦略テーマ別チームの会議の結果にもとづいて，進行中のすべての戦略的実施項目の進捗状況に関して，月次の戦略検討会議で経営幹部会に対して文章にして報告している。

戦略的実施項目のマネジメントにおけるケーススタディ：セローノ

スイスを拠点とする製薬会社であるセローノは，戦略的実施項目のマネジメントによって会社に競争優位がもたらされた。経営幹部会が，会社のコアである4つの治療領域のそれぞれに5カ年計画を策定し毎年計画を更新したあとで，戦略的実施項目のマネジメント・プロセスをはじめる。それは，多発性硬化症，女性の生殖医療[訳注12]，成長ホルモン，および乾癬の4つの治療に関する領域である。その計画から経営者はプロジェクトの計画の実行に必要とされるすべての構成要素を確認する。そのプロジェクトは，新薬の開発からコーポレート・ガバナンスの新しい局面の導入までの広い範囲に及ぶこともある。経営者は，平均的に見て150のプロジェクトを管理している。

セローノは，新しい戦略的実施項目の着手に対して厳しい評価基準を設けた。それぞれの目的と戦略テーマは，ねらった業績の達成を意図した戦略的実施項目を少なくとも1つ持たなければならない。また，すべての組織ユニットと機能別の部門は，少なくとも1つの戦略的実施項目に参加しなければならない。

経営幹部会はすべてのプロジェクトに対して優先順位をつけ，資金調達が承認された各プロジェクトのスポンサーにそのメンバーの一人を任命している。これにより，会社のバランスト・スコアカード上のすべての戦略目標を支援するための戦略的実施項目が特定されていることを保証している。経営

訳注12 │ 原文は women's reproductive health。女性の生殖の健康とは不妊，更年期障害をいうが，ここでは不妊治療をさす。

幹部会はまた経営幹部会のメンバーにそれぞれの戦略的実施項目に対する責任を負わせている。このメンバーは会社の戦略がうまく実行されているかを毎月監視している機能横断的な監視委員会に，戦略的実施項目の進捗状況と指示に関して報告している。

セローノは企業戦略基本計画（Corporate Strategic Master Plan；CSMP）と呼ばれる精巧なプロジェクトマネジメント・システムを使用しているが，それは「イエローブック」に記録して登録される。このオンラインシステムは戦略的実施項目とプロジェクトをモニターしてマネジメントするための手順を提供してくれる。プロジェクトマネジャーはオンラインシステムで毎日CSMPのデータを更新し，生の情報により進捗の管理をしている。経営幹部会は毎月イエローブックに登録されたすべてのプロジェクトを検討する。集権的チームは経営幹部会のメンバー，グループのコンプライアンス担当上級役員と本社の事務管理担当に報告するとともに，CSMPの管理者としての役割を果たしている。このチームは，戦略，バランスト・スコアカードと戦略的実施項目のマネジメント・プロセスの落とし込みと調整を確実に行えるようにしている。

承認と監視のプロセスを簡素化するためにプロジェクトは，経営幹部会が1年に少なくとも2度見直す15～20の戦略的実施項目のグループに対応させて編成される。セローノのコーポレート・ガバナンスには戦略的実施項目の見直しおよび是正措置を勧告するために毎月開催している監視委員会があたっている。セローノのCEOは，半年に1度の正式な検討会議で，すべての戦略的実施項目を検閲している。

要約

経営幹部のチームは戦略を戦略マップとバランスト・スコアカードに落とし込んだ後，テーマにもとづいた戦略的実施項目のポートフォリオに対する戦略的実施項目を選定し，資金を調達し，そして会計責任を確立するといったプロセスへ導かなければならない。これらの戦略的実施項目は，企業を戦略の実行が成功する軌道にそって行動させる。会社は戦略的実施項目のポー

トフォリオを選定して管理するために3つのプロセスを用いる。

1. **戦略的実施項目の選定：** 既存の戦略的実施項目に戦略的な優先順位で合理的な説明を与えながら，各戦略テーマのために新しい戦略的実施項目を特定して優先順位をつけて選定する。
2. **戦略資金の調達：** 戦略的実施項目のポートフォリオに資金調達するための戦略的支出（STRATEX）の予算を創設する。
3. **会計責任の確立：** 戦略的実施項目のポートフォリオを実行するために，戦略テーマの担当責任者と戦略テーマ別チームを選び，戦略的実施項目の業績目標とした結果を達成させているかを検閲する。

これらのプロセスは，短期の行動計画を戦略的で機能横断的な優先順位で方向づけて，短期の行動計画に高い可視化と会計責任をしっかりともたらす。

経営幹部のチームはいまやマネジメント・システムの次の段階に進むことができる。組織ユニットや従業員を戦略に方向づけ，戦略を業務とリンクする。

【注】
(1) R.S. Kaplan and N. Tempest "The Wells Fargo Online Financial Services (B)," Case9-199-019（Boston: Harvard Business School, 1998）（伊藤和憲，松元隆明訳「ウェルズ・ファーゴ銀行のオンライン・サービス」1998年1月）を参照のこと。このケースは戦略的実施項目を他の実施項目とは関係なく自由に選定しているプロセスを描いている。さらに R.S. Kaplan and D.P. Norton の *The Strategy-Focused Organization*（櫻井通晴監訳『戦略バランスト・スコアカード』東洋経済新報社，2001年）を参照のこと。
(2) 戦略的実施項目の作成と評価をもっと広く取り扱っている，P. La-Casse and T. Manzione, "Initiative Management: Putting Strategy into Action," *Balanced Scorecard Report*（November-December 2007），pp.7 – 10, T. Brown and M. Gill, "Charting New Horizons with Initiative Management," *Balanced Scorecard Report*

(September-October 2006), pp.13-16 を参照のこと。
(3) リーズ大学の戦略的計画, 2006,www.leeds.ac.uk.。
(4) M. Arthur, "Foreword by the Vice-Chancellor," University of Leeds strategic Plan, 2006, p.2.
(5) Rankings published at http://www.topuniversities.com/worlduniversityrankings/results/2007/overall_100_universities/.
(6) T. Copeland and T. Tupano の "A real-World Way to Manage Real Options," *Harvard Business Review* (March 2004), T.A. Luehrman, "Investment Opportunities as Real Options: Getting Started on the Numbers." *Harvard Business Review* (July-August 1998), pp.51-67.(吉村信昭訳「事業価値評価の新手法　リアル・オプション」『DIAMONDハーバード・ビジネス』1998年7-8月号)。
(7) 2007年にプラハで開催されたバランスト・スコアカード・ヨーロッパ・サミットでのJ. ローズのスピーチ。

第5章 組織ユニットと従業員のアラインメント
Aligning Organizational Units and Employees

本書において著者たちは，ビジネスユニットの戦略と業務とのアラインメントに向けたマネジメント・システムの設計に，主たる焦点を当てている。しかし，大抵の組織は複数のビジネスユニットとサポートユニットから成り立っており，したがってマネジメント・システムも，これら多様な組織ユニット[訳注1]全体にわたって戦略をいかに統合していくか，ということに取り組まなければならない。さらには，組織ユニットの戦略へのアラインメントに加え，従業員の戦略へのアラインメントもはかる必要がある。すべての

図表5-1

マネジメント・システム：組織のアラインメント

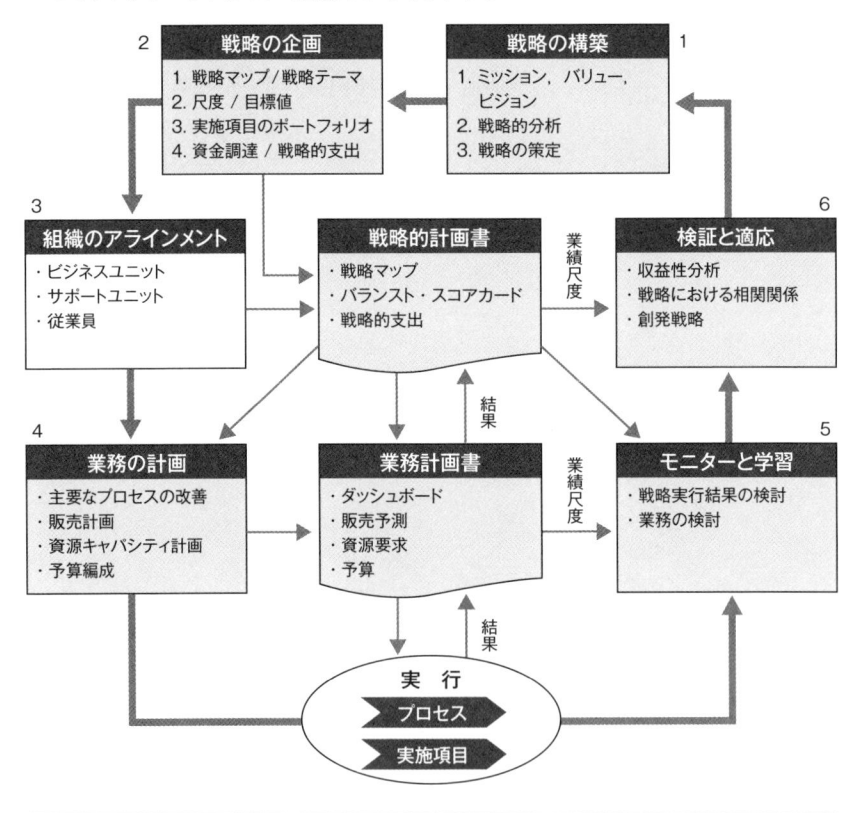

```
2  戦略の企画                        戦略の構築              1
   1. 戦略マップ/戦略テーマ          1. ミッション，バリュー，
   2. 尺度/目標値                       ビジョン
   3. 実施項目のポートフォリオ       2. 戦略的分析
   4. 資金調達/戦略的支出            3. 戦略の策定

3                                                              6
 組織のアラインメント    戦略的計画書         業       検証と適応
 ・ビジネスユニット     ・戦略マップ         績尺     ・収益性分析
 ・サポートユニット     ・バランスト・       度       ・戦略における相関関係
 ・従業員                 スコアカード                ・創発戦略
                        ・戦略的支出

                                      結
                                      果

4                                                              5
 業務の計画              業務計画書           業       モニターと学習
 ・主要なプロセスの改善 ・ダッシュボード      績尺     ・戦略実行結果の検討
 ・販売計画             ・販売予測           度       ・業務の検討
 ・資源キャパシティ計画 ・資源要求
 ・予算編成             ・予算

                                      結
                                      果

                      実 行
                    ▶ プロセス
                    ▶ 実施項目
```

図表5-2

組織のアラインメント

アラインメントの プロセス	目標	阻害要因	目標達成を可能にする ツール
1. ビジネスユニットのアラインメント 企業全体のシナジーを生み出すために、いかにビジネスユニットを連携させるか？	企業戦略をビジネスユニットの戦略へと落とし込み、組み込む。	ビジネスユニットの戦略は、概して、全社的視点にもとづくガイダンスがなかったり、ビジネスユニット横断的な調整がないままに、独立的に構築され、承認されてしまう。	・ビジネスユニットへの戦略マップの落とし込み ・垂直的および水平的アラインメント
2. サポートユニットのアラインメント ビジネスユニットの戦略と企業戦略にいかにサポートユニットを連携させるか？	各サポートユニットが、本社とビジネスユニットの戦略の業績を高めるような戦略を持つようにする。	サポートユニットが「自由裁量費センター」として扱われると、企業戦略やビジネスユニットの戦略を支援するというより、単にコストを最小化するという目標を持ってしまう。	・サービスレベル・アグリーメント（SLA） ・サポートユニットの戦略マップとスコアカード
3. 従業員のアラインメント 戦略実行に資するよう、いかに従業員を動機づけるか？	すべての従業員が戦略を理解し、戦略実行の成功に資するよう動機づけられる。	大抵の従業員は、戦略を意識しない、あるいは戦略を理解しない。従業員の目標とインセンティブは、戦略目標にではなく、局所的、戦術的業績に焦点が当たっている。	・公式な戦略伝達プログラム ・戦略目標へはっきりと照準が定まった、従業員の目標 ・インセンティブと報酬のプログラム ・能力開発プログラム

　従業員が戦略を理解し、その達成へと動機づけられることなしには、戦略を成功裏に実行することはおそらく難しいだろう。組織ユニットや従業員の戦略へのアラインメントはマネジメント・システムのステージ3に当たる（図表5-1参照）。

　本章では、図表5-2 [1] に示すような、組織ユニットおよび従業員の戦略

訳注1　組織ユニット（organizational units）は、事業単位としてのビジネスユニット（business units；BU）と、補助部門やシェアードサービスなどのサポートユニット（support units）、業務ユニット（operating units）、製品ユニット（product units）、地域ユニット（regional units）、およびプロセスユニット（process units）からなる。

へのアラインメントに向けた，3つのサブ・プロセスについて述べる。著者たちの以前の著書，特に『BSCによるシナジー戦略』（*Alignment*）と『戦略バランスト・スコアカード』（*The Strategy-Focused Organization*）では，組織ユニットおよび従業員の戦略へのアラインメントについて幅広く考察した。これらの以前の著書で提示したアラインメントのプロセスにおける鍵となるコンセプトについて，本章では要約的に説明する[(2)]。

ビジネスユニットのアラインメント

　企業戦略は，企業がビジネスユニットの集合体から，各ビジネスユニットが自前の資本とガバナンス構造を持って独立に活動する場合よりも大きな企業価値をいかに創出しようとするのかを描き出す。コリスとモンゴメリーは，効果的な企業戦略について次のように簡潔に述べている。「優れた企業戦略は，個々のビルディングブロックを手当たり次第に寄せ集めたものではなく，相互に依存しあうパーツで注意深く組み立てられた1つのシステムである……すばらしい企業戦略においては，諸要素（資源，事業，組織）のすべてが他の要素と連携している。このようなアラインメントは，企業の経営資源──その企業特有の資産，スキル，ケイパビリティ──の特性によって決まる。」[(3)]

　企業の本社は，8人の漕ぎ手がいるレース用ボートのコックス（舵取り役）に似ている。屈強で，やる気に溢れ，十分なスキルを持った8人の漕ぎ手がそれぞれの仕事を行うことで，ボートはレースのコースを前進する。しかし，漕ぎ手それぞれの努力が互いに連携せず，うまく調整がとれなければ，たった一人の漕ぎ手しかいない小さなボートよりも進みが遅くなってしまうかもしれない。コックスは，競争環境や，漕ぎ手個々人の強み・弱みを知り，その洞察力を首尾一貫した行動計画を立てるのに用いることで，価値を付加することができる。コックスの計画が一人ひとりの漕ぎ手の強みと貢献を調整し，てこ入れすることで，より小さな，そしておそらくはより俊敏な競争相手に勝つことができる。

　企業は，業務ユニットやビジネスユニットの集合体からさまざまな方法で

シナジーを得る。バランスト・スコアカードの4つの視点を用いると，企業全体のシナジーのさまざまな源泉をうまく分類して記述することができる（図表5-3参照）。

財務のシナジー：
- 他企業の買収と統合を効果的に行う
- 利益をもたらす好機に資本を配分できるよう，非公開の（内部の）情報を用いて，効率的な内部資本市場を機能させる
- 多様な企業にまたがって，卓越したモニタリングとガバナンスのプロセスを運営する 訳注2
- 複数のビジネスユニットにまたがって，（ディズニー，ヴァージンといった）共通ブランドを強化する
- 官公庁，労働組合，資本提供者，サプライヤーといった外部利害関係者との交渉を有利にするため，規模の拡大や専門的スキルの獲得をはかる

顧客のシナジー：
- 同形態の小売，卸，あるいは販路からなる地理的に分散したネットワークにわたって，共通した価値提案を一貫して行う
- 特色ある価値提案――低コスト，利便性，あるいはカスタマイズされたソリューション――を顧客に提供できるよう，複数のユニットの製品・サービスを組み合わせて，共通する顧客のてこ入れをはかる

プロセスのシナジー：
- 複数のビジネスユニットにまたがって，製品・プロセス技術の卓越性を強化するような**コア・コンピタンス**を開拓する [4]
- 製造，研究，物流，マーケティングの諸資源を共有することで，規模の経済を享受する

学習と成長のシナジー：
- 優れた人材の採用，研修，およびリーダーシップの開発実習を通じて，複数のビジネスユニットにまたがって**人的資本**の価値を高める

訳注2 ここでは，単体の事業会社ではなく，後に図表5-5で説明されるような，複数の事業会社を傘下におく持ち株会社を想定している。

図表 5-3

全社レベルのスコアカードの構築

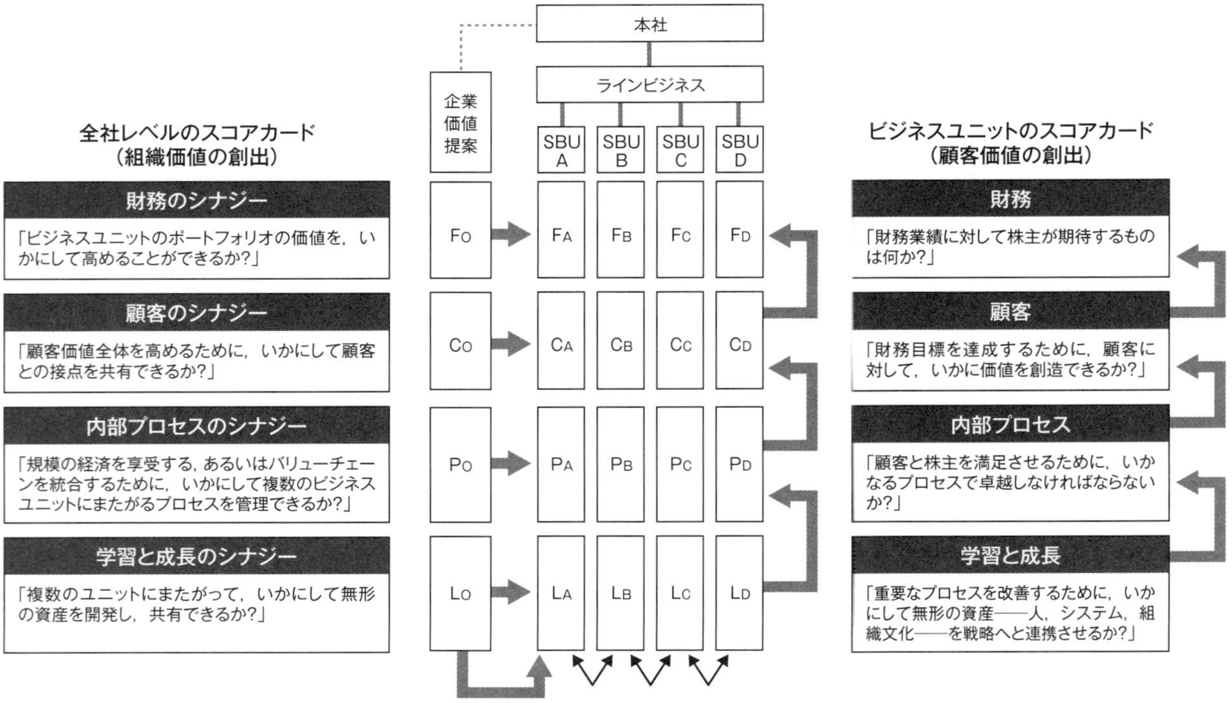

全社レベルのスコアカード（組織価値の創出）

財務のシナジー
「ビジネスユニットのポートフォリオの価値を、いかにして高めることができるか?」

顧客のシナジー
「顧客価値全体を高めるために、いかにして顧客との接点を共有できるか?」

内部プロセスのシナジー
「規模の経済を享受する、あるいはバリューチェーンを統合するために、いかにして複数のビジネスユニットにまたがるプロセスを管理できるか?」

学習と成長のシナジー
「複数のユニットにまたがって、いかにして無形の資産を開発し、共有できるか?」

ビジネスユニットのスコアカード（顧客価値の創出）

財務
「財務業績に対して株主が期待するものは何か?」

顧客
「財務目標を達成するために、顧客に対して、いかに価値を創造できるか?」

内部プロセス
「顧客と株主を満足させるために、いかなるプロセスで卓越しなければならないか?」

学習と成長
「重要なプロセスを改善するために、いかにして無形の資産——人、システム、組織文化——を戦略へと連携させるか?」

図表5-4

企業は垂直的,水平的アラインメントを必要とする

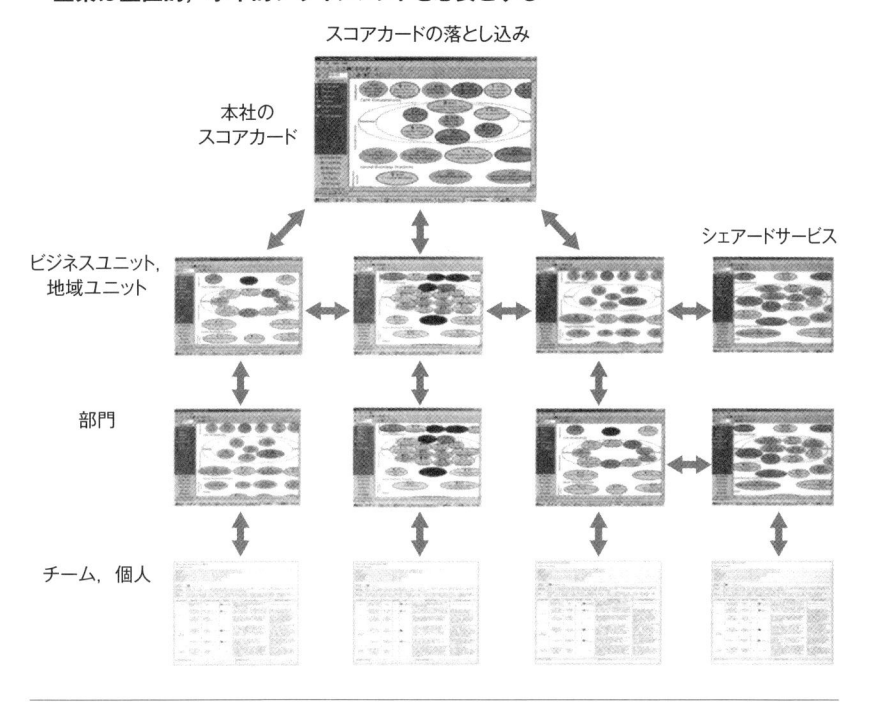

スコアカードの落とし込み

本社の
スコアカード

シェアードサービス

ビジネスユニット,
地域ユニット

部門

チーム,個人

- 業界をリードする基盤技術や顧客へのチャネルといった,複数の製品・サービス部門にまたがって共有できるような**共通技術**を強化する
- プロセスの質の高さを複数のビジネスユニットに伝えるナレッジマネジメントを通じて,ベスト・プラクティスを実現する**ケイパビリティ**を共有する

戦略マップとバランスト・スコアカードは,本社が優れた価値創造に向けて複数の組織ユニットを連携させるのを助けるのに理想的なメカニズムであることがわかる。本社の経営幹部のチームは,階層的組織構造のなかで複数のビジネスユニットを活動させることで企業はいかにして追加的な価値を生

み出すか,という複数事業体の理論(theory of the enterprise)を,全社レベルの戦略マップやスコアカードを通じて表現する。全社レベルの戦略マップが明確になると,次に,すべての組織ユニットにおいて価値創造活動を調整するために,事業部,ビジネスユニット,サポートユニット,そして部門へと戦略マップを落とし込むことが可能になる。図表 5-4 は,企業全体にわたって垂直的および水平的アラインメントを達成するために,戦略マップが組織全体にいかに落とし込まれるかを示している。

例として,第 1 章の冒頭で紹介したマリオット・バケーションクラブ・インターナショナル(MVCI)が経験したことを考えてみよう。MVCI は,自分たちの全社レベルの戦略マップやバランスト・スコアカードを明示することからスタートし,そこでは複数の事業系列や職能を調整することで得られる便益が強調されていた。そして次に,全社レベルの戦略マップを 4 つの事業系列へと落とし込んだ。重要なプロセスにもとづく 4 つの組織ユニット,すなわち土地開発,販売・マーケティング,モーゲージバンク,リゾート管理・サービスもまた,全社的に統合された戦略マップを作り出した。

落とし込まれた各戦略マップは,同じ階層レベルの他の組織と調和していること(水平的統合)や,事業系列や全社の戦略的優先事項に対応していること(垂直的統合)にかかわる目標を含みながら,一方で,各ユニットがそれぞれの活動領域で傑出した業績をあげるために何をしなければならないのかをも反映していた。各プロセスユニットは,自分たちの戦略を,各地域のビジネスユニット,そして個々のサイトへと落とし込むのと同様に,事業系列のサポートサービス——財務と会計,人事,IT,法務,リゾートサービス——へも落とし込んでいった。このようにして,MVCI は,複数の事業系列,重要なビジネス・プロセス,サポートサービス,各地域や個々のリゾートサイトにわたるアラインメントを実現させた。

図表 5-5 は,さまざまに異なる企業戦略で求められる統合の程度の違いを示している。左側の持ち株会社——非公開株式投資会社(private equity firm)訳注3 や,インドを拠点とするタタのような同族経営グループ——は,傘下におくさまざまな事業会社の戦略に完全な自律性を認める。各事業会社は,自らの戦略,戦略マップ,スコアカードを作成する。持ち株会社の本社

図表 5-5

落とし込みのプロセスにおける本社の役割は，そのタイプによって異なる

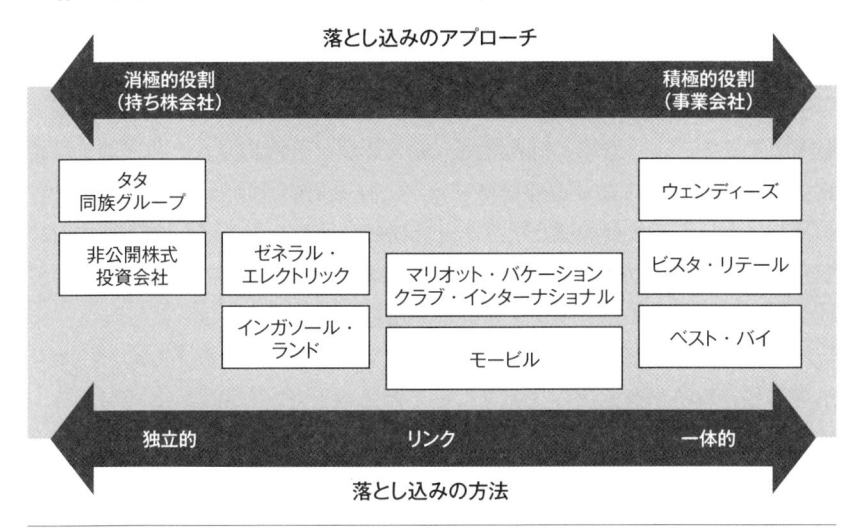

```
                    落とし込みのアプローチ
  ←─────────────────────────────────────────────→
   消極的役割                              積極的役割
   (持ち株会社)                            (事業会社)

  ┌─────────────┐                        ┌─────────────┐
  │ タタ        │                        │ ウェンディーズ │
  │ 同族グループ │                        │             │
  └─────────────┘                        └─────────────┘
  ┌─────────────┐ ┌─────────────┐       ┌─────────────┐
  │ 非公開株式   │ │ ゼネラル・   │       │ ビスタ・リテール │
  │ 投資会社     │ │ エレクトリック │     │             │
  └─────────────┘ └─────────────┘       └─────────────┘
                  ┌─────────────┐ ┌─────────────────┐ ┌─────────────┐
                  │ インガソール・│ │ マリオット・バケーション│ │ ベスト・バイ │
                  │ ランド       │ │ クラブ・インターナショナル│ │             │
                  └─────────────┘ └─────────────────┘ └─────────────┘
                                  ┌─────────────┐
                                  │ モービル    │
                                  └─────────────┘

   独立的            リンク              一体的
  ←─────────────────────────────────────────────→
                    落とし込みの方法
```

は，各事業会社の戦略，戦略マップ，スコアカードを検討，承認し，業績に関する説明責任を各事業会社に持たせる。戦略の統合・落とし込みに消極的な役割しか果たさない持ち株会社[訳注4]は，多様な事業会社に効果的に資金を配分する能力や，効果的なガバナンスのプロセスを運営する能力によって，シナジーを獲得する。このような場合，関連する測定尺度のほとんどは財務的なものなので，大抵の持ち株会社は，持ち株会社レベルでの戦略マップやスコアカードを作成する必要性をほとんど感じない。

訳注3　非公開株式投資会社とは，投資家から集めた資金で，非公開株を取得し，公開時に売却してキャピタルゲインを得たり，企業を買収して経営を改善し，業績を向上させてから売却して利益を得たりする投資会社である。主に新設企業や再建途上の企業の非公開株に投資する。

訳注4　原書では，消極的・受動的な持ち株会社（passive holding corporations）とだけ記述されている。図表 5-5 にも示されているとおり，ここでの passive は，事業会社が作成した戦略，戦略マップ，スコアカードに対して積極的に手を出すことなく，これらを持ち株会社全体として統合し，落とし込むのに消極的な役割しか果たさないという，持ち株会社の機能の一般的性格を意味していると解される。

図表5-5の右側にあるのは、ウェンディーズのようなファースト・フード店や、ベスト・バイのような家電量販店、そして地方銀行の支店といった、実質的には同一の小売店舗から成り立つシステムを運営する企業である。毎回の購買取引を通じてブランドを強化するために、このような企業では、各店舗での顧客の体験が同じであることが求められる。本社は、顧客への価値提案を定義するとともに、財務業績、顧客体験、分権化された各店舗が卓越していなければならない重要なプロセス、従業員の採用と能力開発と維持、これらにかかわる重要な測定尺度へと企業戦略を置き換える。各店舗における戦略マップとスコアカードはほぼ同一であり、これにより店舗の業績のモニタリングとベンチマーキングが促進される。

　これら両極端の状況——事業ユニットに完全な自律性を与えるのと、本社が決定した戦略と測定尺度に完全に従わせるのと——の間に、マリオット・バケーションクラブ・インターナショナルのような大多数の企業が位置づけられる。これらの企業では企業戦略が持たれるが、しかし業務ユニットの戦略には、他の業務ユニットや、本社が決定した戦略テーマとの調整や統合に関係した目標とともに、それぞれの活動領域での競争上の卓越性も併せて反映される。つまり、このような業務ユニットの戦略マップとスコアカードには、それぞれの領域での活動に特有の多くの目標が含まれる一方で、企業レベルの優先事項や他の業務ユニットと共有する目標を反映したいくつかの目標もまた含まれる。業務ユニットの長は、ユニットが自律的な企業であるかのような、活動領域における部分最適化と、全社シナジーを生むような、企業や他のビジネスユニットが掲げる目標への貢献、この2つの間でのバランスを維持しなければならない。

　発電、送電、配電という3つのユニットからなる電力会社を考えてみよう。企業戦略は、安全性、環境保護、顧客からの要求事項への対応、そして政府の規制への対処に関する戦略テーマを明示しているとする。しかしここで送電事業は10年前に規制緩和されているとすると、送電事業の戦略マップには政府の規制に関連する目標はないだろう。残る2つのユニットとは対照的に、送電事業は、発電や配電を行う他企業と一緒にマーケットシェアを拡大させるための価値提案や目標を持つことになろう 訳注5 。

図表 5-6

カナダ血液サービスにおけるテーマベースの戦略マップ

カナダ血液サービスは、高品質の血液・血液製剤・変質剤を安全に、安定的に、コスト効果的に、すべてのカナダ国民の信託と参加と信用を得られるように、カナダの血液提供事業を運営する。手ごろな価格で、利用しやすく提供することで。

われわれのミッションを満たす / 確実に満たす

安全性

C1.「CBSは安全な製品とサービスを提供する」

S2. リスクから守る

S1. 明らかになっている危険をモニターする

顧客サービスの卓越性 / 推進する

業務の卓越性

C2.「CBSは効果的、効率的で、信頼される血液提供制度をカナダ国民のために運営する」

S6. 効率性と生産性の利益を実現する

S5. 適切な製品を適切な場所に適切なときに配送する

S3. 製品の最適な利用を促進する

S4. ドナーの募集と維持を最適化する

戦略的行動を実行を可能にする

将来への計画

C3.「CBSは将来のニーズを満たすのに資与する」

S7. 製品やサービスに対するニーズの長期的変化を予測する

S9. 新しい製品やサービスを開発・適用する

S8. 最先端の研究を通じて血液バンクの実践を進める

戦略的資産の開発

スキル、能力、知識を情報技術で事業をサポートする + 品質システムと品質文化を構築する

戦略的資産の開発

スキル、能力、知識を情報技術で事業をサポートする + 品質システムと品質文化を構築する

戦略的資産の開発

スキル、能力、知識を情報技術で事業をサポートする + 品質システムと品質文化を構築する

戦略的行動を可能にする諸資源

CBSの価値観

R1. 健全な財務構造を確保する

R2. 事業に必要なものを支える設備を建設し、維持する

第5章 組織ユニットと従業員のアラインメント 163

戦略テーマを通じた落とし込み

　戦略テーマ（第3章で説明した）を中心に作られる戦略マップの構築により，企業レベルの戦略の落とし込みと多様なビジネスユニットの業務の統合に向けた優れた構造が提供される。すでに第2章で説明したカナダ血液サービス（CBS）の例を考えてみよう。CBSのリーダーシップ・チームは，戦略マップのための3つの戦略テーマ，すなわち安全性，業務の卓越性，将来への計画を明らかにした。

　図表5-6は，3つのプロセスベースの戦略テーマそれぞれのなかで目標がリンクした戦略マップを示している。また，各戦略テーマは，そのテーマにとって最も価値のある戦略的資産を生み出すために，学習と成長のテーマによって支えられている。CBSは，第4章で説明したガイダンスに従い，3つの戦略テーマごとに2名のメンバーを戦略評議会から選抜し，選抜された彼らは，全社横断的に引き抜かれた戦略テーマ別チームとともに，3つの戦略テーマそれぞれを中心となって率いた。

　図表5-6で示した戦略マップを使って全社戦略を明らかにしたうえで，戦略評議会は戦略テーマをCBSの各業務ユニット（製品系列のユニットだけでなく地域ユニットも含む）に落とし込んでいくプロセスを主導した。各業務ユニットの戦略マップは全社レベルの戦略マップと同じ構造をしており，一番上にミッションを，中央に3つの垂直的な戦略テーマ（安全性，業務の卓越性，将来への計画）をそれぞれ置き，戦略的資産を生み出すためのテーマによって支えられている（図表5-7参照）。

　本部の経営者は，安全性といったいくつかの目標や尺度はミッションや戦略にとってきわめて重要であるとして，各業務ユニットの戦略マップにも安全性に関する共通の目標や尺度の設定を指示したいと考えた。CBSはまた，

訳注5 | 日本の電力会社は，発電，送電，配電を行う地域独占企業である。欧米では，1980年代から90年代にかけて電力産業を含めた規制緩和が進められ，電力市場改革が行われた。たとえばイギリスでは，発電，送電，配電を垂直統合していた国営電力事業が分割され，発電部門と配電部門に市場原理が導入された。アメリカでは，カリフォルニア州をはじめ西部地域と，東部地域を中心に自由化が進み，同様に発電，配電の機能が分割され，別会社化された。その典型例が，配電を主力としたエネルギー企業，エンロン社であった。このような電力市場改革は，経営の効率化や制度導入直後の価格低下などの一方で，大規模停電や企業倒産などの問題も引き起こした。

図表5-7

どの事業部門も、その戦略マップで共通した構造を用いる

カナダ血液サービスは、高品質の血液・血液製剤・変質剤を安全に、安定的に、コスト効果的に、手ごろな価格で、利用しやすく提供することで、すべてのカナダ国民の信託に参加と信用を得られるように、カナダの血液提供事業を運営する。

	安全性	業務の卓越性	将来への計画
われわれのミッションを確実にする	←	←	←

顧客サービスの卓越性

推進する
S2. リスクから守る

戦略的行動
S1. 明らかになっている危険をモニターする

実行を可能にする

戦略的行動を可能にする諸資源

	戦略的資産の開発	戦略的資産の開発	戦略的資産の開発
	スキル、能力、知識を育成する + 情報技術で事業をサポートする + 品質システムと品質文化を構築する	スキル、能力、知識を育成する + 情報技術で事業をサポートする + 品質システムと品質文化を構築する	スキル、能力、知識を育成する + 情報技術で事業をサポートする + 品質システムと品質文化を構築する

注釈：
- CBSのミッションはどの戦略マップでも一番上に残る
- どの戦略マップも3つの共通した戦略テーマを持つ
- 区別しやすいように、設置するよう指示された全社目標には別の色をつける
- すべての戦略マップは人的資本、情報資本、品質に関して同じ尺度を適用する

第5章　組織ユニットと従業員のアラインメント　165

「戦略的行動を可能にする戦略的資産」のテーマに関して同一の目標や尺度を用いるよう各ユニットに求めた。

- 人的資本レディネスは，このテーマを推進する特定の職務やスキルを定義し，組織がそのスキルを保有している程度を評価し，求められるスキルの獲得に向けた戦略を導く。
- 情報資本レディネスは，このテーマの実行を可能にするキャパシティを構築するのに求められる，情報資本に**具体的**に必要なもの（情報技術やシステムなど）を定義する。
- 品質システムレディネスは，各々のテーマがコントロールされた状態で全体にわたってプロセスの卓越性を持ちながら実行されるのに必要な，**特定の**品質システムやプロセスを定義する。

　各ユニットには，本部から設定を指示されているこれらの目標や尺度とは別に，自分たちのユニットの環境や経験に最も関連した目標や尺度を3つの戦略テーマのなかで設ける自由裁量が与えられていた。このようにして，すべてのユニットは，それぞれが自ら決めた戦略を構築し実行する自由を持つ一方で，本部の戦略的優先事項とも連携していた。すべての戦略マップに共通するテーマベースの構造はまた，内部のベンチマーキングと知識共有を促した。現在では，多くのグローバル企業が，地理的に分散した地域ユニットの業務と貢献を戦略に連携させるために，自らの戦略マップのなかで戦略テーマの構造を用いている。

垂直的アラインメントの連鎖

　著者たちは，トップダウンのプロセスとして，企業戦略へのビジネスユニットのアラインメントを説明してきた。実際のところ，このアラインメントの段階——全社レベルのマネジメント・システムにおけるステージ3——のアウトプットは，ビジネスユニットにとっては戦略構築プロセス（ステージ1）へのインプットになる。このプロセスにおいては，先の落とし込みのプロセスによって，全社レベルとビジネスユニットのレベルとの間で，

両者の戦略マップとバランスト・スコアカードが整合していることが想定されている。

バランスト・スコアカードを初めて導入しようとする場合，トップダウンの手順をとる企業はほとんどない。大抵の企業は，最初のバランスト・スコアカードの戦略実行システムを1つないし2つのビジネスユニットで導入する。その理由は，新しいシステムの導入に最初に挑戦しようとする者はビジネスユニットのレベルにいることや，企業がそのコンセプトを企業全体に展開させようとする前に，ビジネスユニットのレベルでそれを試したいと考えることにある。後者の場合，いくつかのビジネスユニットで実行した後，本社部門はプロジェクト・チームを設立し，企業戦略を構築するとともに，この章で説明したようにそれをビジネスユニットに落とし込めるよう，戦略マップやスコアカードへと置き換えていく。

サポートユニットのアラインメント

人事，IT，財務，企画といったサポートユニットやシェアードサービス組織は，自分たちが支援を行う業務ユニットの戦略を向上させるべく，戦略マップやバランスト・スコアカードを構築する。たとえば，人事部門に関する企業戦略では，すべての組織ユニットにわたって重要な人員を採用し，研修を行い，維持し，活用するための新しいプログラムを開発することでシナジーを生み出すことが求められる。企業戦略でリスクマネジメントの重視が指示されれば，財務部門とIT部門はそれぞれ，自分たちが影響を与えることのできるリスクを管理し軽減するための戦略テーマを具体化する。内部のサポートユニットは，自分たちの活動を企業やビジネスユニットの戦略と連携させる前に，企業戦略やビジネスユニットの戦略を理解しなければならない。

ビジネスユニットや企業が戦略目標を達成するのを助けるようなアラインメントを生み出すために，サポートユニットは一連の組織的なプロセスをたどる。初めに，ライン組織の戦略マップやバランスト・スコアカードによって明示されたとおりに，企業やビジネスユニットの戦略を明確に理解する。

図表5-8

商業銀行における与信・貸付サポートユニットのサービスレベル・アグリーメント（SLA）の例

リッジストーン銀行に対する与信管理
および貸付業務サービスの提供に関する合意

サービスの範囲

リッジストーン銀行の与信・貸付業務部門は，以下の重要サービスを，下記のとおり提供することに合意する。

企業向けおよび個人向けバンキング

与信管理サービス

1. 新規の企業向け貸付の申し込みがあった場合，分析依頼の書類が整い次第，正確でタイムリーな一連の与信審査を5営業日以内に行う。
2. 貸付部門に対し，与信の返済期日通知から90日を約定する。
3. 更新が承認された場合には，お客様から情報をいただき，返済期日前30日以内に貸付担当者に対して検討結果を提供する。

書類作成サービス

4. 貸付担当者が必要な書類が揃っているかの確認ができるよう，クロージングの24時間前に，完全で正確な貸付用書類作成の準備を行う。
5. 貸付審査状況追跡システムにより，正確でタイムリーな貸付関連細目情報の更新を行う。
6. 書類作成，小切手の準備，必要に応じてコピーを行うなど，クロージングのために要する人員を確保する。

貸付サービス

7. SBUもしくは外部のお客様からの申し込みを受けてから24時間以内に，貸付口座の完全でタイムリーで正確な更新を行う。やり直しや不備の修正は同日，ないしシステム上困難であれば可能な限り迅速に行う。
8. 担保物件の第三者対抗要件具備のためのすべての第三者決済や届け出，および担保権設定のための届け出書類を含め，クロージングの翌営業日の終了までに，ITIに対して，貸付に関する完全で正確なデータ入力を行う。
9. 個人向けバンキング：誤りもしくは遺漏がない場合，クロージングもしくは解約日の翌営業日には，投資家へ売却して資金化することが可能な債権パッケージを，正確かつタイムリーに記帳し送付する。

品質管理

10. 無担保貸付，例外的貸付，返済済み貸付，新規貸付についての日々の業務活動をモニターする。
11. 貸付の記帳から3営業日以内に，審査書類の整備，システムへのインプットコードを，正確を期すためにクロスチェックする。

次に，提供すべき一連の戦略的サービスを決定することで，ビジネスユニットおよび企業の戦略に自分たちの戦略を連携させる。これはしばしば**サービスレベル・アグリーメント（SLA）**，すなわちあるサポートユニットとあるビジネスユニットもしくは複数のビジネスユニットとの間の履行契約として公式化される。図表5-8は，ある商業銀行におけるSLAを示している。

　事業レベルや企業レベルの戦略に対していかに貢献できるかをサポートユニットが理解したら，次に，戦略の実行に向けて内部組織を連携させるために戦略マップやバランスト・スコアカードを作成する。ビジネスユニットと同様，サポートユニットにもミッション，顧客，サービス，従業員が存在する。サポートユニットのなかには，金融サービス業のIT部門のように，『フォーチュン』1000社の巨大企業のリストに載るほどの予算規模を持つものもある。

　サポートユニットといえども，最上位には，全社レベルでいえば株主価値（あるいは利益以外で，それに匹敵するくらい重要なもの）に関する何らかの尺度に相当するような，すべてを包含する目標を設定すべきである。ラインユニット，サポートユニットにかかわりなく，すべての従業員が企業の成功の究極的な尺度を理解することが不可欠である。サポートユニットにおける財務の視点には，企業の原価低減，収益拡大，資産の活用といった目標に対してそのサポートユニットがいかに貢献するかを反映した目標がおかれる。

　サポートユニットの第一の顧客は，サービスを提供し，サポートを行う相手先となる，ビジネスユニットのマネジャーである。いくつかのサポートユニットでは，さらなる顧客が存在する。たとえば，人事部門はそのサービスを従業員に提供するし，財務部門は投資家，取締役会，アナリスト，規制団体，税務当局を含むステークホルダーに対して報告とディスクロージャーを行う。戦略マップとバランスト・スコアカードにおける諸目標を練り上げるにあたり，サポートユニットは，ビジネスユニットのパートナーやそのほか自分たちがサービスを提供する顧客の価値創造的な戦略に対して，いかに貢献するのかを明確にしなければならない。

　サポートユニットのスコアカードにおけるプロセスの視点には，典型的に

は，財務の視点および顧客の視点の目標の達成を可能にするような3つの戦略テーマがおかれる。まず，業務の卓越性のテーマは，ユニットを運営してサービスを提供するコストを低減させることを強調する。2つ目のテーマは，その働きが内部の顧客との関係をいかに管理するかを扱う。そして3つ目のテーマは，戦略を向上させるような新たなケイパビリティをビジネスユニットに提供するといった，ビジネスに対して提供する戦略的なサポートを説明する。

学習と成長の視点は，研修，技術，支援的な職場環境を求める，職能スタッフの具体的なニーズを反映する。

サポートユニットにおける戦略マップのケーススタディ：
ロッキード・マーチンのインターナル IT グループ

従業員数14万人を数えるロッキード・マーチンは，1995年のロッキードとマーチン・マリエッタの合併により，米国最大の防衛関連の請負企業となった。2007年の売上高は419億ドルに上る。最大の顧客は米国の国防総省で，そのほかにも非防衛関連の官庁を顧客に持ち，海外向けの売上げや国内向け民生事業も抱えている。

ロッキード・マーチンのインターナル IT グループ部門では，47の州と海外にある拠点で5000人以上が働いている。インターナル IT グループは，企業全体の情報技術支出の約3分の2に責任を負っており，残りは分権化された4つの事業領域に委ねられている。

ロッキード・マーチンのインターナル IT グループは，ロッキード・マーチンのビジネスユニットから選ばれる IT サービスの提供者となるべく，最先端のネットベースのケイパビリティの信頼される革新者と提供者になるという目標を掲げた「完璧なカスタマーソリューション」戦略を採択した。同グループはまた，米国の国土安全保障省や国防総省といった官庁からの IT 関連の大規模な契約の獲得を手助けすることで，ロッキード・マーチンの外部の顧客へのサポート提供も行いたいと考えていた。

図表5-9は，インターナル IT グループの戦略マップを示している。戦略マップには，その重要な顧客として，ロッキード・マーチンの事業や技術の

図表 5-9

インターナルITグループの戦略により、カスタマーソリューションの戦略マップが完成する

		国益に貢献し、株主価値を高める		
価値	生産性を向上させる—V1	投資を強化する—V2	収益を拡大させ、維持する—V3	
		事業と技術のリーダーたちは言う：		
顧客（パートナー）	「安全で信頼できる、高品質なソリューションを保証してほしい」—C1	「投資しただけの価値を見せてほしい」—C2	「私のミッションが成功するよう、コミットメントを遵守してほしい」—C3	「人的資本の問題解決のため、ITを強化してほしい」—C4	「プログラムの実行が成功し、利益につながるようにしてほしい」—C5
	結果をもたらす	**効果的な関係性を構築する**	**未来を構想する**		
内部ビジネスプロセス	継続的改善を通じて完璧に実行する—P3	期待に応えるべく、社会的洞察力を駆使して先取りし、影響を与える—P6	企業構造を強化することで、システムと構造基盤における敏捷性を実現する—P9		
	標準化とサプライヤーの強化を促進する—P2	情報共有を通じて水平的統合を促進する—P5	投資の価値を実現する：内側から外へ、外側から内へ—P8		
	コストを管理し、最適化し、明確に伝達する—P1	ITアラインメントを確保するために事業戦略を理解する—P4	革新し、変革をリードする—P7		
	チームに活力を与える	**個人の卓越性、誠実性、アカウンタビリティを実現する**			
従業員	才能があり、多様で、戦略志向で、熱心な従業員を育成し維持する—W3	積極的な聞き取りと非排他的な行動を通じて信頼を醸成するためにコミュニケーションを強化する—W4	行動を動機付けるためにチームワークと積極的な姿勢の例示を示す—W5		
	正直さ、履行責任、バランスをとったリスクをとることを示し、結果に対して説明責任を持つ—W1	協調、創造的思考、知識共有、イノベーションの組織文化を促進する—W2			

われわれのビジョン：イノベーションによってリスクを得、誠実性に導かれることで、顧客が最も困難な目標を達成するのを助ける。

わたしのミッション
ITを通じてロッキード・マーチンのパワーを高める

ために

卓越性をもって実行する

そして

他者を尊重する

正しいことを行う

われわれの価値観

リーダーたちが明示されている。顧客の視点の5つの目標が，顧客の声という形で表明されている。左から右に読んでいくと，これらの諸目標は必要最低限の義務（「安全で信頼できる，高品質なソリューションの保証」「投資に見合う価値創造」「ミッションの成功につながるコミットメントの遵守」）から，顧客のためにビジネスユニットのソリューションにITを融合させることで価値をもたらすという目標へと移っていく。

　プロセスの視点におけるテーマは，インターナルITグループが結果をもたらし，効果的な関係性を構築し，未来を構想しなければならないことを強調している。学習と成長の視点における基本的な目標は，企業の価値観に沿って活動することと，チームに活力を与え，個人の卓越性，誠実性，アカウンタビリティを実現する組織文化を作り上げることになっている。

　インターナルITグループで戦略マップが作られたのは比較的最近だが，グループの首脳部は，戦略から得られたアラインメントの便益は，向こう5年間でかなりの額のコスト節減と数百万ドルの生産性向上による利益留保を生み出すと推測している。同グループはまた，顧客志向と，ITとビジネスの連携を進めることで，さらなる利益留保を目指している。

プロセスとしてアラインメントを管理する

　ほかの戦略実行プロセスと同様，戦略へのアラインメントは組織の境界をまたがって行われる。それゆえ，アラインメントでは，戦略を効果的に実行するために，所属する組織ユニットが異なる人々の融合と協働が求められる。これはあるジレンマを引き起こす。というのは，大抵の組織では，事業横断的なプロセスには専用のオフィスや専用の机といったものがない。第10章では，戦略実行を成功させるのに必要な複数のプロセスを運営し調整するために，新たに戦略管理室（OSM）を設置するケースを紹介する。効果的な組織アラインメントのプロセスに履行責任と説明責任を負うことが，当然にOSMの仕事となる。カナダ血液サービスの例で示されるように，すべてのビジネスユニットとサポートユニットの戦略マップとスコアカードが相互に，企業レベルの戦略とも確実に連携することに，OSMは責任を持つ。

従業員の動機づけ

　戦略を効果的に実行するには、究極的には、企業とユニットの戦略目標の達成に向けて、従業員自らが進んで協力することが求められる。従業員を戦略へと方向づけるプロセスでは、次の3つのステップが必要となる。

1. 戦略について従業員に伝達し、教育する。
2. 従業員の個人目標とインセンティブを戦略にリンクさせる。
3. 戦略実行に資するのに必要な知識、スキル、コンピテンシーを従業員が持つようにするために、個人向けの研修と開発のプログラムを戦略に連携させる。

戦略の伝達と教育

　世界に有意義な貢献をすることに成功している組織のために働きたいという従業員の思いに訴えることができたとき、リーダーは組織内部の巨大な創造性とエネルギーを発揮させることができる。従業員は、自分たちが起きている時間の多くを過ごすことになる組織に誇りを持ちたいと思っている。従業員は、自分の会社の成功が、株主だけでなく、顧客、サプライヤー、事業活動を行う地域社会に対してもいかに貢献しているか理解しなければならない。また、自分の会社が効率的かつ効果的に運営されていると感じなければならない。倒産しそうな劣った企業のために働くことに喜びを見出す者などいない。従業員は、会社がそのミッションを追求するにあたって資源を浪費していないという安心感を得なければならない。うまく機能していない組織、意思決定を妨げる官僚主義、機能上の縦割りによりしばしば引き起こされる狭い了見から来る縄張争い、これらは誰の目にも明らかになるし、皆の士気を殺ぐ。

　ミッション、バリュー（価値観）、ビジョン、戦略を従業員に伝達することは、従業員の間でモチベーションを生み出すにあたって、その最初のステップとなる。戦略——組織が**何**を成し遂げたいと思っているかということ

と，戦略上の成果をいかに実現しようと意図しているかということの両方——を伝達するために，経営幹部は戦略マップとバランスト・スコアカードを用いることができる。すべての目標と尺度を１つに集めることで，組織の価値創造活動の包括的な見取り図が提供される。

戦略についてのこの新たな表現は，組織として何に取り組んでいるのか，すなわち長期的価値をいかに生み出そうとしているのか，そして各個人は組織目標にいかに貢献できるのかを皆に伝達する。従業員は，自分の仕事を昨日とは違った方法でよりよく行いたいとか，組織の成功に向けて努力したいとか，自らの個人目標を実現したいという思いを活力源にして，日々仕事に励むのである。

戦略の伝達はまた，組織文化を形成するうえでも役立つ。第２章で著者たちは，既存の組織文化やプロセスに関する懸念事項を伝え，組織がどうなりたいかというビジョンを共有するために，リーダーが戦略的チェンジ・アジェンダをどのように利用することができるかを説明した。組織文化のメッセージには，業績向上と説明責任への決意，顧客重視の姿勢，継続的改善あるいは創造性や革新への執念にも似た情熱といったものが含まれる。

米国東京三菱銀行では，日本とアメリカ双方の従業員の間で異なる組織文化の溝を埋めるにあたって直面した難題を示すため，リーダーシップ・チームが修正版の戦略的チェンジ・アジェンダ（図表5-10 訳注6 参照）を用いた。戦略的チェンジ・アジェンダによって，従業員は，企業に唯一の比類なき組織文化を作り出すべく２つの世界のともによいところを高めるよう奨励された。

リーダーによる戦略の伝達はきわめて重要である。経営幹部が先導しなければ，従業員はついていくことはできない。著者たちのバランスト・スコアカード・コラボラティブの会議に参加した経営幹部たちは，戦略をどんなに伝達しても伝達し過ぎるということはないこと，戦略の効果的な伝達はBSCの実施を成功させるのにきわめて重要なことを，口を揃えて報告して

訳注6 ｜ 図表5-10は，KaplanとNortonによる前著 *Alignment*（櫻井通晴，伊藤和憲監訳『BSCによるシナジー戦略』）においても図表6-6として記載されている。そこでは，野中郁次郎ほか『失敗の本質』ダイヤモンド社，1984年を参照していることが記されている。そこで，本書での図表5-10の訳出に当たっては，一部で『失敗の本質』にもとづいて訳語の選択を行った。

図表5-10

米国東京三菱銀行は2つの異なる組織文化の溝を埋める必要があった

日本企業		米国企業
不明確	ミッションとビジョン	明確
積み上げ式	戦略策定プロセス	グランドデザイン
業務の効率性	競争上の強み	差別化・独自性
ボトムアップ（もしくはミドル・アップ・ダウン）	意思決定	トップダウン
暗示的・非言語的・閉鎖的	コミュニケーション・スタイル	明示的・言語的・開放的
プロセス志向	業績評価	結果志向
単一文化・協調的	職場文化	多様な文化・競争的

いる。あるCEOは著者たちに，巨大保険会社の変革に成功した自分の体験談を本に書くなら，間違いなくバランスト・スコアカードについての1章を設けなければならないと述べ，BSCは業績の好転に計り知れない役割を果たしたと語った。しかしそうだとすると，CEOは戦略の伝達に5つの章を当てることになるであろう。なぜなら，そのCEOは，ビジネスユニットの上層部，最前線やバックオフィスの従業員，および保険ブローカーや代理店といった重要な取扱業者への戦略の伝達に，仕事のほとんどの時間を費やしたからである。

ロンドンに本拠地をおくメロン・ファイナンシャルのインベストメント・マネジャー・ソリューションズ（IMS）グループにおいて，前バイスチェアマンで現プレジデントのジャック・クリンクは，地方の事務所を訪れ，偶然を装ってある従業員の仕事場で足を止め，戦略の伝達を実行に移した。クリンクは，上着の内ポケットからある書類——IMSの戦略マップ——を取り出し，それについて従業員に3つの質問をした。

1. 「これが何だか知っているか？」（正解でないと，従業員よりそのマネジャーのほうが，体面がいっそう傷つく）
2. 「これについて私に説明できるか？」
3. 「私が邪魔をする直前に君がしていた仕事が，この書類に示された1

図表5-11

ある企業の戦略伝達プラン

目標：意図した聞き手に向けた特定のメッセージと，メッセージを伝える複数のチャネルの組み合わせとを明らかにする。

アプローチ：多様で地理的に分散した聞き手に対して，長期にわたり，複雑なメッセージを伝達し強化するような情報を戦略的に計画して流すべく，社内の伝達チームと既存の伝達手段を強化する。

伝達手段	伝達のタイプ	コメント
小集団ミーティング	スタッフミーティング，1対1の検討会，週次の状況確認	・参加意識や意気込みが生まれる ・労働集約的
「ソーシャル」ミーティング	軽食や関連する見世物が付け加わる	・交替要員まで含めて全員が参加できるとは限らない
MGニュース，部局内報，出版	企業規模の社内報，事業部単位の社内報	・専用のスコアカード・コラム ・関連したBSColの記事が載る ・社内報
部局イントラネット	インターネット・ウェブサイト	・誰もがアクセスできるわけではない ・MeganetやBSColへのリンクの設定がある
パワーポイントによるプレゼンテーション	概要，最新情報，資料などを提供するようデザインされたテンプレート	・広く使われ，受け入れられる
ポスター・掲示板・ラック	休憩室・給湯室，会議室，ロビーに貼られたポスターや，おかれたパンフレット	・皆の目に留まる
額縁入りポスター	往来の激しい場所，主要な会議室などに掲げられた企業・事業部のスコアカード	・毎日意識の頂点に ・尺度，目標，方向性を示す ・CEOのサイン入り
ビデオ	CEOが実施項目の重要性を述べる，あるいは下達事項を強化する	・「ただしゃべる人」はごめんだ ・効果的な研修ツール ・力を込めた開始・終了や最新情報

効果的な戦略の伝達には，2つの基本的な，しかしきわめて重要な必要事項がある。

・どのような伝達も，従業員の「そのなかの何が自分に向けてのものか？」という問いに答えるものでなければならない。

・個別の段階や実施項目はそれぞれ，バランスト・スコアカードのユニットや部門への落とし込みと連動していなければならない。

（出典）*Balanced Scorecard Report*, May-June 2002.

つないし複数の目標にどう影響を与えるか？」

　当初，全員の答えが満足のいくものであったわけではなかった。しかし，クリンクが事務所を訪れる際は，戦略について，そして日々の業務に戦略をどのように結びつけているかについて，クリンクと話ができるよう準備して

図表5-12

マリオット・バケーションクラブ・インターナショナルにおけるBSC伝達プラン

コミュニケーション・チャネル	第1四半期	第2四半期	第3四半期	第4四半期
1対1による指導	必要に応じて			
戦略の企画に関するパンフレット	✓			
ウェブサイト上で行われるセミナー	✓			
戦略的業績レポート	✓	✓	✓	✓
シリーズ化されたポスター	✓	✓	✓	✓
週次の最新情報	✓	✓		✓
人的資源に関する社内報	✓		✓	✓
コミュニケーション・フォーラム		✓		✓
戦略の再確認			✓	

おけ、と全員に警告するeメールがグループ中を駆け巡ったに違いないということだけは想像できる。どの従業員にも戦略を理解させ、戦略実行の成功に貢献させることが何より重要である、というCEOの考えを伝えるのに、この種のリーダーシップは大変貴重である。

戦略の伝達は7通りの違った方法で、7回行わなければならない、と経営者たちは報告している。通常、戦略に関するメッセージを発するのに次のような複数のコミュニケーション・チャネルが用いられる。それは、スピーチ、社内報、パンフレット、掲示板、双方向的に議論するタウンホール・ミーティング[訳注7]、イントラネット、月刊誌、研修プログラム、そしてオンラインの教育コースである。

図表5-11は、非常に多様で地理的にも分散した従業員に、複数の方法で、複数回にわたって戦略を伝達するために、ある企業が立てたプランを示している。図表5-12は、従業員が戦略についてさまざまなチャネルを通じて年中メッセージを受けられるよう、マリオット・バケーションクラブ・インターナショナルが用いた年次の戦略伝達プランを示している。

訳注7　アメリカでは歴史的に、タウンホール（市庁舎、公会堂）に全員が集まって重要な事項を協議したことから、多くの聴衆に開かれた公開討論の場で新たな重要事項を検討し、アナウンスするという意味で、この言葉が使われている。

図表5-13

インターナルITグループにおけるポスター作戦 第1段階——意識づけ

　最も成功している企業で著者たちが観察してきた戦略伝達のベスト・プラクティスには，ある特徴が見られる。それは，上級経営幹部が自ら伝達プロセスを先導していることである。適切な情報が適切なときに伝えられること，メッセージが意図した聞き手にとって意味のあるものであること，メッセージがさまざまな媒体を通じて届けられるようにすること，これらを確実にするためにコミュニケーション・グループは計画を立案する。またコミュニケーション・グループは，従業員が単にメッセージを見たり聞いたりしているだけではなく，確実に理解するよう，定期的に従業員調査を実施する[5]。

戦略伝達のケーススタディ

　ロッキード・マーチンのインターナル IT グループは，その戦略伝達プログラムで賞を受けたが，そのプログラムの内容は，指導者層による説明，社内ニュース記事，ポスター，ビデオ，ウェブキャスト（Webcast）[訳注8]，経

訳注8｜ウェブキャストとは，インターネット上での番組で，特にユーザーが積極的にアクセスしなくても，登録しておいた特定のサイトなどに更新情報が送られてくるシステムをいう。

図表5-14

インターナルITグループにおけるポスター作戦 第2段階──実行：「戦略的に考え、活動領域の実情に合わせて行動しよう」

第5章 組織ユニットと従業員のアラインメント　179

営幹部用会議室に額縁入りで掲げられた戦略マップ、その他の全会議室に貼られた戦略マップ、ポータルサイトにある双方向型の戦略マップ、当時4000人いた従業員全員に配付された職能別戦略マップの個人用コピーといったものであった[6]。

戦略伝達プログラムはポスター作戦からはじまった（図表5-13参照）。ほとんど空白の最初のポスターには、五角形の図の真ん中に「戦略を受け取ったか？」という語句だけが書かれている。しばらく時間をおいて現れた次のポスターでは空白部分は埋められて、ついに戦略志向の組織体の5つの原則が明示され、特に原則4「戦略を全社員の業務に関係させる」が強調されている。ポスター作戦の次の段階（図表5-14参照）では、各戦略テーマに関する目標や問題点を従業員が理解できるよう、インターナルITグループの戦略マップにおける戦略テーマが描かれている。

伝達チームは、戦略マップをカスタマイズしたバージョンを作成した（図表5-15 [訳注9] 参照）。この図はEIS（インターナルITグループ）の戦略マップ [訳注10] を表しており、主要な実施項目の簡単な記述が周りを取り囲み、それぞれサポートすべき戦略マップの目標を示している。この図のおかげで、実施項目にもとづいて働くすべての従業員は、自分たちがユニットの戦略にどのような局面でいかにして貢献するかを理解することができた。ここで全従業員は、なぜさまざまな実施項目が必要とされるのか、インターナルITグループの戦略を実行するのを助けるために自分たち全員がどのように互いに調和したらよいのかをも知ることができた。

訳注9 図表5-15の表題にあるEISとは、全社情報システム部（enterprise information systems）のことで、本書におけるインターナルITグループの前身となる部門組織である。EISのケーススタディが、KaplanとNortonによる前著 *Alignment*, pp.149-152（『BSCによるシナジー戦略』pp.193-196）に記載されている。

訳注10 原著では、the company's strategy mapと記されている。しかし、図表5-15はEIS（インターナルITグループ）の戦略マップを表している。また本文の記述も、インターナルITグループの従業員に対する、ロッキード・マーチン全社の戦略マップの伝達ではなく、サポートユニットとしてのインターナルITグループの戦略マップの伝達を説明している。そこで、訳者の判断で「EIS（インターナルITグループ）の戦略マップ」と訳し替えた。ここでのcompanyという表現には、自らの戦略マップを持って活動する組織の性格や、その規模の大きさが示されていると解される。

図表5-15

インターナルITグループが描いた，各戦略的実施項目とEISの戦略マップとのつながり

《戦略を前進させることに専念する》

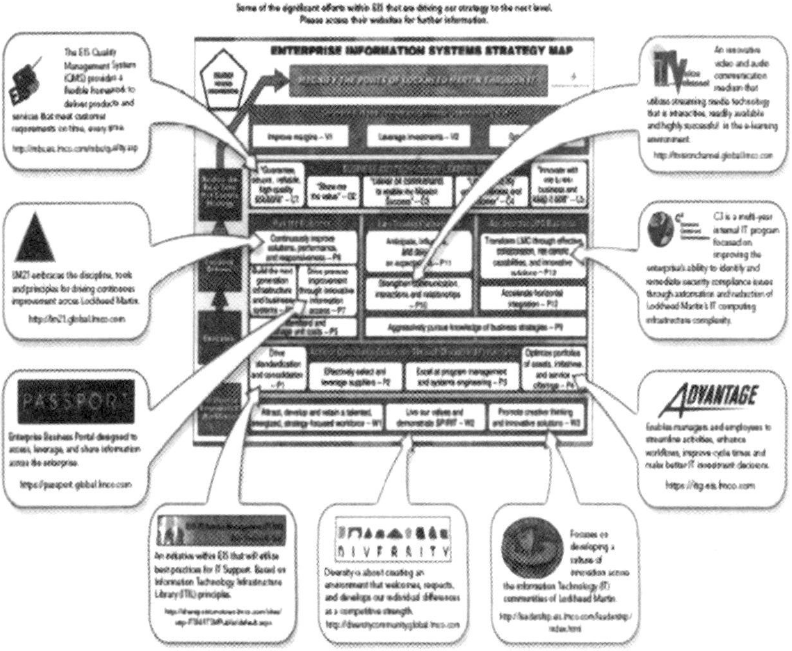

　メッセージをより強く訴えかけるために，インターナルITグループの伝達チームは，折込み（スプリングの入った軸の部分についた，印刷されたプラスチックシート）のついたペンを各従業員に配った。折込みの片面には「戦略を全社員の業務に関係させる」という見出しの下にインターナルITグループの戦略マップが書かれ，反対の面にはIT戦略の重要な構成要素が書かれている。
　伝達チームはまた，企業のポータルサイトにある，カスタマイズされた戦略「iViews」の構成要素を管理している。このウェブページは，戦略につい

ての説明のほか,戦略に関する最新ニュースや設定されたばかりの目標を週ごとに更新して載せる「戦略ニュース」にリンクしている。そのページには,戦略にかかわる研修や資料,すべての戦略マップへのリンク,そして戦略の理解に関する従業員一人ひとりの発言の様子——ビデオクリップもある——が掲載されている。「インターナル IT グループの顧客」というウェブページでは,顧客に対する SLA やアカウント・マネジャーへのリンクが設定されている。「ご連絡はこちらへ」のページでは,戦略に関する質問に回答できる従業員や,意見を受け取ることのできる従業員へのリンクが張られている。

「インターナル IT グループの戦略と事業計画」と銘打ったナビゲーション・バーには,以下のページへリンクするボタンがついている。

- **戦略マップ**:ドロップダウン・メニューによって,従業員は事業別と職能別の戦略マップにアクセスし,見ることができる。
- **四半期戦略レビュー(QSRs)**:ドロップダウン・メニューによって,従業員は 2005 年から現在までの QSRs にアクセスできる。
- **実施項目**:このページには品質管理システム(QMS)へのリンクがあり,そこはさらに品質に関するニュース,資料,内部実施項目へリンクしている。

インターナル IT グループは,定期的な従業員調査によって伝達プログラムの成功度合いを測定した。2006 年末時点では,インターナル IT グループの従業員の 90% が,戦略の伝達と研修のプログラムを「とても重要」もしくは「重要」と評価している。以下は,調査から得られた,従業員による評価の声の一部である。

- 「経営者から組織の末端への,戦略マップについてのトップ自らによる説明」
- 「理解しやすいし,自分が図のどこに入るのか目でわかる」
- 「インターナル IT グループの個々の従業員がグループの目標にいか

に貢献できるか（がわかる）」
・「戦略のために自分ができること——それが各職能組織の戦略や，企業がいかにしてどこへ向かおうとしているのかを説明するのに役立つ」

インターナル IT グループは，以下に要約される戦略実行のプレミアムを獲得した。

> **ロッキード・マーチンのインターナル IT グループの戦略実行のプレミアム**
>
> ・目標と顧客の要求との強力なアラインメントと，非効率な活動の除去を通じて，インターナル IT グループは 15％の生産性向上によるコスト削減ができた。
> ・必須ではない IT 関係の実施項目や，製品およびサービスの数を削減することで，コスト節減によるさらなる利益留保が生まれた。
> ・インターナル IT グループの製品およびサービスを利用することで，内部顧客は 10％の生産性向上によるコスト削減ができた。
> ・インターナル IT グループの改善されたプログラム知識のおかげで，ロッキード・マーチンの事業部門は新たなビジネスを獲得した。
> ・指導者層のコミットメント，組織風土と組織文化，要員戦略と要員育成，顧客関係性の管理に関する評点によると，インターナル IT グループの戦略的アラインメントに関する顧客の評価が向上した。
>
> すべて 2004 年から 2006 年の成果である。

個人目標とインセンティブを戦略にリンクさせる

リーダーシップと戦略伝達プログラムにより生まれる内発的動機づけと，個人の業績目標とインセンティブ報酬を戦略へと方向づけることで生まれる

外発的動機づけの2つを組織が巧みに融合させたとき,バランスト・スコアカードは最もうまく実行される。所属する組織の戦略や全社レベルの戦略について伝達,教育,研修を受けると,次に,従業員は戦略目標と整合した個人目標を設定する（図表5-16参照）。個人目標によって,戦略目標と各従業員が日々行う仕事との間に明確な照準線が生まれる。

　従業員は毎年,自分の上司や人事部門の専門家の助けを得ながら,自らの戦略目標を確認し,承認する。企業のなかには,従業員に個人用バランスト・スコアカードを作るよう働きかけるところもある。そのような企業では,各従業員は,コストや収益の数値を向上させたり,外部・内部の顧客に関わる業績を高めたり,顧客価値や財務的価値をもたらす1つないし2つのプロセスを改善したり,プロセスの改善を促進する個人の能力を高めたりするような目標を設定する。

　たとえば,図表5-16にある照準線の末端に位置する機械工を考えてみよう。機械工は,バランスト・スコアカードのフレームワークを使って,自分の個人目標を次のように表明する。

機械工 ＃452	個人目標
財務	非稼働時間によるコストを削減する
顧客	完成品を次の作業場へ定時に振り替える
プロセス	段取回数を削減する
	機械の故障を削減する
学習と成長	機械保全の資格を取得する

　機械工の上司は,上記のような目標が部門,施設,ビジネスユニット,企業それぞれの目標と整合するよう,機械工とともに目標について検討を行う。上司はまた,各目標について適切な難易度を設定するため,各尺度における業績目標値について話し合いを行う。1年ごとに,上司は機械工の業績を検討し,それが昇進やボーナスの支給に値するか否かの勧告を行う。

　ほとんどの企業ではまた,スコアカードで目標とされた尺度にインセンティブ報酬をリンクさせている。このような場合,経営者には,戦略の詳細に対する従業員の関心度がかなり高まることがわかる。企業がうまくいって

図表 5-16

従業員は戦略目標と整合した個人目標を設定する

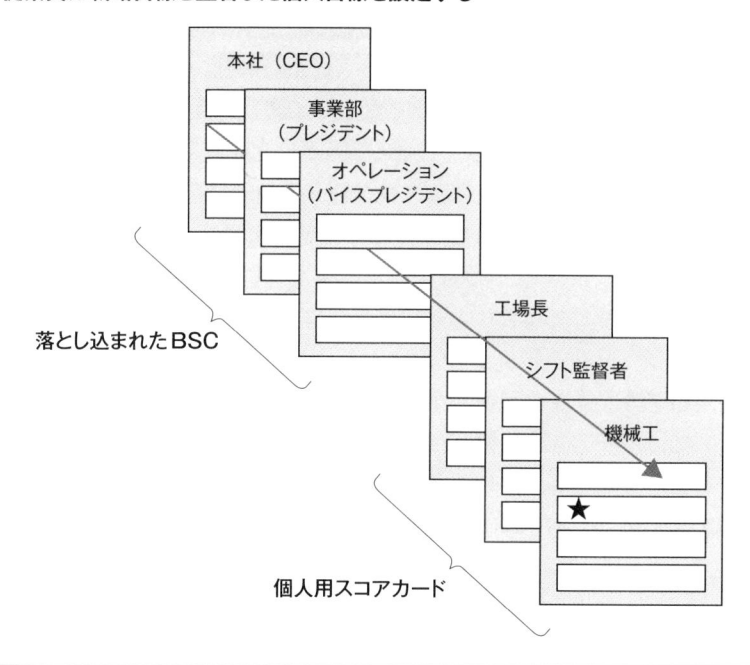

- 本社（CEO）
- 事業部（プレジデント）
- オペレーション（バイスプレジデント）
- 工場長
- シフト監督者
- 機械工

落とし込まれたBSC

個人用スコアカード

いれば，従業員は自分が創出に貢献した企業価値の一部を受け取るべきだというのが，このような報酬とのリンクのベースにある基本的な考え方である。また，バランスト・スコアカードの測定尺度における業績に報酬をリンクさせることで，企業はスコアカードで示されている戦略を本気で考えているというシグナルを送る。企業は，単に短期的な財務業績のみに焦点を当てていない。すなわち，顧客（外部と内部）との関係性の向上や，重要なプロセスの改善，企業における将来の価値創造を促進するコンピテンシーの開発を，従業員に求めているのである。

インセンティブ制度は企業によって大きく異なる。一般には，個人の業績要素と，ビジネスユニットおよび企業の業績要素とが含まれる。ビジネスユ

ニットと企業の業績のみにもとづいて報奨を算定する制度は，チームワークや知識共有が重要だというシグナルを送るが，同時に，サボりやフリーライダーの問題を引き起こす可能性がある。個人業績のみに報酬を与える制度は，個人の業績尺度の数値をよくしようという従業員の強いインセンティブを生み出すが，その反面，チームワークを乱し，知識の共有を妨げ，自分の直接の責任と統制下にはない業績まで改善しようという提案を抑止してしまう。

したがって，典型的な制度には2ないし3つの種類の報奨が含まれる。それは，(1) 各従業員の個人目標に年ごとに設定される目標値を達成することにもとづく個人報奨と，(2) 従業員が所属するビジネスユニットの業績にもとづく報奨，そして場合によってはそれに加え，(3) 事業部ないし企業の業績を加味した報奨である。

財務業績が芳しくないときにはボーナスを支払うのを避けるために，企業はしばしば，ボーナスの支給のために達成すべき最低限の財務上のハードルを設ける。ハードルは，たとえば，目標売上高利益率の達成とか，最低資本利益率の達成とか，経済的付加価値（EVA）で計算される損益分岐点の達成などで表される。この財務上のハードルを越えると，その超過分の一部がボーナスプールに組み入れられ，実際のボーナスの額は，財務の視点を除いた残り3つの視点における尺度に大部分のウエイトをおく形で，BSCの測定尺度の業績にもとづいて決定される。

企業によっては，コンテストを行うことで，バランスト・スコアカードの業績に絡めた発奮材料を作り出している。ビスタ社は，BSCの重要な測定尺度で高い目標値を達成したユニットに所属する全従業員に均等配分されるボーナスプールに100万ドルを設定している。

従業員の能力開発

従業員を戦略へと方向づけるために，最後に1つのステップが必要となる。卓越した存在となるべく，従業員はコンピテンシー——知識，スキル，価値観——を開発していかなければならない。

・**知識**とは，ある個人が**何を**（what）知っているか，つまり教育や経

験を通じて得られた理解である。知識は，ある研究領域，専門的・技術的な学問分野，またはある特定の専門的な技術領域において精通していることを表す。
・**スキル**とは，複雑な機械を操作する，監査を行う，顧客の財務計画を立案する，会議を運営する，売り込みをかけるといった，ある一貫した効率的なやり方でいかに (how) ものごとを行うかという知識を指す。
・**価値観**とは，人間が行う仕事にともなって見られる行動，習性，動機である。価値観は，顧客志向，実用主義，革新的，目標志向といったように表現することができる。

　さまざまな課業，事業，地域，職能で従業員に経験を積ませるキャリア計画のほか，研修や開発のプログラムを通じて，企業は従業員の知識とスキルを育成することができる。価値観を浸透させるのは，もっと複雑である。企業が望む行動を喚起するには，——企業のミッションと価値観に関する広範な研修と伝達を行うことに加え——慎重な採用を通じた優良な人材の獲得と選抜プログラムの実施をうまく組み合わせることが求められる。

　以前の著作で，著者たちは，戦略的職務群をいかに特定するかを説明した[7]。全従業員から見れば一般的にはごく小さい割合に過ぎないが，戦略的職務群に就くこれら従業員は，顧客や株主にとっての価値を創造するのに最も重要なプロセスの業績を劇的に向上させる立場にいる。持続可能な競争優位を追求する戦略において，差別化を実現するのはこれらの従業員である。このような従業員が重要であるとしたなら，企業の人事部門は，戦略的職務群に就くすべての従業員に関して望ましいコンピテンシーを開発することを優先させる。もちろん，最終的には，自らのスコアカードで目標とした業績を達成するのに必要な知識，スキル，価値観を与えてくれる能力開発プログラムを全従業員が適宜受けられるよう確保することが，人的資源に関するプロセスにおいて求められる。

従業員の能力開発のケーススタディ：キーコープ

　従業員の能力開発のベスト・プラクティスの一例は，キーコープのコーポ

図表5-17

キーコープで職位に応じて求められる，行員の能力

この一覧は，これより広範なスキル表からの抜粋である。

スキル・コンピテンシー　―営業	業界リーダー 知識レベル			シニアバンカー 知識レベル			ジュニアバンカー 知識レベル			アソシエイト 知識レベル		
	E	W	L	E	W	L	E	W	L	E	W	L
交渉（契約締結プロセス）		×		×			×					×
有望顧客の発掘と予備審査	×			×			×					
有望顧客の発掘と予備審査（調査）							×				×	
価格設定と営業を含む，値付け（プロセスと市場知識）		×			×			×				×
組織全体の視点の習得（外部）	×			×			×					×
競争（競争参加者の理解）	×			×			×					×
プレゼンテーション（概念と話し方）	×			×			×					

略号　E：ひとに教えることができる
　　　W：十分に成長した――独り立ちできる
　　　L：限界あり――サポートを必要とする

レート＆インベストメント・バンキング（CIB）チームに見られる[(8)]。CIBのプロジェクト・チームは，各事業系列の経営幹部のリーダーと本社人事部門のシニアマネジャーがともに参加して成り立っている。チームは，重要な職位それぞれで求められるスキルやコンピテンシーの詳細なリストと，職能や製品や技術に関するスキルと同様，販売や顧客管理の基本的スキルに関して存在するギャップを埋めるためにそれぞれの仕事で生じる学習ニーズの詳細なリストとを作り上げることからはじめた。企業向け融資と投資銀行業務の2つの機能を融合するというCIBの新たなビジネスモデルにもとづき，チームは，各職位について，行員がすぐに影響力を及ぼすのに必要なスキルレベルを明らかにした。

図表5-17に示されるように，業界リーダーあるいはシニアバンカーとして機能を果たすためには，有望顧客の発掘，競争状況の評価，プレゼンテーション能力，組織全体の視点を持つことといった点でエキスパート（Eレベ

ル）――人に教えることができる程度――になる必要がある。一方，ジュニアバンカーは，上記の領域では実際に仕事を行うレベル（W レベル）のスキルしか求められないが，シニアバンカーや業界リーダーが発掘し営業してきた契約をまとめるための交渉においては，エキスパートとしてのスキルが求められる。

プロジェクト・チームは，全行員をそれぞれの職位において求められるスキルレベルにまで引き上げる研修コースを特定した。またチームは，提供した研修コースでの行員の登録状況と出席状況を追跡した。キーコープはすぐに，非常に重要な戦略目標とリンクした自社の包括的能力開発プログラムの成果を目にした。以前の研修実施項目とは異なり，新たな研修コースではどのセッションでも 100％の出席率で，空席は見られなかった。

プログラムを評して，行員たちは次のように答えた。「私がちょうど修了したばかりのコースは，いまやっている仕事にすぐに応用できる……（スキル xyz についての）次のコースはいつ開かれる？……とにかく，自分の仕事にぴったりの研修だ」。CIB に所属する重要な行員のコンピテンシーを向上させたことによる見返りは，顧客ロイヤリティの成績向上，事業部の売上げと利益の増加という形ですぐに現れた。

キーコープの戦略実行のプレミアムは，以下に示すとおりである。

キーコープの戦略実行のプレミアム

- キーコープの株価は，2000 年の最安値で 15.69 ドルだったが，2005 年には最高値で 35 ドルまで上昇した。企業全体の ROE も，2004 年の 13.75％から 2005 年には 15.42％に向上した。
- 純利益は，2003 年の 9 億 300 万ドルから 2005 年には 11 億 2000 万ドルへと 2 億 1700 万ドル増加し，創業以来最高益を記録した。
- 銀行の行員調査で，行員の「さらに上を目指したい」という回答は，2001 年の 3.78 ポイントから 2004 年には 4.26 ポイントへと上昇した（一番強くそう思うを 5 として設定された 5 点スケール）。

> ・リテール部門における顧客維持率は，2002年から2004年で5%上昇した。
> ・不履行貸付は過去数年間11四半期連続で減少した。平均貸付高に対する純貸付損失処理の割合は，1995年の第4四半期以降，同行における最低水準を維持している。

要約

　組織ユニットと従業員の戦略へのアラインメントは，戦略の実行を成功させるのにきわめて重要である。上層部で全社レベルの戦略テーマと戦略目標が決まれば，すぐにアラインメントと戦略伝達のプロセスが開始されなければならない。各ビジネスユニットと部門は，その競争環境において成功するために自らの活動領域における戦略の実行に励むと同時に，垂直的アラインメントによって，より高い階層レベルの戦略目標に貢献できるようになる。ほかのビジネスユニットとの水平的アラインメントによっては，次のような点でシナジーを実現できる。

- ・複数のビジネスユニットにまたがる，統一された顧客価値提案を行う
- ・各顧客の購買経験を通じて，企業ブランドを強化する
- ・生産，技術，配送，販売の諸資源や，本社スタッフ機能を共有することで，規模の経済を享受する
- ・企業全体で知識とベスト・プラクティスを共有する
- ・共通した研修や管理されたキャリア開発制度を通じて，従業員の能力を高める

　戦略マップを垂直的かつ水平的に組織に落とし込むことは，ビジネスユニットが，自分の活動領域における部分最適化と企業全体への貢献という二元的な役割を自分のものにするうえで助けになる。

　従業員のアラインメントは，指導者層が主導する戦略伝達プログラムから

はじまる。戦略伝達プログラムは，広告，ブランド構築，マーケティングの作戦と同様，注意深く計画され，運営されなければならない。戦略伝達プランは毎年，7通りの違った方法で，少なくとも7回，戦略に関するメッセージを伝えなければならない。従業員が戦略に意識を持ち，理解すれば，次に事業レベルや企業レベルの戦略目標へはっきりと照準を定めた個人目標を設定するよう，現場の従業員に要請することで，企業はそのメッセージをより強く訴えかけることができる。

　多くの企業は，従業員個人，ビジネスユニット，企業それぞれの目標の達成にインセンティブやボーナス報奨をリンクさせることで，従業員の戦略に対する意識とコミットメントをよりいっそう高めている。加えて，人事部門は，従業員とその上司と連携をとりながら，カスタマイズされた研修と経験蓄積のプログラムを構築し，従業員は，そのプログラムを使って，自らの個人目標の達成と，ビジネスユニットと企業の成功への貢献とに役立つコンピテンシーの開発を行うことができるのである。

【注】
(1) もしあなたが単一のビジネスユニットでマネジメント・システムを運用しているのであれば，最初の節（ビジネスユニットのアラインメント）は飛ばして，残る2つの節（サポートユニットのアラインメントと従業員のアラインメント）のみ読んでいただいてもかまわない。
(2) 組織と従業員のアラインメントについて，より詳しくは，R.S.Kaplan and D.P.Norton, *Alignment: Using the Balanced Scorecard to Create Corporate Synergies*, Boston: Harvard Business School Press, 2006（櫻井通晴，伊藤和憲監訳『BSCによるシナジー戦略』ランダムハウス講談社，2007年），および同, *The Strategy-Focused Organization: How Balanced Scorecard Companies Thrive in the New Business Environment*, Boston: Harvard Business School Press, 2000（櫻井通晴監訳『戦略バランスト・スコアカード』東洋経済新報社，2001年）を参照いただきたい。
(3) D.J.Collis and C.A.Montgomery, "Creating Corporate Advantage," *Harvard Business Review*, May-June 1998, p.72（西村裕之訳「連結経営時代の全社戦略」『DIAMONDハーバード・ビジネス』1999年3月号, p.11）．

(4) コア・コンピタンスとは、「戦略的資産を創出あるいは拡大させるのにかかるコストや時間を削減するために活用することのできる、企業内部における経験、知識およびシステムの集積」と定義される。ここで戦略的資産とは、「コスト優位や差別化を促進する、模倣、代替、および売買による入手が完全には不可能な資産」をいう。Constantinos Markides, "Corporate Strategy: The Role of the Centre," Chapter 5 in *Handbook of Strategy and Management*, 1st ed., eds. A. Pettigrew, H.Thomas, and R.Whittington, Thousand Oaks, CA: SAGE Publications, 2001.

(5) 企業の戦略伝達プロセスの優れた要約が次のなかにある。L. Johnson, "Common Sense in Strategy Communication: Four Lessons from Canon USA," *Balanced Scorecard Report*, May-June 2007, pp.6-7.

(6) ロッキード・マーチンのインターナル IT グループの戦略伝達プログラムは、2006年の Magellan Award of the National League of Communications Professionals を受賞した。

(7) R.S.Kaplan and D.P.Norton, "Measuring the Strategic Readiness of Intangible Assets," *Harvard Business Review*, February 2004, pp.52-63（スコフィールド素子訳「バランス・スコアカードによる無形資産の価値評価」『DIAMONDハーバード・ビジネス・レビュー』2004年5月号、pp.129-142)、および Kaplan and Norton, *Strategy Maps: Converting Intangible Assets into Tangible Outcomes*, Boston: Harvard Business School Press, 2004, pp.199-248（櫻井通晴・伊藤和憲・長谷川惠一監訳『戦略マップ：バランスト・スコアカードの新・戦略実行フレームワーク』ランダムハウス講談社、2005年、pp.257-317）。

(8) キーコープの経験については、Kaplan and Norton, *Alignment*, pp.273-277（櫻井通晴、伊藤和憲監訳『BSCによるシナジー戦略』ランダムハウス講談社、2007年、pp.340-344) に初出がある。

第6章 業務の計画
——プロセス改善プログラムへの戦略の落とし込み
Plan Operations: Align Process Improvement Programs

多くの企業は公式のマネジメント・システムを利用せずとも，一時的ではあるが業績を大きく躍進してきた。カリスマ的なリーダーシップとマネジメント技法が強力かつ効果的な影響を及ぼすからである。しかしながら，業績が個々のリーダーの能力に依存している場合，一般に長続きしない。戦略をガバナンスと業務のプロセスに結びつけない限り，企業は成功を持続することができない。
　図表 6-1 は，包括的で循環的なマネジメント・システムのなかで戦略を業

図表6-1

マネジメント・システム：戦略と業務の連結

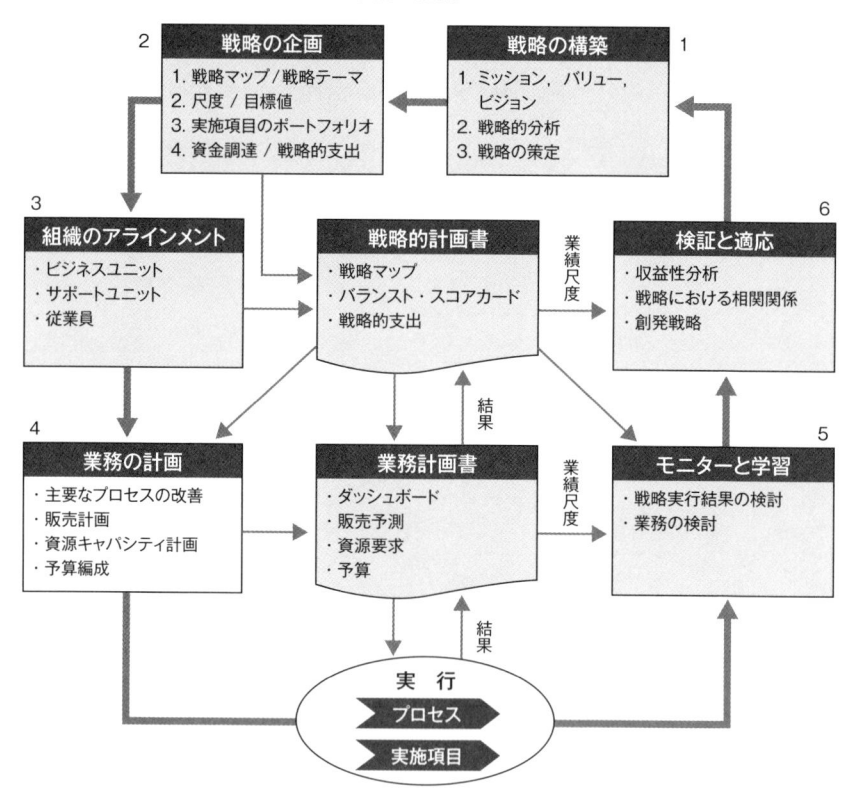

2　戦略の企画
1. 戦略マップ／戦略テーマ
2. 尺度／目標値
3. 実施項目のポートフォリオ
4. 資金調達／戦略的支出

1　戦略の構築
1. ミッション，バリュー，ビジョン
2. 戦略的分析
3. 戦略の策定

3　組織のアラインメント
・ビジネスユニット
・サポートユニット
・従業員

戦略的計画書
・戦略マップ
・バランスト・スコアカード
・戦略的支出

6　検証と適応
・収益性分析
・戦略における相関関係
・創発戦略

業績尺度

4　業務の計画
・主要なプロセスの改善
・販売計画
・資源キャパシティ計画
・予算編成

業務計画書
・ダッシュボード
・販売予測
・資源要求
・予算

5　モニターと学習
・戦略実行結果の検討
・業務の検討

業績尺度

結果

実　行
▶プロセス
▶実施項目

結果

194

図表6-2
業務の計画

戦略実行プロセス	目標	阻害要因	代表的な活動
1. 主要なプロセスの改善 戦略はどのようなビジネスプロセスの変革を必要としているか	戦略テーマが要求する変革が業務プロセスの変革に置き換えられること	戦略的優先事項，品質および継続的改善の各プログラム間のアラインメントがない	・TQM ・ビジネスプロセスの改善 ・重要成功要因 ・KPI/ダッシュボード
2. 資源キャパシティ計画の作成 戦略を業務計画書と予算にどのように結びつけるか	資源キャパシティ，業務計画書と予算が戦略の方向性とニーズを反映していること	予測，予算および業務計画書が戦略的計画書と関係なく作成される	・ローリング予測 ・活動基準原価計算モデル ・資源計画 ・予算（業務費用，資本支出） ・見積財務諸表

務と結びつけるプロセスがどのように位置づけられるかを示している。図表6-2では，戦略と業務を関連づけるために利用される重要な2つのサブプロセスが記述されている。第1のサブプロセスでは，ビジネス・プロセスの改善を戦略的優先事項と結びつけている。第2のサブプロセスでは，戦略を戦略的計画書の実行に必要な資源キャパシティの予測と業務資源と資本資源の消費の予測に結びつける。

本章ではプロセス改善と戦略のリンケージについて述べる。売上高予測，資源キャパシティ，業務予算，見積損益計算書などからなる業務計画書の作成については，第7章で述べることにする。

重要なプロセスの改善

戦略の実行にあたっては，戦略的実施項目とプロセス改善プログラムを連携して実行する必要がある。第4章で，バランスト・スコアカードの尺度を改善するように設計された戦略的実施項目――短期のプロジェクト（12カ月から18カ月まで）――のポートフォリオを企業が認識し実行する方法を

述べた。本章では，現行のプロセス改善プログラムを戦略目標と連携させる方法を述べる。

バランスト・スコアカードの導入以前から，多くの企業は品質とプロセスの改善プログラムを行ってきた。日本企業は1970年代に，それ以前にデミング，シューハート，ジュランらがもたらした革新の上に築かれたトータル・クオリティ・マネジメント（TQM）訳注1 の有効性を実証した。1980年代には，リーンマネジメント，ジャストインタイム，シックスシグマなどの日本のTQMの西洋版が現れた。

アメリカ連邦議会は1987年にマルコム・ボルドリッジ賞を制定した。1988年には，ヨーロッパの先進企業のあいだでヨーロッパ品質管理財団（EFQM）が設立された。EFQMはヨーロッパ品質賞に対してボルドリッジ賞と同様の審査規準を適用したモデルを作成した。1990年代初めには，リエンジニアリング運動がバランスト・スコアカードの導入と同時期に起こった。1990年代の初めまでに，ほとんどすべての企業がヨーロッパ品質賞やリエンジニアリング運動などにもとづいて展開された品質とプロセスの改善活動を実施していた。

企業は複数のプロセス・マネジメントのプログラムを強化し連携させるために，戦略マップとバランスト・スコアカードの戦略目標を利用することができる。品質管理モデルだけでは部分的で，効果が限定された，関連づけられていないプロセス改善に焦点を当てることになる。ベスト・プラクティスに達していないと見なされたプロセスに，品質資源が重点的に投入される。しかしながら，この資源配分は戦略的優先事項とは関係なく行われる。BSCであれば，品質とプロセスの改善から顧客と株主にとってのよい結果につながるような因果関係が明確になる。戦略マップ上の因果関係とバランスト・スコアカード上の戦略目標が，戦略をうまく実行するために最も重要となるプロセス改善を明らかにする。すでに順調に稼働している不可欠なプロセスの改善から，戦略を実行するうえで最も重要なプロセスにヒトやカネの希少資源を再配置するために企業が必要としている指針を，BSCは提供

訳注1 ｜ 当時は，TQC（Total Quality Control：総合的品質管理）と呼ばれていた。

してくれる。

　ある経営幹部が次のように述べていた。「BSCはTQM活動に向けて一致団結させ，年次計画と長期計画の作成にも集中させる。わが社には多くのチームがあり，多くの仕事を行っている。しかし，TQM活動はその場限りで終わっていた。BSCは一元管理された体系的な活動に全員を参加させた。われわれは責任を部門に割り振るにあたって，ある枠組みのなかで行ったのである。」

　品質とプロセスの改善プログラムを戦略と連携させるためには，戦略の中核である価値提案からはじめるべきである。たとえば，低コストの価値提案を顧客に提供する会社ではコスト低減や品質改善に重点的に取り組んだり，サプライチェーン，製造プロセス，流通プロセス，サービス提供プロセスなどのサイクルタイムの短縮にも焦点を当てたりしている。完全なソリューションと関係性の提供に集中する会社では顧客ニーズを分析し，顧客が抱える問題に完全なソリューションを与えるために複数の製品とサービスを組み合わせて販売するなどして，ターゲット顧客を選別し関係を深めるプロセスの改善に的を絞る。イノベーション戦略をとる会社では，イノベーション・プロセスと製品開発プロセスの改善に集中して取り組んだならば，プロセス改善にかかった支出に対して最大のリターンを得ることができる。

重要なプロセス・マネジメントの事例：ローコスト航空

　ローコスト航空の状況を考えてみよう。ローコスト社は，図表6-3に図示したような業務の卓越性という戦略テーマを持つ，ごく普通の割安の航空会社である。戦略テーマの上位にある財務尺度は純利益と資産利益率（ROA）である。ローコスト社はまた，上位の財務指標に作用する2つの財務指標——収益増大と資産の有効活用（航空機数をできるだけ抑えた運航）——を明らかにしている。ローコスト社が航空機と乗務員の利用度を向上できれば，高価な資源に現在以上にお金をかけなくても高収益をあげることができる。

　戦略テーマの顧客の視点は，航空業界において低価格と定時発着を乗客に提供するというローコスト社の価値提案を表している。ローコスト社は業界

図表6-3

ローコスト航空の業務の卓越性の戦略テーマ

戦略マップ		バランスト・スコアカード	
テーマ：業務の卓越性	戦略目標	尺度	目標値
利益とRONA*　←　収益増大　少数の航空機	・収益性向上 ・収益増大 ・少数の航空機	・市場価値 ・座席の収益 ・機体のリース費用	・年成長率30% ・年成長率20% ・年成長率5%
より多くの顧客の誘因と維持　←　定刻の発着　最低の価格	・定刻の発着 ・最低の価格 ・より多くの顧客を誘引し維持する	・連邦航空局定刻到着評価 ・顧客のランキング ・リピート客数 ・顧客数	・第1位 ・第1位 ・70% ・毎年12%の増加
地上での迅速なターンアラウンド	・地上での迅速なターンアラウンド	・地上滞在時間 ・定刻出発	・30分 ・90%
地上係員の方向付け	・地上係員の戦略への方向付け	・地上係員の持ち株者数の割合 ・戦略意識	・100% ・100%
戦略的システム係員の配置　戦略的な業務駐機場係員	・必要なスキルの開発 ・支援システムの開発	・戦略的業務のレディネス ・情報システムの利用可能性	・1年目70% ・2年目90% ・3年目100% ・100%

＊純資産利益率

のベスト・プラクティスに対して自社の価格，定時発着の達成率をベンチマークすることによって顧客の視点の戦略目標を測定する。

　ターンアラウンド時間[訳注2]の短縮は業務の卓越性という戦略テーマにとって重要なプロセスの視点の戦略目標である。ローコスト社はこの重要なプロセスの視点の戦略目標に対して2つの尺度を用いている。それは，航空機がフライトの合間で地上に滞在している平均時間と，定刻どおりに搭乗

　訳注2｜ある航空機が空港に着陸してから，次の目的地へ向けて離陸するまでの時間のこと。

ゲートを出発する航空便の割合である。航空機が地上に滞在している時間を短縮することによって，ローコスト社は（重要な顧客の期待に沿うように）航空機を定時に出発でき，航空機と乗務員という最も高価な資源を有効に利用することができる。こうして，ローコスト社は業界で最も低価格（重要な財務目標）であっても利益をあげることができた。ローコスト社の戦略テーマの学習と成長の視点には，航空機が早く地上から飛び立てるように地上勤務員を訓練してモチベーションを高めるという戦略目標がある。それはまるでインディ500でレーシングカーのタイヤ4本を15秒足らずで交換できるピットクルーの訓練のようである。

すでに述べたように，ローコスト社の業務プロセスの視点の重大な戦略目標はターンアラウンド時間の短縮である。TQMと学習マネジメント運動の用語を用いれば，航空機が地上に滞在している時間は機械の段取時間と同様に"無駄"である。飛行機が地上にある航空会社に支払う人はいない。飛行機が飛んで，ある場所から別の場所へ乗客と積荷を輸送するときにだけ，航空会社は顧客に価値を付加しているのである。

また，第2章でも述べたように，ローコスト社のような航空会社は他の航空会社だけでなく，バス，鉄道，自動車などの交通機関とも競争している。自社の戦略を成功させたいのであれば，ローコスト社は他の交通機関に匹敵する価格と定時航行の信頼性を提供しなければならない。ローコスト社が(1)航空業界で最も安い価格を提供しながらも利益をあげて，(2)自動車，バス，鉄道の定時運行の信頼性に対抗するには，あらゆる無駄も排除しなければならない。ローコスト社の戦略には明らかに，短時間のターンアラウンドと定時出発のためのプロセスが業界トップである必要がある。

ローコスト社は期待される業界トップのサービスを提供するために集中してプロセスを改善することに決定した。ターンアラウンド時間は従業員らによって同時に行われる3つのプロセスのうち最も時間のかかるプロセスで決まる。

1. 乗客を降ろして，清掃し，搭乗するプロセス
2. 手荷物を降ろして，積み込むプロセス
3. 地上での整備と燃料補給のプロセス

到着した乗客と手荷物が降ろされ，機体が清掃・整備され，次のフライトのために食事が用意され，出発便の乗務員と乗客全員が機内に乗り込み，乗客の手荷物が積み込まれ，燃料を補給し，機械上の飛行準備完了が宣言されるまで，航空機は次の出発に向けて搭乗ゲートを離れることができない。現在の業界平均である 50 分以上から目標レベルの 30 分にターンアラウンド時間を短縮するために，上述の 3 つのすべてのプロセスが劇的に改善されなければならない。

　図表 6-4 は，乗客を降ろして，清掃し，搭乗する，という最初の 3 つのターンアラウンド・プロセスを簡単に分解したものである。このプロセスは到着した乗客が飛行機から降りるところからはじまる。その後，地上勤務員が機内を清掃し，食事を用意する。最後に，新たな乗客と乗務員が出発便に乗り込む。

　分析から明らかになったことは，このプロセス改善が確実に実行されれば現行の遅延と無駄が排除されるので，ターンアラウンドの 3 つのサブプロセスの最初のプロセスに設定された高い目標を十分に達成できることである。同様の分析がターンアラウンドの他の 2 つのサブプロセスに対しても行うことができる。既存プロセスの継続的改善によって期待される時間枠内に目標が達成できないなら，会社はプロセスを完全に再構築することを考えるだろう。これは事実上，業績目標を達成するために，まったく新しいプロセスを設計することである。

改善のための戦略プロセスの識別

　既存プロセスの改善のほかに，戦略マップを新規に作成することによって，当該企業が卓越しなければならないまったく新しいプロセスを識別することができる。たとえば，ある建設会社では業務の卓越性による低コスト戦略から顧客関係性重視の差別化戦略にシフトした。このような戦略を成功させるために新しいプロセス，すなわち将来のニーズに先んじて手を打つためにターゲット顧客と密接な関係を築く必要があった。その会社では，このような顧客との関係を築くプロセスをこれまで行わずにきた。従来は顧客がプロジェクトの入札を募るまで対応することなく待っているだけだった。現在

図表6-4

プロセス改善は業績ギャップを埋められるか？

地上での折り返し活動	ターンアラウンド時間		プロセス改善
	ステップ別の分数の現状	ステップ別の分数のベストプラクティス	
航空機のドア開放までの待ち時間	3:16	0:00	A. 地上係員が航空機到着時間，すなわち搭乗ブリッジに航空機が着くまでの待ち時間を予想する
乗客の降機	6:41	4:38	
清掃員の搭乗待ち時間	0:24	0:18	B. 機内に持ち込むバッグの取り締まりを強化して，バッグを見つけるために通路へ戻ってくる乗客を減らす
航空機の清掃	10:48	7:40	
客室乗務員の搭乗待ち時間	4:11	0:00	C. 定刻より早く清掃員が位置に就く
最初の乗客が搭乗するまでの待ち時間	4:06	0:00	D. 事前に整理されている道具箱のように，ワークフロー，タイミング，手法を標準化する
乗客の搭乗	17:32	14:00	E. 航空機の搭乗準備時の客室乗務員から地上係員への信号を見やすくする
乗客情報リストの待ち時間	1:58	0:13	F. 航空機搭乗員が頭上収納棚を積極的にマネジメントする
航空機のドアの閉止	0:57	0:09	G. 乗客情報リストが最後に搭乗する乗客へ付き添う地上係員から提供される
昇降台の切り離し	1:39	0:43	H. 地上係員が航空機でドアを閉める準備をする
総サイクルタイム	51:34	27:41	

では，将来のニーズを理解し先手を打つためにターゲット顧客と長期にわたり信頼し合う関係を築く新しいプロセスで他社に勝っていなければならないことを十分に理解している。

　同様に，ある金融サービス会社では現場の社員が受身で取引処理するのではなく，先を見越して財務計画を立てる必要があった。このような行動を導くために品質スコアモデルを使うだけでも，従業員は顧客との取引に素早

く，うまく対応し，間違えずに処理することで高得点をあげることができた。しかし，このプロセスは間もなく自動化されるので，もはや新たな顧客関係戦略には重要ではなくなった。その代わりに従業員は，以下のまったく新しいプロセスで他社に勝っている必要がでてきた。

- ・顧客の新たな財務ニーズを先取りし理解するプロセス
- ・新しい金融商品・サービスの知識を広く深く身につけるプロセス
- ・顧客一人ひとりに合わせて商品・サービスをカスタマイズし販売する能力を高めるプロセス

この建設会社や金融サービス会社では，バランスト・スコアカードによって新しいプロセスの重要性が認識されたので，プロセスの業績を設計し向上させるために最善の改善チームを配置することができた。

品質とプロセスの改善プロジェクトは，企業の戦略目標に結びつけて選択したときに最も高い成果が得られる。現場のプロセスやビジネスエクセレンス・モデルにもとづいた品質スコアを改善するように設計された品質プログラムは申し分ない。一般に，より多くのプロセスが改善され，より早くより安くなれば，会社はよりよい状態になる。しかし，いくつもの現場のプロセスをより早く，より安く改善したとしても，戦略は実行されない。企業が自社の戦略を成功させるためには，最も貢献するプロセスの改善に力を入れなければならない。

戦略的なプロセスと不可欠なプロセス

図表6-5は，プロセス改善とバランスト・スコアカード上の戦略的優先事項との関連性を説明する2×2の分割表を示している。縦列は，たとえばEFQM（ヨーロッパ品質管理財団）またはボルドリッジ賞のプロセス卓越規準に照らして企業の既存プロセスを"卓越"であるか，それとも"要改善"であるかに分類している。横列は，バランスト・スコアカード上で戦略的と識別された——自社の戦略の差別化に貢献している——プロセスと，不可欠なプロセス，すなわち戦略的な差異を生み出すことはないが会社の成功に必要なプロセスを区別している。

戦略的なプロセスではなく不可欠なプロセスの例として，給与処理，毎期

図表6-5
品質保証とバランスト・スコアカードの利用

バランスト・スコアカードによる評価	プロセスの区分	
戦略的	卓越した品質レベルまでの改善	高品質レベルの維持
不可欠	許容できる最低限の品質レベルまでの改善	現行の投資を縮小する可能性
	要改善	卓越
	品質の評価	

の決算,施設などの基本的な維持管理,グラウンド整備,警備,電話システムとコンピュータ・ネットワークの運用がある。会社は給与を支払うべき従業員,遅れず正確に締め切られる帳簿,清掃・整備・警備される施設,電話システムとコンピュータ・ネットワークの業務が必要である。しかし,これらの不可欠なプロセスのいずれかが世界で一番であったとしても,革新的な製品も,顧客に対して差別化された経験も,あるいは財務業績を向上させる生産性のブレークスルーも生み出すことはない。

不可欠なプロセスは人間の生命プロセス,たとえば体温,血圧,心拍数を決定するプロセスに似ている。生命プロセスのいずれかが不安定であるかコントロールできないなら,人体は機能できず,すぐに是正措置がとられなければならない。しかし,体温,血圧,心拍数をうまくコントロールしている人であっても,自分が選んだ職業で長く成功するために必要な状況を作り出しているとはいえない。

図表6-5の左下には,いまはまだ業績不振の不可欠な(非戦略的な)プロセスがある。企業はこのようなプロセスを改善するために資源を競争レベルまで投入するか,あるいは少なくとも当該業務活動が戦略をうまく実行できるレベルになるまで投入する必要がある。図表6-5を左回りに進み右下の枠は,現在のところきわめて順調に行われている非戦略的なプロセスを示して

いる。会社は現在の業務活動を維持するように努力すべきであるが，すでに満足なレベルにあるので，これらのプロセスから品質改善に必要な資源を引き揚げることも考えることができる。

　右上の枠は，現在のところきわめて順調に実行されている戦略的なプロセスを示している。会社はこれらのプロセスでの成功を祝い，これらのプロセスを継続的に改善するために一定量の品質資源を持続するのではなく，場合によっては，それらを減らすことができるかもしれない。品質の専門家のなかには，品質改善は自転車を漕ぐようなものであり，漕ぎ続けなければ倒れてしまうという者もいる。

　左上の枠は，経営者にとって重大な関心事となる。この枠のプロセスは，戦略をうまく実行するためには重要であると認識されてきたが，現在のところ十分に実行されていないか，あるいは少なくとも現在のところ実績が目標としているレベルにはほど遠い。重要な資源，シックスシグマのブラックベルト，経営者の注意が振り向けられなければならないのは，この領域である。これらのプロセスが業界で最高レベルの業績に改善されないなら，会社は顧客に独特な価値提案も財務目標を満たすための生産性改善もできそうにない。

　図表6-5にある2×2の分割表の上記のような分析は，品質の専門家がかつて教えてくれた次のようなことを図示している。「品質（シックスシグマ）は魚を釣る**方法**を教えてくれる。バランスト・スコアカードは魚が釣れる**場所**を教えてくれる。」

　戦略的なプロセスはバランスト・スコアカードのプロセスの視点で取り上げられるので，（第8章で述べられるように）月に1度の戦略検討会議で上級経営者から継続的に検討され，注意が払われる。このような検討は，ロバート・サイモンズが会社の**インタラクティブ・システム**と呼んでいるものの重要な構成要素である。すなわち，経営者が定期的かつ個人的に用いるシステムが部下の意思決定活動に関係している[1]。

　不可欠なプロセス——図表6-5の下段に分類されるプロセス——の実績も重要である。企業は，戦略的なプロセスであっても不可欠なプロセスであっても，プロセスを改善して便益を享受している。不可欠なプロセスの実績に

関する報告とフィードバックがサイモンズの**診断的システム**のなかにある。経営者は従業員に対して現場の明確な業績目標を設定し，不可欠なプロセスの業績が設定されたコントロールの限界（高過ぎたり，低過ぎたりする血圧または体温に似ている）から外れたときに，システムが警告を発しない限りは介入しない。このように，診断的システムは**例外による管理**を行って経営者の注意を節約する。

いくつかの企業が，バランスト・スコアカードのプロセスの視点にある戦略目標を品質改善活動に結びつけるよい実例を提供してくれる。

戦略と品質を連結するケーススタディ：インフォメーション・コミュニケーション・モバイル

携帯電話とネットワークの製造業者であるインフォメーション・コミュニケーション・モバイル（ICM）は，品質改善プログラムを戦略的優先事項と連携する全般的なアプローチを採用した。携帯電話市場は高成長し，急速に変化していた。ICMは毎四半期に新たな主要な携帯電話を導入して，新製品を迅速に上市し，顧客要求に即座に応答し，グローバルに拡大して規模の経済を達成しなければならなかった。

ICMは3つのコアとなるC to C[訳注3]プロセス周辺の業務を組織化した。すなわち，「市場へのアイディア（イノベーション）」，「キャッシュ対応（業務）」，「問題解決（顧客管理）」である。そこには戦略，人事，財務という支援プロセスも含まれていた。同社のバランスト・スコアカードの目標はイノベーション，スピード，量的拡大という3つのきわめて重要な戦略テーマを反映していた。

ICMは3つのテーマに関わるBSCのビジネスユニットの目標を第一線の従業員が取り扱う業務目標へと落とし込むためにキャッチボール・プロセス（図表6-6参照）を用いた。**キャッチボール**とは，従業員が自らの上司と部下との間で双方向の話し合いを行う日本の**方針管理**の方針展開プロセスの一つの要素である。このような話し合いを通して，従業員は上司の目標値を支

訳注3 | customer（消費者）対customer（消費者）。B（business；企業）to Cと対比される。

図表6-6

バランスト・スコアカードでのキャッチボール・プロセスの利用

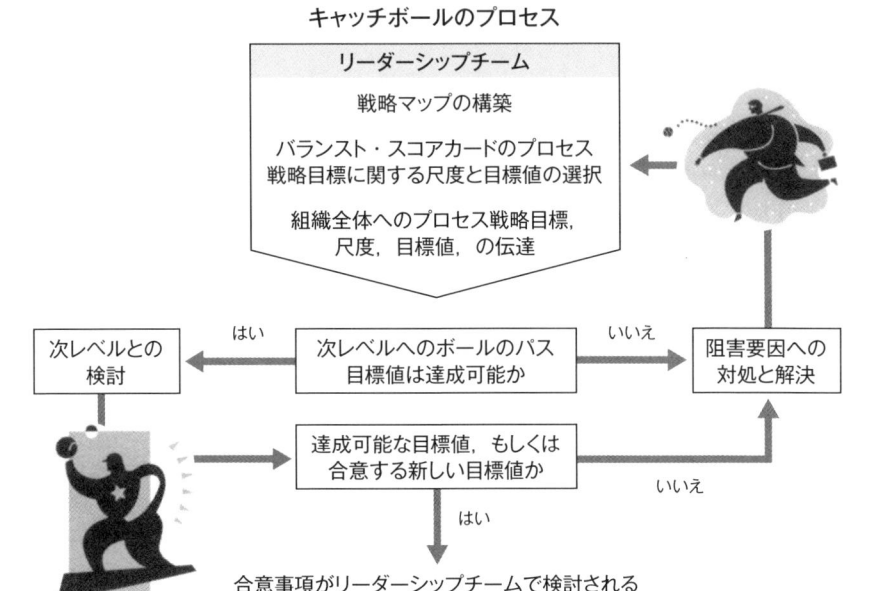

キャッチボールのプロセス

```
            ┌─────────────────────────────┐
            │      リーダーシップチーム       │
            │                             │
            │      戦略マップの構築          │
            │                             │
            │  バランスト・スコアカードのプロセス  │
            │  戦略目標に関する尺度と目標値の選択 │
            │                             │
            │  組織全体へのプロセス戦略目標,    │
            │     尺度,目標値,の伝達        │
            └─────────────────────────────┘
```

```
┌──────────┐  はい  ┌───────────────┐  いいえ  ┌──────────┐
│次レベルとの│ ←──── │次レベルへのボールのパス│ ────→ │阻害要因への│
│  検討    │       │ 目標値は達成可能か  │       │対処と解決 │
└──────────┘       └───────────────┘       └──────────┘
                          │                         ↑
                          ↓                         │
                  ┌───────────────┐  いいえ          │
                  │達成可能な目標値,もしくは│ ─────────┘
                  │  合意する新しい目標値か │
                  └───────────────┘
                          │ はい
                          ↓
              合意事項がリーダーシップチームで検討される
                 実行し,結果を測定し,報告する
```

援する目標値を設定するが,これらの目標値は部下のレベルで設定した目標値の成果でもある。

　ICMの上級経営者は事業部のバランスト・スコアカードを明らかにし,すべてのビジネスユニットに戦略目標を伝達することからキャッチボール・プロセスをはじめた。各ビジネスユニットは,事業部の戦略目標を達成する目標値を設定した。ビジネスユニットよりも下位の階層では,キャッチボール・プロセスによってビジネスユニットの目標と責任を部門レベルの業務上の目標との結びつきが続けられた。それから,部門の目標値は現場のシックスシグマ・プロジェクト・チームの目標値に変換されるところまで,うまく落とし込まれた。

たとえば，エンドユーザーの消費者が簡単に素早く購入するという BSC 上の目標によって表される，キャッシュ対応のビジネス・プロセスを取り上げてみよう。キャッチボールのメカニズムが消費者事業を対象とするグループから，時間厳守の配送を改善し，受注リードタイムを短縮するという2つのキャッチボール目標を受け入れた携帯電話製造工場へと目標を落とし込んだ。キャッチボール・プロセスは，この工場全体の目標をさまざまな機能部門へと落とし込んだ。それらの1つが購買部門であり，補充時間を短縮するためにシックスシグマ・プロジェクトを設置するという目標を設定した。このように，わかりやすくて迅速な顧客受注プロセスに関わる BSC の目標が，いまや購入材料の補充時間を短縮するために第一線の作業チームのプロジェクトに結びつけられた。

　問題解決のビジネス・プロセスでのもう一つの BSC 目標は，品質コストの文献から引用した用語である不適合品質コスト（nonconformance cost；NCC）を削減することであった。NCC とは，品質管理の分野における不良品への対応と補修のコストである。BSC プロジェクト・チームは，製造部門と設計部門に NCC の削減という高いレベルの目標を落とし込んだ。技術と設計のプロジェクト・チームは，欠陥のあるバッテリー・コネクターが失敗の割合が高くなる原因であることを発見した。プロジェクト・チームは，携帯電話の充電端子を改良するというキャッチボール目標を受け入れて，この問題を解決するためにシックスシグマ・プロジェクトを開始した。

　ICM での落とし込みプロセスによって，企業の戦略の中核プロセスに最も大きな影響を及ぼしたプロジェクトにすべての部門と従業員を集中させた。また，すべての部門と従業員を企業の目標に方向づけた。従業員はビジネスユニット（究極的には企業）の目標にいかに貢献したかを学習した。

　3つ目の例として，顧客の不満を迅速で手際よく解決するために，ICM の問題解決に関するビジネス・プロセスの BSC 目標を考えてみよう。ICM は顧客の不満を解消するのに必要な時間を短縮するために，スタッフとお金を割り当て，この目標の業績を測定する評価指標を設定した。しかし，その分野で持ち上がった問題を解決するのは，たとえうまく行えたとしてもコストがかかる。ICM はまた，繰り返し発生する顧客不満足の問題を市場へのア

イディアというビジネス・プロセスに移行した。そのプロセスの担当責任者は，繰り返し発生する失敗の根本原因を排除するために「シックスシグマに関わる設計」プロジェクトを立ち上げた。ICM は，設計を改良してもっと頑丈にすれば，欠陥が見つかってから顧客の不満足を解決する時間を短縮するよりもよりいっそう効果的な解決法であることを理解した。

ICM は NCC を引き下げるために BSC レベルの目標値を 3 つの主要なビジネス・プロセスのそれぞれの目標値に変換した。この変換によって，すぐに 40 個以上のシックスシグマ・プロジェクトが導入された。1 年以内で，その事業部は 50 以上のプロジェクトを完了し，また，プロジェクト当り平均 15 万ポンドの原価節約を実現した。

ICM は自社のシックスシグマ・プロジェクトを他社のプロジェクトとベンチマークしてみると，自社の平均的なプロジェクト投資回収率が最も高いことがわかった。品質改善プロジェクトを自社で最大の便益を生み出した分野へ向けるためにバランスト・スコアカードが用いられた。

ケーススタディ：タイ・カーボンブラック，モトローラ GEMS，モビスター社（現オレンジ）

タイ・カーボンブラック社（TCB）は世界最大のカーボン製造業者の 1 つであり，顧客の間ではトップテンのタイヤメーカーの 6 番目として知られている。TCB の戦略は世界のカーボンブラックのなかで最も低コストの製造業者となることであった。自社の戦略を明らかにし，図に描くためにバランスト・スコアカードを作成した。バランスト・スコアカードの財務の視点には，製造原価を引き下げる重要な目標を設定した。顧客の視点には，品質を向上し納期を短縮化する目標がある。もちろん，プロセスの視点では継続的プロセス改善が強調された。

ICM と同様に TCB でも，バランスト・スコアカードを TQM および方針管理の方法論と統合した。TCB における方針管理のキャッチボール・プロセスで，部門長は BSC 尺度をそのユニットにとって適切な尺度に転換し，次に，それらの尺度をキャッチボールを通して各部門内の次の組織階層に落とし込み，さらに監督者や現場の従業員によるプロジェクト・チームに落と

し込んだ。それぞれの落とし込みの段階で経営者と直属の部下との間で尺度と目標値について合意するために，双方向のコミュニケーションを利用した。このシステマティックな落とし込みプロセスによって，会社全体の整合性が構築された。「製造原価の低減」といったある階層の集約尺度は，次の階層の「潤滑油の消費削減」といった，より個別的な尺度となる。

タイ・カーボンブラックのプロセス改善による戦略への方向づけは，以下に示すように，戦略実行のプレミアムを獲得するうえでかなり貢献した。

タイ・カーボンブラックにおける戦略実行のプレミアム

- TCBの売上高総利益率（ほぼ25%）は同じ業種の競争業者より12〜15%高い。
- 2007年の純資産利益率は16.7%に増加した。
- 2007年に，TCBは原価改善によって200万ポンドの原価節約が実現した。
- 工場全体の設備効率は2007年に97.2%に達した。
- 2003年にヒューイット・アソシエーツはTCBをタイの最優秀企業であり，アジア全体のなかで上位5位に入ると判断した。
- 2000年から2006年で従業員満足度は，23%から92%に上昇した。

モトローラGEMSは数年間にわたって，ボルドリッジ規準を適用した継続的改善活動を組織化するための業績卓越規準モデルを利用し，業界で最高のプロセスと結果を実現させた。ところが内部評価によって，戦略と事業計画のプロセスで欠点があることがわかった。

ボルドリッジ賞を受賞した企業が使用した先端的な実務についてベンチマーキングしてから，GEMSはシックスシグマと継続的改善活動に対して体系化されたフレームワークを与えるためにバランスト・スコアカードを採用した。数人のシックスシグマのマスター・ブラックベルトを含めて，いろ

いろな地域，製品グループ，機能，支援分野から 22 人のメンバーによる業績測定会議を設置した。そのグループは，GEMS の戦略のために戦略マップ，バランスト・スコアカード，(「デジタル・コックピット」と呼ばれる)報告システムを構築した。

BSC の学習と成長の視点の目標の一つは，「シックスシグマを機能させる」ことであった。この目標では，顧客満足，品質，営業利益，営業キャッシュフロー，戦略的な売上げ増加などのような高いレベルのスコアカードの目標に及ぼす潜在的な影響にもとづいて，すべてのシックスシグマ・プロジェクトを評価させた。モトローラ GEMS は，既存のプログラムを戦略的優先事項に方向づけるためにバランスト・スコアカードを用いることによって多くの新しい便益を獲得した，高度に発展したシックスシグマと業績卓越規準プログラムを導入した企業の優れた例である。2003 年に，モトローラ GEMS はマルコム・ボルドリッジ国家品質賞を受賞した。同社の戦略実行のプレミアムは以下に示すとおりである。

モトローラ GEMS における戦略実行のプレミアム

- 純資産利益率は 2001 年の約 16％から 2004 年の 137％に急伸した。
- 2002 年から 2004 年で，売上高は年間 11％増加し，GAAP の売上高営業利益率は 8.7％から 16.4％に上昇した。
- マーケットシェアは次の順位の競争業者の 2 倍である。
- 事業部のコールセンターは，世界レベルの業績結果となった。
- 従業員の業務満足度，戦略の認知，自らが貢献する役割の理解度は 2001 年から大幅に増加した。

ベルギーのモバイル通信の先進企業（現在はオレンジグループの子会社）であるモビスターは，1996 年にモバイル通信のためのグローバルシステム事業をはじめた[2]。創業からモビスターはマネジメント・システムとして

EFQM の業績卓越規準モデルを採用した。イノベーションと顧客サービスに集中したモビスターは，初期に急速な成長を遂げた。

モトローラ GEMS のように，モビスターはたくさんの卓越した現場レベルのプロセス改善に関わる実施項目を導入したが，現場を戦略へと方向づけるメカニズムを欠いていることが間もなく判明した。モビスターは，バランスト・スコアカードを採用し，既存のマネジメント・プロセスと統合した。それは「モビスター連携スコアカード」を指す頭文字から MASC としたが，これはまた「測定可能，達成可能，簡単，具体的（measurable, achievable, simple, concrete）」の頭文字でもある。

モビスターはそのスコアカードを自社の文化に合わせてカスタマイズし，たとえば「プロセス」の視点でなく，この視点を EFQM の業績卓越規準モデルによる業績結果（成果）の先行指標（ドライバー）と関連づけるイネーブラーという用語を用いた。サプライヤーと外部のパートナーとの関係性を管理することの重要性を強調するために「パートナー」の視点を追加し，また CSR（企業の社会的責任）を企業の事業目的と統合するために EFQM の目標を組み込む「社会」の視点を追加した。さらに，モビスターは，同社の戦略へと方向づける個々の従業員の目標を特定するために，使いこなした既存の MBO（目標管理）プロセスを適用して「学習と成長」の視点を「目標による管理」という視点に取り替えた。

モビスターにおける戦略実行のプレミアムは以下に示すとおりである。

モビスターにおける戦略実行のプレミアム

- ダウ・ジョーンズのテレコム指数によれば，モビスターの株価は同業者よりは一貫して優れており，2002 年に最高の業績となった。
- モビスターはブリュッセル証券取引所の先進企業として 2002 年 11 月からベル 20 総合指数に含められてきた。
- モビスターは売上高営業費用率が 70% 削減され，2003 年には 30% になった。
- 競争業者による挑戦的な行動にしばしば拍車がかかるような急速に

> 成長する激動の市場の下で、モビスターはBSCによって一貫して戦略的に集中するようになった。
> ・モビスターは競争業者の顧客を追い求めるのに成功して、加入者を劇的に増加した。2002年10月から2004年3月までだけで7万1500人の加入者が増加したが、同時期に競争業者は8万6600人を失った。

　タイ・カーボンブラック、モトローラ GEMS、モビスターの3つのケースから、これらの企業ではすでに強力な品質管理プログラムがあった。しかし、関連づけられずに孤立した現場のプロセス改善を継続して実施するために品質管理プログラムを利用し続けるのではなく、事業の戦略目標と企業の戦略目標を一致させることに最も大きな影響を及ぼすプロセスの業績改善に重点的に取り組み、連携をとるためにバランスト・スコアカードを適用した。

プロセス・マネジメントの優先順位の設定

　強力な全社的品質管理（TQM）の文化のない会社がプロセス・マネジメントを戦略と連携させる前に、TQM文化を植えつける必要はない。バランスト・スコアカードのフレームワークでは、戦略をうまく実行するために最も重要なプロセスを取り上げる。BSCのフレームワークを利用できるようにするために、重要なプロセスの改善を後押しする学習と成長の視点の戦略目標と同様に、会社は戦略マップに示される重要なプロセスの目標の達成に集中することができる。
　南アメリカのコンサルティング会社であるシネティックス社はプロセス・マネジメントを戦略目標に結びつける公式の手法を開発した[3]。その手法は、既存の顧客価値提案を提案された顧客価値提案と比較することからはじめた。顧客ニーズに合わせてフル・サービスを提供するような新しい戦略を実行するために、バランスト・スコアカードを適用する会社を考えてみよ

図表6-7　プロセス・マネジメントとBSCの戦略的なプロセスとのリンク

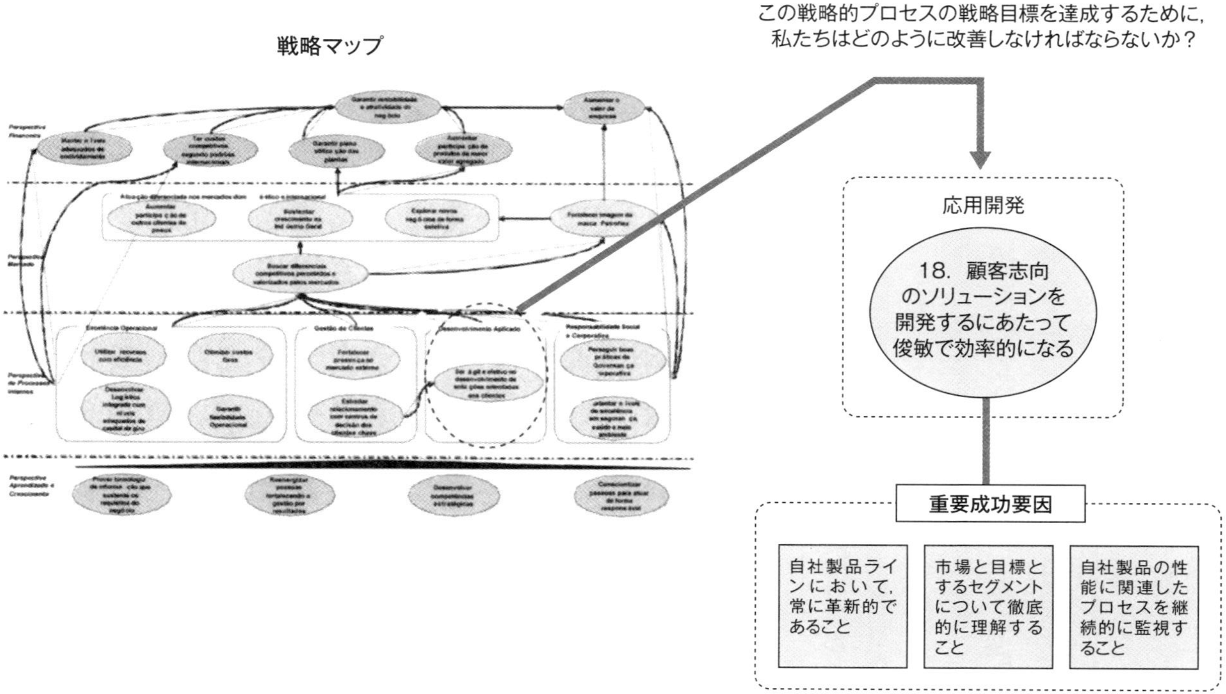

この戦略的プロセスの戦略目標を達成するために、私たちはどのように改善しなければならないか？

応用開発

18. 顧客志向のソリューションを開発するにあたって俊敏で効率的になる

重要成功要因

- 自社製品の性能に関連したプロセスを継続的に監視すること
- 市場と目標とするセグメントについて徹底的に理解すること
- 自社製品ラインにおいて、常に革新的であること

戦略マップ

第6章　業務の計画——プロセス改善プログラムへの戦略の落とし込み　213

う。それまでの戦略では，会社が低価格と迅速なサービス提供で競争していた。新しい戦略では，会社が新製品と新サービスを迅速に開発・導入し，販売後のメンテナンスサポート・教育指導をする能力を開発する必要がある。その会社は，これまでの戦略を支援するために開発された既存のプロセスに関するケイパビリティと，新たに提供するサービスに必要とされるプロセスの能力とのギャップを認識している。その会社は既存のプロセスを強化し，まったく新しいプロセスを取り入れることによって，この戦略ギャップを埋めなければならない。

　企業は，顧客の視点と財務の視点の目標値の達成を推進する（戦略マップ上の）主要なプロセスの視点の目標を特定することでプロセス・マネジメントへ掘り下げていく（図表6-7参照）。次に，その会社はプロセスの卓越性に作用する重要な業績（プロセス）指標（KPI）を識別する。この例の会社は「顧客志向のソリューションを開発するにあたって俊敏で効率的になる」というBSCのイノベーション・プロセスの目標を選択した。この目標のために，新製品の研究投資額に対して当該製品から得られる利益の割合である研究開発効率指標（RDEI）と，アイディアを発想してから上市されるまでのイノベーション・プロセスのスピード指標である上市スピードという2つの評価指標を規定した（図表6-8参照）。意欲的な3年後の目標値はRDEIを50%まで改善し，上市スピードを55%まで短縮することである。

　BSCの2つの評価指標は成果（または遅行）指標であり，開発にかけたコスト以上のリターンをもたらすような新製品をうまく導入したか，新製品の導入は迅速に行われたかどうかについてのフィードバックを提供する。しかし，設計および開発のプロセスを改善するために，既存のプロジェクトが成功に向かうように動機づけ，追跡するプロセス指標を従業員は必要としている。従業員は製品の導入に成功したかどうかがわかるまで待つことができない。従業員たちは，より同時的な指標を必要としている。

　次のステップで会社は，従業員がプロセスを実行しながら達成するように重要成功要因（CSF）を特定する。会社はCSFを機能させるために，評価指標に加えて，次の3つのCSFを選択する。

図表6-8
BSCのR&D戦略テーマとCSFおよび指標との結びつき

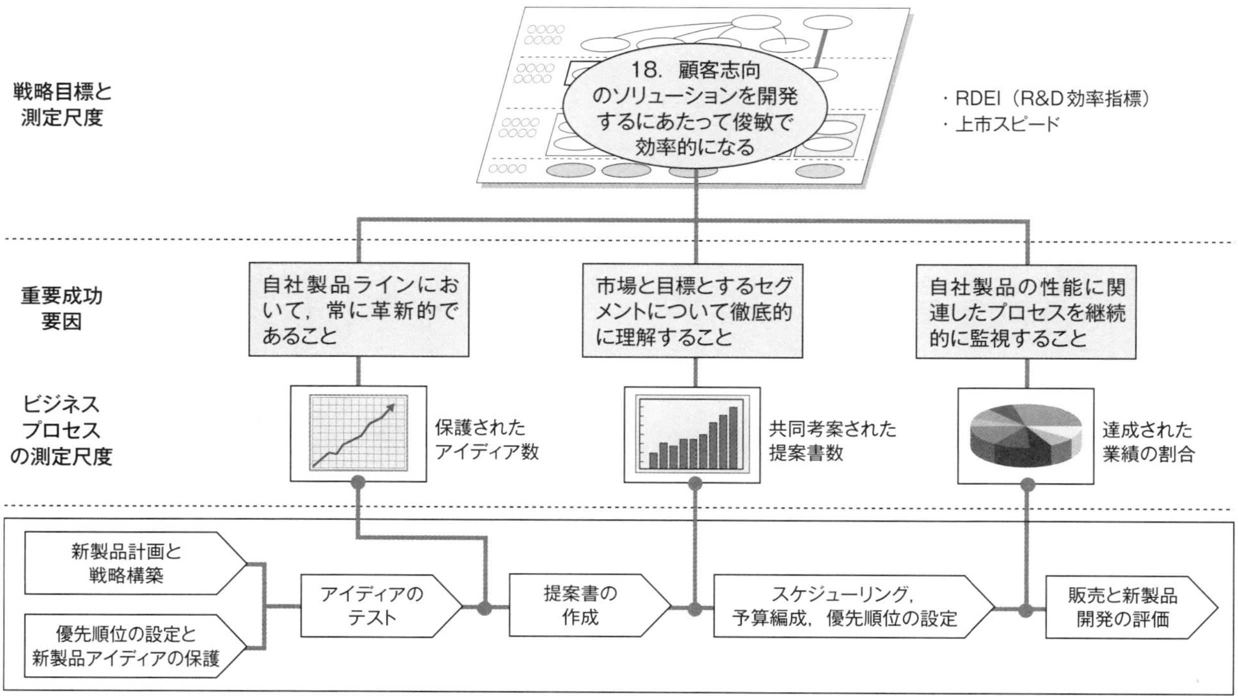

戦略目標と測定尺度

- RDEI（R&D効率指標）
- 上市スピード

18. 顧客志向のソリューションを開発するにあたって俊敏で効率的になる

自社製品ラインにおいて、常に革新的であること

市場と目標とするセグメントについて徹底的に理解すること

自社製品の性能に関連したプロセスを継続的に監視すること

重要成功要因

保護されたアイディア数

共同考案された提案書数

達成された業績の割合

ビジネスプロセスの測定尺度

アイディアのテスト → 提案書の作成 → スケジューリング、予算編成、優先順位の設定 → 販売と新製品開発の評価

新製品計画と戦略構築

優先順位の設定と新製品アイディアの保護

重要成功要因（CSF）	CSF 指標
自社の製品ラインを継続的に革新的にする	保護されたアイディア数
市場と目標とするセグメントについて徹底的に理解する	目標とする顧客と共同で考案した提案件数
製品の業績に関連した継続的な監視プロセスを持つ	新しく導入された製品によって達成された業績の割合

　その評価指標は，先に図表6-8で示したように，アイディアから上市までのイノベーション・プロセス全体におけるサブプロセスの業績の改善をプロセス・ダッシュボード上に表示することができる。ダッシュボードの評価指標は，因果関係によってプロセスを優れたものにする業務上の業績指標である。これらの評価指標は，この場合，R&D部門とビジネスユニット間のサービスレベル・アグリーメント（SLA）の基準として役立てることができる。そのSLAでは，ビジネスユニットの戦略マップにある重要なプロセスで目標とされている業績の実現に，支援部門（R&D）がどのように貢献できるかを明確にしている。

ダッシュボードの利用

　企業は現場の業務ダッシュボードを設計し，作成することによってプロセス改善を強化している。これらのダッシュボードは，現場のプロセスの実績についてフィードバックを提供する重要な指標の集合である。自動化されたダッシュボードはビジネス・インテリジェンスとデータ統合インフラによって，基礎的データの視覚表示が促進される。ダッシュボードがあると，従業員は双方向の分析をするためにデータをより深く掘り下げることができる。すべてのプロセスは体系的な測定尺度と報告から便益を得ているが，ビジネスユニットのバランスト・スコアカードにおけるプロセスの視点にあるプロセスを強調すると，ダッシュボードが最も効果的になる（図表6-9参照）。
　たとえば，本章で先に述べたローコスト航空は乗客の乗降，手荷物の取り扱い，地上整備を担当する従業員に対してダッシュボードを作成すべきである。そのようにして，従業員は継続的なフィードバックを受け，これらのプ

図表6-9

戦略目標とプロセス・ダッシュボードとの結びつき

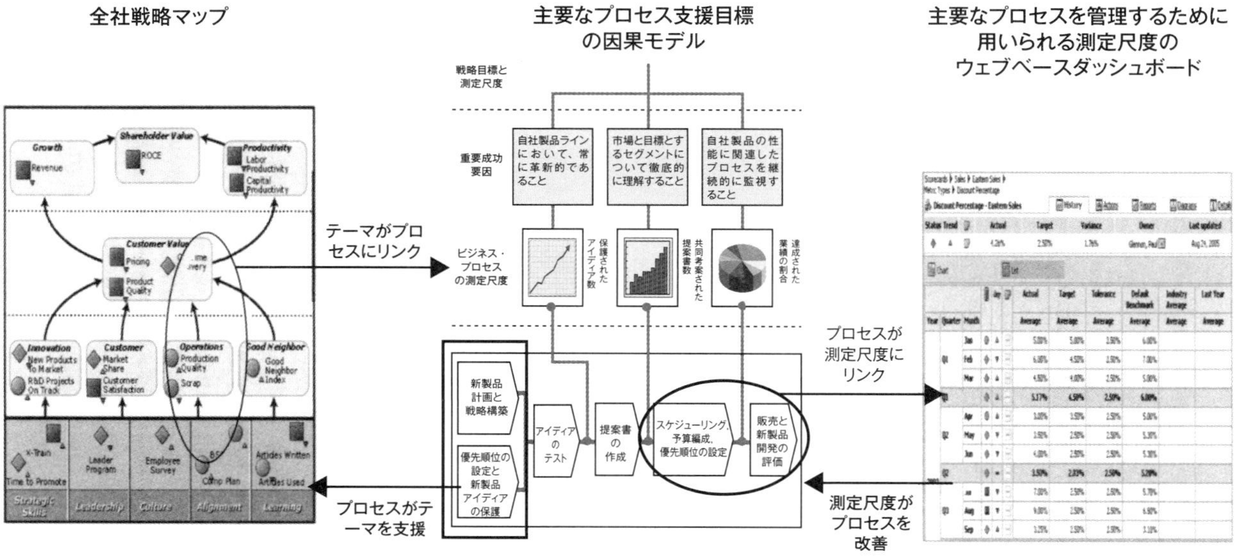

第6章 業務の計画──プロセス改善プログラムへの戦略の落とし込み

ロセス・イノベーションのうち，業務の卓越性という戦略テーマの重要なプロセスであるターンアラウンド時間の短縮に関して大幅かつ確実な改善をもたらすものがどれかがわかるようになる。

ダッシュボードはいくつかの点においてバランスト・スコアカードとは異なる[4]。ダッシュボードは業務に関わるものであって，戦略に関わらない。したがって，ダッシュボードでは，財務指標や顧客指標，あるいは部門の人的資本の構築活動に関する指標は扱わない。ダッシュボードは従業員が日常の活動において影響を及ぼすことができるプロセス指標に焦点を当てる。BSCの指標のほとんどが毎月ないし四半期に1度更新される成果であるのに対して，ダッシュボードは毎日および毎時ですら更新される業績を反映するので，従業員は迅速かつタイムリーに現在の業績についてフィードバックを受ける。このように迅速なフィードバックは，従業員が経験から学ぶのに役立つ。

また，ダッシュボードは現場の部門別業績，機能別業績，プロセス別業績に焦点を当てる。他方，バランスト・スコアカードでは事業横断的な成果指標と機能横断的な成果指標に焦点を当てる。ダッシュボードは同じ部門，同じ機能，もしくは同じプロセスで働く従業員の問題解決と継続的改善に関する情報を提供する。また，日常の業務プロセスの管理と改善における価値は別として，ダッシュボードのデータは特定の課題に集中した議論を行う業務検討会議（第8章で検討）にとって重要な情報のインプットでもある。

ダッシュボードについてのケーススタディ：TDカナダトラスト

最も優れた業務（プロセス）測定尺度を選択するために統計解析（重回帰分析）を用いた一例として，TDカナダトラスト（TDCT）について考えてみよう。同社は，トロント・ドミニオン銀行とカナダトラストが合併してできた企業である[5]。カナダの規制当局は，トロント・ドミニオン銀行のCEOが高度な顧客サービス水準を維持し，すべての顧客に対して「快適」で便利な銀行取引サービスを提供すると公約することを条件に合併を承認した。TDCTはすでに，顧客満足度（3つの指標），顧客ロイヤリティ（2つの指標），満足度とロイヤリティに影響を与えると推定される要因（21の指

標）を追跡するために，26の指標についてのダッシュボードを利用していた（図表6-10参照）。マネジメント・チームは次のような3つの懸念を持っていた。

・支店の行員が焦点を当てるには，ダッシュボードの指標が多過ぎる。
・指標が重みや優先順位と関連していない。
・21の影響要因の測定尺度が顧客満足度と顧客ロイヤリティと相関があるかについて，同行はまったく立証していない。

さらに，基本的なレベルで，たったいま「快適な」銀行取引を提供すると高らかに公約したにもかかわらず，それがどういう意味なのかを同行はよくわかっていなかった。

2005年当時のマーケティング担当のエグゼクティブ・バイス・プレジデントのクリス・アームストロングは，顧客満足の影響要因と成果を厳格かつ体系的な検査を行うためのプロジェクトを指揮した。プロジェクト・チームは，ちょうど支店との取引を持った顧客に関して，それぞれのサービスの内容を網羅する徹底的な調査をすることからはじめた。次に，プロジェクト・チームは，顧客満足におけるそれぞれのサービス属性の影響を見積もるために，統計解析を行った。

プロジェクト・チームは，1つの全体的な顧客満足度の指標と，「薦めるつもりである」と「TDCTの顧客を続けるつもりである」という2つの顧客ロイヤリティ指標をそのまま使うことにした。他方，プロジェクト・チームは，その他2つの顧客満足度の指標を，新しい1つの不満足度の指標に置き換えた。それは，取引経験を10点尺度で1ないし3と評点した顧客の割合である。

プロジェクト・チームの主な発見事項は，21の影響要因の指標のうち10が顧客満足度，ロイヤリティ，支店の収益性にまったく影響力がないか，ほとんど影響力がないことであった。プロジェクト・チームはその10の測定尺度を除外して，図表6-11で示すように，スリム化され有効な報告書にすることにした。

図表6-10

TDカナダトラストにおける既存顧客のダッシュボード

TDカナダトラスト

2003年度目標値：81.8

	レベル別		
	支店		
基準：インタビュー総数	2002年末	2002年11月-2003年1月	2003年2月-2003年4月
	200	50	50
	%	%	%
顧客満足			段階尺度（7
支店内全体	75.7	69.6	79.7
窓口*	76.9	72.3	77.5
サイドカウンター+	70.8	58.3	88.9
顧客のコミットメント			
友人や同僚へTD/CTを薦めるつもりである†	68.6	78.0	75.1
12ヶ月以上TD/CTの顧客を続けるつもりである†	86.0	89.9	86.0
窓口担当者と代表者（サイドカウンター）について			
顧客の用件に感謝している	86.6	90.2	91.8
取引を迅速に処理している*	95.0	92.7	95.1
要望をきちんと取り扱う能力がある		96.0	98.1
待ち時間は適度である	91.0	87.7	87.7
かかりっきりの対応をしてくれる	93.4	91.8	87.7
数字ではなく人のように感じる*		92.5	94.9
笑顔	89.1	96.0	92.3
正確に顧客と取引に対処する+		88.9	88.9
正確に取引を処理する*		97.4	95.1
サービスについて知識がある		90.0	89.7
個人としてのあなたに関心を示す+	88.2	77.8	91.7
あなたの存在に即座に気づく+	85.4	88.9	69.4
愛想良く挨拶する	96.6	98.1	100.0
質問ができるように促す+	86.1	77.8	72.2
サービスについて簡単に理解できるように説明する+	84.0	88.9	88.9
尊重した態度で接する	98.0	97.8	97.8
名前で呼びかける	70.9	62.4	63.8
あなたの取引に感謝の意を示す	84.9	90.0	87.5
ニーズどおりにアドバイスをする+	86.1	77.8	61.1
内密に銀行取引を指示する	93.6	93.7	91.6
追加サービスを薦める+	72.9	61.1	55.6

*窓口取引を完了した人が対象。
+サイドカウンターでの取引を完了した人が対象。注意：支店ごとのサイドカウンターインタビューの数はと
**純増減は，年度末である2003年10月から2002年の実績を引いた数字。

顧客満足度指数四半期報告書
支店番号　1020
キング・アンド・ベイ・パビリオン支店
測定期間：2003年8月～2003年10月

レベル別						
支店					地域	国
2003年5月- 2003年7月	2003年8月- 2003年10月	2003年10月 ～年末	純増減＊＊	2003年末	2003年末
50	50	200		26934	194514
%	%	%	%	%	%
＝とても満足，1＝かなり不満足）で7か6の評点をつけた人の割合					
69.3	89.9	77.1	+1.4	81.5	85.6
70.0	92.9	78.2	+1.3	81.9	85.9
66.7	77.8	72.9	+2.1	80.2	84.3
† 5段階尺度で5か4の評点をつけた人の割合					
65.0	81.6	74.9	+6.3	76.2	79.3
81.5	88.1	86.4	+0.4	88.4	90.6
85.6	95.6	90.8	+4.2	91.9	93.3
97.4	100.0	96.3	+1.3	96.0	97.3
95.7	95.7	96.4		95.8	96.7
86.2	94.1	88.9	－2.1	84.8	89.9
98.1	97.8	93.8	+0.4	91.6	95.1
94.9	100.0	95.6		92.9	95.1
90.0	96.0	93.6	+4.5	91.8	93.6
88.9	100.0	91.7		95.0	95.8
95.1	97.4	96.2		96.6	97.6
89.9	94.0	90.9		91.6	93.5
88.9	88.9	86.8	－1.4	89.2	92.1
100.0	100.0	89.6	+4.2	84.2	86.7
97.9	100.0	99.0	+2.4	96.7	97.8
77.8	58.3	71.5	－14.6	73.7	75.7
88.9	100.0	91.7	+7.7	92.2	93.4
97.8	100.0	98.4	+0.4	97.8	98.6
65.6	82.2	68.5	－2.4	71.9	73.2
85.9	90.0	88.4	+3.5	87.6	86.8
69.4	69.4	69.4	－16.7	77.6	79.6
93.8	96.0	93.8	+0.2	92.4	94.6
77.8	50.0	61.1	－11.8	54.8	53.3

ても少なく，四半期で約10回。

また，プロジェクト・チームは，顧客満足度の影響要因が改善されることによる影響を見積もることによって，ダッシュボードをスリム化するために，統計解析を用いた。たとえば，以下のように，顧客はサービスのスピードよりも，感謝されていると感じることのほうを重んじることを，プロジェクト・チームは学習した。

> 　快適な銀行取引に関わる尺度（窓口が顧客の用件に感謝していると思うと満足を示した顧客の割合）が1％上昇すると，顧客満足度が1.7％上昇すると同時に，支店の収益性が0.4％上昇する。
> 　サービスのスピード（取引が迅速に処理されたと満足を示した顧客の割合）が1％上昇しても，顧客満足度が0.8％しか上昇しないと同時に，支店の収益性も0.2％しか上昇しない[6]。

　アームストロングが率いるプロジェクト・チームは，それぞれのサービスの内容に沿って，業績を向上させる価値に関する知識を得て，支店のスコアカードにおけるサービス尺度をリストアップした。そうすることによって，各支店の行員は重要なサービス品質の指標についてすぐに理解できた。

　またプロジェクト・チームは，顧客満足度がほとんどのサービス尺度における改善について非線形のS字の応答を示すことについても発見した。顧客へのサービスレベルの改善は，臨界点に到達するまで，ほとんど影響力がなかった。そのため，顧客へのサービスレベルの影響力によって改善は急速に加速されたが，顧客満足度は実際にさらなる改善にあまり強く反応しなくなった。この洞察によって，潜在的利得のほとんどをすでに獲得した指標から，改善によって有意義な改善がもたらされる指標へ注意を向けさせるのに役立った。その応答曲線は，各支店へのフィードバック報告書の基礎として活用され，支店長が業績の改善による価値が最も高い領域へ注意を向けるのに役立った。

　TDCTの経験は，ダッシュボードの設計と活用について洗練された事例である。多くの企業は，最初に業績全体に最も大きな影響力を持つと期待される指標を識別せずに，業務指標の集まりのすべてを自動化して表示する。

図表6-11
TDカナダトラストにおける顧客満足度を事後分析した追跡報告書

窓口の顧客満足度

	窓口の顧客満足度	過去1年	業績レベル (1)	業績レベル (2)	業績レベル (3)	現在の3カ月	前の3カ月	前3カ月との比較
1	顧客満足度スコア	86.9						
2	満足した（1ないし3に評点づけ）	1.9						
3	薦めようと思う	79.8						
4	続けようと思う	90.7						
5	顧客のビジネスに役立っていると思う	91.6	*					
6	取引を迅速に処理している	96.3	*					
7	要望をきちんと取り扱う能力がある	96.3		*				
8	待ち時間は適度である	91.6		*				
9	愛想良く挨拶する	97.2		*				
10	名前で呼びかける	77.6		*				
11	かかりっきりの対応をしてくれる	96.3		*				
12	あなたの取引に感謝の意を示す	86.9	*					
13	正確に取引を処理する	97.2			*			
14	尊重した態度で接する	98.1			*			
15	内密に銀行取引を指示する	93.5		*				

(1) 改善の必要性　(2) 改善の余地あり　(3) 現状を維持

それに対して TDCT は、分権化された組織の業績に対してどの業務指標が明らかに最も影響力を持つかを特定するための下準備として統計解析（重回帰分析）を行った。そして、それらの指標を各支店の電子ダッシュボードのトップ画面のメインに据えてそれに注力し、それを用いてベンチマーキングを行った。一般的に、ダッシュボードにわずかな主要な業務指標を補足し表示することによって、とりわけその指標を用いて比較可能な内部組織や外部組織とのベンチマーキングを行う場合に、従業員のプロセス改善活動に強く集中し、フィードバックを与えることができる。

ベスト・プラクティスの共有

　企業はプロセス改善活動を現場のプロジェクトと考えるべきではない。組織単位を越えてベスト・プラクティスの経験を共有することによって、プロセス改善能力を活用すべきである。

　ビスタ・リテール社は、すべてのチェーン店の業績を検討し比較するために、公式のプロセスを用いる。その会社は小売店に、たとえば顧客からの苦情処理、顧客サービスの改善、より迅速な購買サイクルなどのベスト・プラクティスを共有するように推奨した。地域担当責任者は定期的に小売店を訪問すると、ベスト・プラクティスを探し、ここでの発見事項を地域内にある他の小売店に広めている。

　ビスタ・リテールはすばらしい価値創造的なアイディアを出す人やチームに報いるために、ビスタ・プライド賞という賞金をともなわない表彰プログラムを各小売店に設けた。各小売店は四半期ごとに一等賞、二等賞、三等賞を選び、発表する。一等賞は年4回のコンテストのために本社に提出され、大賞には2名、6泊7日のリゾートへの宿泊旅行と賞金500ドルが贈られる。ビスタ・リテールの戦略管理室はケーススタディを集めて、自社のインターネットに掲載している。ビスタ・リテールは社外監査役と納入業者にも、他業種の会社で観察してきたベスト・プラクティスを要求している。

　リコー・コーポレーションは BSC 検討委員会の一環として、あるビジネスユニットから別のビジネスユニットへの経営幹部による訪問を組織化し、

ベスト・プラクティスを観察し，研究する。リコー・コーポレーションのパフォーマンス・エクセレンス・ユニット（PE）はベスト・プラクティスを識別し，共有するために行われる１年に１度の公式なプロセスを運営する。ある地域の各ビジネスユニットは，ボルドリッジ賞の評価テンプレートによって測定されたベスト・プラクティスをPEグループに提出する。PEはベスト・プラクティス共有大会を開催し，そこではCEOとその地域のビジネスユニットの代表責任者が，ボルドリッジ賞の規準を用いて，シニア・インターナショナル社内コンサルティング・グループによって提出・評価されるべき３つのベスト・プラクティスを選抜する。50％以上の高得点はリコー・ベスト・プラクティスと名づけられ，すべての地域で共有されている国際的なデータベースに登録される。

リコー・コーポレーションは品質管理プロジェクトとシックスシグマ・プロジェクトを模範として示すために，カイゼン・プロセスの改善共有大会も組織している。地域のカイゼン大会で競争するためのベストプロジェクトを選抜する。その評価規準は，プロジェクトのベスト・プラクティスを他の組織単位がどれだけ使っているか，とそのプラクティスが生み出されたビジネス以外の分野でどれだけ実践されているかである。

ヒルサイド・ファミリー・オブ・エージェンシーはニューヨーク州のロチェスターに本部をおく非営利団体で，ケアに関する統合システムを通して子供主体・家族中心のサービスを提供している。ヒルサイドの支部では，ニューヨークの中央部から西部にかけての地域で児童福祉，メンタルヘルス，少年司法，教育，発育障害，青年の育成などのサービスを提供している。ヒルサイドは最先端の研究を自社サービスに複製可能な実践的ソリューションに置き換えてリーダーになろうとしている。戦略企画・品質保証チームは，ベスト・プラクティスの共有のために，国を代表する研究者とヒルサイドの支部の業務管理者を結びつける役割を果たす。実践的ソリューションのなかで研究をうまく実行するには，個々の実務家，組織，地域社会システム，消費者といった複数のレベルにベスト・プラクティスを展開する必要がある。その代わり，ヒルサイドは研究者に子供と家族のニーズ，家族が子供に望んでいることに関する有益な視点を提供する。

ヒルサイドは証拠にもとづく実務を既存のサービスモデルに統合するために協調して共同作業するプロセスを活用する。サービスの設計は顧客からのフィードバックとプログラム評価にもとづいて仕上げられる。こうすれば，すべての経営者が最新のアイディアを知っており，新しいアイディアを子供たちとその家族に提供するソリューションに当てはめる方法を継続的に調査できる。ヒルサイドは以下に示される実行のプレミアムを獲得してきた。

> **ヒルサイド・ファミリー・オブ・エージェンシーにおける戦略実行のプレミアム**
>
> ・ヒルサイドは，3年間収益増大という目標値を11四半期連続して達成してきた（2004年〜2007年）。
> ・2002年から2007年の間に，サービスを提供した家族の数が5804家族から7950家族に37％増加した。
> ・ヒルサイドの有給の作業研修のプログラムの履修者は，このプログラムとは関係のない高校生のサンプルと比較すると，かなりの高い確率で高校卒業を続けている。
> ・ヒルサイドの有給の作業研修は，100のプログラム参加者（30歳まで）で226万3646ドルの利益を得るという，経済的な投資利益率をもたらした。
> ・紹介されてからサービスがはじまるまでにかかった平均時間は，2年以上が50％減少し，平均で6.2週間から2.7週間に短縮化された。
> ・積極的な行動療法と支援を実施した結果，宿泊および日帰りの療法プログラムにおける安全的拘束と支援室の紹介の数が大幅に減少した。

要約

　プロセス改善はどんな戦略実行プログラムでも重要な部分である。バランスト・スコアカードの財務の視点と顧客の視点における戦略目標と尺度は，戦略がうまくいった場合に期待される成果を記述する。プロセスの視点の戦略目標と尺度は戦略を実行する方法を記述している。その会社の戦略マップとスコアカード上で識別されたプロセスにおける卓越した業績は戦略の差別化を生み出し，財務の視点で期待される生産性の向上も引き起こす。

　品質などのプロセス改善プログラムは，戦略的なプロセスが業績目標を達成できるようにする重要な役割を果たす。企業は，従業員が日常の活動のなかで改善できるようにする重要成功要因と指標を識別するために，戦略的なそれぞれのプロセスを分析すべきである。ダッシュボードは，プロセス改善の促進が期待される測定指標に関するフィードバックを提供する。最後に，公式な知識共有——その知識の一部は分権的ユニットの業績の断面的，定量的な比較にもとづく——がプロセス革新を可能にし，それによって会社全体に素早く広めることができる。

【注】

(1) R. Simons, *Levers of Control*（Boston: Harvard Business Press, 1995），pp.91-124（中村元一，浦島史恵，黒田哲彦訳『ハーバード流「21世紀経営」4つのコントロール・レバー』産能大学出版部，1998年）．
(2) モビスターの資料は"Mobister," *Balanced Scorecard Report Hall of Fame 2005*, March 2005, pp.27-28 からの引用である．
(3) ブラジルの実務であるシネティックス社からの経験談を話してくれたことにレナルド・マンチーニに感謝する．
(4) W.W.Eckerson, *Performance Dashboards: Monitoring, and Managing Your Business*（Hoboken, NJ: John Wiley & Sons, 2006）は，ダッシュボードの卓越した包括的な使い方を示してくれている．**ダッシュボード**という用語をエカーソンが業務的ダッシュボードあるいは戦術的ダッシュボードと呼んでいるものに限定し，エカーソンが戦略的ダッシュボードと呼んでいるものは**バランスト・スコア**

カードという用語を当てることによって，われわれはエカーソンとは少しばかり異なる用語を使っていることに留意されたい。
(5) TDカナダトラストのケーススタディについては，デニス・キャンベル助教授にお世話になった。D. Campbell, "Choose the Right Measures, Drive the Right Strategy," *Balanced Scorecard Report*, May-June 2006, pp.14-16.
(6) *Ibid.*, p.15.

第7章 業務の計画
——販売予測,資源キャパシティ,ダイナミック予算

Plan Operations: Sales Forecasts, Resource Capacity, and Dynamic Budgets

第4章および第6章で考察した戦略的実施項目とプロセス改善に対する企業の支出は，効果的な戦略実行には欠かすことができない。しかし，戦略的実施項目，プロジェクト，プロセス改善に対する支出の企業全体の支出に占める割合は，一般に10％にも満たない。残りの90％以上の支出を利用して，企業は顧客に製品・サービスを提供し，本社のサポート機能を遂行している。本章では，戦略的計画を業務費用と資本的支出の予測に結びつける統合アプローチを示す。(第6章 図表6-2の2行目で示した) このプロセスによって，戦略の方向性とニーズを資源キャパシティ，業務計画および予算に確実に反映させることができる。

予算管理と脱予算経営

　ゼネラル・モータースは，今日まで受け継がれている重要な経営革新である業務予算と資本予算を，1920年代に導入した[1]。GMのCEOであったアルフレッド・スローンとCFOのドナルドソン・ブラウンのモットーは，「集権的コントロールを用いた分権的マネジメント」であった。これら2人は，GMという企業システム内の多様なビジネスユニットを調整しコントロールするために，予算を利用した。予算は，次の機能を遂行することによって，大多数の企業の中心的なマネジメント・システムになっている。

　　・将来の収益と費用を予測し，財務計画と経営者による調整を促進する
　　・予算上の結果を伝達する責任を経営者に負わせる
　　・予算における各費目を予算額まで支出する権限を経営者に与える
　　・経営者と事業部の業績を評価する

　しかし，多くの企業の予算編成プロセスは，企業の経営者に報酬を与えたり懲罰したりするための高価で時間を浪費するだけの融通の利かないコントロール・システムになってしまっている。ITTの前CEOであるハロルド・ジェニーンは，「命令と統制」タイプの典型的な本社役員であった。ジェニーンのきわめて集権的で特異な経営スタイルによって，経営者たちは予算

目標を達成しなければならないという大きなプレッシャーを受けた。ジェニーンのスタイルはアル・ダンラップが見習い，ダンラップは予算を利用して意欲的な売上高目標か費目の大幅な削減のいずれかを達成するように経営者に迫った。結果として，このプレッシャーにより，財務報告に関する重大な問題が引き起こされた[2]。もう一人の悪名高き予算の利用者は，ワールドコム（WORLDCOM）のバーニー・エバース（Bernie Ebbers）であり，次のように伝えられている。「あなたに予算責任が与えられたら，バーニーは予算を2%下回らなければならないとあなたに命令するであろう。それ以外のことは一切認められませんでした」[3]。

スヴェンスカ商業銀行，ボレアリス，スタットオイル，ノルディアといった北欧のいくつかの企業は，予算の利用を完全に取りやめている。脱予算経営（beyond budgeting）運動を実践しているメンバーとして名があがっているこれらの企業は，予算を新しい予測とコントロールのプロセスの組み合わせに置き換えた[4]。スタットオイルの上級経営者であり，脱予算経営運動を率先して実践しているビャルテ・ボグスネスは，「今日のダイナミックで予測不可能かつ厳しい環境において，経営者はより多くの自由と責任を必要としています。プロセスはより継続的かつ応答性が高くなければならず，経営者は予算目標を単に実現するだけでなく，結果の達成方法に関する裁量権をもっと持たなければなりません」と述べている[5]。

脱予算経営の提唱者たちは，予算が次のような致命的な弱点を抱えていると主張している。

- 予算の作成には，莫大な時間とコストがかかる
- 予算によれば，ジェニーン，ダンラップ，エバースのような経営者の影響を恐れて，他の経営者たちは予算目標を達成できない場合に，収益と利益を意図的に低く見積もるよう動機づけられる
- 予算は，イノベーションを阻害する
- 予算は，目まぐるしく変化するグローバルで競争的なビジネス環境においてすぐに陳腐化する

ノルウェーのスタットオイルとフィンランドのネステという北欧2社の石油化学事業部が合併して設立されたボレアリスにおける経験を考えてみよう[6]。スタットオイルの予算編成責任者からボレアリスに異動したボグスネスは，予算に代わる新しいマネジメントアプローチを導入する好機として，新会社設立を利用したいと望んでいた。「伝統的な予算は，あまりにも多くの異なった目的——たとえば，予測値と目標値の設定の両方——のために利用されています。予測値は現実的であるべきであり，目標値は意欲的であるべきです。それらは，同じ数値であるはずがありません」[7]。

　ボレアリスの財務コントローラーであるトーマス・ボーセンは，ボグスネスの任務を手助けした。ボーセンは，経営者たちが予算に対して抱いている不満を思い起こした。「人々は，身を粉にして詳細な書類を作成し，それを大きなバインダーに綴じるわけですが，悲しむべきことに，その後，書類を見ることは二度とありませんでした。われわれの製品とサプライヤーの市場があまりにも早く変化しているために，予算は数週間も経たずに有効性を失ってしまうのです」[8]。

　ボグスネスとボーセンは，ボレアリスの予算を4つの目標が定められたマネジメントコントロール・プロセスの統合スイート〖訳注1〗に置き換えた。図表7-1に示すように，ボレアリスの新しいマネジメント・システムは，伝統的な年次予算（中央の四角）の機能を提供するのと同時により広範な機能を提供した。このシステムによって，予算の売上高を意図的に低く見積もる，つまり実力を隠してよい評価を得るといった予算の逆機能的な側面を回避しつつも低コストでこれらの幅広い機能を達成することができた。

　以下では，4つのプロセスについてそれぞれを詳細に述べる。

ローリング財務予測

　ボレアリスは，四半期ごとに財務業績の予測を明確かつ簡単に行えるよう

訳注1 | スイートとは，もともとはコンピュータ用語で，特定用途のソフトウェアを詰め合わせたソフトウェアパッケージのことをいう。ワープロ，表計算などオフィスで利用するソフトウェアをセットにしたオフィススイートが有名である。ここでは，各種のマネジメント・コントロールの手法の詰め合わせを意味している。

図表7-1

ボレアリスの新しいマネジメント・システムは、伝統的な予算の機能よりも優れた機能を提供する

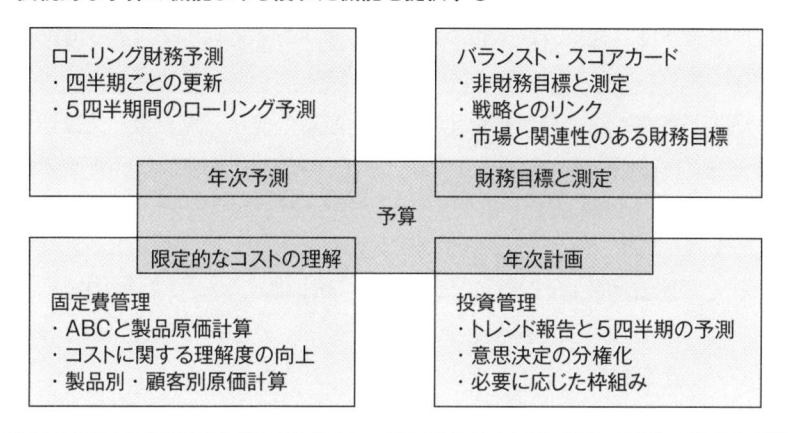

ローリング財務予測 ・四半期ごとの更新 ・5四半期間のローリング予測	バランスト・スコアカード ・非財務目標と測定 ・戦略とのリンク ・市場と関連性のある財務目標
年次予測	財務目標と測定
予算	
限定的なコストの理解	年次計画
固定費管理 ・ABCと製品原価計算 ・コストに関する理解度の向上 ・製品別・顧客別原価計算	投資管理 ・トレンド報告と5四半期の予測 ・意思決定の分権化 ・必要に応じた枠組み

に、5四半期間のローリング予測を行っている。その予測のねらいは、将来の売上高と費用に関してバイアスのかかっていない見積値を提供することであり、経営者の業績評価とは切り離されていた。

各ビジネスユニットの経営者は、四半期ごとに新たな予測を行うために自分たちで発見することができる最も客観的なデータを利用した。このデータには、本社の計画設定から得られる価格情報、販売担当者による予想販売量、工場の固定費と減価償却費、本社財務部による為替レート、インフレ、借入情報などが含まれていた。これらの予測は骨の折れる作業ではなかった。販売量と価格という主要な収益に影響する要因の見直しを含めて、基本的には簡単な計算であった。

経営者たちはすでに予測をし終えているが、新たな予測の目的が当初の目的とは別のものになっていることにボグスネスは着目した。すなわち、「ローリング財務予測は、本当に少ない投資でより多くのものをわれわれに与えてくれます。予算ゲームは行われなくなり、頻繁に見直しが行われるために予測値の信頼性は高まり、データの収集と数字の処理が大幅に減少しま

した」[9]。

バランスト・スコアカード

　ボレアリスは，戦略目標と尺度を従業員に伝達するためにバランスト・スコアカードを利用した。バランスト・スコアカードは，企業戦略と関連づけられた個人目標を従業員が設定することを促す。現在，ボレアリスは予算と差異を通じて企業の業績を伝達するよりも，事業に関連した重要業績指標（KPI）の実績を追跡している。

　このようにして，予算ではなくバランスト・スコアカードがボレアリスにおける主要な業績管理のツールになった。ビジネスユニットのKPIに関する実績は，内部的には比較可能なユニット間で，外部的には業界および競争相手のデータを利用してベンチマーキングが行われた。

固定費管理

　かつての予算編成プロセスにおいて，ボレアリスは，各費目の予算と差異を通じてキャパシティに関連したコスト（固定費）を管理していた。また，各現業部門のコストを追跡し，モニターしていた。ボレアリスは，予算の費目と部門費のコントロールを本章の後に説明するコスト・マネジメントのツールである活動基準原価計算（activity-based costing；ABC）に置き換えた。

　ABCモデルによって，費目別の業務費用がプロセスコストに跡づけられて集計され，その後，製品原価と顧客別原価に跡づけられて集計された。ABCは，コストを記述し，工場を横断したり他社と比較したりして，プロセスコストのベンチマーキングを実施するための共通言語になった。工場の従業員は，以前に予算で報告されていた費目よりも，ABC情報のほうがより直感的で理解しやすいことに気がついた。いまでは，最大の効果を得るために，従業員はどこでどのようにコストをコントロールすればよいのかを知ることできる。

投資管理

　ボレアリスは，集権的な資本予算を排除し，市場と顧客に最も近い経営者と従業員に意思決定とコントロールの権限を与えた。また，プロジェクトの規模別に投資案の承認の仕方を変えた。165万ドル（1000万デンマーククローネ）未満の小規模投資は，そのプロジェクトを提案した事業部，工場，機能ごとに承認することができた。

　ボレアリスは，これらの小規模投資のコストを活動基準原価の12カ月間の移動平均として追跡した。中規模投資（165万ドル以上825万ドル未満［1000〜5000万デンマーククローネ］）については，5四半期間のローリング財務予測から得られる見積もりにしたがって，本社の経営者が設定したハードルレートを各期間について上回る必要があった。キャッシュフローがひっ迫するような状態になれば，経営者はハードルレートを引き上げた。取締役会では，825万ドル（5000万デンマーククローネ）以上の大規模投資を中心に承認を行った。ボグスネスは，投資承認プロセスの改善について次のようにコメントしている。「以前は，投資案を2度も計算しなければなりませんでした。1度目は予算上の承認を得るため，そして2度目は最終承認とプロジェクト開始の前でした。その時までに市場の前提がすっかりと変わってしまうこともあり，まったく新しい投資評価が必要になることもありました」[10]。

　ボレアリスの財務責任者は，4つの新しいマネジメントコントロール・プロセスが伝統的予算の目的をより効果的に，より迅速に，かつ低コストで果たすと考えた。現在，現場責任者は，世界一流の競争相手とベンチマークされた意欲的な目標値を達成する方法において，相当な自由裁量権を有している。業績改善のために支出する資金の事前承認を求めなくてもよくなったのである。現場責任者は，業績を約束どおり達成しさえすればよかった。この結果に対する明確な説明責任によって，責任と意思決定の範囲の拡大が促された。

　次の表は，以前は予算が果たしていた役割をボレアリスの新しいプロセスがどのように遂行しているかを要約している。

予算の役割	ボレアリス・プロセス
概括的な財務計画と税務計画	ローリング財務予測
目標値設定と業績評価	バランスト・スコアカード
固定費の管理	ABC トレンド報告 外部ベンチマーキング
資本的支出の承認と配分	小規模プロジェクト：ローカライズされたトレンド報告 中規模プロジェクト：さまざまなハードルレート 主要な戦略的プロジェクト：取締役会におけるケースバイケースの基準

　この新しいプロセスを導入することによって，ボレアリスの経営者は，無数の原価差異を毎月報告したり説明したりすることではなく，プロセスコストを改善し，プロジェクトコストの総額を管理することに重点をおくようになった。毎月の支出限度額を順守しているかどうかで評価されるのではなく，戦略目標を達成することで経営者が評価されるようになり，厳格で時間を浪費する年次の予算編成プロセスの負荷から解放されたのである。

戦略的計画書と資源キャパシティ計画および業務予算とのリンク

　ボレアリスの例は，戦略と業務活動を密接に結びつける統合化された計画設定と資源配分プロセスに関する新しいプラットフォームを提供している。本章の残りでは，戦略的計画書を資源配分，財務予測，ひいてはダイナミックな予算編成プロセスに統合する包括的なフレームワークについて述べる。
　そのフレームワークで鍵となるイノベーションは，戦略的計画書を業務予算と資本予算に結びつける**時間適用 ABC**（time-driven activity-based costing；TDABC）モデルである。そのフレームワークは，次の5ステップで構成されている。

1. 将来の販売予測を行うために，影響要因にもとづく収益計画を利用する。
2. 概括的な販売予測を，詳細な販売計画と業務計画に置き換える。
3. 販売計画と業務計画に加えて，計画されたプロセスの効率性を，資

源キャパシティの需要量を予測する時間適用 ABC モデルに入力する。
4. 業務費用と資本的支出（OPEX と CAPEX）についてのダイナミック予測（予算）を行う。
5. 製品別，顧客別，チャネル別，そして地域別の見積財務諸表を作成し，収益性を見積もる。

本章の残りでは，この5ステップのそれぞれについて考察する。

ステップ1：販売予測を行うために影響要因にもとづく収益計画を利用する

第2章から第6章にかけて，企業がどのように戦略を策定し，近い将来の行動を導く戦略的実施項目とプロセス改善を選択するかについて説明した。これらの計画された行動にもとづき，また BSC における財務と顧客の尺度に関する成長目標の観点から，企業は近い将来の収益とプロダクト・ミックスの予測を行う必要がある。脱予算経営の提案にしたがって，急速に陳腐化してしまう年次の販売予測を改善するために，多くの企業は少なくとも四半期ごとに売上高の再予測を行っており，図表7-2で示すように予測期間は当該会計年度よりも先の期間（通常は5，6四半期先）に及んでいる。

企業は，いくつかの目的のために予測を更新する必要がある。まず，上場企業は，投資家とアナリストたちに対してネガティブ・サプライズを避けたいと考えている。市場の期待を下回った売上高と利益を突然に報告する企業は，著しい株価下落を経験し，しばしば上級経営幹部が更迭される。好ましくない反応は，2つの原因から生じる。第1に，財務業績が期待に達しない場合，市場は常に落胆する。しかし，洗練された投資家たちは，企業が不確実で困難な環境で経営していることを理解している。利益留保をうまく管理し，収益と費用の認識のタイミングをコントロールすることによって，悪いニュースを先延ばしする慎重さを企業が兼ね備えているときでさえ，必ずしも利益に対する期待が満たされるわけではない。利益が期待値に届かなかったときに市場が見せる第2のネガティブな反応は，上級経営幹部が自社の利

図表7-2

ローリング予測のプロセス

5四半期間のローリング予測

予測時点：	予測対象：									
	2年目				3年目				4年目	
	第1四半期	第2四半期	第3四半期	第4四半期	第1四半期	第2四半期	第3四半期	第4四半期	第1四半期	第2四半期
1年目の第4四半期	░	░	░	░						
2年目の第1四半期	▓	░	░	░	░					
2年目の第2四半期	▓	▓	░	░	░	░				
2年目の第3四半期	▓	▓	▓	░	░	░	░			
2年目の第4四半期	▓	▓	▓	▓	░	░	░	░		
3年目の第1四半期	▓	▓	▓	▓	▓	░	░	░	░	

薄い灰色は予測期間を示し，濃い灰色は予測時点で判明している実績を示している。

益の報告内容に驚いていることを投資家が予想していないことから生じる。予期しない売上高と利益の不足は，実績が予想に達しない場合にそれを感知するための適切な情報とコントロール・システムを上級経営幹部が手にしていないことを意味している。ネガティブ・サプライズは，上級経営幹部チームに対する信頼の喪失につながる。そこで，少なくとも，企業は最も現実的に報告された財務業績と市場の期待とを一致させ続けるために，絶えず結果を予測し直すべきである。

　妥当な予測は，短期的な財務計画にとってきわめて重要である。売上高と費用の変化は，資金の流入と流出に影響を及ぼす。企業の財務部門は，会社が資金ショートに陥らないように資金の残高を管理し，借入れや貸付けの計画を作成しなければならない。財務部門は，短期的および中期的な資金の流入と流出に関する正確な予測を必要としている。現在の経済および市場の状態が反映されていない6カ月から12カ月前に作成された予算から得られる月次の計画にもとづいていたのでは，もはや財務部門はうまく機能するはずはない。

また，**四半期ごとのローリング予測**のプロセスによって新たな機会を識別して，新たな脅威に迅速に対応し，業績悪化に対処するための行動計画を改訂するために，経営者は少なくとも四半期に1回，積極的に外部環境と最近の内部業績を調査するようになる。そして，四半期ごとのローリング予測を利用することで，企業は市場に関する最新の情報と洞察を取り入れることができるようになる。

　研究開発，教育訓練，広告宣伝，資本的支出，新市場の開拓などの実施項目が計画され承認されているときに，期待される販売機会が実現しないと判明するあるいは以前の予想時点よりももっと先に実現すると思われる場合，経営者はこのような自由裁量原価に対する支出を遅らせることによって，新しい情報に対応することができる。逆に，需要が以前の予測以上に旺盛である場合，高い販売水準を支えるためのキャパシティを素早く利用できる状態にするために，企業は資本的支出，教育訓練，新規採用を加速させたいと望むものと考えられる。

　四半期ごとのローリング予測の更新は，年に4回作成される予算とは異なる。経営者は，ほんの2，3の概括的な収益項目とおそらく売上高総利益率（メーカーの場合）を予測する。多くの企業において，ローリング予測は，たった1枚の用紙（あるいはコンピュータ上の1ページ）で提出することができる。経営者は，細かな費目を予測する必要はない。本章において後に述べるように，経営者は，コストと費用の予測を詳細な収益予測から直接的に得ることができる。

　しかしながら，収益の予測は，コストの予測以上に困難なプロセスである。収益モデルは，顧客，競争相手，政府機関を含む企業**外部**の無数の経済主体が来期にどのように行動するのかに関する予測である。企業は，予測に対して多くのアプローチを使用している[11]。著者たちは，**ドライバーにもとづく計画設定**と呼ばれるアプローチを用いて非常に優れた結果を誘導しているいくつかの企業を観察してきた。それらの企業では，経営者が主として広範な非財務データを利用し，売上高を予測する構造的なモデルを構築していた。このモデルは，マクロ経済の変数，当該企業と競争相手の現在の市場ポジション，広告宣伝と販売促進に対する支出水準，そして初期採用者，愛

用者，リピート顧客の購買者という市場浸透モデルを組み込んだ多数の方程式から構成されている。

影響要因にもとづく収益モデルを作成するために，各企業は，独自の分析ケイパビリティを開発しなくてはならない。販売予測において最も重要な要因は，業界ごとにさまざまであり，同じ業界でも企業ごとに異なる。たとえば，頻繁に購入される一般向けのパーソナルケア商品を生産している企業が利用する分析的な販売予測プロセスを考えてみよう。この企業は，既存の顧客に関する優れた情報を有している。そのため，販売している国々の総人口と商品を定期的に利用する人口の割合を知っていた。また，国別と地域別に既存の市場シェアを把握していた。さらに，各ブランド別および各ブランドにおけるSKU（在庫保有単位：大きさ，香り，処方など）別の売上高の分布も把握していた。図表7-3は，予測プロセスの全体像を示している。

企業は，新商品の発売，広告宣伝，販売促進，サンプル品の配布，インストア・ディスプレイ，商品ラインの拡張のようなマーケティング・プログラムが来期に与える影響を計量化しようと試みる。また，これらのマーケティング要因が既存顧客の維持，既存顧客に対する新商品の販売，新規顧客の獲得に与える影響を見積もる。そして，これらすべての統計的関係が，製品別さらには各製品カテゴリー内のSKU別の最終消費者に関する販売予測に集約される。つまり，企業は次の6つの重要な影響要因から販売予測を行っている。

1. **新商品のパフォーマンス**：巨額なマーケティング投資を行う前に，新商品に乗り換えてくれる（自発的に試してくれる）と思われるターゲット人口の割合
2. **広告宣伝のパフォーマンス**：リピート購入および新規購入に対する広告費の影響
3. **販売促進**：インストア・プロモーションが商品販売に与える影響
4. **価格パフォーマンス**：値上げや値下げといった価格変化が需要に与える影響
5. **サンプリングのパフォーマンス**：商品サンプルを直接的に最終消費

図表7-3

ある消費財メーカーにおける影響要因にもとづく予測モデルの作成

販売予測は、過去の取引の分析からはじまり……

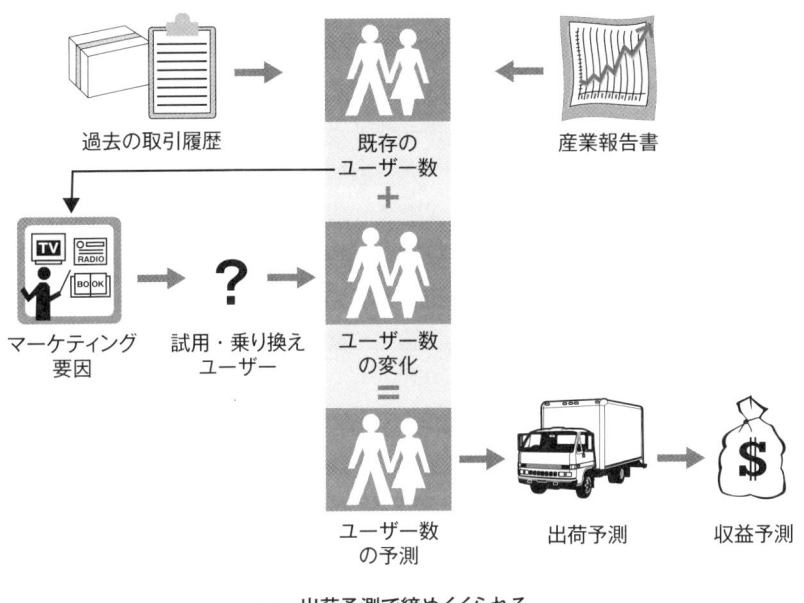

過去の取引履歴

既存のユーザー数

産業報告書

＋

マーケティング要因

試用・乗り換えユーザー

ユーザー数の変化

＝

ユーザー数の予測

出荷予測

収益予測

……出荷予測で締めくくられる。

者に配布することが定常状態にある需要に与える影響
6. 流通：小売商品の入手可能性が最終販売に与える影響

　また，企業は流通チャネル（物流業者，卸売業者，小売業者）と最終消費者が抱えている現在の商品在庫をモデル化する。ほとんどの消費者は，現在抱えている在庫を使い果たすまで新しい商品を購入しないと考えられる。最終消費者の需要とサプライチェーン全体にある現在の商品在庫の見積もりを利用すれば，企業は来期の生産計画と流通計画を見積もることができる。
　上述のプロセスは，環境変化の速い消費財メーカーにおいてうまく機能す

るが，たとえば，BtoB業界や消費財ではなく耐久消費財を販売している企業においては，まったく異なる収益モデル，異なるサプライチェーン，顧客の購入意思決定に影響を及ぼす異なる偶然の要因およびマクロ経済の要因が存在しているだろう。

したがって，影響要因にもとづく収益計画は疎かにできない。それには，高性能なデータベースと情報システムに加えて，高度なスキルを持ったモデル構築者および統計専門家の協力が必要となる。さらに，影響要因にもとづく収益計画には，属している産業の経済状況，競争相手，顧客，サプライヤー，技術に関する知識を組み込まなければならない。

正直に言えば，著者たちは，客観的な事実を基礎とした販売予測を行う方法の専門家ではない。しかし，統合化された計画設定，資源配分，予算編成プロセスを構築するうえで，正確な収益予測が重要な能力であると考えている。

コストと費用の予測：ABC の役割

前節では，費用ではなく収益の予測に焦点をおいてきた。多くの企業は四半期ごとの更新プロセスにおいて製品原価とその他の費用も予測しているが，著者たちは販売予測から直接的にコストと費用の見積もりを得ることを推奨する。ひとたび経営者と企画担当者が販売予測と生産予測を実施すれば，その予測を内部資源の提供ひいてはコストを分析的に予測する時間適用ABCモデルに入力することができる。時間適用ABCによれば，販売予測と生産予測を実施するために必要なキャパシティが提供される。

以下では，著者たちが過去に関わった金融サービス会社の集合体であるタワートン・ファイナンシャル・サービス（仮称；以下，TFS）の例を用いて，販売予測から資源支出にいたる論理の流れを説明する。TFS は，歴史的に株式取引と投資信託に注力してきた証券会社である。最近，2つの新しい商品ライン，すなわち投資管理とファイナンシャル・プランニングを追加して多角化を果たした。TFS の費用の大半は，いくつかの領域の専門家とサポート部門の従業員を提供することから生じている。また，その主要な有形資産はオフィススペースと技術である。図表7-4 は，TFS の現在の従業員と技術資源を要約したものである。

図表7-4
TFSの資源ベース

数	資源名
225	ブローカー
18	投資口座担当マネジャー
20	ファイナンシャル・プランナー
30	プリンシパル 訳注2
42	顧客サービス担当者
76	コンピュータ・サーバー

　上級経営幹部チームは，4つの商品ラインに関する将来の月次収益を次のように予測した。

商品ライン	売上高
株式取引	$3,644,000
投資信託取引	2,031,000
投資管理	113,000
ファイナンシャル・プランニング	169,000
合計	$5,957,000

　要約すれば，業務活動の計画を立案する段階の第1ステップは，経営者が来期の概括的な販売予測を行うことである。この予測から次のステップで作成される販売計画と業務計画を得ることができる。

ステップ2：販売予測を販売計画と業務計画に置き換える

　図表7-5で示すように，TFSは，概括的な販売予測を来期の業務活動に関するより詳細な業務計画の予測に置き換える必要がある。この数値は，

訳注2 │ プリンシパルは，本章の補論において説明されるように，ブローカー，投資口座担当マネジャー，ファイナンシャル・プランナーを管理し，監督する管理者である。

TFSが（一番上の行で示される）概括的な販売予測を達成する方法を示している。すなわち，取引を何回行わなければならないか，新規口座をいくつ開設しなければならないか，顧客と何度打ち合わせをしなければならないか，である。この概括的な販売予測を達成するために，TFSは，これらのサービスに関して予測された需要を処理するために必要となる十分な資源を投入しなければならない。

　図表7-5に示すような詳細な業務計画によって，資源キャパシティ計画モデルに対する不可欠なインプットが提供される。業務計画は，期待される販売数量，プロダクト・ミックス，個々の売上げ注文の性質，生産回数，取引を詳細に規定する。たとえば，それぞれが10万ドルの注文100回から得られる売上高1000万ドルの業務上の意味合いは，それぞれが平均して100ドルの注文10万回から得られる同じ売上高1000万ドルを獲得するのとは大きく異なる。後者の計画では，企業は1000倍も多くの取引が必要となり，ずっと複雑で高くつく経営環境となる。

　そこで，技術が有用な役割を果たすことになる。うまく機能しているERPシステムを有している企業は，予測のために参考にすることができるプロダクト・ミックスおよび顧客ミックスと取引パターンの実績記録を持っている。ERPを導入している企業は，白紙（あるいは表計算ソフトのシート）1枚から各予測期間をはじめるのではなく，最近の経験をベースラインとして利用して将来を予測することができる。

　たとえば，企業は，各商品ラインおよび各サービスラインに関する売上高の予測水準を実現するために，過去に経験した注文規模や頻度と同じ分布であるが売上高は仮定する割合だけ増加すると想定することもある。この甘い認識による推定から，企業の企画担当者は，売上高と注文パターンの計画された変化を反映させるために分布を修正することになる。企業が最小注文単位を引き上げる場合，企画担当者は小規模な注文を排除し，特に新しい最小注文単位のサイズに近い，より規模の大きな注文の頻度を増加させるだろう。TFSの例のように，企業が投資信託の売上高を増加させるための戦略的実施項目に着手する場合，企画担当者は新しい優先事項を反映させるためにこのサービスラインに対する売上高の割合を増加させる。

図表7-5

TFS の販売予測と業務予測

	株式取引	投資信託取引	投資管理	ファイナンシャル・プランニング
月間売上高予測（単位：千ドル）	$3,644	$2,031	$113*	$169
取引回数	275,000	49,000	2,600	
口座新規開設数	595	255	40	90
顧客サービスセンターのコール数	47,600	11,475	600	480
既存顧客との面会数	3,570	765	200	400

＊平均的な口座残高 125,000 ドルにもとづく。

　これは，正しいプロセスではない。詳細な注文，生産，配送スケジュールを予想する際につきものの不確実を反映させるために，経営者は楽観的，現実的，悲観的な予測をすることによって，シナリオ・プランニングを採用すべきである。計画データの多くがすでに電子的な形で存在しているため，企画担当者は多数のシナリオ分析を迅速かつコストをかけずに実行できるようになる。このステップ２の成果は，資源需要に変換するには十分に詳細な販売予測および業務予測である。

ステップ３：販売データと業務データを時間適用ABCモデルに入力して資源キャパシティを予測する

　このステップは，戦略的計画書と業務計画を結びつける重要なイノベーションである。このステップを実施するためには，時間適用 ABC モデルを業務活動において利用していることが企業に求められる。時間適用ABCは，伝統的な ABC よりも迅速かつ簡単でより柔軟な新しい原価計算のアプローチである[12]。時間適用 ABC は，次の２つの基本的なパラメータを基準にしてコストを製品，サービス，顧客に割り当てる。

1. 各部門に提供された資源のコスト（通常は各期間の生産的な仕事に利用できる時間によって測定される）を実際的生産能力で割って測定さ

れる各現業部門とプロセスにおける資源キャパシティを提供するコスト
2. 商品や顧客に関する業務を処理するために各部門やプロセスが必要とするキャパシティ（時間）

　一般に，製品，サービス，顧客の収益性を測定し管理するために，企業はこの段階までに時間適用 ABC モデルを構築し終えていることだろう。本章の補論では，TFS の事例を利用して，時間適用 ABC モデルを構築するための基礎を説明した。このステップ 3 において，企業の時間適用 ABC モデルの重要な追加的なメリットを経営者が理解することになる。それは，必要な資源キャパシティの提供量を素早く予測し，予算化するという能力である。

　企画グループは，時間適用 ABC モデルがすでに存在することを前提として，予測期間に実現すると思われるプロセス改善を反映させるためにモデルに修正を加える。このステップによって，第 6 章で説明した品質改善とプロセス改善の活動が本章で述べる計画設定と予算編成のプロセスに結びつく。こうして企業の継続的改善活動は，予算編成プロセスに組み込まれる。たとえば，TFS は，教育訓練と顧客データベースへのアクセス向上を通じて，株式取引に関する顧客サービスコールを処理するためにかかる時間が 5 分から 4 分に短縮されると予測するかもしれない。あるいは，最初のファイナンシャル・プランを作成するためにかかる時間が 10 時間から 9 時間に短縮されるかもしれない。このような期待される改善効果によって，一定の需要量を処理するために必要な資源量は減少する。

　時間適用 ABC モデルによる資源消費の見積値が予想されるプロセス改善に関して調整された後，企画担当者は，（図表 7-5 で示したような）予測期間に対する詳細な販売計画と業務計画をモデルに入力する。このように時間適用 ABC モデルを利用することで，モデルの目的の大きな変化が明らかになる。一般に，ABC モデルは，実績データで機能している。ABC モデルによれば，以前の期間の業務活動にもとづいてコストと収益性が算定される。しかし，企業はいまやずっと強力な方法で，将来を予測し将来に影響を及ぼすために ABC モデルを利用することができる。

時間適用 ABC モデルに販売予測と業務予測のデータを入力することによって，企画担当者は，ABC をスナップショットのような一時的な実践から，**将来の**コストと収益性に影響を与えるためのマネジメント・ツールへと変容させている。会計担当者はしばしば，バックミラーを見ながら情報を提供しているとして揶揄される。しかし，経営者が予想されたデータを時間適用 ABC モデルにインプットとして提供するとき，原価計算担当者はフロントガラスから前を見て，将来においてより収益性のある方向に経営者を案内することを支援する。

　図表 7-6 は，時間適用 ABC モデルによって，TFS がどのように販売計画と業務計画をすべての従業員とコンピュータの資源キャパシティ（時間）に関する需要予測に変換したかを示している[13]。コンピュータ資源に対する需要は，顧客の取引活動，照会，口座履歴報告書の作成，会計担当者の分析支援から生じる。図表 7-7 は，各資源キャパシティに対する総需要を資源単位ごとに毎月投入されるキャパシティ量（たとえば，ブローカーに関して言えば毎月 130 時間）で割ることによってそのプロセスを継続する。このようにして，時間適用 ABC モデルは，将来の期間の業務計画を実施するために必要となる資源単位の量を予測する。「必要な資源単位」と書かれた列の数値は，業務計画における資源需要量を表している。要するに，それは販売計画を実現するために企業が支払わなければならない「請求書」である。

　図表 7-6 と図表 7-7 における計算では，業務計画のある一時点の予測を利用している。企業の企画担当者は，現実的な範囲の結果を達成するために必要な資源の範囲を判断するために，単一の予測だけではなくさまざまな可能性を探るべきである。少なくとも，楽観的，現実的，悲観的な販売予測を考慮したほうがよい。さまざまな仮定における資源需要を検討した後，企業は，来期に繰り越すべき資源提供の水準を承認することができる。資源単位別に期間ごとのコストが判明しているため，資源提供の水準に関する意思決定によって，自動的に次のステップで計算されるように各資源カテゴリーに対する支出の承認された水準すなわち予算化された水準が導かれる。

　一般に，企業は，決定論的な　時間適用 ABC モデルによる予測より若干多めのキャパシティを投入すべきである。資源需要は期間を通じて一様では

図表7-6

TFS は業務計画を遂行するために必要な資源を見積もる

利用時間数（時間）

資源カテゴリ	株式取引	投資信託取引	投資管理	ファイナンシャル・プランニング	総時間数
ブローカー	24,702[※]	4,593			29,295
投資口座担当マネジャー			793		793
ファイナンシャル・プランナー				1,500	1,500
プリンシパル	2,391	451	187	90	3,119
顧客サービス担当者	4,086	1,007	82	107	5,282
ピーク時に利用されたMIPS	420,000	56,200	28,800	11,500	516,500
オフピーク時に利用されたMIPS	89,500	198,000	26,000	12,200	325,700

※ブローカーが株式取引に利用した総時間数＝ 5 分×（既存口座の取引数）＋ 60 分×（口座新規開設数）
　　　　　　　　　　　　　　　　　　　＋ 20 分×（既存顧客との面会数）
　　　　　　　　　　　　　　　　　　　＝（5 × 275,000 ＋ 60 × 595 ＋ 20 × 3,570）÷ 60
　　　　　　　　　　　　　　　　　　　＝ 24,702 時間

図表7-7

TFS は来期の業務計画を実行するために必要な資源量を計算する

資源カテゴリ	総時間数	資源単位当りの月間利用可能時間	必要な資源単位	提供された資源単位	キャパシティ利用率
ブローカー	29,295	130	225.3	230	98%
投資口座担当マネジャー	793	130	6.1	7	87%
ファイナンシャル・プランナー	1,500	130	11.5	12	96%
プリンシパル	3,119	130	24.0	25	96%
顧客サービス担当者	5,282	140	37.7	40	94%
ピーク時に利用されたMIPS	516,500	8,800	58.7	60	98%

なく，ある需要は処理時間が平均量よりも長くかかるかもしれない。待ち行列と遅延を避けるために，資源キャパシティについて幾分かのバッファを持

つことが望ましい。図表7-7における「提供された資源単位」の列は，TFSが来期に関して承認した資源量を示している。「キャパシティ利用率」と名づけられた列では，TFSがその期間に維持すると予想したキャパシティの利用割合が報告されている。

　このプロセスでは，来期の資源需要モデルを作成するために，前期の予測を利用した。一般に，四半期ごとに予測を見直している企業は，5四半期から6四半期間の予測を行っている。企画グループは，各四半期について資源キャパシティを計画するステップを繰り返すことができる。つまり，各四半期の予測を詳細な販売計画と業務計画に置き換え，その四半期に期待される効率の改善効果について時間適用ABCモデルを更新し，その四半期に対する資源需要を予想するためにその更新された時間適用ABCモデルを機能させる。

　このようにして，企業は，将来の期間に資源不足が生じる可能性を事前に発見できる。将来の期間に必要に応じて従業員が利用できるように，従業員を採用して教育訓練するための期間は短期で済むこともある。また企業は，将来の販売予測と業務予測を実現するために，物理的キャパシティ（スペース，サーバー，帯域，生産設備と物流施設）の適切な水準が必要に応じて利用できるように資本獲得プロセスを確実に開始することができる。

　逆に，時間適用ABCが将来の資源需要が現在の資源提供の水準よりも著しく下回ると予測した場合を想定してみよう。減少した資源需要は，生産性の向上とプロセス改善，営業方針の変化（最小注文サイズや最低口座残高の引き上げなど），あるいは予期せぬ売上高の減少から生じる可能性がある。将来の資源需要が減少すると予測されるとき，企業は，将来の四半期において著しい余剰キャパシティが負荷にならないようするために，キャパシティを削減する方法の計画に着手することができる。

　これが，経済学者のいうところのほとんどすべての組織コストが「長期において可変的になる」訳注3プロセスである。大半のコストは，ひとりでに消えてなくなるわけではない。人々は毎日仕事をするために出勤し，報酬が支払われることを期待している。建物の賃借料は，毎月支払われる。遊休設備は，経営者が何らかの手を打たない限り自然になくなることはない。経営者

が従業員を解雇したり，現在と将来の業務活動を支援するためにもはや必要のない設備や建物の売却に着手したりすることによって，資源提供を減少させるための明確な行動をとる場合にのみコストを低減することができる。時間適用 ABC による資源予測モデルから得られた情報にもとづいて行動することによって，経営者は将来のニーズに合わせて資源提供を調整する幸先のよいスタートを切ることができる。

　資源キャパシティの予測のために時間適用 ABC モデルを利用する別の特定の例として，新規に立ち上げられたグローバル・インシュアランスのプライベート・クライアント・グループ（PCG）（仮称）を考察してみよう[14]。PCG は，高級車，超過損害賠償責任，航空機，船舶，宝石類，美術品，収集品，誘拐と身代金のような専門的なリスクマネジメントに関する商品・サービスを提供することによって，資産家であるクライアントの保険ニーズを満たしている。そのグループの商品は好評を博しており，新規引受数は年間平均成長率50％以上で伸張していた。

　主要な課題は，保険引受業務，クライアントのケア，クレーム処理，リスクマネジメントのような機能に対する将来のサービス需要を満たすために専門スタッフを追加することであった。PCG は，スキル別，商品ライン別，地域別に従業員スタッフに対する需要を示す時間適用 ABC モデルを構築した。その後，地域別に商品の数量と組合せに関する予測を時間適用 ABC モデルに入力し，予想された保険料の成長水準が実現し，提供される場合に必要となる専門スタッフのキャパシティをスキル別および地域別に見積もった。洗練された顧客にサービスを提供する保険担当の従業員に対しては多くの教育訓練が必要となるため，PCG の経営幹部は，時間適用 ABC モデルによって将来の期間に予測される需要を満たすために従業員を新規に採用し，訓練するために必要となる適切な時間を知ることができた。

　資源キャパシティの承認を収益予測と厳密に結びつけることによって，経

訳注3	ミクロ経済学では，長期とはすべての生産要素を変化させることができる期間と定義され，長期の期間において固定的な生産要素は存在しないと説明される。つまり，長期においては，固定的な生産要素（例：機械，工場）も変更でき，すべての費用は可変費用（variable cost）になる。なお，会計学では variable cost のことを変動費と呼ぶが，経済学と会計学とでは概念が異なるので多少の注意が必要である。

営者がバイアスのかかった予測を行う伝統的な予算編成プロセスに存在するインセンティブを企業が再び導入する可能性があることを懸念する人々もいる。著者たちは，このことが主要な問題であるべきではないと考えている。経営者は，予想した収益の結果よりも実績が低くなることを懸念して保身のために低めの販売予測を提出する場合，即座に資源キャパシティを現在の水準から削減しなければならないというプレッシャーに直面することになるだろう。経営者の予測よりも高い水準の需要が期待される場合，その増分需要を獲得するために適切な資源が利用できないかもしれない。逆に，経営者が過度に楽観的な予測を行う場合，追加的な資源キャパシティに対する支出を正当化するように（あるいは予想される将来の売上高の下落に直面して既存のキャパシティを維持するために），来期の実際の売上高が予測よりも低かった場合にはその高いキャパシティ・コストに耐え，経営者は利益の減少を実感することになるだろう。将来の期間において提供すべき資源キャパシティの量に関するよい意思決定ができるように，少なくとも第1番目に，ことによると第2番目に，このプロセスにおいて経営者がバイアスのかかっていない収益予測を実施するようにインセンティブが設計されている必要があるように思われる。

　要約すれば，企業はステップ3において，来期のために見積もられた販売計画と業務計画を利用して，従業員の時間に対する需要と土地，工場，設備などのような有形資源の時間とスペースに対する需要を予測する。資源需要モデルは，実績データを利用する既存の時間適用ABCモデルを更新することからスタートし，将来の売上高，業務活動，プロセスの効率に関する最も現代的な思考を資源予測に組み込むためにプロセス改善を予測する。その後，企業の企画担当者は，将来の期間に対する資源提供の水準を予測し，調整するために，時間適用ABCモデルを通じて詳細な販売計画と業務計画を作成する。

ステップ4：業務費用と資本支出の予測を行う

　経営者が将来の期間に対する資源提供の水準にひとたび合意すると，財務

的な影響を簡単かつ迅速に計算することができる。著者たちは，将来の期間における財務的支出の予測をその期の予算と呼んでいる。ここで，**予算**という用語は，決定された**業績目標**という意味ではなく，将来の費用の**見積もり**という意味で利用している。

　ステップ3の最後に，将来の期間に提供すると合意した（期待される）資源のタイプ別に資源量を見積もった。（補論においてTFSの例で説明するように）時間適用ABCモデルを構築することによって，企業は図表7-8で要約される各資源単位を提供するコストをすでに把握している。TFSでは，各ブローカーのコストは毎月約6800ドル，各顧客サービス担当者のコストは4000ドル，各コンピュータ・サーバーのコストは3200ドルであった（詳細な計算は，本章の補論において示す）。このモデルを機能させる前に，企画担当者は，予測されるあらゆる価格の変動に関して資源単位のコストを調整すべきである。従業員が昇給する予定であれば，従業員一人当りの月間コストを更新すべきである。建物の賃借料が値上がりしたり，サーバーの月間コストが値下がりしたりする場合には，新しい数値をモデルに入力すべきである。このようにして，過去の実績値ではなく将来の期待値がコストと支出の予測に反映される。

　企業が直近のあるいは予測された各資源単位のコストを入力し終えたら，その値に予測期間に提供すべき各資源タイプの数量を乗じる。この乗算によって，各資源タイプの必要量を提供するために必要な予測（予算化された）コストが計算される（図表7-8の一番右の列を参照）。

　資源コストは，実質的に予算の費目の一部である。しかし，それは，度重なる反復および折衝のプロセスから得られる費目別の予算というよりも，各資源タイプに関して承認された数量に資源の単位コストをかける単純な乗算プロセスから得られる。コンピュータは，大量のデータでさえ，きわめて速く安価にそして正確に乗算してくれる。その結果，予算は，命令によってあるいは強力な交渉を通じて課されるものというよりも，販売計画と業務計画から迅速かつ分析的に導かれる。

　ここで述べたプロセスは，1980年代にメーカーに導入されたMRPシステムときわめて似ている。MRPシステムは，各製品の製造予測を詳細に行

図表7-8
TFSは，月間の資源コストを予測する

	提供された 資源単位	単位当りの 月間資源コスト	月間総資源コスト （単位：1000ドル）
ブローカー	230	$6,800	$1,561
投資口座担当マネジャー	7	9,000	63
ファイナンシャル・プランナー	12	8,400	106
プリンシパル	25	12,200	323
顧客サービス担当者	40	4,000	168
サーバー	60	3,200	190

い，製造期間の資材と構成部品に対する総需要に「展開」する。その結果，購買とロジスティクスの担当者は，計画された製造スケジュールを守るために資材を発注し，スケジューリングするための健全な基礎を持つことになる。

ステップ1から4で説明した資源キャパシティ計画のプロセスは，すべての資源キャパシティの需要を予測するためにMRPモデルを拡張したものである。それによって，詳細な販売計画と業務計画がすべての資源，すなわち従業員，設備，建物，流通に関する総需要に展開される。

従業員を提供し，設備と建物を維持するための支出は，一般に業務費用（OPEX）として分類されている。設備と技術的なキャパシティを追加し，将来の業務活動の拡大を支援するスペースを獲得するための支出は，資本支出（CAPEX）であると考えられる。財務会計担当者は，あるタイプの支出が損益計算書に計上される業務費用の一部であるか，最初は貸借対照表に資産計上され，時間の経過とともに損益計算書を通じて減価償却される資本的支出に該当するのかを決定する。

自由裁量原価の予測

予算編成プロセスを締めくくる前に，企業はもう1つの見積もりを必要とする。研究開発，広告宣伝，販売促進，教育訓練，そしてもちろん戦略的実

施項目を含む自由裁量原価の水準の予測である。これらの自由裁量項目に対する支出予測は，販売と業務活動の水準と密接な因果関係がないため，四半期ごとの収益の更新と同時並行的に計算する必要がある。このような自由裁量項目に対する支出の決定は，分析的なモデルを通じて自動化できる意思決定ではなく，経験豊かな経営幹部による主観的判断に委ねられたままである。

したがって，将来の期間の支出水準の予測を完了するために，企画担当者は，自由裁量原価に対する支出水準の承認済された見積もりを経営幹部チームから得なくてはならない。著者たちは第4章で戦略的実施項目に対する支出は戦略的支出（STRATEX）という新しい損益計算書上の費目に分類するように主張しているが，財務会計担当者は多くの自由裁量原価を一般管理費として分類している。

プロジェクトと戦略的実施項目に対する支出の承認プロセスは，直近の実績と予測される経済および競争の状況を踏まえて，少なくとも四半期ごとに再検討されるべきである。たとえば，スタットオイルでは，多くのプロジェクトが新しい油田とガス田を探索することに関係している。スタットオイルでは年次予算を下回って操業したときに，経営者は年に1度だけ探索予算を受け取り，承認された額までなら予算を超えない範囲で支出することを許された。スタットオイルでは，予算の利用が取りやめられたとき，より柔軟かつダイナミックな承認プロセスが導入された。現在，スタットオイルは，3年間の平均にもとづいて新規発見のための数値目標を設定している。現場の探索責任者は，魅力的なプロジェクトをいつでも上級経営幹部に提出することができる。探索責任者は，機能横断的な会議において，戦略的フィット，リスク，オプション価値を含む広範囲の財務的および非財務的なパラメータの予測についてプレッシャー・テストを実施する。そして，経営者は，その時に承認されたプロジェクトのコストを見積もる。

四半期ごとの予測プロセスによって，スタットオイルの上級経営者は以前よりも早く，そして一般に承認時点よりもずっと前に，新しいプロジェクトについて知ることができるようになる。スタットオイルでは，探索的ボーリングが実施された後に油田やガス田の潜在的な規模に関するよりよい情報が

手に入る。

　初期テストからその油田やガス田が有望ではないことが示唆された場合，さらなるボーリングと開発に対する承認額は，低く抑えられるだろう。しかし，そのテストの結果が巨大なガス田の存在の高い可能性を示している場合，承認される額は非常に多く，増額されることもありうる。さらに，四半期ごとの予測によってこの先の企業に財政的な余裕がないことが明らかになった場合，プロジェクトの承認が延期され，数値目標が引き下げられることもある。しかし，そのプロセスのいかなる時点においても，予算の「カット」が行われることはない。

ステップ５：製品別，顧客別，チャネル別，地域別の収益性を算定する

　時間適用 ABC モデルは，予測期間における予想される支出の全体水準に加えて，本質的にコストをかけずに製品別，顧客別，地域別の詳細な損益計算書を提供する。結局のところ，資源提供と資源消費に関する総需要は，各製品，顧客，チャネル，地域，実際には各取引に対する資源需要を集約することによって見積もることができる。（図表 7-5 で示した）詳細な販売計画と業務計画に戻ることによって，時間適用 ABC モデルは，各資源タイプの提供量とコストを需要の引き金となる取引，製品あるいは顧客へと自動的に帰属させる。

　TFS の予測期間に対するデータベースには，多数の商品と顧客ごとに資源キャパシティに対する詳細な需要予測が入力されている。したがって，ステップ 4 で決定した資源に対する総支出を個々の商品別および顧客別にキャパシティ資源に対する詳細な需要に分割して予測することができる。このプロセスによって，資源提供のコストを商品別および顧客別の需要に帰属させる明確な基礎が提供され，それによって企業は，製品別，顧客別，チャネル別，あるいは企業が選択するその他のあらゆる分類スキーム別の正確な損益計算書を作成することができる。

　図表 7-9 は，TFS の予測期間における商品ライン別の見積損益計算書を

図表7-9
TFSは、来期の商品ライン別の損益計算書を予測することによって予算編成プロセスを締めくくる

	株式取引	投資信託取引	投資管理	ファイナンシャル・プランニング	利用額合計	未利用キャパシティ	提供額合計
取引当りの平均価格	$13.25	$41.45	$113	$169			
売上高	$3,644	$2,031			$5,956		$5,956
ブローカー	1,290	240			1,529	32	1,561
投資口座担当マネジャー		55			55	8	63
ファイナンシャル・プランナー				102	102	4	106
プリンシパル	238	45	19	9	310	13	323
顧客サービス担当者	122	30	2	3	158	10	168
コンピュータ・サーバー費用	128	39	11	5	184	6	190
総原価	1,778	354	87	119	2,338	73	2,411
売上総利益	1,866	1,677	26	50	3,618	-73	3,545
売上総利益率	51%	83%	23%	30%	61%	-1%	60%
販売費および一般管理費（本社費配賦前）							1,300
営業利益							2,245
営業利益率							38%

256

示している。TFS が 5 四半期間のローリング予測を使用している場合，本章の 5 つのステップに従うことで，図表 7-9 のような将来の 5 四半期間の見積損益計算書を作成することができる。

要約

　企業は，戦略的意図を規律正しく統合化された 5 ステップのプロセスを通じて詳細な業務計画に置き換える。そのプロセスは，将来のいくつかの期間に関する四半期ごとの販売予測から開始される。経営者は，主観的に，または過去のトレンドにもとづいて，または将来予期される変化に調整を加えて，あるいはできれば分析的な影響要因にもとづく計画設定モデルの支援を得て，といったいずれかの方法で販売予測を行うことができる。

　ステップ 2 では，企画担当者は，概括的な販売予測を詳細な販売計画と業務計画に置き換える。それによって，生産され，販売され，配送される個々の商品とサービスの数量および組合せ，そして顧客ベースの取引回数と組合せが明らかになる。

　ステップ 3 においては，詳細な販売計画と業務計画が時間適用 ABC モデルによって，企業の主要な資源のキャパシティに対する需要予測に変換される。資源キャパシティには，販売，生産，流通，カスタマーサービスに携わる従業員に加えて，生産，情報処理と記録，製品の保管，流通に関する有形の資源も含まれる。経営者は，資源キャパシティに対する需要予測にもとづいて，将来の期間に提供される各資源タイプの量を決定する。

　ステップ 4 では，企画担当者は，承認された資源提供の水準を将来の期間における業務費用と資本的支出の見積もりに置き換える。そして，ステップ 5 で，ビジネスユニットや企業全体の見積損益計算書，そして製品別，サービス別，顧客別，チャネル別，地域別の見積損益計算書が作成される。

　論理的で密接に結びついたこの一連のステップによって，概括的な売上高成長の目標値を資源キャパシティの承認に関する詳細な計画へ，そしてステップ 5 において，戦略的計画から製品別，顧客別，地域別の直近の営業利益を見積もるメカニズムが提供される。

補論　時間適用 ABC モデルの構築

　時間適用 ABC (time-driven activity-based costing；TDABC) は，強力で柔軟なコストモデルを非常に簡単に構築できる新しい ABC の改良型である。本補論では，タワートン・ファイナンシャル・サービス (TFS) という仮想企業のモデルを構築することによって，時間適用 ABC アプローチを説明する。

　TFS の財務結果は，期待はずれであった（図表 7A-1 月次損益計算書を参照）。TFS はプロジェクト・チームを結成し，業務に関するコストと利益の影響要因を理解するために時間適用 ABC モデルを構築した。このモデルにより，TFS の従業員とコンピュータにかかる巨額なコストがさまざまな商品ラインに割り当てられた。TFS の資源ベースは，本論の図表 7-4 に示されている。従業員，コンピュータ資源，スペースの各タイプの数値は，明

図表7A-1
TFS：月次損益計算書

	(単位：1,000 ドル)
売上高	$4,035
ブローカー	1,561
投資口座担当マネジャー	161
ファイナンシャル・プランナー	177
プリンシパル	388
顧客サービス担当者	176
コンピュータ・サーバー費用	241
総原価	2,704
売上総利益	1,331
売上総利益率	33%
販売費および一般管理費（本社費配賦前）	1,300
営業利益	31
営業利益率	1%

らかに相当な数になる。資源をよりよく管理するために，TFS はさまざまな資源が多様な商品と顧客によってどのように使われているかを理解しなければならない。これがまさに ABC の役割である。

会社情報

　TFS の主要な商品およびサービスは，株式取引，投資信託取引，投資口座管理，ファイナンシャル・プランニングの4つである。これらの商品およびサービスに関して，3種類の専門スタッフ（ブローカー，投資口座担当マネジャー，ファイナンシャル・プランナー）が顧客と直接的な取引を行っている。

　ブローカーは，株式取引と投資信託の取引を行い，アドバイスと銘柄推薦を行う。TFS が仲介する顧客は，自分で売買の意思決定を行う。TFS は，1回の株式取引ごとに定額手数料を課しており，その金額は顧客が TFS に預けている資産総額によって変わる。投資信託の取引に関しては，TFS は投資信託の購入時に購入価額の 1.5％ を手数料として課しているが，後に売却するときの手数料はゼロである。

　投資口座担当マネジャーは，クライアントの目的を満たすために株式の売買を行い，クライアントの投資を積極的に管理する。投資口座担当マネジャーは最初に顧客と面会して，顧客の投資の目的，関心およびリスクをどこまで許容できるかを確認する。その後，四半期ごとに口座の実績と投資戦略を見直すためにミーティングを行う。TFS は，口座残高とは関係なしに年間の資産管理手数料として，管理下にある資産総額の 1.5％ をそれぞれの顧客に課している。

　ファイナンシャル・プランナーは，顧客の生涯のためにファイナンシャル・プランを作成する。ファイナンシャル・プランナーは，顧客がいくら預金したらよいかの決定を手助けし，予算編成を支援し，顧客が十分な保険に入っていることを保証する。また，たとえて言えば，クライアントの財政状態の健全さを診察する一次診療医師として仕える。TFS は，最初のファイナンシャル・プランに対して 1200 ドルの初期料金を請求し，その後の継続

的なアドバイスについては1時間当り125ドルのレートでプランナーの稼働時間に対して請求する。ファイナンシャル・プランナーは、一般に四半期ごとにクライアントと会って、更新されたプランについて話し合う。

　TFSには、サポート機能に属する従業員グループがある。**プリンシパル**は、ブローカー、投資口座担当マネジャー、ファイナンシャル・プランナーを管理し、監督する。**顧客サービス担当者**は、販売と口座サービスについて電話で顧客の要請に対応する。

　TFSは、2種類のコンピュータ設備を利用している。集中クラスター化された**サーバー**は顧客取引を処理し、顧客口座を維持し、さまざまな管理機能を遂行する。サーバーのキャパシティは、MIPS（millions of instructions per second；100万命令毎秒）という単位で測定される。すべての従業員は、TFSがリースしている**デスクトップ・コンピュータ**を受け取っている。

　TFSは、**オフィススペース**を賃借しており、主に直接作業に携わる従業員とプリンシパルのための個別のオフィスだけではなく、新規に口座を開設したり既存の口座にサービスしたりするために顧客と面会するときに利用する会議室にも供されている。

　その他の**本社費**には、財務、人事、監査、税金、専門家に対する報酬、コンプライアンスのための管理費が含まれている。

時間適用 ABC モデル

　TFSは、以下の手順を踏んで時間適用ABCモデルを構築した。第1に、各種の人的資源を提供するために必要なコストを見積もった。図表7A-2は、ブローカーのための基本的なプロセスを例示している。すなわち、ブローカーの総報酬にその従業員を支援するすべての間接費を加えて年間8万1500ドル、つまり月間6800ドルと計算される。この単純化されたケースでは、間接費には、ブローカーが占有するスペースのコストおよびブローカーのデスクトップ・コンピュータ、アプリケーション・ソフトウェアおよびITコンサルタントのコストが含まれている。一般に、ある従業員にかかったコストの合計には、人事、管理、経理などの直接に追跡が可能なサ

図表 7A-2

時間適用 ABC ステップ 1：資源キャパシティ提供の単位時間当りコストの算定

$$\text{キャパシティ・レート} = \frac{\text{キャパシティ提供コスト}}{\text{提供された資源の実際的生産能力}}$$

ブローカー：	年間給与（諸手当を含む）	$65,000
	80平方フィートのスペース利用@$125／平方フィート／年	10,000
	コンピュータ相談員のサポート	6,500
	年間コスト	$81,500
	月間コスト	**$6,800**

ブローカーは，1日7.5時間，月間20日間作業する。休息と訓練の時間をそこから差し引いた6.5時間が1日に利用可能な生産的時間である。

$$\text{コストレート} = \frac{\$6,800／月}{6.5 \times 20 = 130\text{時間}／月} = \$52／\text{時間}（\$0.87／分）$$

ポート部門の資源が含まれている。

次に，TFS は，それぞれの従業員を提供するためにかかる月間のコスト合計額を各従業員の月間キャパシティで割った。ブローカーの作業を年間 240 日（365 日－週末 104 日－休日と休暇 21 日），つまり月に 20 日間と仮定した[15]。ブローカーは，毎日 7.5 時間出勤するが，必ずしも顧客とのやり取りにすべての時間を充てることができるわけではない。ある時間（ブローカーに関しては1日当り1時間が想定される）は，休憩，訓練，教育に利用される。利用できない時間を差し引くと，各ブローカーは，月に130時間（1日6.5時間×1カ月20日間）のキャパシティを有している計算となる。

ここで，ブローカーを提供するコスト（月間 6800 ドル）とブローカー1人当りのキャパシティ（月間 130 時間）を知ることができたので，その従業員のキャパシティ・コストレートを仕事に利用できる時間1時間につき52 ドルと計算することができる。図表 7A-3 は，TFS の各タイプの従業員

図表7A-3

TFSの資源量，キャパシティ・コストレート

	年間給与	月間給与	月間スペース	月間ITコスト	月間総原価	1月当りの生産的時間	キャパシティコスト・レート（$/時間）
ブローカー (225)	$65,000	$5,417	$832	$539	$6,800	130	$52
投資口座担当マネジャー (15)	91,000	7,583	832	539	9,000	130	69
ファイナンシャル・プランナー (18)	84,500	7,042	1,248	539	8,800	130	68
プリンシパル (40)	130,000	10,833	1,560	539	12,900	130	99
顧客サービス担当者 (50)	41,600	3,467	520	206	4,200	140	30

のキャパシティ・コストレートの計算を示している。

図表7A-2と7A-3で示したキャパシティ・コストレートの計算は，あらゆる企業にとって簡単に行うことができる。分数式の分子は，それぞれの従業員の月間報酬額に，生産的な仕事をさせるために発生するすべての支援コスト（スペース，技術，管理，間接支援：人事，IT，経理）を加えたものである。分母については，アナリストのプロジェクト・チームが従業員の一般的な出勤日を月次で見積もり，休息，訓練などの顧客に関連しない活動のための中断時間を計算し，生産的な仕事のために利用できる月間時間数（あるいは分数）が得られる。

問題を複雑にしている1つの要因は，キャパシティのピークや季節的なキャパシティには変動があることである。企業はピーク時の需要に合わせて資源を提供するが，その資源のキャパシティはスラックすなわちピークではない期間においては，完全には活用されない[訳注4]。キャパシティがピークにある状況に対処するために時間適用ABCモデルを拡張することは，困難なことではない。TFSのサーバーのためのキャパシティ・コストレートを

計算することによってそれを説明しよう。TFSのサーバーは，営業日において特に証券取引所で取引が開始されるときに集中的に8時間利用されるが，その日の残りの16時間はそれほど過度に利用されるわけではない。図表7A-4では，想定されるサーバー（コンピュータ）・キャパシティの利用パターンを示す。サーバーは，午前9時から午後5時の間に集中的に利用され，午後5時から翌朝9時まではほとんど利用されない。TFSはピーク時の需要に合わせるため，76台のサーバーを購入したが，夕方から早朝にかけてのスラック時には19台だけが稼働している。

各サーバーは，ハードウェア，ソフトウェア，メンテナンスで年間3万8000ドル（月間3168ドル）のコストがかかり，1時間当り50MIPS処理できるキャパシティを有している。サーバーは人と違って休暇を取らないため，1日24時間で1月に22日間，つまり合計で月間528時間利用できる。

異なる需要のある期間には，2種類のコストレートの計算が必要である。単純な計算は，19台のサーバーが稼働するスラック時，すなわちオフピーク期間に対するものである。19台の各サーバーを稼働させるためには，1時間当り6ドル（毎月3168ドル÷毎月528時間），すなわち1MIPS当り0.12ドル（1時間当り6ドル÷1時間当り50MIPS）のコストがかかる。

ピーク期間に関して，分母（8時間のキャパシティを提供するコスト）は，76台のサーバー×1時間当り6ドル×8時間である。しかし，それに加えてピーク時のキャパシティを提供するコストには，57台（76台－19台）の遊休サーバーのコストがスラック期間16時間分含まれる（同じく1時間当り6ドル）。負荷のかかるピーク時のキャパシティはより高価で，利用できるキャパシティの1/3しか資源が利用されていないからである。以下に，ピーク時のキャパシティを提供するためにかかるコストの完全な計算式を示

訳注4	1990年代になってから，キャプランは「未利用キャパシティ」の概念モデルを提唱した。時間基準ABCは，その概念モデルを実務でいかに適用するかの回答である。では，このモデルが日本で適用されるべきであるか。広告業界を例にとってみると，アメリカでは従来から時間単位で給料が支払われていたのであるが，日本では広告代理店への時間単位当り報酬決定の方式は失敗している。一方，公認会計士への報酬は，日本でも時間単位で支払われている。この種の文化が日本で受け入れられるか興味のある展開である。

図表 7A-4

TFSにおける営業日のコンピュータ・キャパシティのピーク時の需要

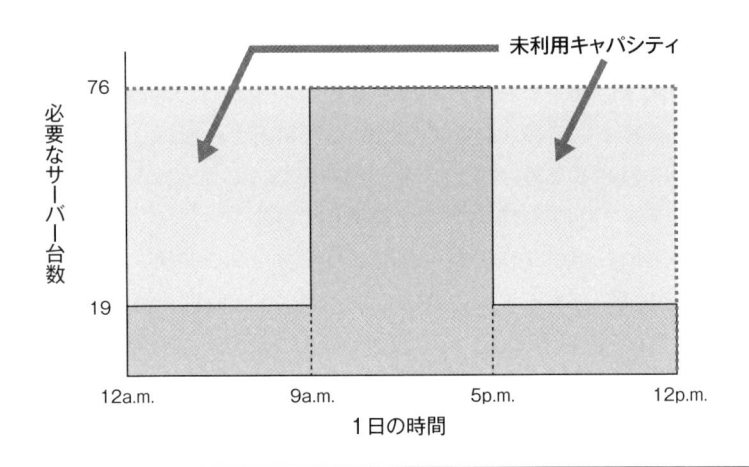

(縦軸: 必要なサーバー台数 19, 76／横軸: 1日の時間 12a.m., 9a.m., 5p.m., 12p.m.／未利用キャパシティ)

す。

ピーク時間のコストレート：

$$\frac{[(76台 \times 8時間) + ((76台 - 19台) \times 16時間)] \times \$6}{[76台のサーバー \times 8時間 \times 50\text{MIPS}/時間]} = \$0.30/\text{MIPS}$$

ここではたった2つの期間におけるキャパシティの利用に関する計算を説明したが，この計算はピーク時のキャパシティと季節的変動のあるキャパシティを利用する複雑なパターンを取り扱うために簡単に拡張することができる[16]。

さて，TFSのすべての資源に関するキャパシティ・コストレートの計算を終えたので，時間適用ABCモデルの第2番目のパラメータ，すなわち各顧客との取引あるいは対話によって利用される資源キャパシティ量の見積もりに移ることにする。図表7A-5は，TFSの各タイプの従業員，すなわちブローカー，投資口座担当マネジャー，ファイナンシャル・プランナー，顧客サービス担当者に関する時間の見積もり例を示している。各タイプの取引

図表7A-5
時間適用 ABC ステップ 2：取引と商品の資源需要量を見積もるために時間に関する数式を利用する

ブローカーの時間＝	60 分 / 口座新規開設＋ 5 分 / 取引（株式や投資信託）＋ 20 分 / 既存顧客との面会
投資口座担当マネジャーの時間＝	240 分 / 口座新規開設＋ 60 分 / 既存顧客との面会＋ 4 分 / 取引
ファイナンシャル・プランナーの時間＝	600 分 / 口座新規開設＋ 90 分 / 既存口座 / 月
顧客サービス担当者の時間＝	12 分（新規株式口座または新規投資口座の開設）＋ 18 分（新規投資管理口座またはファイナンシャル・プランニング口座の開設）＋ 5 分 / 取引コール＋ 7 分 / 投資管理コール＋ 10 分 / ファイナンシャル・プランニング・コール

図表7A-6
ERP システムによる月間取引数の把握

	株式取引	投資信託取引	投資管理	ファイナンシャル・プランニング
取引回数	305,288	26,325	5,400	6,500
口座新規開設数	595	255	175	130
合計口座数	29,750	12,750	1,200	900
顧客サービスセンターのコール数	47,600	11,475	1,320	540
顧客との面会	3,570	765	480	569

を処理するために必要なサーバーのキャパシティ（MIPS）に関しても，これと同様な見積もりを行うことができる。

　最終的に，企業は直近の期間（たとえば，1 カ月間）における各タイプの顧客取引に関する回数を計算する。図表 7A-6 は，このような要約報告書の例を示している。このモデルでは，各タイプの取引回数に 1 取引当りの資源の必要時間を掛け合わせることによって，商品タイプ別に資源タイプごとの資源キャパシティに対する需要（時間数）が得られる（図表 7A-7 を参照）。

図表7A-7

各商品が利用する資源時間の計算

利用時間数 (時間)	株式取引	投資信託取引	投資管理	ファイナンシャル・プランニング	合計	利用可能な生産的時間	キャパシティ利用率
ブローカー	27,226	2,704			29,929	29,900	100%
投資口座担当マネジャー			2,080		2,080	2,340	89%
ファイナンシャル・プランナー				2,154	2,154	2,600	83%
プリンシパル	2,643	262	418	130	3,453	3,900	89%
顧客サービス担当者	4,086	1,007	207	129	5,428	5,880	92%
MIPS (ピーク時)	465,913	30,200	96,783	11,823	604,718	668,800	
MIPS (オフピーク時)	99,358	105,986	72,212	11,860	289,415	334,400	

ブローカーが株式取引に利用する総時間数＝5分×(既存口座の取引数)＋60分×(新規開設口座数)
　　　　　　　　　　　　　　　　　　＋20分×(既存顧客との面会数)
　　　　　　　　　　　　　　　　　＝(5×305,288＋60×595＋20×3,570)/60
　　　　　　　　　　　　　　　　　＝**27,226時間**

　時間適用ABCモデルは最終的な計算で製品別に利用された各資源の時間数に各資源の時間当りキャパシティ・コストレートを掛け合わせて，直近の期間における製品別に利用された資源コストを計算する。

　このモデルからのアウトプットは，完全な商品ライン別の損益計算書である（図表7A-8を参照）。図表7A-8の一番右側の列は，図表7A-1からTFSの要約月次損益計算書を書き写したものである。中央の列は，TFSの各商品が企業の資源を著しく異なった割合で使用していることを示している。特に，中心となる株式取引と投資信託の商品は，従業員とコンピュータの利用に関して効率的であり，それらは高い利益率を示している。新規に導入した商品，すなわち投資管理とファイナンシャル・プランニングは，高価な従業員の資源を集中的に利用し，損益分岐点付近にあるか損失を出していることがわかる。

図表7A-8

時間適用ABCモデルにより算定されたTFSの商品別収益性

(単位：1,000ドル)

	株式取引	投資信託取引	投資管理	ファイナンシャル・プランニング		利用資源のコスト	+	未利用キャパシティのコスト	=	投入資源のコスト
売上高	$2,687	$1,091	$90	$167	→	$4,035				$4,035
ブローカー	1,421	141				1,563		−2		1,561
投資口座担当マネジャー			143			143		18		161
ファイナンシャル・プランナー			0	146		146		30		177
プリンシパル	263	26	42	13		344		44		388
顧客サービス担当者	122	30	6	4		163		14		176
コンピュータ・サーバー費用	152	22	38	5		216		25		241
総原価	1,958	219	229	168		2,575		129		2,704
売上総利益	$728	$872	−$139	−$1		$1,461		−$129		$1,331
売上総利益率	27%	80%	−154%	0%		36%		−3%		33%
販売費および一般管理費（本社費配賦前）										1,300
営業利益										$31
営業利益率										1%

図表7A-8の商品ライン別の損益計算書に目を通している経営者は，即座に次のようなメッセージを受けとる。TFSの事業を成長させるために導入された新しい投資管理とファイナンシャル・プランニング・サービスは，損益分岐点にあるか損失を被っている。それらのサービスは，相当な資源，すなわち従業員とコンピュータ・キャパシティを必要とし，これらのコストは新しいサービスから得られる手数料や取引収益によってカバーされていないことがわかる。

　このモデルによって，TFSの伝統的な商品ラインである株式取引と投資信託取引は非常に収益性が高いが，新規に導入した商品ラインは相当収益性が悪い（投資管理サービス）か，ほとんど損益分岐点上にあった（ファイナンシャル・プランニング・サービス）ことがわかった。

　TFSは，商品ライン別の収益性が大きく偏っていることを学習したので，株式取引手数料の値上げ，投資信託の販売強化，投資管理サービスに関する最低口座残高の設定，TFSの料金の見直しを含めて経営者はいくつかの行動をとった。本章の本論で示した販売予測および業務予測（図表7-5）と財務予測（図表7-9）には，これらの行動による変化が反映されている。

　TFSの経験は，特殊なケースではない。多くの企業が自社の新商品の経済性を十分に理解することなく，新商品，新サービス，新チャネルを導入する戦略を採用している。当初は，新戦略にもとづく新商品は魅力に満ちているように思われる。それらは，企業の一般商品化した中心的な商品およびサービス以上に新たな収益，多角化，成長の源泉となり，一般にあらゆる追加的なコストはオーバーヘッドつまり間接費勘定に埋没する。成長に対するつけは，企業が新商品を生産し，提供し，サービスするために従業員，設備，ソフトウェア，技術を追加しなければならないときに発生する。時間適用ABCモデルによって，企業は新商品から得られる増分収益が増分費用を上回るかどうかを見極めることができるようになる。新戦略のコストがその戦略が生み出す価値をしばしば超えることがある。このようなときに，企業は戦略を再考するためのシグナルを受け取ることになる。

　このように，企業が（第8章で述べる）月次の戦略検討会議と（第9章で述べる）戦略の検証と適応のための年次会議の準備を行うとき，既存の戦略

マップにおける業績尺度間の仮定上の結びつきが実務で実現されているかどうか検証するために，その業績尺度間の因果関係を分析的に調査する必要がある。最も重要な因果関係のなかで，幸いにも文書化が最も容易なものの1つが現在の商品，サービス，顧客の経済性である。

通常，本補論で述べた現状分析用の時間適用 ABC モデルによって，儲からない商品と顧客の関係，非効率的なプロセス，余剰キャパシティが明らかになる。一般にこれらの問題は，それ単独で解決できるものではない。経営者は，非効率的なプロセスを改善し，未利用の余剰キャパシティの提供量を削減し，儲からない商品および顧客を儲かるように変身させなければならない。現在の業務活動に関する正確な時間適用 ABC モデルは，戦略的（および業務的）オプションに関する経営上の重要な考慮事項に対して不可欠な情報を提供する。本章で説明したように，時間適用 ABC モデルは取引の需要を処理するために必要となる資源キャパシティの将来の需要とコストを見積もるための販売データと業務データの予測にも利用することができる。

【注】

(1) H. T. Johnson and R. S. Kaplan, *Relevance Lost: The Rise and Fall of Management Accounting*, Boston: Harvard Business School Press, 1987, pp.100-112（鳥居宏史訳『レレバンス・ロスト：管理会計の盛衰』白桃書房, 1992 年）
(2) A. Dunlap with B. Andleman, *Mean Business: How I Save Bad Companies and Make Good Companies Great*, New York: Random House, 1996; J. A. Byrne, *Chainsaw: The Notorious Career of Al Dunlap in the Era of Profit-At-Any-Price*, New York: Collins, 2003.
(3) Anonymous WORLDCOM executive, Beyond Budgeting Round Table Web site http://www.bbrt.org/beybud.htm（2008 年 2 月 17 日現在）より引用。
(4) J. Hope and R. Fraser, "Who Needs Budgets?" *Harvard Business Review*, February 2003, pp.108-115（スコフィールド素子訳「脱"予算管理"のマネジメント」『DIAMOND ハーバード・ビジネス・レビュー』2003 年 6 月号, pp.131-140）; Hope and Fraser, *Beyond Budgeting: How Managers Can Break Free from the Annual Performance Trap*, Boston: Harvard Business School Press, 2003（清水孝監訳『脱予算経営』生産性出版, 2005 年）

(5) B. Bogsnes, "Blowing up the Budget: Statoil's Journey Beyond Budgeting," Palladium Planning and Budgeting Conference, Amsterdam (October 2006).
(6) B. Jorgenson and R. S. Kaplan, "Borealis," Case 102-048, Boston: Harvard Business School, 2001.
(7) *Ibid*, p.4.
(8) *Ibid*.
(9) *Ibid*, p.6.
(10) *Ibid*, p.7.
(11) S. G. Makridakis, S. C. Wheelwright, and R. J. Hyndman, *Forecasting: Methods and Applications*, New York: John Wiley, 1998.
(12) 時間適用ABCに関しては，R. S. Kaplan and S. R. Anderson, *Time-Driven Activity-Based Costing*, Boston: Harvard Business School Press, 2007（前田貞芳・久保田敬一・海老原崇監訳『戦略的収益費用マネジメント　新時間主導型ABCの有効利用』日本出版貿易，2008年）を基本的に参照した。
(13) 同じモデルを利用して，別の資源の需要すなわち従業員と会議室に関するスペースの需要量を予測することができる。
(14) Kaplan and Anderson, *Time-Driven Activity-Based Costing*, pp.219-229（前田貞芳・久保田敬一・海老原崇監訳『戦略的収益費用マネジメント　新時間主導型ABCの有効利用』日本出版貿易，2008年）を参照のこと。
(15) 休日と休暇に手厚い雇用主は，1月当り18日間ないし19日間しか実際の労働力の提供を受けていないであろう。1週間の労働時間が長く休暇がほとんどない発展途上国の雇用主は，従業員1人当り月に22日間から24日間の労働力の提供を受けていると思われる。
(16) Kaplan and Anderson, *Time-Driven Activity-Based Costing*, pp.185-189（前田貞芳・久保田敬一・海老原崇監訳『戦略的収益費用マネジメント　新時間主導型ABCの有効利用』日本出版貿易，2008年）の例を参照のこと。

第8章 業務と戦略の検討会議
Operational and Strategy Review Meetings

企業は，戦略的計画書と業務計画書を作成したら，製品やサービスの生産と顧客への提供，実施項目の実施，プロセス改善といった戦略の実行に取りかかる。まさにそこから，その後の3～5年間にわたって厳しい業績目標値を達成するために，計画に沿った戦略実行の推進がはじまる。

　しかし，宇宙船が遠い目的地へ向けて発進したあとの管制センターのように，戦略目標を達成するために，企業は継続的に業績をモニターし，調整する必要がある。経営者は，業務上の問題と改善プログラムを取り扱う一連の

図表8-1

マネジメント・システム：戦略と業務の連結

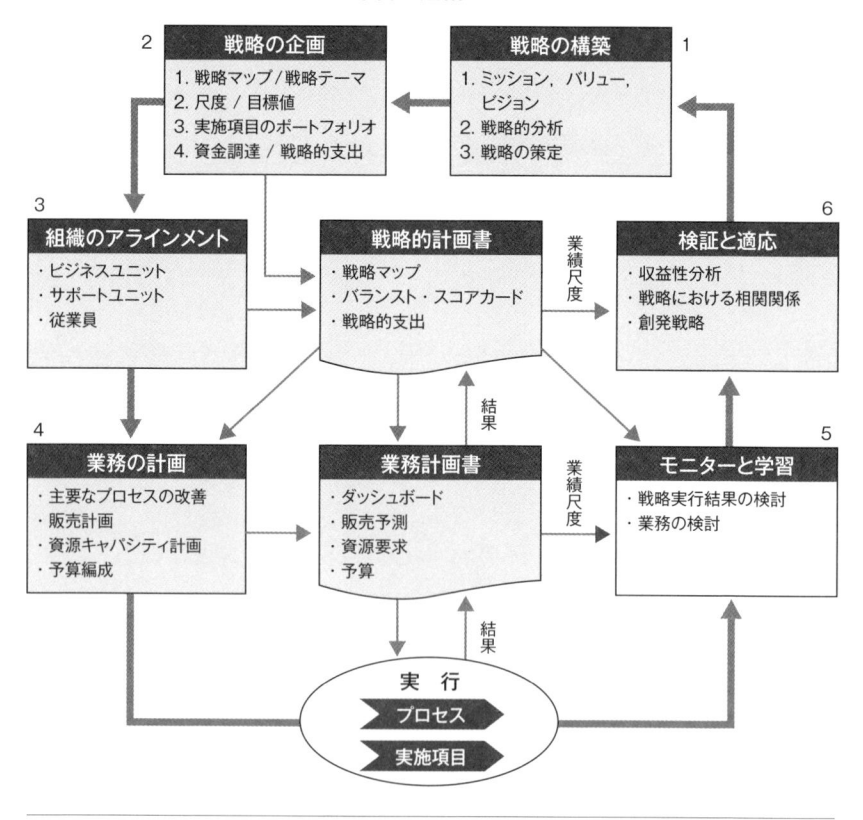

	1 戦略の構築
	1. ミッション，バリュー，ビジョン
	2. 戦略的分析
	3. 戦略の策定

2 戦略の企画
1. 戦略マップ／戦略テーマ
2. 尺度／目標値
3. 実施項目のポートフォリオ
4. 資金調達／戦略的支出

3 組織のアラインメント
・ビジネスユニット
・サポートユニット
・従業員

戦略的計画書
・戦略マップ
・バランスト・スコアカード
・戦略的支出

6 検証と適応
・収益性分析
・戦略における相関関係
・創発戦略

4 業務の計画
・主要なプロセスの改善
・販売計画
・資源キャパシティ計画
・予算編成

業務計画書
・ダッシュボード
・販売予測
・資源要求
・予算

5 モニターと学習
・戦略実行結果の検討
・業務の検討

業績尺度／結果

実　行
　プロセス
　実施項目

会議をきちんと体系立てて行うことによって企業をうまく導いていく。経営者のねらいは，必要に応じて戦略を検討し，戦略を調整もしくは転換することである。これらの会議は，図表8-1の右側（ステージ5と6）で示されるように，マネジメント・システムのフィードバックとコントロールのステージに相当する。TQM用語で言えば，さまざまな経営会議は戦略実行プロセスにおける（PDCAサイクルのうちの）CheckとActionの部分にあたる。

業務検討会議 訳注1 と戦略検討会議 訳注2 を分けるというアイディアは，論理的で簡単に実現できるように見えても，多くの企業ではそのように分けられていない。典型的な例が，コナー・コーポレーション（ありがちな企業事例の1つ）である。コナーはIPOに成功したのちも，引き続いて上級経営幹部が出席する1日会議の実施を毎月恒例のものとした。会議の議事日程には，午前中は業務上の課題を議論し，午後は戦略上の課題を議論することが明記されていた。しかし不幸なことに，戦略についてはまったく議論されることがなかった。

通常の業務検討会議は，財務業績の月次実績と四半期予想の検討からはじめた。当然のことながら，IPO時の四半期財務目標よりも収益は低く，支出が高かった。その日の残りの時間は価格調整，キャパシティ削減，従業員のレイオフ，販売キャンペーンを通じて，その四半期のギャップをいかに埋めるかを議論するのに費やされた。ある経営幹部は，「私たちに戦略のために使う時間などない。四半期の数字を達成できなければ，クビになりかねない。私たちにとって長期というのは短期のことである」と述べた。コナーは低迷し，各四半期の数字を達成したり，わずかに達成できなかったりという状態だった。かといって，さらなる成長の機会を生み出し，短期的な財務目標の未達成という一貫したパターンを打破するために，戦略をいかに修正するかについて疑問を投げかけることは決してなかった。結局，コナーは

訳注1　原典では, operational review meeting, operational meeting, operational reviewなどの表記があるが，同じ内容を指しているため，業務検討会議に統一して訳出した。19頁の訳注を参照されたい。

訳注2　原典では，strategy review meeting, strategy review, strategy management review meetingなどの表記があるが，同じ内容を指しているため，戦略検討会議に統一して訳出した。19頁の訳注を参照されたい。

IPO時よりもかなり低い金額での売却を余儀なくされた。

コナー・コーポレーションが経験したことと同様の問題を回避するためには，企業は経営会議の検討課題と出席者を明確に切り分ける必要がある（図表8-2参照）。**業務検討**会議では直近の部門別業績，機能別業績，財務業績を検討し，解決しなければならない当面の問題に対処する。**戦略検討**会議では，戦略実行の成功に関連した戦略実行の進捗度，阻害要因，リスクを評価するために，バランスト・スコアカードの指標と実施項目を検討する。**戦略の検証と適応**の会議では，戦略の尺度として収集されたデータと照らし合わせて，戦略が機能しているかどうか，基本となる仮説が依然として妥当なままかどうかを議論する。この会議の出席者は，競争環境と規制環境における変化の評価，企業が追求できる新しいアイディアと機会も検討する。

3つのタイプの会議は，異なる頻度，異なる出席者，それにもちろん異なる検討内容で行われる。移動日程の関係や出席者のスケジュールをうまく調整できないせいで，2種類の会議を同じ日もしくは連日で行う場合もある。たとえば，スプリント・ネクステルの経営幹部チームは月に1度，半日会議を午前と午後の2回にわたって行っている。午前中の会議は業務上の課題に充てて，午後の会議は戦略課題に集中する。それぞれのタイプの会議で最もよく対処できる特定のトピックの議論に集中するために会議を切り分け，異なる検討課題，おそらくは異なるリーダー，明確に区分されたタイムスケジュールにするべきであると著者たちは確信している。さもないと，短期的かつ戦術的な課題にばかり注意が払われ，戦略の実行と適応についての議論がないがしろにされてしまう。

オラクル・ラテンアメリカの財務担当バイス・プレジデントのシェリル・マクダウェルは，業務検討会議と戦略検討会議を切り分ける意義について，次のように指摘した。「私たちは，とても取引中心的で，売上高重視の文化を持っている。いつも短期的な売上高についての議論が長引くせいで，戦略の議論のために予定された時間がなくなってしまっていた」[1]。オラクル・ラテンアメリカは，売上高についての議論にほとんどの時間を費やす経営幹部会に下部組織を設置して，その下部組織に月次の財務業績と売上実績を検討するための会議を月に1度行わせることによって，この問題を解決した。

図表8-2
モニター，学習，対処，適応のための経営会議

フィードバックと学習のプロセス	目標	阻害要因	代表的な活動
1. 業務検討会議 自社の業務をコントロールできているか	短期的な財務業績と業務パフォーマンスのモニターとマネジメント	・経営者が検討するKPIとダッシュボードが戦略の中核をなさないこと	・影響要因の分析 訳注3 ・差異分析 ・KPIダッシュボードの検討 ・チームによる問題解決 ・フォローアップ・プログラム
2. 戦略検討会議 自社は戦略をうまく実行できているか	戦略的実施項目とバランスト・スコアカードのモニターとマネジメント	・経営会議で戦略実行について議論する時間の不足 ・事業横断的な戦略的実施項目について，結果のモニターやマネジメントをしないこと	・戦略テーマのモニター ・実施項目のポートフォリオのモニター ・戦略テーマ別チーム ・検討課題のマネジメント
3. 戦略の検証と適応の会議 自社の戦略は機能しているか	因果関係図において仮定された結果が予定どおり生じているかどうかを定期的に評価すること	・戦略の前提となる仮説の検討や検証をするためのデータがないこと ・戦略を検証するための戦略的分析の能力不足 ・新しい戦略オプションを提案することを従業員に奨励しないこと	・分析的研究 ・ABCによる製品別および顧客別の収益性分析 ・因果関係の検証と分析 ・創発戦略の検討

　四半期に1度，経営幹部は1日から1日半をかけて，もっぱら戦略だけに集中した検討課題についての会議を行うことにした。
　SASは非上場会社なので，戦略検討会議ではマーケットシェアを獲得するための長期的展望を重視する。ヨーロッパ，中東，アフリカ地域とアジア太平洋におけるSASの2日間経営会議（年3回実施）はもともと，経営幹

訳注3　原典には driver model とだけ記載されている。業績向上の影響要因分析や，業務上の課題解決のための根本原因分析などと推測されることから，影響要因の分析と訳出した。

部と各国の経営者が組織全体のアラインメントと一貫性を確保するための業務検討会議に端を発する。しかしながら，これらの会議が戦略検討会議にまで発展した。エグゼクティブ・バイス・プレジデントのミカエル・ハグストロームは次のように述べた。「私たちはまず年次予算からローリング予測へ切り替えた。次に，事業計画プロセスを，バランスト・スコアカードとダッシュボードに結びついた戦略重視の活動へと切り替えた。業務検討会議は，戦略をいかに実行しているかを評価するために戦略実行の進捗度や対処すべき事項を検討する1時間の月次電話会議に簡略化された。現在では，私たちは戦略自体を検討するため，何が機能し何が機能していないかを議論するため，そして自社の戦略実行のアラインメントを確保するために経営会議を行っている。戦略にとって不可欠なのは，数年間事業を展開したいと考える場所の地図を作ることと，正しい方向のまま進むようにするための微調整である。」戦略検討会議の1日目と2日目には，所定のトピックについての分科会がある。2日目の最後には，分科会ごとに成果と提案された方策を報告する。SASの経営者は，このやり方によれば，会議出席者が世界全体の顧客の変わり続けるニーズに対応するために，戦略を迅速に調整できるようになると考えている。

　本章の残りの部分で，業務検討会議と戦略検討会議について詳細に考察する。戦略の検証と適応の会議については第9章で詳細に述べる。

業務検討会議

　これまで述べてきたように，業務検討会議では短期的な業績を評価し，迅速な処置を必要とする最近生じたばかりの問題に対処する。たとえば，販売員はセールスパイプライン，直近の決算，顧客への販売機会やそれに関連する問題について議論するために会議を行う（電話会議やウェブキャストを使うことも多い）。マーケティング担当者は販売計画や現在の広告および販売促進キャンペーンの結果を議論するために会議を行う。生産業務の担当者は，生産上の問題，メンテナンスと修理のスケジュール，設備故障や休止時間，当座のスケジューリングと進捗管理の課題，サプライヤーに関連するす

べての懸案事項，流通と納品の問題を検討する。購買担当者は，サプライヤーのリードタイム，品質，納品の実績のほかにも，業者との契約問題について議論する。財務担当者は，売掛金の回収，サプライヤーへの支払遅延，資金管理業務，取引銀行との関係を含めた短期的なキャッシュフローの課題に取り組む。

多くのマネジメント・チームは月に1度，財務検討会議を実施している。その実施時期は，多くの会社で決算を行う頻度と一致する。しかし，ほとんどの部門と機能【訳注4】は，月に1度では業務検討会議としては少な過ぎることを，これまで学んできた（業務検討会議を月に1度より少ない回数でしか行わないマネジメント・チームをほとんど見たことがない）。これらの企業は販売，帳簿記入，出荷などの業務データを検討するため，さらに重要顧客からの苦情，納期遅延，不良品の生産，機械の故障，重要な従業員の度重なる欠勤，新しい販売機会など，生じたばかりの短期的な課題を解決するために，週に1度か2度，あるいは毎日でさえ会議の予定を組む。たとえば，ニューヨーク市警で実施される業務検討会議は，ニューヨークの76警察管区における犯罪発生傾向を明らかにし，議論し，迅速に対策をとるため，週に2度行われていた。

会議の頻度は，業務ダッシュボードにどれだけ迅速に新しいデータを掲載するかにも影響を受ける。このあと本章で，化学メーカーのケーススタディで考察するように，短い業務サイクルを持つ企業が毎時および日次で新しいデータを提示する場合，毎日そのデータを検討することによって学習と迅速な問題解決が促進される。しかし，製品開発グループについては，毎日よりも月に1度のほうが，マイルストーンとステージゲート【訳注5】に対する進捗度を適切に評価できる。要するに，業務検討会議の頻度は部門や事業の業務サイクルによって，また経営者が売上高データや業務データだけでなく，絶

訳注4　本章全体を通じて，「組織のいたる所」というニュアンスで，部門（department）と機能（function）という用語を並列させて用いている。この場合，部門は事業を行うビジネスユニット，機能は機能別サポートユニットと読み替えられる。

訳注5　ステージゲートとは，研究開発から事業化までのステージごとに設けられた通過すべき関門（ゲート）のことである。ステージゲートをすべて通過したものだけが事業化されるようにする研究開発の管理方法をステージゲート制という。

えず生じる無数の業務上の課題にどれだけ迅速に対処したいかによって決定されるべきである。

ほとんどの業務検討会議は1つの部門，機能，プロセスからの出席者だけで行う。同じ専門分野や機能から来たチームメンバーならば，業務上の問題を分析して解決するために，共通の専門知識，経験，文化を適用できる。機能横断的な解決策や部門横断的な解決策を必要とする課題は通常，少ない頻度で行われる戦略検討会議で取り扱われる。戦略検討会議については，このあと本章で述べる。

業務検討会議は短い時間で，特定の課題にかなり集中して，アクション重視で行うべきである。ある企業では，業務検討会議を，ホワイトボードとフリップチャートで壁が埋め尽くされている椅子のない部屋で行っている。出席者は検討すべきトピックを前もって提示しておく。その会議では，それぞれの課題を議論し，行動計画を策定し，その行動計画の実行責任を割り振る時間を必要に応じて変える。各人を立たせておくのは，会議の目的が，出席者が一緒の時を過ごしながら受け身で話を聞くことではないというメッセージを送るためである。そのかわりに，出席者は当日の最も差し迫った課題に関する問題解決の議論に積極的かつ活発に取り組んでいる。

多くの企業の業務検討会議では，非常に多くの時間をかけて，データの配布と説明を行っている。そのような議事日程はコンピュータ登場以前とか，それこそ財務部門とデータ処理部門が業務データの収集，集約，報告を独占していたような集中コンピュータ時代の遺物である。ウェブベースの分散コンピューティング環境では，経営者が揃ってデータの説明を見たり聞いたりするのに，限られた貴重な時間を使うべきできはない。ベスト・プラクティス企業では，前もって報告書を配付しておくか，ウェブベースのITを使って基本的なデータを入手できるようにしている。

日常業務やプロセス改善プロジェクトに対して情報を提供するために使用されるオンラインのダッシュボードによって，業務検討会議において非常に役立つ情報が提供される（業務ダッシュボードの構築については第6章で検討）。第7章で検討したように，検討すべき情報の1つとして，レベニュードライバーのデータがある。マーケティングと営業のマネジャーはレベ

ニュードライバーのデータを使って，販売計画における収益予測の達成見込みを評価したり，レベニュードライバーに影響を与える方策を提案したりすることができる。業務検討会議の出席者全員が一丸となって分析，問題解決，意思決定のために時間を費やすことができるように，前もって報告書とデータを検討しておく。

　業務検討会議を最も効果的にするためには，業務チームのメンバー全員が出席すべきである。ジャック・メイプルがニューヨーク市警の副本部長だったとき，署長が出席する週に2度の会議を朝8時からはじめることにした。まもなく，多くの人が地域団体との朝食会議などの先約があったり，悪評高いニューヨークのラッシュアワーの渋滞をかいくぐって警察本部へ到着するのが難しかったりするために出席できないことがわかった。そこで，メイプルは検討会議を朝7時からはじめるようにスケジュールの変更を行った。誰かのスケジュールがその時間にぶつかる場合は，メイプルはさらに早い時間に会議を開始するように提案した。まもなく，7時の会議とぶつかるスケジュールがすべてなくなった。ニューヨーク市警におけるメイプルの経験から，頻繁に行われ，きちんと体系化され，データを多用する業務検討会議について興味深いケーススタディがもたらされる。

ケーススタディ：ニューヨーク市警のコンプスタット会議

　ルドルフ・ジュリアーニは，1993年の11月にニューヨーク市長に当選した。かつて米国弁護士だったジュリアーニは，汚職と組織犯罪に対する強硬派としての名声を得ていた。ジュリアーニは，ニューヨーク市の犯罪を減少させると公約する選挙キャンペーンを張って当選した。ジュリアーニは，ニューヨーク市警の本部長としてボストンの警察本部長のウィリアム・ブラットンを任用した[2]。インタビューのとき，ブラットンはニューヨークの凶悪犯罪を3年間で40％削減すると約束した。これは過去3年間の犯罪減少率（12％）の3倍以上であった。ブラットンは，ボストン時代の同僚であるジャック・メイプルを犯罪対策戦略のための副本部長として雇い入れた。

　ブラットンやメイプルを初めとしたニューヨーク市警の幹部たちは，公共

の場での飲酒，落書き，渋滞のなかでアイドリングする迷惑運転など，生活の質を阻害する違法行為に対処するための新しい犯罪対策プログラムをいくつか立ち上げた。そのニューヨーク市警の幹部たちは強力な治安維持，現場の署長への権限委譲，警察官としての士気向上と支援の強化策を導入した。とはいえ，新しい犯罪対策プログラムの有効性を示すデータを持っていなかった。そのニューヨーク市警の新任幹部たちは，驚いたことにニューヨーク市警は発生もしくは起訴された犯罪に関する現在のデータを実質的に何も持っていなかったことを思い知らされた。そこで，ニューヨーク市警はFBIの要求事項にのっとって，たった3カ月間で犯罪統計をまとめた。

メイプルは，測定をまったくせずにはプロセス改善はできないと考え，FBIの主要な犯罪分類に関する犯罪データを，76の警察管区から週次で収集する取組みをはじめた。その犯罪分類とは殺人罪，強姦罪，強盗罪，住居侵入窃盗罪，重罪の暴行罪，重窃盗罪，自動車窃盗罪である。当初，各管区から手書きでデータが送られ，それからそのデータを本部の市全域地図へ転記していた。手作業による報告とデータの記入は面倒で，タイムリーな報告と分析が阻害されているのは明らかだった。

1994年に，市警本部は市全域の犯罪に関するコンピュータ処理の地図を表示する自動化システムを開発した。「コンピュータ化犯罪比較統計」を略称して，そのシステムをコンプスタットと呼ぶことにした。コンプスタットは，週に2度行われるニューヨーク市警の業務検討会議にとってのダッシュボードとなった。

各管区は，オンライン告訴システムを用いて，それぞれの犯罪および現場の取締り行為の正確な時間と場所を記録した。そのシステムでは週に1度，本部で管理されている市全域データベースへ情報が送られた。過去1週間，週のはじめから当日まで，月のはじめから当日まで，年のはじめから当日まで，前年比という形式でデータを表示できた。それぞれの犯罪と逮捕の分類について，コンプスタットで76管区すべてのランキングを行った。

コンプスタットのデータはかつてなかったものであり，それだけでも十分に価値があったが，メイプルの業務検討会議のメカニズムを通じてさらに価値あるものとなった。メイプルはすべての署長と犯罪発生率や，さまざまな

種類と重度の犯罪に対抗するために奏功することもあればしないこともある対策について議論するために，週に2度の会議を行った。メイプルは会議の36時間前に，各署長に対してそれぞれの管区の経験を次の会議で議論することを連絡した。

　署長が演壇に上るときに，当該管区のコンプスタットのデータが大会議室前面にある大型スクリーンに表示された。メイプルらニューヨーク市警の幹部たちは，マイクを持って最前列に座り，質問を行った。そのセッションは署長を非難するものでも，特定種類の犯罪発生率の急上昇について責任の所在の特定を試みるものでもなかった。メイプルは決まって以下のような質問をした。「公営住宅における発砲にどう対応するか。どのようにして麻薬のおとり捜査を行うか。自動車盗難が市全域で20％低下したのに，君の管区で10％上昇したのはなぜか。これまで6カ月間減少し続けた暴行事件がなぜ上昇しはじめたのか。君は生活の質を高める取締りを何かしているか。」

　メイプルが質問を行うのは，どのように署長が犯罪データに対応しているかを理解するためであった。たとえば，どのような対策を試みているか，何が効果的で何が効果的でないか，特定の方策をとった場合に翌週にどのようなことが生じると署長は期待しているかである。その最終目標は革新的で有効な対策，すなわち聞き手である残り75管区の署長と共有する情報を見つけ出すことであった。署長たちは，何かを試みて効果が出なくても処罰されることはなかった。署長たちは，注意が必要な問題に気がついていなかったり，実績のある対策や革新的な対策を行わなかったりすると責任を問われた。

　メイプルの質問に対応するために，署長たちは他部署の代表者，たとえば刑事などを連れて会議に出席するようになった。このように，部門の壁を取り払うのに業務検討会議が役立った。また，部門を超えた問題解決を促すのと同時に，強制的に会議へ出席させたおかげで，管区をまたがる合同捜査本部の設置や捜査協力を促すのも役立った。

　そのような方法によってまもなく明らかになったのは，所管の犯罪の発生件数と原因を把握していない署長は誰か，犯罪統計が変化した要因を理解していない署長は誰か，効果的対策，創造的対策，もしくは革新的対策を考え

出さなかった署長は誰かである。同時に，業務をしっかりとモニターしていたり，犯罪の減少と防止に有効な新しいアプローチを考え出したりした警察官が明らかになった。1年間で約3分の2の署長が職を追われることになり，リーダーシップ能力を発揮した警察官が後任に就いた。

1994年，コンプスタットに報告された主要な犯罪は12％減少した。それに対し，その他の地区の同等犯罪は1.1％の減少だった。1995年の前半，アメリカ全体の重大犯罪の総減少数の61％をニューヨーク市が占めていた。ニューヨークにおける減少傾向はジュリアーニが勤めた2期を通じて続き，殺人などの主要な犯罪は8年前の水準から65％減少した。2001年には，殺人率がボストン，セントルイス，アトランタ，ロサンゼルス，シカゴを含むアメリカ国内都市の多くで上昇した。それでも，ニューヨーク市の殺人率は継続的に減少し，サンディエゴの殺人率よりも低い水準になった。

ニューヨーク市の犯罪率低下は警察の不祥事や過剰な力の行使と関係があると懸念を示す人たちもいた。そこで，犯罪率と同じ方法で追跡して減少できるように，警察官の不祥事の指標がコンプスタットのシステムへ追加された。ジュリアーニが市長になる前年には，81人がニューヨーク市警の警察官の発砲を受けて25人が死亡した。2001年には，26人が発砲を受けて10人が死亡した。ニューヨーク市警の警察官による射殺の発生件数は，フィラデルフィアの3分の1，デトロイトの18％，ロサンゼルスの15％であった[3]。

ニューヨーク市警によるダッシュボードと頻繁な業務検討会議の活用が成功したので，ジュリアーニ市長はコンプスタットのコンセプトを矯正局や人材紹介所（生活保護受給者への職業斡旋用のジョブスタット）のほか，20の市の機関を含めて，多くの市のサービスに拡張することにした[4]。

メイプルは，コンプスタットを使って真剣に行う業務検討会議を効果的にするのに不可欠な要因についてじっくり検討した[5]。第1は，正確でタイムリーなデータを有することである。経営者は自らの責任とコントロールのもとで発生していることに関する真相を知らなければならない。第2に，ニューヨーク市警は犯罪傾向（業務上の問題）が明らかになった時点で迅速かつ断固として対応しなければならなかったことである。週に2度の会議によって，警察は同様の問題に対してすでに効果的と立証された対策にした

がった行動をとることで，問題の発生に対して迅速に対応できた。第3に，ニューヨーク市警の幹部は，展開された対策の効率をフォローアップし，評価しなければならなかったことである。コンプスタット会議の発足以前は，犯罪統計は年末に記録を取るための手段であり，結果を管理するための手段ではなかった。

　ニューヨーク市警のコンプスタット会議から得た教訓は，民間企業の業務検討会議にも当てはめることができる。第1に，会議は妥当な業務データにもとづいて行われるべきである。ニューヨーク市警は，コンプスタットシステムに報告する数値が操作されるのを防ぐために，内部監査チームを創設した。第2に，マネジャーは問題が生じたことによって非難を受けないようにするべきである。問題が生じたことを非難するのは，一部のマネジャーが所定の目標値を達成できなかったことについて容赦なく追求されたあとで，「目標値が未達になるくらいなら，死んだほうがまし」と言わしめる一種の病理である。マネジャーは，問題に気づいていないとき，解決策を考え出そうとしないときにだけ責任を問われる。ある陸軍士官によると，司令官のデスクには「悪いニュースよりも唯一悪いことは，その悪いニュースが来るのが遅いことである」という張り紙があったそうである。

　第3に，業務検討会議では当座の業務上の課題に集中して，問題に対処するために迅速にとりうる方策を考え出すようにするべきである。その方策の顛末をフォローアップし，記録を取る説明責任が課せられる。これらの教訓は，あらゆる業務検討会議を実施するためのよい処方箋になると考えられる。

ケーススタディ：3B 化学プラント

　民間企業での革新的な業務検討会議の事例は，大手化学メーカーであるテキサス・イーストマンの炭化水素クラック部門である3B部門に見てとれる[6]。当社は，チームワーク，業績管理，統計的品質管理が三位一体となったシステムを基礎に構築されたTQMアプローチに熱心に取り組んできた。そのうちの業績管理を実施したことで，改善を推し進めるための重要成果領域が明らかになり，それぞれの重要成果領域に関して，従業員の作業チームがどれ

だけ良好にミッションを遂行できているかを評価するための尺度を開発することができた。測定と統計的品質管理を強く重視したため，ITへ多額の投資を行った。2〜4時間ごとに部門長のダッシュボードに，設備の運転パラメータ，スループット 訳注6，品質についての1000個から数万個に上る測定結果が表示された。

このような環境にあって，化学エンジニアの部門長は自分自身で3B部門の作業員に関する日次損益計算書を作成した。日次損益計算書の作成に対する典型的な最初の反応は，敵意に満ちて懐疑的なものだった。結局のところ，これまでアメリカ企業の経営者は，四半期損益計算書を用いる場合ですら短期志向だと大々的に非難されるのが常だった。では，どのようにして，日次損益計算書を使って長期的なプロセス改善に従事するように従業員を動機づけることができたのだろうか。

日次損益計算書の作成に対する第2の反応は，作業員のコントロール下にあるプロセスについて，作業員がすでに受け取っていたコンピュータで利用可能な膨大な情報に関することである。これら膨大な情報に，日次利益のような集約的な財務尺度をさらに加えることによる追加的なメリットがあったのだろうか。

日次損益計算書の構成は，いたって簡単である（図表8-3のサンプル報告書を参照）。これまでも既存システムによって，インプット（炭化水素，原料，エネルギー，冷却水，機械装置）の使用量とアウトプット（エチレン，プロピレン，若干の副産物）の生産量は測定されていた。また，その既存システムによって，生産されるアウトプットの品質も測定されていた。その品質は3B部門が生産した中間生産物に含まれる不純物の発生率として定義されていた。

部門長は，各インプットのコストと各アウトプットの価値の概算値を見積もることによって，日次損益計算書を作成した。主要なアウトプット製品は，外部マーケットで売買することができた。そのため，アウトプットの市場価格を見積もることは簡単であった。部門長は資本コストを日次損益計算

訳注6 | スループットとは，単位時間当りの処理能力のことを指す。なお，TOC（Theory of Constraints）では，スループット＝売上高－真の変動費と表現される。

図表8-3

3B の日次損益計算書

				$/日	
売上高	水蒸気	＋600#	87,938 ポンド/時間	8,416	
		＋160#	11,972 ポンド/時間	1,068	
		－ピロ	24,516 ポンド/時間	2,368	
		－30#	11,624 ポンド/時間	1,037	
		純売上高	63,770	$6,079	
	エチレン	高級	776,042 ポンド/日	124,167	
		低級	0 ポンド/日	0	0%が範囲外
		減損	0 ポンド/日	0	
		計	776,042	$124,167	
	プロピレン	高級	358,280 ポンド/日	68,073	
		低級	32,429 ポンド/日	3,081	8.3 %が範囲外
		減損ポンド/日	0 ポンド/日	0	
		計	390,708	$71,154	
	水素,キャパシティ		7 ライン	$57,708	
	メタン,キャパシティ		9 ライン	$5,058	
	重金属		(現在固定)	$1,732	
売上高合計				$265,898	
コスト	原材料：	エタン	227,865 ポンド	6,471	
		プロパン	1,595,066 ポンド	108,305	
		計	1,822,930 ポンド	$114,776	
	メンテナンス・修理		(1987 年平均)	$4,168	
	水道光熱費：	電気	1,234 アンペア	$8,359	
		冷却水	4.8 ライン	$4,109	
		天然ガス	3.1 ライン	$3,442	
		その他(一般)		$607	
			水道光熱費合計	$16,517	
	その他コスト			$45,714	
	売上原価			$181,175	
	貸付金返済額			0	
	不動産ローン返済額			$54,946	
	総原価			$236,122	
	総利益			$29,776	
	差引 税金@ 35%			$10,422	
	純利益			$19,354	
				(期間利益$541,923に相当)	

(出典) "Texas Eastman Case" Case #190-039 (Boston: Harvard Business School), Exhibit 10, page22.

書に含めるために，資産利用分として会社へ支払う1日分の不動産ローンの返済額を見積もった（使用資産の再取得価額，事業部の資本コスト，予想耐用年数の概算値を用いて計算した）。作業員はそれまで減価償却をよくわからない概念と思ってきたが，すべての作業員は自動車，トラック，家屋，自営農場のような資産に関するローンの返済についてはよく知っていた。

　すばらしい革新の1つとして，部門長は品質の悪い生産に対してペナルティを課した。アウトプットが統計的な管理限界の範囲内（±3σ）にある場合にのみ，従業員はアウトプット製品の生産から収益の全額を稼げることになった。管理限界の範囲外でも規格内にある（使用可能な）アウトプットの価格は，標準価格の50％に割り引かれた（50％のペナルティ）。使用不能なアウトプットには，100％のペナルティが課せられた。すなわち，損益計算書には，規格外の臨界パラメータとなったアウトプットの収益がゼロとして記録された。

　決定的な動機づけ要因として，部門長は作業員たちを3B部門の架空のオーナーに見立て，作業員たちに対して「株券」を発行した。作業員たちはオーナーとして，自らの会社が日々どれだけ良好に業務を行っているかを示す損益計算書を受け取る権利を与えられた。部門長は従業員に対して，90日以内に厳しい利益目標値を達成すれば職場に新しいキッチンを用意すると約束して，そのプログラムを立ち上げた。

　日次損益計算書は，とても有効であることが証明された。従業員たちは毎朝，前日の損益計算書を検討するための業務検討会議を行った。従業員たちは生産量の上下限もしくは基準外品質の原因を特定し，問題を解決するために，作業手続きと作業条件にわずかな変更を加えた。すると，従業員たちはあっという間にスループットと品質の新記録を作り，新しい報告書を使った業務をはじめてから90日間で新しいキッチンを獲得した。

　ニューヨーク市警と同じように，テキサス・イーストマンの3B部門の頻繁な業務検討会議は，既存の業務のデータに裏づけられており，部門の責任範囲内の課題に焦点を当て，不良を取り除きプロセスを改善する活動に直接的に結びついていた。業務検討会議が役立ったのは，従業員が不良の根本原因を理解すること，アウトプットの制約となった要因を特定すること，共同

で問題解決を行うこと，問題を是正して業績を向上させる行動計画を立案することについてである。

　以上が卓越した業務検討会議の特徴である。業務検討会議は短い時間で頻繁に行われ，データにもとづく議論[訳注7]がなされなければならない。業務検討会議によって，部門業績とプロセスの業績に焦点が当てられ，フィードバック，問題解決，学習の機会が提供されるべきである。ただし，業務検討会議では戦略についての検討と質問は行わない。戦略についての検討は，次に述べる一連の経営会議での検討課題である。

戦略検討会議

　戦略検討会議では，ビジネスユニットのリーダーたちが一丸となって取り組み，ビジネスユニットの戦略実行の進捗度をモニターし，検討する。業務上の課題は，それらがとりわけ深刻で機能横断的に対処する必要がないかぎりは検討すべきではない。その理由は，業務上の課題は通常，より頻度の多い機能ごとの業務検討会議（前節で解説）の検討課題だからである。

　戦略検討会議の出席者は通常，戦略の妥当性に疑問を投げかけることはしない。その代わり，そこでの議論では，戦略実行が順調に進んでいるかどうかに焦点を当て，戦略実行の成功に対するリスクを特定し，戦略実行の過程のどこで問題が生じているかを見つけ，なぜ問題が生じたのかを究明し，原因を是正する措置をとり，目標とする結果を達成する責任を課す。

　戦略検討会議には出席の強制と，時間どおりに開始し，時間どおりに終了するという確約が必要となる。1990年代後半にAT&Tカナダの社長であったビル・カトゥーシは，向こう1年間の戦略検討会議のスケジュールを決めて，カトゥーシ自身と8人のビジネスユニットのトップに，その会議への出

訳注7 | 原典では，data-drivenとなっている。情報処理用語で言えば，data-driven（データ駆動）とは，特定の処理によって生じたデータが次の処理を引き起こし，それが連続することで一連の処理の流れが実行される処理方式のことを指す。文脈から判断すると，ここでのdata-drivenには，「データによって改善アイディアが次々に引き起こされる」という意味があると推測されることから，データにもとづく議論と訳出した。

席を義務づけた。

戦略検討会議の頻度

ほとんどの戦略検討会議は，月次に組まれている。しかし，これが最適な頻度という合意はない。これまで本章で述べたように，オラクル・ラテンアメリカでは四半期に1度，SASヨーロッパでは2カ月に1度，スプリント・ネクステルは月に1度，会議を行っている。月次の会議は，マネジメント・チームのメンバーがお互いにきわめて親密になるのに有効である。しかし，戦略は長期的なコミットメントであるため，戦略実行の進捗度を検討するには四半期に1度の会議が適当であろう。

従業員の新しいコンピテンシー開発，ブランドの再定義，新製品開発と顧客関係性の構築，主要なビジネス・プロセスのリエンジニアリングなどの典型的な戦略課題は，結果が測定できるまで1カ月はかかる。戦略マップの戦略目標と戦略テーマのすべてに関する課題について積極的な議論を行うには最低でも丸一日は必要になるとしても，四半期に1度の会議なら，散り散りになっている経営幹部チームの移動時間を節約できる。

四半期に1度の会議に対して，残り89日のほとんどの間，戦略が眼中になくなるせいで戦略を考慮しなくなってしまいかねないという懸念もある。マネジメントの文化がすでに短期的思考に陥ってしまっているなら，企業は多忙な経営幹部の時間のいくらかを，定期的に長期的な戦略マネジメント上の課題について考えるために残しておくように努力しなければならない。新しく長期志向の文化を醸成するのであれば，月次の戦略検討会議が有効である。

戦略検討会議の出席者

戦略検討会議の出席者に，その組織の**経営幹部会**のメンバーを含めるべきなのは明らかである。その経営幹部会のメンバーは，企業の全体的なマネジメントに責任を持つシニアリーダーたちである。経営幹部会は組織に関係するあらゆる構成員を代表し，重要な意思決定を行う権限を持っている。

図表8-4で要約されているように，カナダ血液サービスの経験について考

図表8-4
カナダ血液サービスの戦略評議会の進化

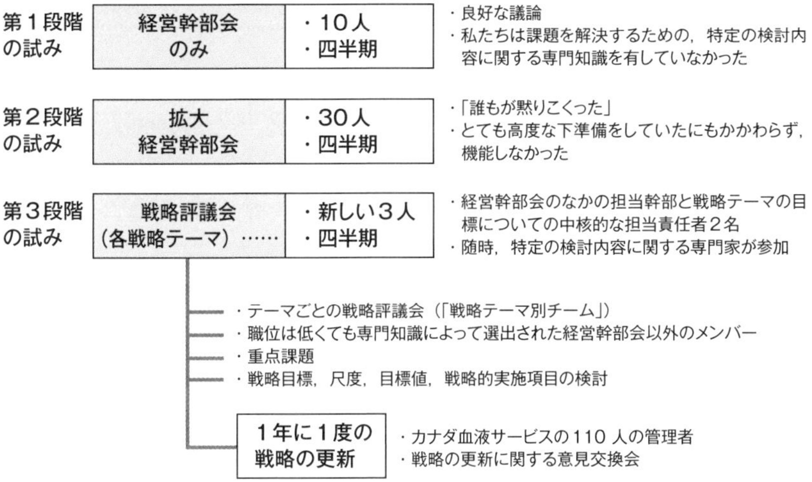

- 第1段階の試み: 経営幹部会のみ ・10人 ・四半期
  - 良好な議論
  - 私たちは課題を解決するための，特定の検討内容に関する専門知識を有していなかった

- 第2段階の試み: 拡大経営幹部会 ・30人 ・四半期
  - 「誰もが黙りこくった」
  - とても高度な下準備をしていたにもかかわらず，機能しなかった

- 第3段階の試み: 戦略評議会（各戦略テーマ） ・新しい3人 ・四半期
  - 経営幹部会のなかの担当幹部と戦略テーマの目標についての中核的な担当責任者2名
  - 随時，特定の検討内容に関する専門家が参加

  - テーマごとの戦略評議会（「戦略テーマ別チーム」）
  - 職位は低くても専門知識によって選出された経営幹部会以外のメンバー
  - 重点課題
  - 戦略目標，尺度，目標値，戦略的実施項目の検討

- 1年に1度の戦略の更新
  - カナダ血液サービスの110人の管理者
  - 戦略の更新に関する意見交換会

えてみよう。戦略管理室長であるソフィー・ド・ヴィレールによれば，「私たちはいくつかのアプローチを試して，いまだに試行錯誤している」ということであった[7]。新しく導入されたバランスト・スコアカードの情報について議論するために，当初は10人の経営幹部会のメンバーで月に1度会議を行った。この会議における議論とチーム編成は非常に優れているが，出席者は自分たちが直面している多くの問題を解決するための特定の専門知識がほとんどないことに気がついた。

第2段階の委員会は，組織の全部署を代表する新しい人を追加することによって，経営幹部会を補強したものとなった。経営幹部会は，このように広範囲から代表者を戦略検討会議に集めることで，知識のギャップを埋められると考えた。しかし，それどころか，まったく正反対のことが起こった。ド・ヴィレールによれば，「誰もが黙りこくった」という。経営幹部会のシニアメンバーは知識のギャップを露呈するのを恥ずかしいと思い，新しく加

入したメンバーは会議の政治情勢がはっきりわからないせいで，おそるおそる意見やアドバイスを表明するような事態が起きてしまった。最も成功を収めた第3段階の委員会には，経営幹部会と3つの戦略テーマ別チームのメンバーが含まれた。

エアバッグやスポーツ設備など製品を専門に扱うヨーロッパのハイテク素材メーカーであるポルシェ・インダストリーズ社は，とりわけ戦略実行の監視を行うために，その経営幹部会の構成を決めた。経営幹部会のメンバーは，CEO，5人のビジネスユニットの経営者，4人のサポートユニットの経営者，5人の戦略テーマの担当責任者で，合計15人である。

BMWグループのファイナンシャル・サービスでは，経営幹部会のメンバーは9人で，全体的な戦略実行の責任が課せられている。その経営幹部会は検討課題ごとに必要に応じて，特定の検討内容に関する専門家に対して四半期ごとの戦略検討会議へ出席するように依頼した。

著者たちの考え方としては，ポルシェ・インダストリーズ社とBMWグループのファイナンシャル・サービスで用いられるアプローチを支持する。経営幹部会のメンバーが戦略検討会議の中心的な出席者となるべきであり，大局的な戦略的視野を持つ人や重要な機能について深い知識を持つ人が長期にわたって加わるべきである。経営幹部会の新メンバーに個別の戦略テーマに関する責任を課すことは，すでに権力基盤を持っている旧メンバーと同等の正当性を，そのメンバーに与える非常に優れた方法である。それぞれの戦略テーマを取り仕切って管理することによって，新メンバーは伝統的な構造を補強する深い知識と事業横断的な視野を提供する。この新しい会議体の重点を区別するために，これを**戦略評議会** 訳注8 と呼ぶことにする。

戦略検討会議の議題

業務検討会議と同じように，報告書の説明を聞くのに戦略評議会の時間を費やすべきではない。その代わり，戦略評議会のメンバーは諸課題について議論し，問題解決を行い，行動計画を提案すべきである。図表8-5では，バ

訳注8 ｜ 誤解がないように付記しておくと，戦略評議会（strategy council）は会議体もしくはグループであり，戦略検討会議は戦略課題を議論する会議の名称である。

図表8-5

新しい戦略検討会議

従来 (成り行き学習 訳注9)	将来 (継続的学習)	
行動計画の策定 (10%)	現在取り組んでいる戦略課題に対する情報の提供	行動計画の立案 (60%)
データから推測されることについての議論 (30%)	業績の議論 ・例外事象の説明 ・解決策の提案 ・課題の特定	
業績の検討 (60%)	次のグループ会議での議論のための課題特定	データから推測されることについての議論 (30%)
	業績データの検討 (オンラインで入手可能)	業績の検討 (10%)
旧来の月次スタッフ会議	会議と会議の間	新しい戦略検討会議

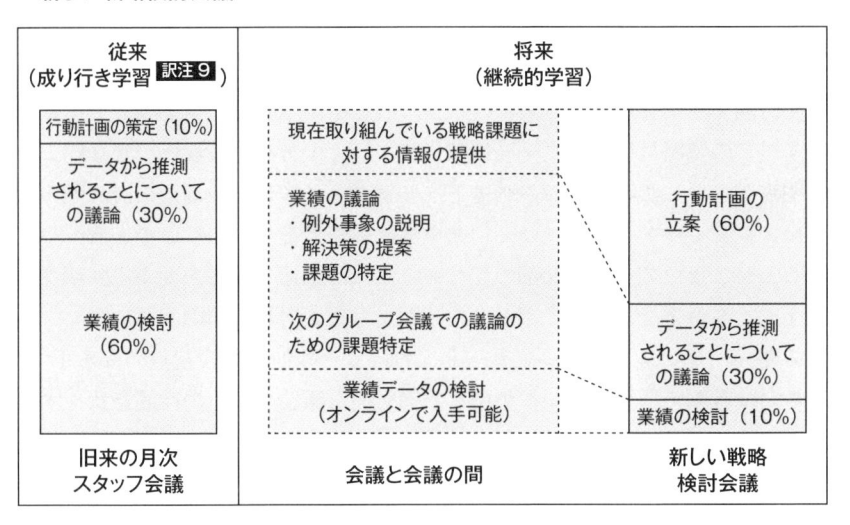

ランスト・スコアカード報告書を会議に先立って入手できるようにした場合に起こりうる会議内容の配分の変化を示している。BSCによって、報告書だらけで乱雑な会議を解消するための枠組みがもたらされる。この枠組みによって、戦略を実行するうえでの課題を明確に表面化させることができ、経営者は会議に先立って業績未達の潜在的な原因を理解するために詳細な業務データにドリルダウンできるようになる。経営者は検討すべきデータを熟知した状態で戦略検討会議に出席し、会議の場では現在の業績の説明について考え、戦略実行の成功に対するリスクを特定し、明らかになった問題を是正

訳注9　原典では、event-drivenとなっている。情報処理用語で、event-driven (イベント駆動) とは、ユーザーやプログラムが特定のイベント (操作) を引き起こすことによって情報処理が実行される処理方式を指す。このことから、event-drivenには、自ら率先して改善を行うのではなく、他者から指摘されることによって改善に着手するという受け身の意味があると推測される。指摘されるたびに成り行きで学習するという意味から、event-driven learning を成り行き学習と訳出した。

するために推奨できる選択肢を策定する。

　バランスト・スコアカードの実践をはじめた最初の何年かは，著者たちは毎回の戦略検討会議において BSC 尺度に関して十分に議論することを奨励した。しかしまもなくすると，月次の経営会議で許容できる通常の時間の2～4時間くらいでは，ビジネスユニットの戦略マップとスコアカードにおけるすべての戦略目標，尺度，実施項目について十分な議論などできないことが明らかになった。現状でのベスト・プラクティスの1つは，検討課題のなかにスコアカード全体についての簡単な概要報告を入れることである。そうすることによって，経営幹部のリーダーたちは迅速な対応を要する戦略課題のすべてを特定でき，いくぶんかの時間を月次の財務業績の議論に割くことができ，バランスト・スコアカードにおけるその他3つの視点のうち1つ，あるいは戦略テーマの1つに集中した徹底的な議論へ多くの時間を費やすことができる。

　著者たちは，AT&T カナダの社長としてのビル・カトゥーシの経験を検討することによって，特定の課題に集中した徹底的な議論の有効性にまず気がついた（図表 8-6 を参照）。外部から社長に任用されたカトゥーシは当初，経営幹部会の各メンバーとのマンツーマンの月次会議を行っていた。それは，図表 8-6 の一番下に示されているように，ビジネスユニットのトップ（法人向けサービス，一般向けサービス，ローカルサービス担当），サポートユニットのトップ 訳注10（ネットワーク運用，財務，経営企画，法務，人事）である。

　カトゥーシはまもなく，経営幹部会のメンバーとの個別の会議を通じて，新しい事業戦略を実行しようと努めることにうんざりした。ビジネスユニットとサポートユニットのトップは，他のすべてのことをそっちのけで，自部門の要求と業績に関心を集中させた。カトゥーシはマネジメントの全員と重要な戦略課題について議論したくなった。カトゥーシは，どのビジネスユニットもサポートユニットも，難しい課題を自力で解決できないと考えた。

訳注10　原典では functional heads とあるが，文脈から判断すると，function の意味としてはサポートユニットを指している。そのため，サポートユニットのトップと訳出した。

図表8-6
AT&Tカナダの経営幹部チームによる機能横断的戦略テーマの管理 訳注11

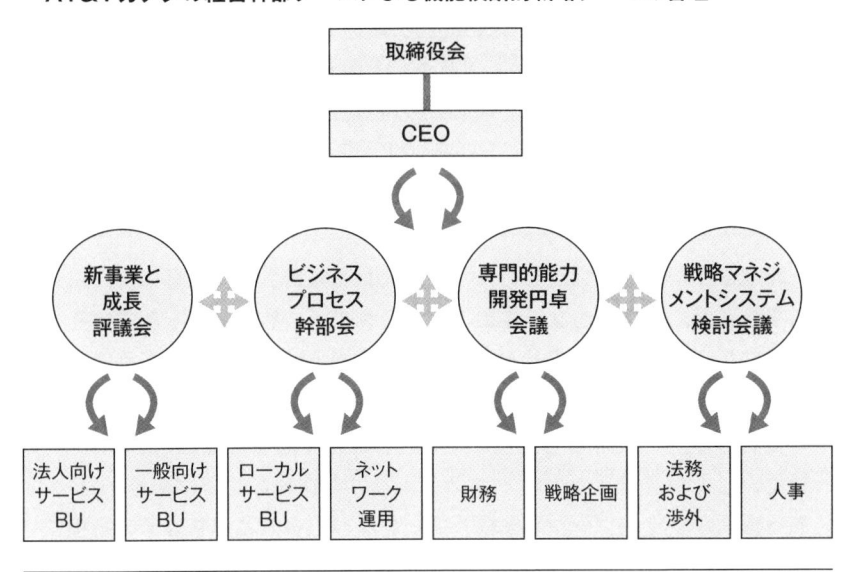

```
        取締役会
           │
          CEO
           │
   ┌───────┼───────┬───────────┐
新事業と   ビジネス   専門的能力   戦略マネジ
 成長     プロセス   開発円卓    メントシステム
評議会     幹部会     会議      検討会議
```

| 法人向け
サービス
BU | 一般向け
サービス
BU | ローカル
サービス
BU | ネット
ワーク
運用 | 財務 | 戦略企画 | 法務
および
渉外 | 人事 |

そうして、カトゥーシは経営幹部会を解体して、そのかわりに4つの戦略評議会を創設し、次のような新しい4つの戦略テーマをそれぞれに割り当てた。

・新事業と成長
・ビジネス・プロセスと生産性
・専門的能力の開発
・戦略マネジメント

ビジネスユニットとサポートユニットのトップに加えて、カトゥーシはそ

訳注11 | 原典では、business services BU, consumer and wholesale BU, Operationsとあるが、本文と整合させるため、法人向けサービスBU、一般向けサービスBU、ネットワーク運用と訳出した。

れぞれの評議会メンバーを拡張して，各戦略テーマに関連した知識を持つ人を入れるようにした。評議会の検討課題は事業横断的な戦略的行動に取り組むものであった。カトゥーシは，経営会議における検討課題を4つの戦略テーマのなかでローテーションさせた。その戦略テーマは成長（顧客の視点），ビジネス・プロセス（プロセスの視点），人的資源（学習と成長の視点），戦略の全体像である。カトゥーシは，非難するためではなく学習するために機能横断的な戦略検討会議を行う重要性を以下のように強調した。

> みなさんがいかに会議を行うか，すなわち報告された数値にいかに対処するかが，とてつもなく重要です。これまで，悪い数値を報告する人は孤立して誰にも頼れませんでした。これからは，目標未達を許す人になってもらいたいし，それ以外の人たちには「自分たちはどうすれば助けられるか」と反応してもらいたい。わが社で起こることはいずれも，特定のビジネスユニットのトップ1人だけの責任などではありません。ある指標がレッドゾーン（業績不振）となったら，私たちはその指標に影響を及ぼせる人を特定し，行動計画を持参して次の会議へ出席するように依頼します。これがわが社のまったく新しいマネジメントモデルです。私たちは，業務を改善し問題を解決するために，情報を共有し，チームが一丸となって仕事をするようにしています。
>
> 検討会議はとても意義のあるものとなり，出席さえできれば，その人たちは私に質問してくれるようになりました。検討会議はすぐに立ち見の部屋だけになりましたし，それに出席するためのチケットも売ることができたくらいでした。[8]

カトゥーシの新しい経営会議のアプローチによって，長距離通話料金がそれまでの90％あまりの水準まで下がった環境においてですら，業績が劇的に改善した。

シャーロット市（ノースキャロライナ州）は，同様のアプローチをさらに発展させた。同市役所は，いくつかの高度に洗練された部門（たとえば，警察，消防，交通，ゴミ処理，電気・ガス）と機能別サポートユニット（企画，

財務，人事）から構成されていた。業務レベルにおいて各部門はほとんど共通しておらず，明らかに交流の必要性などほとんどなかった。市政管理官であるパム・サイファートは，同市のビジョン（「居住し，仕事し，遊ぶのに世界で一番よい市となること」）と新しい戦略的検討課題を明言した[9]。サイファートは，この戦略を実行するための新しい組織アプローチを提案した。AT&Tカナダで用いられたのと同じシステムを使って，サイファートは同市の戦略マップにおける5つの戦略テーマに対応させた5つの経営幹部会を組織した。各幹部会のメンバーはビジネスユニット出身者とサポートユニット出身者の混合となっていて，組織横断的なチームワークと活動を促進するように，戦略テーマに関連させて割り振られた。

多くの組織がAT&Tカナダとシャーロット市での革新を採用し，戦略テーマと照らし合わせて戦略検討会議の構成を決めるようになってきた。次にHSBCレイルについて考察することで，戦略テーマごとの戦略検討会議の組織化に関するベスト・プラクティスのケーススタディを明らかにする。

ケーススタディ：HSBCレイル

香港上海銀行グループの現業部門の1つであるHSBCレイルは，イギリスなどの鉄道会社のために，機関車および車両の購入，リース，保守を行っている。HSBCレイルは，2007年にはイギリス鉄道網における旅客鉄道会社の26社，貨物輸送会社の5社に対して設備のリースを行った。図表8-7は，HSBCレイルの戦略マップを示している。この戦略マップは，資本効率，顧客関係性管理（CRM），業務の卓越性，学習と成長という4つの戦略テーマから整理されている 訳注12 。一見すると，それらのテーマはBSCの4つの視点を違う名で呼んでいるように見える。しかし，図表8-7を見ると，CRMと業務の卓越性のテーマに財務，顧客，プロセスの視点の戦略目標があり，資本効率のテーマに財務とプロセスの視点の戦略目標がある。

> 訳注12 　図表8-7では，各戦略テーマが点線で囲まれている。たとえば，左からCRM，業務の卓越性，資本効率と並んでいる。ただし，学習と成長のテーマについては，最下部にある学習と成長の視点がそのまま戦略テーマとなっている。なお，図表8-7の左側にあるのは，戦略テーマとその担当責任者を示すもので，視点を示すものではないようである。

図表8-7

HSBCレイルの戦略マップ

2010年までのHSBCレイルの戦略の達成目標：資本集約的企業から資本を効率的に利用する企業への移行
(説明目的としてのみ色で評価)

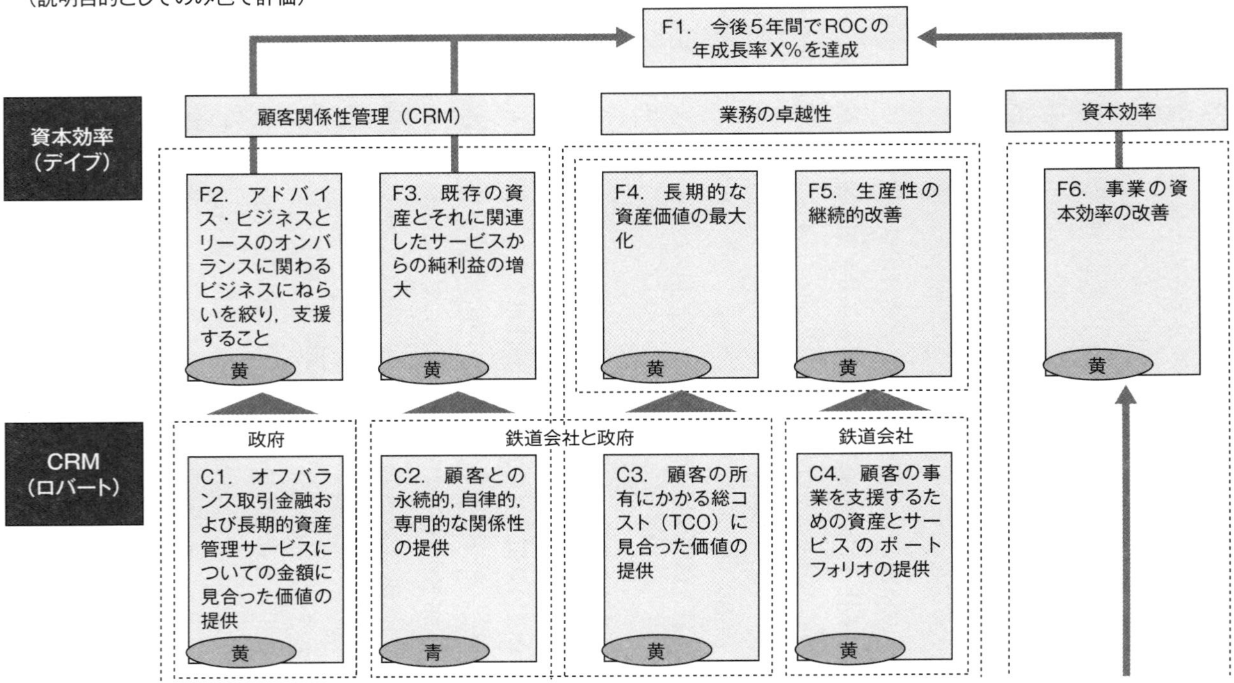

	F1. 今後5年間でROCの年成長率X%を達成 (黄)
資本効率	F6. 事業の資本効率の改善 (黄)
業務の卓越性	F4. 長期的な資産価値の最大化 (黄) / F5. 生産性の継続的改善 (黄)
顧客関係性管理 (CRM)	F2. アドバイス、ビジネスとリースのオンバランスに関わるビジネスにならいを絞り、支援すること (黄) / F3. 既存の資産とそれに関連したサービスからの純利益の増大 (黄)
政府	C1. オフバランス取引金融および長期的、自律的管理サービスについての金額に見合った価値の提供 (黄)
鉄道会社	C2. 顧客との永続的、自律的、専門的な関係性の提供 (青)
鉄道会社と政府	C3. 顧客の所有にかかる総コスト (TCO) に見合った価値の提供 (黄)
鉄道会社	C4. 顧客の事業を支援するためのサービスとサービスのポートフォリオの提供 (黄)

担当：
- 資本効率（デイブ）
- CRM（ロバート）

296

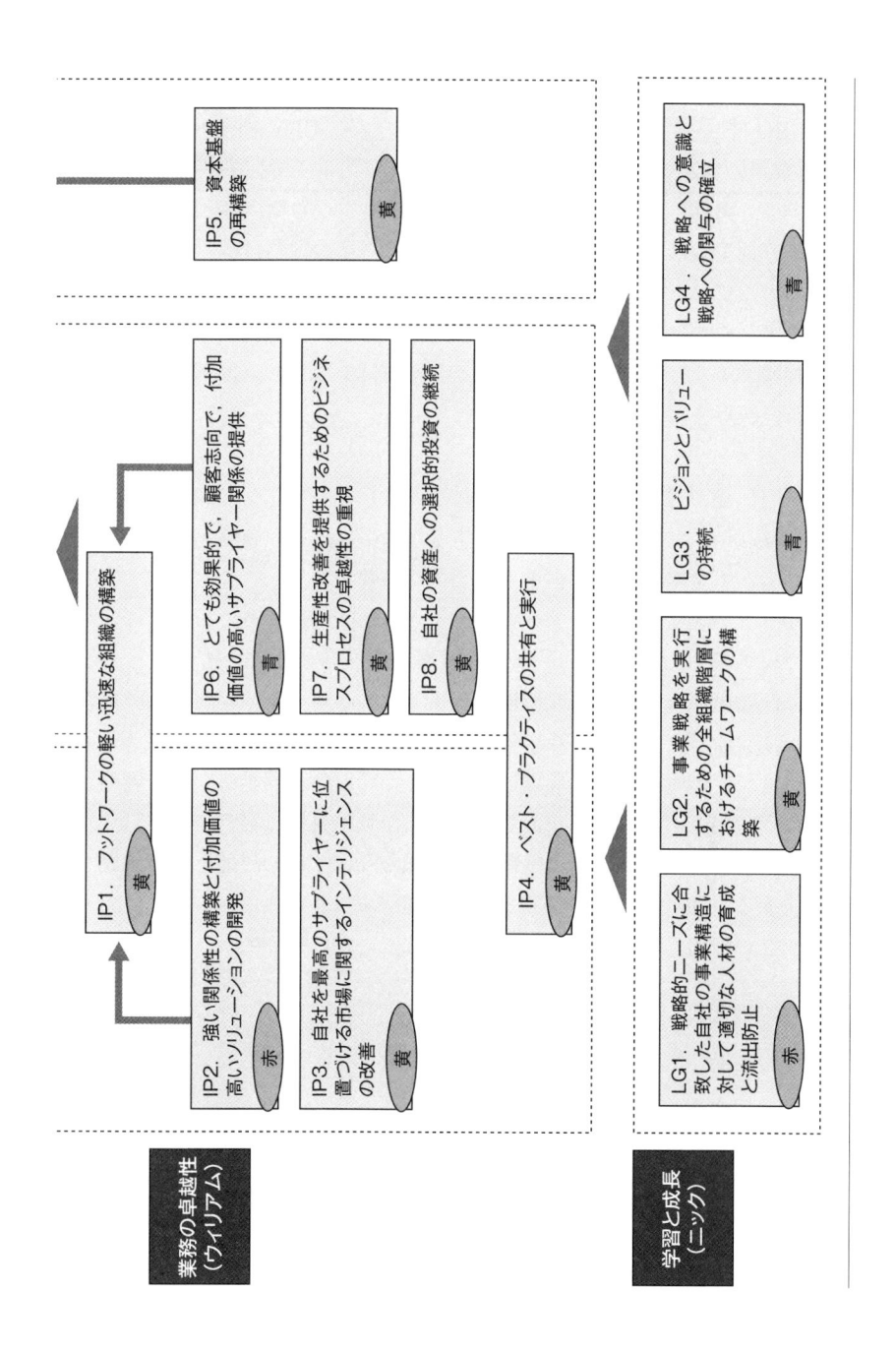

業務の卓越性（ウィリアム）

- **IP1.** フットワークの軽い迅速な組織の構築 〔黄〕
- **IP2.** 強い関係性の構築と付加価値の高いソリューションの開発 〔赤〕
- **IP3.** 自社を最高のサプライヤーに位置づける市場に関するインテリジェンスの改善 〔黄〕
- **IP4.** ベスト・プラクティスの共有と実行 〔黄〕
- **IP5.** 資本基盤の再構築 〔黄〕
- **IP6.** とても効果的で、顧客志向で、付加価値の高いサプライヤー関係の提供 〔青〕
- **IP7.** 生産性改善を提供するためのビジネスプロセスの卓越性の重視 〔黄〕
- **IP8.** 自社の資産への選択的投資の継続 〔黄〕

学習と成長（ニック）

- **LG1.** 戦略的ニーズに合致した自社の事業構造に対して適切な人材の育成と流出防止 〔赤〕
- **LG2.** 事業戦略を実行するための全組織階層におけるチームワークの構築 〔黄〕
- **LG3.** ビジョンとバリューの持続 〔青〕
- **LG4.** 戦略への意識と戦略への関与の確立 〔青〕

第8章　業務と戦略の検討会議　297

HSBC レイルの戦略評議会は，毎月2時間半の会議を行う。この評議会は，CEO（ピーター），財務担当トップ（デイブ），CRM 担当トップ（ロバート），業務の卓越性担当トップ（ウィリアム），学習と成長[訳注13]担当トップ（ニック），財務部出身の戦略管理室長（ポール）から構成されている。

　戦略管理室長は会議に先立って，各戦略テーマの戦略目標，尺度，実施項目に関するデータの収集と報告の準備を整える。そのデータは，戦略テーマごとに区分をつけられた月次報告書に記載される。その区分には戦略テーマ別の戦略マップ，戦略目標，目標値，実施項目が含まれ，以下のように，それぞれ色分けされたマークがつけられている。

青：戦略目標が達成されている。これは戦略目標が単に「順調」ということではない。戦略目標を青と評価するためには，その戦略テーマの担当責任者が万全であることを正当化できる必要がある。

黄：すべて問題なしか，コントロールできる範囲内にある。これには，順調ではあるものの目標値が未達の戦略目標を含めることもある。あるいは，順調ではないものの危機的とまではいかず，戦略検討会議で経営者が注目する必要まではない戦略目標とすることもある。

赤：当社がこの戦略目標を順調に実行できていない。**同時に**，この戦略目標に関連して重大な課題があるため，その戦略目標に経営者が注目する必要がある。戦略評議会は戦略検討会議の際に，その課題とその課題を解決する方法について，時間をかけて理解すべきである。

灰色：この戦略目標について評価は行われていない[訳注14]。

　それぞれの戦略テーマの区分には，戦略テーマの担当責任者による業績ギャップに関するすべての評価やコメントとともに，そのギャップに対処するために提案された方策も含まれる。

訳注 13　原典では，learning and development となっているが，本文や図表 8-7 では learning and growth と書かれている。整合性を取るため，ここでは学習と成長と訳出した。

訳注 14　図表 8-7 では，該当する箇所は FI の ROC の年成長率と考えられる。

図表8-8

戦略検討会議の議事日程

時間	検討・報告事項	詳細	所要時間	担当責任者
10:10	方策の記録	現状の検討	5分	ポール
10:15	概要報告	戦略マップの検討 重要な課題の指摘 実施項目の検討 尺度の検討	10分	ピーター
10:25	戦略テーマの評価	資本効率	60分	デイブ
11:20	休憩		10分	
11:30	戦略テーマ別の簡単な考察	学習と成長	5分	ニック
11:35	戦略テーマ別の簡単な考察	顧客関係性管理（CRM）	5分	ロバート
11:40	戦略テーマ別の簡単な考察	業務の卓越性	5分	ウィリアム
11:45	最新トピック	資源配分の課題	30分	ピーター
12:15	会議内容の再確認	従業員への伝達事項の概要	10分	ピーター
12:25	会議内容の再確認	フィードバック	5分	ピーター
12:30	方策の記録	新たに対処すべき事項の検討	5分	ポール
12:35	その他案件と会議閉会 次回会議について	戦略テーマの評価：CRM		

　月次会議で行われるのは，事業に関する簡潔な概要報告，各戦略テーマの現状に関する簡単な考察，1つの戦略テーマに関する徹底した議論である（4つの戦略テーマを四半期ですべて取り扱うために，戦略評議会は各四半期にいずれか1回の月次会議において，2つの戦略テーマについて徹底的な議論を行う）。

　図表8-8では，資本効率の戦略テーマに関わる議論をメインとした会議の議事日程を示している。戦略管理室長は，前回の会議における方策の記録に関する1枚ペラの最新版についての議論から会議をはじめ，完遂した方策と進行中の方策を指摘した。そして，CEOは色分けされた戦略マップについて簡単な検討を加え，事業に関する展望を述べた。

　戦略マップの検討が終わると，CEOは他のメンバーに「君たちが事業について考える方向性はこれでよいのか」と疑問を投げかけた。経営幹部たちはそれぞれの視点からコメントして，それに続く議論での主要な課題を特定

した。次に，CEO は，CFO や戦略テーマの担当責任者に助力を求め，資本効率のテーマに関して徹底的な議論を進めた。

　資本効率のテーマについて議論するなかで，次のようなことを差し挟むことによって，CEO は新たな課題を提起した。「この戦略目標は非常に重要である。私たちは何を追跡する必要があるのか，私たちが確実に結果を出せるようにするにはどうする必要があるのか。」戦略評議会の経営幹部たちは提案と解決策を考え出し，行動計画を立案した。その行動計画について，戦略管理室長がフォローアップと実行のために記録を取った。

　CEO は絶えず議論を前に進めた。それによって，戦略テーマにおける戦略目標のそれぞれに関連する課題の説明に適度な時間を使うことができた。戦略評議会は戦略的実施項目の1つについて経営資源を追加配分して，優先順位を上げることを決定した。その点について，CEO は「これはその他すべての重要な実施項目をリスクにさらすのではないか」と疑問を投げかけた。

　いくつかの課題に関して，戦略テーマの担当責任者は，業務尺度では進捗があるように示されているが，BSC 尺度にはその効果が現れていないことについて説明した。メンバーは，なぜ現場の改善尺度の結果がスコアカードの高業績となって現れていないのかを議論した。また，現場のダッシュボードの尺度とそれに関連する BSC 尺度のそれぞれについて尺度の連鎖関係を改善するために，調査する必要性を提起した。60 分間の議論の末，ちょうど休憩に入る前に，CEO は次回の会議で財務に関する業務検討チームに議論してほしい課題をいくつか指摘した。

　休憩終了後，その他3つの戦略テーマの担当責任者はそれぞれ5分間で，戦略テーマの状態に関する簡潔な概要説明を行い，なぜ戦略目標のいくつかが赤になったか，それに関して何をするのかを示唆し，黄色になってしまった戦略目標に関して簡単な議論を行った。3つの戦略テーマに関する議論には15分しかかからなかった。

　次に戦略評議会は，**最新トピック**について時間を拡大した議論を行った。その最新トピックとは，評議会が事前に特定しておき会議において徹底的に議論したいと考える，新たに生じたばかりの課題である。この会議における

最新トピックとは，当社の市場環境における重大な変化のことであった。CEOは，当社が直面していると考えているいくつかの主要な課題をホワイトボードに図示した。戦略評議会のメンバーは，経営資源のリストラ計画を実行するために何をする必要があるか，さらに資金と人材をどこから調達するかを決めるための議論に積極的に取り組んだ。最新トピックという検討事項によって，当社の上級経営者たちが，規制環境および競争環境における重要な変化にタイムリーに反応する機会が提供された。

会議は，いくつかの簡単な検討事項をもって終了した。戦略評議会は，会議で議論もしくは決定された戦略実行の結果，行動計画，新しい実施項目について，従業員へ何をどのように伝達するかを議論した。この検討事項があることによって，戦略実行の結果と戦略の更新を継続的に従業員へ伝達することが確保されていた。

そして，CEOはその会議に対する認識について，戦略評議会メンバーからのフィードバックを求めた。よかったのはどこか，気に入らなかったのはどこか，会議はどのように改善できるのかなどとフィードバックさせた。このような方法で有益なフィードバックを得るほかにも，CEOは新しい戦略検討会議を取り仕切ることがCEOにとっての学習経験になると考えていた。戦略評議会のメンバーたちは，この月次会議の構成と実施方法によって，過去12カ月において多くのことが進歩したと声を揃えていた。

かつてはCEOが会議での議論を支配してきたせいで，経営幹部は話を聞いて承認するだけになってしまっていた。現在では，各経営幹部が，CEOと同じくらいか，あるいはそれ以上に会議で発言していた。経営幹部は「私たちがどこにいて何をする必要があるかをしっかり考えるのに，とても役立つ会議」，「とてもアクション重視で，秩序立っていて，先進的」，「私たちはもはや業務上の細かいことにいちいち小言を言うことはない。私たちには外部環境について検討し，新しい課題に対処するチャンスがある」とコメントしていた。会議を終えようとする際に，戦略管理室長は，新たに対処すべき事項を取りまとめ，時間どおりに会議が終わった。

HSBC レイルの戦略検討会議の観察

　HSBC レイルの戦略検討会議は，ニューヨーク市警の業務検討会議とは検討内容こそ異なるものの，実施方法と目的はほとんど同じである。熟練した経営幹部が双方の会議を取り仕切っていた。HSBC レイルでは，CEO のピーター・オールドリッジが，なぜ特定の結果が生じるのか，新たに生じた問題と課題に対処するために何ができるのか，推奨される方策を実行する責任を誰に課すのか，どれだけ早く結果が出ると期待できるのかについて，出席者に対して徹底的に問いただした。

　会議出席者はすでにデータを熟知し，データから推測されることについて議論を行い，行動計画を提案する準備をしてから会議へ出席した。会議のメンバーはお互いの信頼を得て，いまでは検討中の議論と提案に礼儀正しく耳を傾け，建設的に対策を考えるようになった。オールドリッジは疑問を投げかけ徹底的に問いただし，いつも主要な課題に集中した会議を行い，対話と議論を推奨し，予定された会議時間を延長することなく検討事項のすべてに注意を払うために確実にスケジュールどおりに会議を進めた。戦略管理室長は，会議のあとも指名された責任者が確実に方策を実行することをフォローアップできるように，対処すべき事項をすべて記録した。

　各戦略テーマの徹底的な検討は四半期ごとに繰り返される。それによって，四半期ごとに戦略全体の検討が確実にできるようになると同時に，月次会議によって戦略実行の新しい文化が補強された。要するに，HSBC レイルの戦略検討会議は時間と議論を集中させていて，生産的で，アクション重視であった。そのような戦略検討会議によって，学習と問題解決の機会を増やすことができた。しかも，時間どおりにはじまり，時間どおりに終わっていた。

　HSBC レイルは，以下に要約される戦略実行のプレミアムを獲得した。

> ## HSBC レイルの戦略実行のプレミアム
>
> - リスク・アセット[訳注15]が2007年から2008年にかけて大幅に減少した。資本集約的で資産の効率的運用をメインとする事業を行った2年の間に，リスク・アセットの減少が大幅な株主資本利益率（ROE）の増大につながった。
> - 確実に見込まれる将来キャッシュフローの正味現在価値が，戦略的実施項目の実行によって増大した。そのような実施項目によって，当座の収益とROEが増大し，2008年以降の追加的な投下資本の必要性が大幅に減少した。
> - ISO9001：2000の審査人が2006年の更新を認可する理由の1つとして挙げたのが，BSCを採用したことであった。

ケーススタディ：リコー・コーポレーションの会議体制

　リコー・コーポレーションは，とてもよく体系化された戦略検討会議について，もう1つの好例を提供してくれている。リコー・コーポレーションは，一連の月次戦略検討会議と四半期ごとの戦略検討会議を，本社レベルとビジネスユニットレベルで行っている（図表8-9参照）。リコー・コーポレーションは，戦略についての検討，探索，問合せ，意思決定のために会議を行うことにしている。それらの会議は機能横断的で，業績，評価，ギャップ分析，根本原因の検討に焦点を当てる。戦略企画室が会議を準備し，ファシリテートを行う。

　毎月，CEOと戦略企画室長は各ビジネスユニットの最重要のKPIの達成度を検討するために，それぞれのビジネスユニットと2時間ほどの会議を行う。これまでは，ビジネスユニットの会議では，財務測定尺度の未達だけに

訳注15 | リスク・アセットとは，最大損失可能性額のことを意味する。
小林啓孝他編著『リスクリターンの経営手法：ケースで見る定量的評価・計画の実践』中央経済社，2006年。

図表8-9

リコー・コーポレーションの企業戦略検討会議

検討会議		頻度	目的
会長主催の首脳会議		年2回	戦略の展開
社長主催の会議		3カ月に1回	経営上重要な課題の共有と議論
ビジネスユニット検討会議		毎月	KPIの状態，計画に対するリスクと機会，行動計画の明確化
機能横断チーム検討会議	テーマ1	毎月	KPIの状態，計画に対するリスクと機会，行動計画の明確化
	テーマ2	毎月	KPIの状態，計画に対するリスクと機会，行動計画の明確化
	テーマ3	毎月	KPIの状態，計画に対するリスクと機会，行動計画の明確化
ソリューションマーケティング検討会議		毎月	KPIの状態，行動計画の明確化
		投資の都度	ROIの計画と意思決定
戦略的資金会議および戦略検討会議		3カ月に1回	KPIの状態，計画に対するリスクと機会，行動計画の明確化
（戦略製品に関する）新製品開発会議		随時	ポジショニングの共有，仕様決定，競争力の分析，損益への影響の検討，行動計画の明確化

ほかにも，人事，IT，SCM，財務などの本社機能が検討会議を定期的に実施する。

焦点を当てていた。現在では，その検討会議で先行指標と非財務成果尺度についても検討を行うようになった。リコー・コーポレーションは，ビジネスユニットのトップがPDCAサイクルに沿って，KPI未達の根本原因と，講じた対策あるいは計画した対策を明らかにすることを期待している。その新しいプロセスが用いられるようになって1年あまり経って，ビジネスユニットのリーダーたちは直属の部下の達成度を検討する際にも同じアプローチを利用しはじめている。このようなビジネスユニットとの短い検討会議のほかに，CEOと戦略企画室は毎月，ビジネスユニットのマネジメントたちとともにビジネスユニットのKPI業績の詳細な検討を行うために，丸1日を使うビジネスユニットの会議に出席する。

四半期に1度，CEOは，マーケティング担当バイス・プレジデントとすべてのビジネスユニットのトップが出席し，短期的な戦略と長期的な戦略に

ついて議論する非公式の会議を行う。出席者は現在と過去の戦略の業績について検討し，戦略マップにおける戦略目標の因果関係を議論し，戦略の最終目標を確実に達成するのに必要な是正措置を決定する。BSC全体に関わる検討をするために，CEOと戦略企画室は四半期に1度，各ビジネスユニットと会議を行う。

それに加えて，CEOと戦略企画室は四半期に1度，すでに資金供給されている戦略的実施項目の各担当責任者と会議を行う。リコー・コーポレーションは3年間の計画サイクルの一環として，3年ごとに4つの機能横断的な戦略テーマ別チームを設置する。この戦略テーマ別チームはまずそれぞれの戦略テーマに対して包括的な行動計画を立案する。残りの3年の間ずっと，戦略テーマ別チームは戦略実行の進捗度を検討し，行動計画を更新するために，2カ月に1度会議を行う。

各ビジネスユニットは年に2度，全従業員と事業の現状について議論するための会議を行う。ビジネスユニットのトップは，当該組織のBSCを使って事業の結果を伝達する。その会議は経営者と従業員との対話式で行われ，それによって全従業員が戦略を自分たちの仕事であると考えるように動機づけられる。

リコー・コーポレーションがBSCを導入する以前は，経営会議で財務目標値の達成度だけを検討していた。その目標値を達成しても，上回っても，下回っても，議論や質問はほとんど行われなかった。しかし現在では，経営会議で財務的なことについて細かく検討するのではなく，より大局的な視点から戦略について検討するように変わった。未達の根本原因の分析という概念は当初はなじまなかったが，現在では定期的に行われている。特定の結果が生じた理由を徹底的に追求することによって，かなり多様な原因とその解決策を見つけ出すようになっている。また，戦略の実行に関する問合せもできるようになっている。

たとえば，ある検討会議で，リコー・コーポレーションのバランスト・スコアカードにおいて重要な戦略目標であるディーラー獲得に関わる業績目標値の未達について検討した。未達であった根本原因の特定を試みることで議論を活性化させ，さらにデータを収集する必要性が明らかになった。問合せ

と議論によって，それ以降の会議で定期的に一連の対策を検討するようになり，必要な軌道修正について議論するようになった。年末までに，ディーラー獲得数は目標値を上回った。

リコー・コーポレーションのマネジメントはかつて，1〜3年に1度だけ戦略を検討していた。その会議は1人か2人で行われ，そこで2度と見ない文書を作成していた。現在では，上級経営幹部，ビジネスユニットのトップ，各ビジネスユニットの従業員が，財務KPIと非財務KPIについての戦略検討会議を頻繁に行っている。

要約

業務検討会議と戦略検討会議は，企業が計画どおりに戦略を実行し，飛躍的に業績を向上させるのに役立つ。それらの会議はそれぞれ提供する役割が異なり，実施頻度が異なり，通常は出席者が異なり，検討課題が異なる。業務検討会議は通常，部門ごと，機能ごと，あるいはプロセスごとに行われ，議論されるべき課題の専門家や経験豊富な人が出席する。業務検討会議は頻度が多い。ただし，その組織やプロセスによって仕事が完遂されるまでのタイムスケールに応じて頻度が変わる。また，業務検討会議では直近の業績を要約表示するダッシュボードを使って情報が示される。業務検討会議の最終目標は，最近生じたばかりの問題を解決することと，それまで蓄積されてきた業務データから学習することである。

戦略検討会議は，1カ月から四半期に1度，戦略に関する直近の業績を評価し，その後の戦略の実行をうまく導くために行われる。戦略検討会議は機能横断的で，上級経営幹部会のメンバー，戦略テーマの担当責任者，会議の議論に加わることができるほどの特定の機能や事業に関する専門知識を持つマネジャーが出席する。出席者は，戦略の実行とそのリスクに関して簡潔な概要報告を行うとともに，戦略テーマの1つか2つ，あるいは戦略マップの視点の1つについて徹底的な議論を行う。

会議の頻度，出席者，検討課題が異なるとはいえ，業務検討会議と戦略検討会議には，共通した重要な特徴がある。会議は時間どおりにはじまり，時

間どおりに終わる。出席が義務なのは，メンバーがお互いに信頼を得るため，そしてそれぞれが貢献できる重要な知識と経験を持っているからこそ会議に出席すると理解するためである。出席者は事前に関連データを検討してきて，会議ではデータにもとづく議論を行う。出席者は会議の時間を問題解決，学習，方策の策定に費やし，報告を受け身になって聞くようなことはしない。会議では立場に関係なく，出席者全員の率直な議論を推奨する。リーダーは「誰が正しいか」ではなく，「何が正しいか」を決定することの重要性を強調する。

業務検討会議と戦略検討会議の出席者は，全員で戦略を実行しようと努めるという戦略に関する同一の仮定を共有する。上級経営幹部と経営者は競争環境，技術環境，経済環境，規制環境に関する新しい知識と情報，その環境における機会，およびその環境の変化に照らして，かつて取り決められた戦略が依然として妥当かどうかを評価するために，定期的に一歩身を引いて客観的に見る必要がある。そのように戦略を評価するのは，第9章で考察すべき戦略の検証と適応の会議での検討課題である。

【注】
(1) "Office of Strategy Management Workshop," The Balance Scorecard Collaborative, November, 2006 での発言。
(2) 本節の出典は，J. Heskett, "NYPD New," Case 396-293, Boston: Harvard Business School, June 22, 1999 と J. Buntin, "Assertive Policing, Plummeting Crime: New York City," Case C16-99-1530.0, Boston: Harvard University Kennedy School of Government, 1999 である。
(3) R. Giuliani, *Leadership*, New York: Hyperion, 2002, pp.79-80 からのデータ。
(4) *ibid*., pp.82-91.
(5) Heskett, "NYPD New."
(6) R. Kaplan, "Texas Eastman Company," Case 9-190-039, Boston: Harvard Business School Press, 1989.
(7) "Conducting Strategy Reviews," Office of Strategy Management Working Group workshop, Balanced Scorecard Collaborative, March 28, 2006.
(8) W. Catucci, "Making Strategy Execution a Core Competence," Balanced Scorecard

Collaborative Conference, Bal Harbour, FL, December, 2003.
(9) R. Kaplan, "City of Charlotte (A)," Case 9-199-036, Boston: Harvard Business School Press, 1998.

第9章 戦略の検証と適応の会議
Meetings to Test and Adapt the Strategy

「必ずしもすべての長期的な戦略が，収益性の高い戦略だとは限らない。」

戦略マップとバランスト・スコアカードは，ある組織の戦略の基礎となる明確で関連づけられた仮説を構築する。しかし，たとえ優れた戦略マップとスコアカードがあっても，その戦略の成功が確約されたわけではない。ある企業の戦略実行能力とは別に，その戦略の基礎となる前提や仮説が妥当であるかは不確かである。

　第2章で考察したように，経営幹部チームは，戦略を成功させるために必要な外部環境と競争環境，マーケットセグメント，顧客の選好，因果関係に関して入手可能で最も優れた評価を用いて戦略を策定する。しかし，戦略策定は依然としてアートであり，いまだにサイエンスではない。バランスト・スコアカードを用いて戦略を実行する最大の利点は，スコアカードのデータを利用して，その戦略的仮説が妥当であるかを定期的に評価できることである。

　この評価は，第8章で考察した業務の検討および戦略実行結果の検討とは異なっている。**戦略の検証と適応の会議**の目的は，経営幹部チームがその戦略の妥当性——戦略の実行のみならず——について知ること，そして戦略を長期的に修正し，適応させることである。戦略の検証と適応の会議は，循環的な戦略マネジメント・システムの第6段階である（図表9-1を参照すること）。

　戦略マップとバランスト・スコアカードにおいて関連づけられる仮説の連鎖は，学習と成長の視点からはじまる。企業が人的資本，情報資本，組織資本に関する戦略目標を達成すると，重要な戦略的プロセスの改善が導かれると仮定している[(1)]。戦略の次の2つの仮定は，戦略的プロセスの業績が卓越していれば，(1) ターゲット顧客に対して望ましい価値提案を創造し，提供することができ，(2) 生産性が改善し，ひいては戦略的な財務目標の達成を導くというものである。この戦略はさらに，望ましい顧客価値提案を提示することによって，満足度とロイヤルティの高い顧客を創造することが可能になると仮定している。また，企業はその顧客からこれまで以上に多くの売上げを計上し，利益率も向上すると予想されている。最後に，顧客満足度と顧客ロイヤルティの向上は，収益の増大と収益性の向上という財務目標の達成をもたらすと仮定されている。このように，戦略マップとそれにともなう

図表9-1

マネジメント・システム：検証と適応

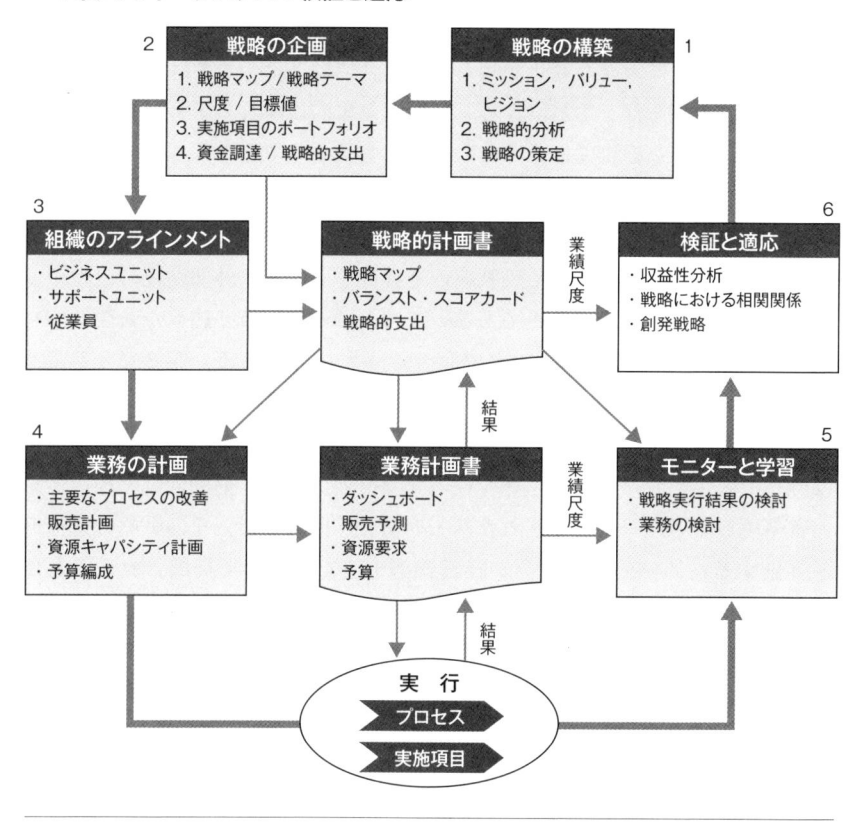

```
2  戦略の企画                     戦略の構築      1
   1. 戦略マップ/戦略テーマ        1. ミッション、バリュー、
   2. 尺度/目標値                    ビジョン
   3. 実施項目のポートフォリオ    2. 戦略的分析
   4. 資金調達/戦略的支出         3. 戦略の策定

3  組織のアラインメント   戦略的計画書            検証と適応     6
   ・ビジネスユニット     ・戦略マップ            ・収益性分析
   ・サポートユニット     ・バランスト・スコアカード  ・戦略における相関関係
   ・従業員               ・戦略的支出            ・創発戦略
                                        業績
                                        尺度

4  業務の計画             業務計画書              モニターと学習  5
   ・主要なプロセスの改善 ・ダッシュボード         ・戦略実行結果の検討
   ・販売計画             ・販売予測              ・業務の検討
   ・資源キャパシティ計画 ・資源要求      業績
   ・予算編成             ・予算          尺度

                          実 行
                          プロセス
                          実施項目
```

バランスト・スコアカードをうまく作成できれば、その戦略がいかにして長期的な株主価値を創造し、維持するかに関する一連の連続的かつ包括的な仮定が示されるのである。

戦略マップとスコアカードは、戦略実行プロセスに関するさまざまな情報を提供し、注意を集中させる。たとえば、実施項目の選択とその理由づけ、資源配分、コミュニケーション、アラインメント、個人の業績管理、報告、アカウンタビリティ、業務検討会議と戦略検討会議などである。しかし、あ

る企業の戦略マップとスコアカードを作成するために用いた仮定が不適切な仮定であったり，その仮定が陳腐化したらどうなるだろうか。このような場合，なかでも戦略の最後に検討された後にマクロ経済環境，競争環境，規制環境，技術環境に大きな変化が起こった場合には，その企業は貧弱な戦略にもとづいて事業を行うことになる。戦略を効果的に実行しても，その仮定に欠陥があれば，その企業はあっという間に失敗するであろう。

したがって，すべての企業は少なくとも年次で——可能であれば四半期で（その業界の競争，技術，消費者のダイナミクスのスピードに依存するが）——個別の会議を開催し，その戦略の進捗度を評価し，外部環境の最近の変化の帰結について考察すべきである。この会議は第2章で述べた新規戦略を構築するための会議と同一でよいし，そうすべきである。第3章から第8章を通して考察したアプローチを用いて戦略が策定され，実行されてからも，その企業は定期的に見直しを行って，外部環境およびその戦略の進捗度に関して入手された新しい情報を検討する必要がある。前回の戦略検討会議と戦略更新会議以降に入手された新しい情報に照らして，その戦略の進捗度を評価するための公式の機会が経営幹部チームに対して提供されることによって，戦略の企画，実行およびコントロールの循環が完成する。

戦略の検証と適応の会議を行うと，既存戦略を再確認することが可能になる。戦略の検証と適応の会議において経営幹部チームは目標値を更新し，戦略的実施項目の優先順位を設定しなおし，ビジネスユニットおよび機能ユニットへ新しい予測を伝達する。もしくは，戦略の検証と適応の会議の出席者は，1つまたは複数の戦略目標を変更し，測定尺度を更新し，目標値と実施項目を再調整して戦略の漸進的な変更を行う。ときには，その戦略が重大な欠陥を有していたり，外部環境，競争環境，規制環境もしくは技術環境の変化による戦略の陳腐化が判明することもあろう。このような場合には，その企業は第2章で考察した戦略構築プロセスへと立ち戻って，新しい転換戦略を構築する。戦略の検証と適応の会議によって，その企業のリーダーシップ・チームは少なくとも年に1度は会議を行い，これらの戦略更新のための3つの選択肢のうちいずれを採用すべきか決定することができる。

戦略の検証と適応の会議における議論は，経済モデルおよび統計モデルの

恩恵を得る。これらのモデルは，現在の戦略の基礎となる仮定に関する定量的なフィードバックを提供する。また，経済モデルおよび統計モデルは，戦略的ドライバー（プロセスの視点と学習と成長の視点における測定尺度）と顧客の視点および財務の視点における戦略の成果との間の相関関係に関する実証的な推定を提示してくれる。実証的な推定は経営者が戦略的ドライバーの優先順位を決定する際に役立つし，戦略的ドライバーの業績を改善するために設定された実施項目の合理的根拠を立証するのにも役立つ。

ときには，その分析を通じて，企業は自社の戦略が意図したようには機能していないことを知るだろう。公式の経済モデルと統計モデルを用いると，財務の視点と顧客の視点において失望するような成果が生じたときに，戦略の実行に欠陥があったのか，それとも欠陥のある戦略を実行したのかを区別できる。本章では，企業のデータを統計的に分析すると，経営者が問題点に気づく前であっても，戦略の欠陥がどのように示されるのかについての詳細な調査結果を提供する。統計データからは，従業員のコンピテンシーと企業の経営者が把握していない戦略の実行との関係は，環境条件によって異なる結果をもたらすことが明らかになった。

もちろん，その企業の現在の戦略を検証し，評価するにあたっては，会議の出席者は外部条件の変化をも考慮しなければならない。経営幹部チームは，このような変化によって戦略の断念もしくは修正が必要であるかを評価する必要がある。また，経営幹部チームは，最近の競合他社の行動について明確に考察すべきであるし，将来起こりうるシナリオおよび競争上のダイナミクスの帰結についても検討すべきである。

最後に，戦略の検証と適応の会議は，経営幹部チームにとっては，戦略の修正や実施項目に関して組織内部から生じたアイディアについて検討を加えるための理想的な機会である。新しい戦略の選択肢に関する多くのアイディアは，顧客やプロセスに最も近い従業員から生じる。企業は従業員全員が戦略を理解できるように，そしてその成功を支援する従業員のモチベーションから利益を得ることができるように，新しい戦略の選択肢に関するアイディアを積極的に募集し，評価すべきである。

戦略を検証する業務のフィードバック

　第2章において，著者たちは企業が戦略構築会議において，外部データと情報をどのように検討するかを考察した。戦略企画部門は，政治，経済，社会，技術，環境および法的な状況に関するデータをまとめるためにPESTEL分析を実施している。これらのデータはすべて，政治状況および外部のマクロ経済状況に関する直近の戦略更新会議以降に発生した変化を反映させて更新する必要がある。政治状況および外部のマクロ経済状況の例をあげると，利子率，為替レート，インフレ率，商品相場（エネルギーを含む），規制，国ごとや地域ごとの成長率などがある。戦略企画部門はまた，マーケットセグメントごとの業界動向，マーケットシェア，競合他社の動向，技術の変化，成長率および顧客選好の変化に関する情報を更新する。

　このような外部データは，戦略の検証と適応の会議にとって不可欠な資料である。しかし，経営幹部チームには，自社の現在の業績に関する詳細なデータも必要である。経営幹部は，損益計算書，貸借対照表，キャッシュフロー計算書といった高度に集約された財務データを用いるだけでは戦略の質を評価できない。財務諸表は業績の合計値や平均値を示してくれる。しかし，財務諸表はマーケットセグメントごと，商品系列ごとの業績を示してはくれないし，ましてや個別の製品ごと，顧客ごと，施設ごとの業績を示しはしない。セグメント別の損益計算書のデータを用いると，自社の業績の強みと弱みについて，はるかによくわかるようになる。詳細なデータがあれば，経営幹部チームに対して，自社の先行指標——従業員のスキル，情報技術，プロセスの業績，そして顧客への価値提案など——と顧客や財務の業績といった遅行的な成果指標との間の関係に関するフィードバックも提供される。

　その戦略において想定されたドライバーと享受した成果との間に統計的な相関関係があれば，企業は既存のミクロ経済学を用いて個別の製品や顧客について検証し，その戦略検討プロセスの質を向上させることが可能である。このような詳細な検証を行えば，経営者が将来において是正すべき既存戦略

のギャップ，そして欠陥さえも明らかになる。

　著者たちは，戦略検討プロセスの価値ある資料を提供する2つの重要な分析ツールを明らかにした。活動基準原価収益性モデルは自社の経済的マップを作り上げ，企業がどこで利益と損失を生み出しているか示してくれる。統計モデルは，バランスト・スコアカードにおける戦略的変数間の関係の強さを推定する。以下2つの節で，両方の分析アプローチについて考察する。

製品と顧客の収益性を測定する時間適用 ABC

　第7章において，戦略を実施するために必要となる資源キャパシティを計画するための明確かつ強力な分析ツールとして，TDABC（time-driven activity -based costing；時間適用 ABC）を紹介した。資源計画モデルの中心は，その企業の製品と顧客の収益性を算定する時間適用 ABC モデルである。たとえば，第7章で述べた仮定の企業であるタワートン・ファイナンシャル・サービス社は，新規に導入したサービスライン——顧客投資マネジメント——は損益分岐点レベルで営業しているに過ぎず，別の新製品——ファイナンシャル・プラニングとアドバイス——は毎期に相当額の赤字を生じさせていることを知った。新サービスの提供が赤字であることを，タワートン社の戦略企画担当者が想定していなかったのは明らかである。

　ニューヨーク市のある大規模な銀行は，当座預金と積立預金という収益性の高い製品ラインを有していた。同社は，当座預金の残高が2万5000ドル超の顧客を全員維持するために，顧客維持のための大規模な実施項目に着手した。図表9-2に示すように，同社の既存の，いくぶん集約的な収益性測定システムによると，2万5000ドル超の顧客層がすべて利益を生み出していた。

　次に，この銀行はより詳細な ABC 調査を実施して，当座預金残高の高いセグメントにおける全顧客口座のサービス提供コストと収益性を算定した（図表9-3参照）。その結果，顧客維持のターゲットとしていた全世帯のうち35％は赤字であることが明らかになった。損失の合計は，200万ドルを超えていた。赤字顧客は，残高が100万ドル以上のすべての層で発見された。

図表9-2

残高2万5000ドル超の顧客に関する分析結果

残高（1,000ドル）	世帯数	税引前利益	総残高
25 ～ 50	116,835	$2,419,918	$4,157,734,498
50 ～ 75	57,470	$2,023,068	$3,509,623,133
75 ～ 100	34,588	$1,874,109	$2,999,458,338
100 ～ 200	34,680	$3,379,299	$4,522,312,875
200 ～ 300	5,467	$1,221,739	$1,300,445,137
300 ～ 400	1,613	$579,844	$550,756,999
400 ～ 500	642	$3,047,482	$284,588,268
500 ～ 1,000	758	$552,239	$489,149,727
1,000 ～ 1,500	126	$171,737	$150,248,037
1,500 ～ 2,000	40	$80,980	$69,196,207
>2,000	47	$475,642	$235,241,062
合計	252,266	$15,826,057	$18,268,754,281

　当初，経営者は，当座預金の残高が高い個人が赤字であることが信じられなかった。その後の分析によると，赤字顧客は支店で多数の取引を行っており，当座預金のほとんどを銀行にとって収益性の低い口座に保有していた。銀行の支店は，銀行のサービスチャネルのうちコストが最も高い。幸いなことに，この銀行は赤字顧客を維持するための大規模な実施項目に着手する前に，その戦略の誤りを発見することができた[2]。

　同様に，大規模な医療品物流企業は，少量注文の頻繁な配送や優先的な翌日配送といった顧客の特別注文を満たすために，高いコストを発生させていた。顧客は受入部門，検査部門，在庫部門の利用を迂回する多数の少量注文を直接に使用場所へ提供するというその会社の意思を非常に高く評価していた。顧客満足度と顧客ロイヤルティは常に高かった。しかし，サービス提供コストを算定するABCモデルを構築した結果，カスタマイズしたサービスを提供することによって，いくつかの最大級の顧客において相当額の損失が発生していることが判明した。

　ケンプス社は米国中西部の大手乳製品企業であるが，時間適用ABCモデ

図表9-3

残高2万5000ドル超の顧客の35％は損失を計上

残高2万5000ドル超の家計のうち負の税引前利益（NEBT）を生み出している顧客

残高（1,000ドル）	世帯数	NEBT	総残高
25～50	47,555	($1,163,707)	$1,697,728,391
50～75	22,742	($553,457)	$1,378,703,079
75～100	9,813	($272,351)	$844,449,799
100～200	6,808	($269,338)	$860,603,493
200～300	484	($37,549)	$112,654,354
300～400	70	($11,155)	$23,438,342
400～500	30	($7,436)	$12,987,906
500～1,000	17	($10,050)	$9,979,015
1,000～1,500	1	($69)	$1,000,000
1,500～2,000	0	$0	$0
>2,000	0	$0	$0
合計	87,520	($2,325,112)	($4,941,544,379)

ルから，自社の戦略とは反対の結果を学んだ[3]。同社は，顧客が定義した正しい製品を，正しい数量だけ，正しい時間に提供することによって，小売業および卸売業の顧客との長期的な関係を築いていた。この戦略によって，生産，包装，保管および物流は大変に複雑になってしまった。ケンプス社の時間適用ABCモデルは，全顧客の注文ごとに，生産，保管，物流そして送り状の送付コストを正確に算定した。このモデルは多くのプロセスのなかから高コストのドライバーを示し，赤字顧客の存在を示した。この分析から，ケンプス社のCEOであるジム・グリーン氏は，同社はもはや「すべての顧客のあらゆる要望に対処する」という戦略を遂行することはできないと結論づけた。

　このような経験は特別でも特殊でもない。さまざまな業界のさまざまな企業にABCを導入した経験から，われわれは20対80の法則は製品や顧客の収益性には当てはまらないことを学んだ[4]。20％の製品もしくは20％の顧客が売上げの80％を生み出すことは，事実であるかもしれない。しかし，ある額（費用）を別の額（収益）から控除した残額として算定される利益は，

図表9-4

累積利益 対 顧客：20対180の法則

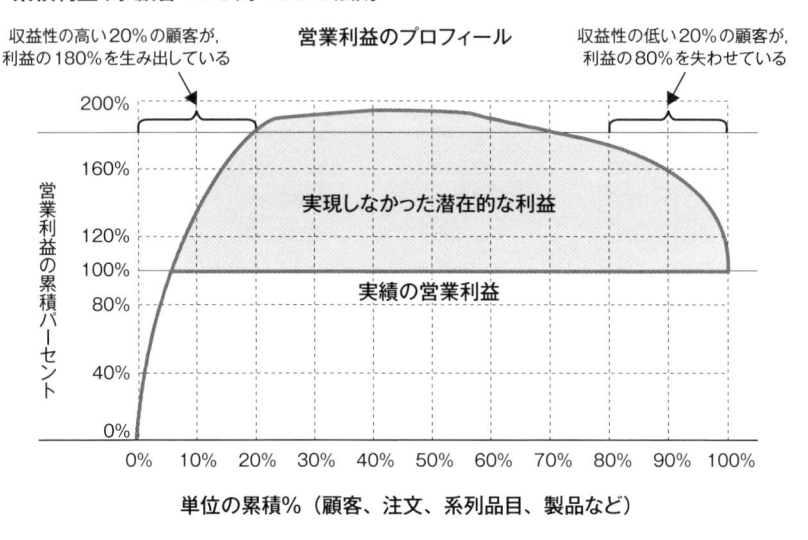

収益性の高い20%の顧客が、利益の180%を生み出している

営業利益のプロフィール

収益性の低い20%の顧客が、利益の80%を失わせている

縦軸：営業利益の累積パーセント（0%〜200%）
横軸：単位の累積%（顧客、注文、系列品目、製品など）（0%〜100%）

実現しなかった潜在的な利益
実績の営業利益

この法則には従わない。全体の20%の最も収益性の高い製品および顧客が、利益の合計額の150%から300%を生み出すのが一般的である（図表9-4を参照）。たとえば、商業銀行の大規模なサンプルスタディが示すところによると、典型的な銀行の利益の140-170%は、20%の顧客によって生み出されている。また、損失の80%は全体の20%の顧客に帰属する。

ある企業が自社の戦略を検討するために会議を行うときは、まず既存戦略の経済学を理解すべきである。ハーバードの賢人であるジョージ・サンタヤナが観察したように、「歴史から学ばない人はそれを繰り返すように運命づけられている」のである。最近の期間において赤字の製品や赤字の顧客を有していることを忘れた企業、もしくはそれを認識していない企業は、将来の期間においても、ほぼ確実に収益性の低い製品や顧客で赤字を出し続けるだろう。企業がどこで利益を生み出し、どこで損失を生じているかについて明確に認識していることは、どのような戦略検討を行う場合でも重要である。

ABCの起源は，1970年代の戦略コンサルティング会社の実務へと遡ることができる。その戦略コンサルタントは，クライアント企業の原価計算システムが製品と顧客の収益性に大きな歪みを生み出していることを理解していた。コンサルタントは，業務，保管，物流，マーケティング，販売の担当者へのインタビューを通じて，概算ではあるが，はるかに正確な製品と顧客への原価の割り当てを行った。次に，このコンサルタントは，どの製品系列もしくはどの顧客セグメントの収益性が高いのか，または損失を生み出しているのかを知るために，各製品および顧客の原価をそれが生み出した収益と関連づけた。このような情報があればコンサルタントが推奨する戦略は明らかであり，その結論に達するのにMBAなどまったく必要ではない。一方には手をかけてやり（すなわち，収益性の高い製品をいま以上に製造し，それを収益性の高い顧客へ販売する），他方には手をかけない（収益性の低い製品の製造を減らし，収益性の低い顧客への販売を減らす）ことである。この新規の戦略による短期的な利益の向上は，何度も発生する高額のコンサルティング料を補って余りある。

　活動基準原価モデルは，この戦略コンサルティング会社が用いたプロセスを公式化したものであり，これを用いれば企業は日常的に業務と販売に関する正確な利益と損失の経済的マップを作成できる。収益性向上のために戦略をどのように修正するかを明らかにするために，企業がコンサルタントを雇う必要はない。第6章で考察したように，企業はコストの高いプロセスのなかの特定のプロセスの改善をねらいとする業務活動を実施することが可能である。また，まったく異なる価格戦略を導入し，現状では赤字の顧客もしくは顧客セグメントとの仕事の方法を変更し，黒字転換が困難であったり，可能であっても時間やコストを要しそうなセグメントやチャネルを放棄することも可能である[5]。また，これまで以上の資源を投入すれば大きな利益を生み出す可能性のある，規模は小さいが収益性の高い製品や顧客セグメントを発見することが可能である。

　図表9-5は，ケンプス社が収益性を改善するために実施したさまざまな業務行動および戦略的活動をまとめている。CEOのジム・グリーンは，新しい戦略の成功について以下のようにコメントしている。「ABCによって，わ

図表9-5

ケンプス社が短期間で相当の利益の改善をもたらすために行った
業務活動と戦略的行動

プロセスの改善	製品と価格設定に関する決定	顧客関係性の再定義
顧客の注文を週ごとに蓄積することで，製品当りの生産工程を削減した。	上級経営幹部による在庫保有単位の合理化チームを結成し，月次で会議を行った。	3つのチェーンストアのラベルを統一し，大量配送を減少させた。
1種類の製品につき月当り2時間を短縮したのに加えて，各工程の開始時点と終了時点における材料の浪費を削減した。	収益性の低い製品について，価格を改定するか，販売を中止した。そして，残りの製品の生産量を増加させた。	競争入札は実施せずに，顧客に対する料金を引き下げつつ業務量を維持した。
切替作業を減らすために，ラベルなどの材料を標準化した。	生産を本社の工場に統合し，工場を1つ閉鎖した。	大規模で注文の細かい顧客（スーパーバリュー社）とクロス・ドッキングを実施した。
残業を削減し，週当り1シフトを排除した。		戦略的なサプライチェーン・パートナーとの価値創造を向上させた。

れわれの業務全体を取り巻く複雑なプロセスを削減することができました。とりわけ，顧客が料金を支払う意思のない複雑なプロセスが削減されました。いまでは，まずABCを実施してからでないと，新しい契約は一切締結しません[6]。」

　先に述べた医療品物流企業の例は，まったく新しい価格戦略を導入した影響について述べている。同社は，購入原価に平均的なマークアップを加算するという伝統的な価格決定方式からメニューベースの価格設定へと変更した。メニューベースの価格設定においては，顧客が要求した個別の特殊なサービスに対して料金を請求する。特殊なサービスとは，優先配送，分割注文，直納などである。標準的な配送で標準的な製品を標準的な数量だけ注文した顧客は，割引価格を享受できる。特別注文に価値を見出す顧客は，そのようなサービスを受けることができる。しかし，その特徴に関連する増分原価（さらに割増分が加算される）を反映した価格になる。ほとんどの顧客は，自発的に，より透明性の高い価格モデルへと移行した。この物流企業の利益とマーケットシェアは増大した。そしてすぐに，戦略はさらに進化した。進

化した戦略では，顧客への調達および物流プロセスを統合的に管理することによって，顧客のバリューチェーンを上流で統合した。

　要約すると，すべての戦略は究極的には，企業にいま以上の利益をもたらすかによって検証される。しかし，戦略が利益を生んでいるかを知るためには，集約された損益計算書を用いるよりも，個別の製品ごと，顧客ごと，セグメントごと，チャネルごと，そして地域ごとの損益計算書を算定すべきである。コンピュータにもとづく時間適用ABCモデルは，個別の損益計算書を正確かつ低コストで提供し，このような戦略の検討を促進してくれる。これらのデータによって，企業は戦略の修正を大雑把ではなくねらいすまして実行することが可能になった。戦略の修正がねらいとするのは，利益の向上が最も必要な領域であり，実現可能性が最も高そうな領域である。

業務上のリンケージの統計的検証

　企業の価値提案と原価構造が収益性の高い顧客関係性を生み出しているかを測定することは，その戦略の1つの強力な検証になる。ABCによる検証を補完するもう1つの検証は，バランスト・スコアカードにおける改善の関係を統計的に検証することである。戦略マップは，学習と成長の測定尺度が改善されるとプロセスに関する測定尺度が改善され，プロセスに関する測定尺度が改善されると顧客と財務に関する測定尺度が改善されると仮定している。スコアカードにおいて仮定された関係に関して，統計的な検証を公式に行っている企業もある。

ケーススタディ：シアーズにおける従業員・顧客・利益の連鎖

　1990年代中盤に，シアーズは従業員と顧客を中心に据えた新しい戦略を採用した。この戦略は，**サービスマネジメント・プロフィットチェーン**にもとづいていた。サービスマネジメント・プロフィットチェーンは，バランスト・スコアカードとほぼ同時期にハーバード・ビジネス・スクールで紹介された因果モデリング手法である[7]。サービスマネジメント・プロフィットチェーンの理論によれば，従業員満足度と企業への忠誠度が向上すると顧客

満足度が向上し、次に顧客満足度が向上すると利益の向上が促される。シアーズは従業員・顧客・利益モデルの実施にあたり、関連する指標を開発すること、従業員満足度と顧客満足度とに関するデータを収集することに多額の投資を行った。この投資によって、社内の分析チームは、従業員の態度、顧客満足度およびその会社の利益の変化の間の関係の強さを評価し、見積もるための統計的分析を行うことが可能になった。『ハーバード・ビジネス・レビュー』誌のかつての論文において、新しいアプローチがどのようにシアーズに導入されたのか紹介されている[8]。アーサー・マルチネスは1992年にマーチャンダイジング部門のトップとしてシアーズに入社し、1995年にCEOになった。マルチネスはシアーズを「魅力的な職場、魅力的な売り場、魅力的な投資先」にするための転換戦略を主導した[9]。そのビジョンは刺激的であったが、現場レベルの行動を促す具体性を欠いていた。そのビジョンを有形かつ行動志向の目標へと変換するために数チームのタスクフォースが作業を行い、結果として図表9-6に示す目標と測定尺度が作成された。

　シアーズのプロジェクト・チームは、従業員、顧客および財務に関する測定尺度の相互関係に関する詳細な統計的検証を実施した。このチームは、従業員の態度への投資から利益の改善までのパスを示すモデルを構築するという目的を設定した。従業員の商品知識の向上と顧客ロイヤルティ、ひいては収益と利益の向上の間の関係を理解することによって、シアーズは「従業員の商品知識を向上させるために、いくら使うべきか」といった質問に回答できるようになった。プロジェクト・チームは800の店舗から2四半期にわたってデータを収集し、クラスター分析と因子分析を用いてデータを処理した。この2種類の分析は、顧客の成果および財務の成果と最も高い相関を有している従業員の尺度を明らかにする統計手法である。

　プロジェクト・チームは従業員満足の2つの次元——職務に対する態度と会社に対する態度——が従業員のロイヤルティと顧客に対する従業員の行動に一番大きな影響を及ぼすことを発見した（図表9-7を参照のこと）。従業員に対する70項目の調査のうち、10項目の質問がこれら2つの次元の従業員の態度を測定していた。プロジェクト・チームは、（当初想定されていたような）従業員の成長と育成を測定する質問やチームに対するエンパワーメ

図表9-6
シアーズの当初のモデル：目標と尺度

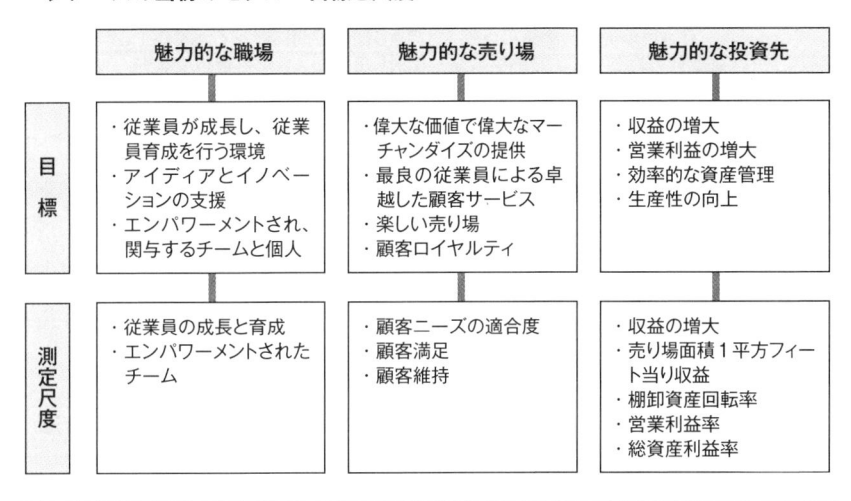

	魅力的な職場	魅力的な売り場	魅力的な投資先
目標	・従業員が成長し、従業員育成を行う環境 ・アイディアとイノベーションの支援 ・エンパワーメントされ、関与するチームと個人	・偉大な価値で偉大なマーチャンダイズの提供 ・最良の従業員による卓越した顧客サービス ・楽しい売り場 ・顧客ロイヤルティ	・収益の増大 ・営業利益の増大 ・効率的な資産管理 ・生産性の向上
測定尺度	・従業員の成長と育成 ・エンパワーメントされたチーム	・顧客ニーズの適合度 ・顧客満足 ・顧客維持	・収益の増大 ・売り場面積1平方フィート当り収益 ・棚卸資産回転率 ・営業利益率 ・総資産利益率

ントを測定する質問を打ち切ることを勧めた。なぜなら，これらの質問に対する回答は，顧客満足度や顧客ロイヤルティとの相関を示さなかったからである。プロジェクト・チームは残りの60の質問のうちから，態度に関する10の質問に対する従業員の反応を予測するのに役立つ質問や，それらを促進するのに役立つ質問を残した。これらの項目は，現地の店舗の経営者に，従業員の仕事に対する態度，サービスを提供する顧客に対する態度，および仕事をしている会社に対する態度を改善するために，日次でコントロールできるレバーに関する洞察を与える。

　プロジェクト・チームは18カ月間にわたって，モデルに関していくつかの反復作業を行い，測定尺度を洗い直し，多重回帰分析とパス解析を用いて関係を新たに推定した。最終的に，プロジェクト・チームは図表9-8に示すモデルを作成した。

　このモデルにおいて推定されたパスの1つは，従業員の態度を5ポイント向上させると顧客満足度が1.3ポイント向上すること，そして売上高成長

図表9-7

シアーズは「魅力的な職場」に関する10の重要な質問を明らかにした

70項目の従業員調査のうち、この10個の質問に対する回答が、従業員の行動（および顧客満足）に対して最も大きな影響を及ぼす。

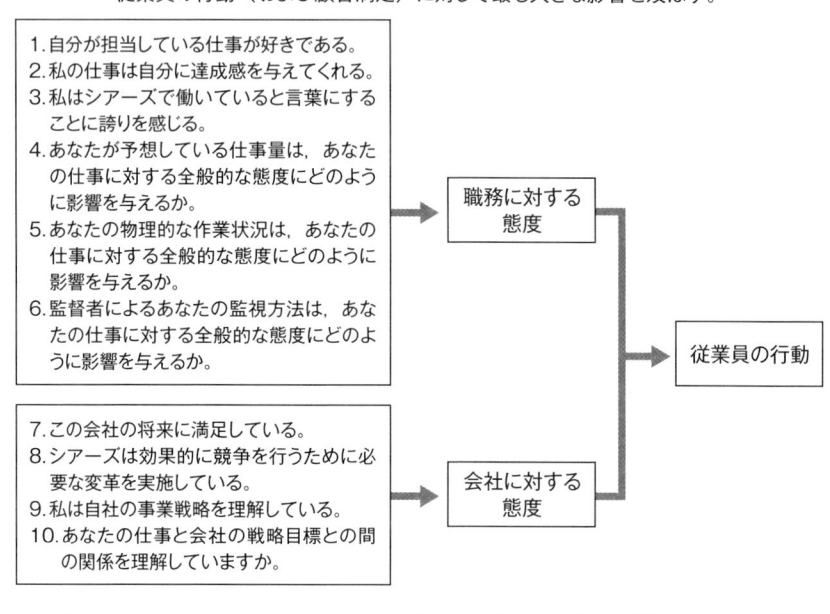

1. 自分が担当している仕事が好きである。
2. 私の仕事は自分に達成感を与えてくれる。
3. 私はシアーズで働いていると言葉にすることに誇りを感じる。
4. あなたが予想している仕事量は、あなたの仕事に対する全般的な態度にどのように影響を与えるか。
5. あなたの物理的な作業状況は、あなたの仕事に対する全般的な態度にどのように影響を与えるか。
6. 監督者によるあなたの監視方法は、あなたの仕事に対する全般的な態度にどのように影響を与えるか。

→ 職務に対する態度

7. この会社の将来に満足している。
8. シアーズは効果的に競争を行うために必要な変革を実施している。
9. 私は自社の事業戦略を理解している。
10. あなたの仕事と会社の戦略目標との間の関係を理解していますか。

→ 会社に対する態度

→ 従業員の行動

率が0.5％（50ベーシス・ポイント）向上することを示していた。たとえば、シアーズのある店舗が従業員の態度に関するスコアを5ポイント向上させることが可能であり、その店舗がたとえば売上高成長率6％の地域に位置していたならば、この店舗は6.5％の売上高成長率になると予想される。この数値は、地域の平均値を約10％上回る。

当時、シアーズの年商は約500億ドルであり、既存店の平均売上高成長率はおよそ4％から5％であった。仮にシアーズが従業員の取組みとコミットメントを改善することで売上高を0.5％増加させたならば、年間で売上高が2億5000万ドル増加する。正常な売上高総利益率と市場の現状の収益株価率 訳注1 を所与とすれば、売上高の増大は数十億ドルの市場価値の向上に

図表9-8

シアーズの修正後の従業員・顧客・利益連鎖モデル

長方形は調査情報を表している。楕円形はハードデータである。グレーの尺度が集計されて，シアーズ・トータルパフォーマンス・インディケーターの形態で伝達される。

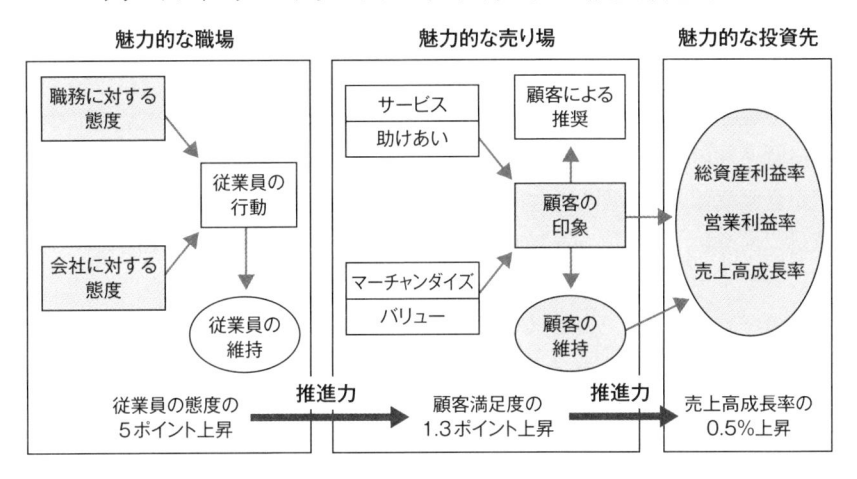

```
魅力的な職場                    魅力的な売り場                魅力的な投資先

[職務に対する態度]              [サービス]    [顧客による推奨]
          ↘                    [助けあい]          ↑
         [従業員の行動]              ↘                        ╱ 総資産利益率  ╲
          ↗                       [顧客の印象] ────────→(  営業利益率     )
[会社に対する態度]                    ↗       ↓          ╲ 売上高成長率  ╱
                                [マーチャンダイズ]
         [従業員の維持]         [バリュー]  [顧客の維持]────↗

従業員の態度の    →推進力→    顧客満足度の   →推進力→    売上高成長率の
5ポイント上昇                  1.3ポイント上昇              0.5％上昇
```

転換される。

　統計的分析によると，財務上の利益のほとんどは，従業員の態度に関するスコアの改善が測定されてから2四半期ほど遅れて生じる。このように，このツールによって，現在の従業員に関する測定尺度の変化にもとづいて，より優れた販売予測が可能になった。

　顧客満足度および顧客ロイヤルティに関する最も優れた測定尺度は，ある店舗において，1から10のスケール上で自らの購買経験に10（「間違いなく勧める」）という得点をつけた顧客の比率であることが明らかになった。以前は，顧客満足度は調査対象となった全店舗の顧客の1点から10点まで

訳注1 | 収益株価率（earnings capitalization ratio）は株価収益率（Price Earnings Ratio：PER）の逆数であり，1株当り予想利益を現在の株価で割って求められる。PERの逆数であるから，収益株価率が低い場合には，利益が将来的に成長することが見込まれる。

の得点を平均して測定されていた。統計的分析の結果,購買経験を9点とした顧客は,10点とした顧客と比較すると,リピート購買や売上高成長率が急激に落ち込んでいることが明らかになった[10]。この発見は行動に非常に大きな影響を及ぼした。なぜなら,すでに満足している顧客を非常に満足している顧客へと移行することは,中間的な顧客を満足している顧客へと移行するよりも相当に困難だからである。

　従業員の態度から顧客ロイヤルティへのパスに加えて,満足モデルは商品の品質と利用可能性が貢献すること,その店舗の立地とマーチャンダイジングが貢献することを明らかにした。シアーズはマーケティングの3P――従業員（people），製品（product），流通（place）――と顧客満足度および顧客ロイヤルティとを結合した定量モデルを手に入れたのである。

　このプロジェクト・チームはさらに,従業員の態度の改善に対する反応,顧客ロイヤルティに対する反応が製品系列によって異なることを確認した。たとえば,女性用の既製服については,購買経験を10点と評価した顧客が1％増加すれば,売上高が7.4％増加した。しかし,男性用の衣服および子供用の衣服については,売上高が14.2％増加した[11]。一般に,シアーズの各事業系列（たとえば,アパレル,電気機器,自動車,金物類など）は,従業員・顧客・利益の因果連鎖モデルに対する影響力が異なっており,予測モデルも多少異なっている。シアーズの金物店舗では,顧客は作業の技術要件を理解している知識の豊富な従業員を期待していた。百貨店においては,顧客は技術的な知識ではなく,反応の早さ,親しみやすさ,および迅速さに価値を見出していた。

　製品特有の関係性に関する知識――たとえば,事業系列ごとに作成されるべきコミュニケーション,訓練,マーチャンダイジング,およびインセンティブなど――は,従業員の態度と顧客ロイヤルティとの間で証明された関係にもとづいて行動に情報を与えるし,売上高成長率,営業利益,総資産利益率という財務上の測定尺度に対するこれらの2つの変数の相関関係に対して情報を提供する。

　シアーズで実施された統計的検証（そして第6章で述べた,TDカナダトラストで実施された統計的検証）は,自社の戦略を支持した。従業員の態

度，顧客満足度，そして財務業績の間の関係は，すべて仮定された方向へ接近した。統計的分析は，先行指標の改善と遅行指標もしくは成果尺度の反応との間の時間的なずれの見積もりに関する情報と戦略的変数間の相関の大きさに関する定量的な情報を追加した。

次に，その企業の基礎となる戦略が妥当であるかを検証する統計的分析について考察しよう。この分析を行うと，戦略自体もしくは戦略の実施方法を変更する必要があるという非常に価値の高いシグナルを提供しながら，戦略上の仮説が不適当であると証明することが可能になる。

戦略の検証と適応

戦略，なかでも新規に導入された戦略は，価値創造に関する仮説である。その戦略のバランスト・スコアカードから収集されたデータがあれば，ある変数が顧客の成果もしくは財務上の成果と強い正の関係を有すると仮定されていたとしても，その変数が戦略の成果指標と相関関係が存在しないか，あるいは負の相関関係を有するのかを統計的分析を通じて検証できる。こうした発見は，経営幹部チームに対して，その戦略において前提とされている論理のいくつかが不適切であるという信号を出す。このような場合には，経営幹部チームはこれまで以上にデータを収集し，なぜ因果関係が意図したように機能しないのかをより深いレベルで検証し，理解する必要があろう。この分析を行うことによって，経営幹部は戦略の一部を放棄する覚悟をし，その放棄された戦略を新しい価値提案へと置き換える準備を行う。新しい価値提案とは，ドライバーとなる変数と顧客と財務に関する望ましい成果との関係がより妥当と考えられる価値提案のことである。

たとえば，あるマネーセンターバンク**訳注2**は現地の競合他社との大規模な合併を行った後に，BSCの顧客に関する当初の目標の1つ——可能な限り多くの顧客数を維持すること——が多くの収益性の低い顧客を維持する結果になったことを知った。その後の別の現地銀行との合併において，経営幹

訳注2 | マネーセンターバンクとは，世界の主要な金融市場で総合的な金融サービスを行う国際的な巨大銀行を指す。

部チームは小規模で収益性の低い顧客との取引をやめることを許容し,大規模で収益性の高い顧客のみを維持するように顧客に関連する目標を修正した。最高総務責任者(chief administrative officer;CAO)は,修正された戦略の便益について以下のようにコメントした。「新しい戦略によって,われわれは数十億ドルを節約することができ,利益を年間でおよそ2000万ドルから3000万ドル増加させることができた」。次のケーススタディで示すように,企業は公式の統計的分析を実施して,その戦略はどの時点で予想した成果を提供できなかったのかを発見することができる。

ケーススタディ:ストア24

ストア24はニューイングランド最大のコンビニエンス・ストア・チェーンの1つであり,1998年5月に新しい顧客関係重視戦略を実施した。その戦略は「退屈撃退戦略」と呼ばれている[12]。ストア24のCEOであるボブ・ゴードンは,テーマと販売促進を常に変化させて,楽しめる買い物環境を提供することが自社チェーンにおける買物経験を競合他社と差別化することになると考えていた。ゴードンは,14歳から29歳までの若い都市生活者というターゲットとした顧客層にロイヤルティを生み出したいと望んでいた。ストア24のある経営者は,市場調査の結果,この集団は「飽きやすく,刺激を受けていないと気が済まない。この集団に対しては,店舗では常に新しくて前とは違うものを見せる必要がある」と記録していた[13]。

ストア24はこの退屈撃退戦略を積極的に広告掲示,バス,路面電車で宣伝した。ストア24の小売店では,現在のテーマに関連する販売促進品を宣伝するために,中央通路の頭上に大きな陳列ケースを配置していた。たとえば,「昔懐かしい映画」というテーマの場合には,映画スターの等身大の切り抜き写真と割引されたビデオが陳列された。

ストア24は,新しい戦略を従業員に伝達し,その戦略の実施を支援するために戦略マップとバランスト・スコアカードを作成した(図表9-9を参照のこと)。店長は戦略の実施方法について裁量を有していた。もうすぐ休日だということを知らせるために,そのときの店舗のテーマに合わせた服装をする店長もいた。しかし,戦略を無視して,利益率の高い販促品の代わりに

図表9-9

ストア24の新しい退屈撃退戦略の戦略マップとスコアカード

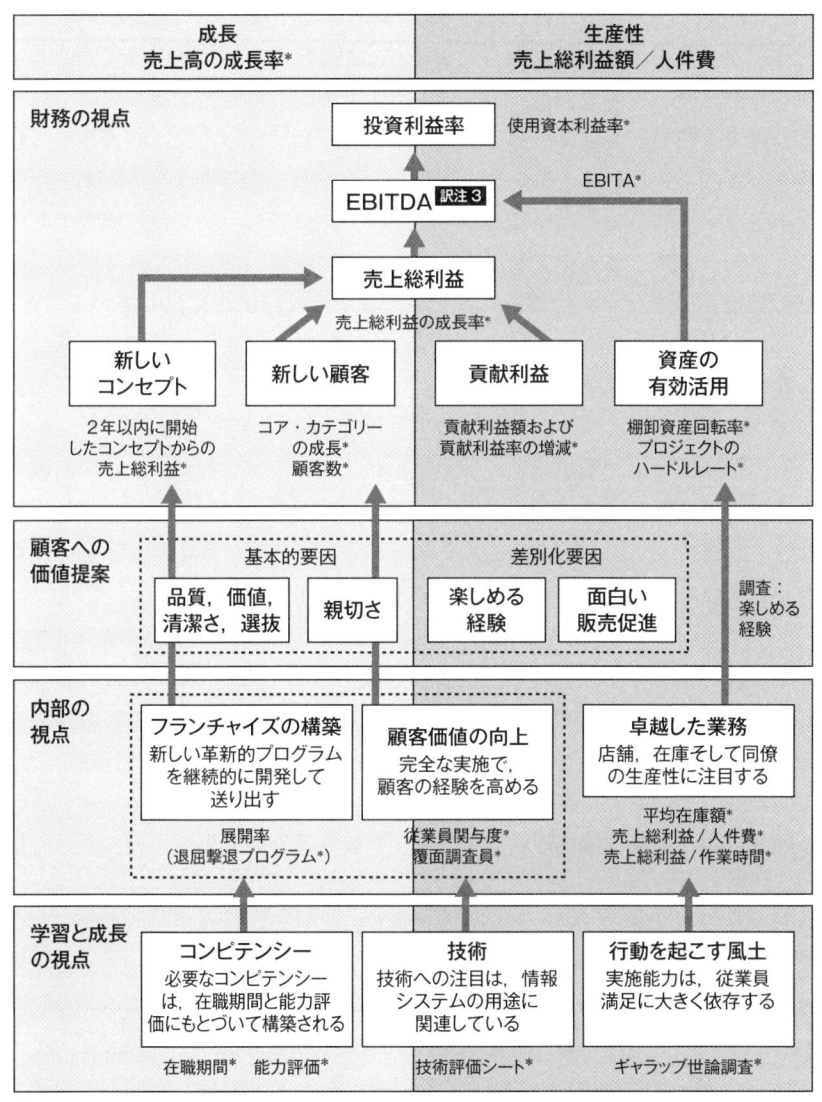

	成長 売上高の成長率*	生産性 売上総利益額／人件費

財務の視点

投資利益率 — 使用資本利益率*

EBITDA 訳注3 ← EBITA*

売上総利益 — 売上総利益の成長率*

- **新しいコンセプト**: 2年以内に開始したコンセプトからの売上総利益*
- **新しい顧客**: コア・カテゴリーの成長* / 顧客数*
- **貢献利益**: 貢献利益額および貢献利益率の増減*
- **資産の有効活用**: 棚卸資産回転率* / プロジェクトのハードルレート*

顧客への価値提案

基本的要因
- 品質，価値，清潔さ，選抜
- 親切さ

差別化要因
- 楽しめる経験
- 面白い販売促進

調査：楽しめる経験

内部の視点

- **フランチャイズの構築**: 新しい革新的プログラムを継続的に開発して送り出す
  - 展開率（退屈撃退プログラム*）
- **顧客価値の向上**: 完全な実施で，顧客の経験を高める
  - 従業員関与度* / 覆面調査員*
- **卓越した業務**: 店舗，在庫そして同僚の生産性に注目する
  - 平均在庫額* / 売上総利益／人件費* / 売上総利益／作業時間*

学習と成長の視点

- **コンピテンシー**: 必要なコンピテンシーは，在職期間と能力評価にもとづいて構築される
  - 在職期間* 能力評価*
- **技術**: 技術への注目は，情報システムの用途に関連している
  - 技術評価シート*
- **行動を起こす風土**: 実施能力は，従業員満足に大きく依存する
  - ギャラップ世論調査*

*基本的要因に該当する測定尺度。

チップスのような伝統的なコンビニエンス・ストアの商品を一番奥の売り場の陳列に置き続ける店長もいた。

2年間で，ストア24は自社の戦略が機能していないことを学んだ。ゴードンのコメントは以下のとおりである。「全般的には，既存店の売上げはすばらしかった。しかし，われわれは店内のコメントカードから，退屈撃退戦略に対する強い反対意見を得ていた。……わが社で行った電話調査も，われわれが店内で作り出そうとした，楽しくてわくわくするような雰囲気を顧客がまったく理解していないことを示していた。最後に，わが社の顧客で結成したフォーカス・グループが，顧客はわが社の伝統的な強みである優れた商品の選択，迅速なサービス，そして清潔な環境に価値を見出していること，われわれが生み出そうとしている退屈しない経験にはまったく価値を感じていないことを完全に示したのです。」(14)

個々の顧客そしてフォーカス・グループからの意見によって，ストア24はその革新的な退屈撃退戦略を2000年4月に2年間で放棄し，以前の戦略の修正版がそれに取って代わった。修正された戦略の特徴は，迅速で効率的なサービスであった。図表9-10は「待てないなら待たさない」と名づけられた新しい戦略の戦略マップとスコアカードを示している。

ストア24はシアーズが有していたような，退屈撃退戦略の戦略マップの因果関係を検証するための自社内の分析能力を有していなかった。同社は，「楽しくて刺激的な買い物経験」を提供するという同社の戦略の価値提案が機能していないことを最終的に確認するために，顧客からの意見に頼った。実際には，その価値提案は不満足な顧客を生み出していた。顧客は常に変わる陳列と販売促進に悩まされていたし，衣装を着た無愛想な店員に不満を抱いていた。

ハーバード・ビジネススクールの教員チームはストア24の85店舗から月次データを入手し，統計的分析を実施して同社の経営幹部チームが退屈撃

訳注3 | EBITDAはEarnings Before Interest, Tax, Depreciation and Amortization（支払利息・税金・償却費控除前利益）のことである。償却費には，有形固定資産の償却費（depreciation）と無形固定資産の償却費（amortization）が含まれる。これに対して，EBITAはEarnings Before Interest, Taxes and Amoritization（支払利息・税金・無形固定資産償却費控除前利益）である。

図表 9-10

ストア24の更新された戦略：「待てないなら待たさない」

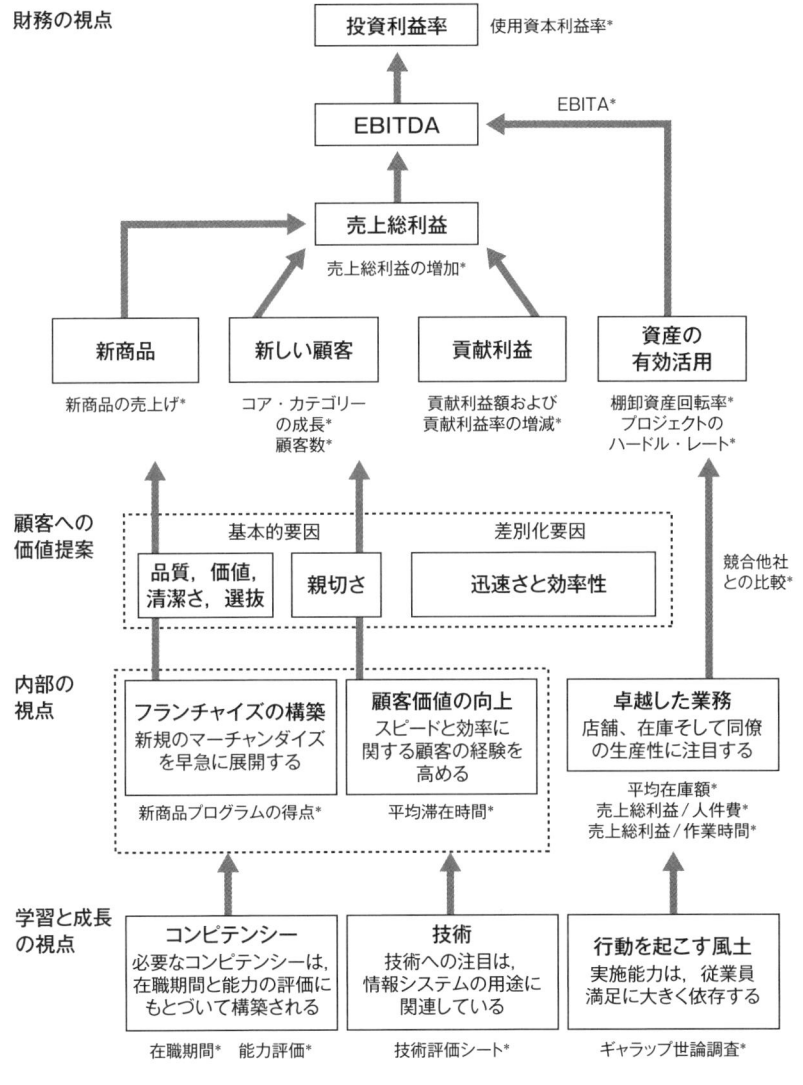

財務の視点

- 投資利益率 — 使用資本利益率*
- EBITDA ← EBITA*
- 売上総利益 — 売上総利益の増加*
  - 新商品 — 新商品の売上げ*
  - 新しい顧客 — コア・カテゴリーの成長*／顧客数*
  - 貢献利益 — 貢献利益額および貢献利益率の増減*
  - 資産の有効活用 — 棚卸資産回転率*／プロジェクトのハードル・レート*

顧客への価値提案

- 基本的要因：品質，価値，清潔さ，選抜／親切さ
- 差別化要因：迅速さと効率性
- 競合他社との比較*

内部の視点

- フランチャイズの構築　新規のマーチャンダイズを早急に展開する — 新商品プログラムの得点*
- 顧客価値の向上　スピードと効率に関する顧客の経験を高める — 平均滞在時間*
- 卓越した業務　店舗、在庫そして同僚の生産性に注目する — 平均在庫額*／売上総利益／人件費*／売上総利益／作業時間*

学習と成長の視点

- コンピテンシー　必要なコンピテンシーは、在職期間と能力の評価にもとづいて構築される — 在職期間*　能力評価*
- 技術　技術への注目は、情報システムの用途に関連している — 技術評価シート*
- 行動を起こす風土　実施能力は、従業員満足に大きく依存する — ギャラップ世論調査*

＊基本的要因に該当する指標。

退戦略の欠点をもっと以前に知ることが可能であったのかを調査した[15]。教員チームは65店舗の四半期業績に関するデータを，1998年5月1日から2000年4月30日分まで収集した。2000年4月30日は，退屈撃退戦略が終了した日である。最初にデータを眺めてわかったのだが，ストア24の戦略はその導入年度には非常によく機能していた。既存店舗の売上げは，業界平均である6％にまで上昇していた。

　店舗ごとの収益性の違いを説明するための包括的で横断的な分析の実施に先駆けて，調査チームは店舗独自の構造上の特徴——商圏人口，所得および店舗の半マイル区域における競合他社の数など——と規模や営業時間といった店舗の業務上の特徴とを調整した。

　ストア24は顧客満足度に関するデータを外部の調査会社から入手していた。この企業は，顧客を店内でインタビューするためにストア24が雇った企業である。調査会社はこれらのインタビューを，その店舗を「楽しめる売り場」であると回答した顧客の割合を示す顧客認知度へと集約した。ストア24は，各店舗が退屈撃退戦略の業務指針に従っているかについて，四半期に2回ずつ現場評価も実施していた。この評価は，前に示した図表9-9のバランスト・スコアカードのなかの展開率（退屈撃退プログラム）を測定したものである。

　標準化された四半期ごとの店舗の営業利益と退屈撃退戦略の実行スコア（図表9-11を参照のこと）との間には，僅かだが負の関係が存在することも調査から明らかになった。どうやら，退屈撃退プログラムをうまく実施しても店舗の業績には影響がないか，わずかながら負の影響を及ぼすようである。店舗ごとの利益の違いは，店長のスキル，商圏人口，競争の程度といった戦略とは関連のない変数によって説明された。

　店舗レベルで退屈撃退戦略を実施すると，店舗の在庫水準が高まるという関係があることも統計的分析から明らかになった。このことは，差別化戦略が在庫管理に負の影響を与えていることを示している。これらの関係は，退屈撃退戦略の終了1年前のデータを収集することで明らかになった。これらの単純な相関からの調査（とそれ以外のいくつかの調査）からだけでも，ストア24の経営者は，戦略を実施した初年度の年度末には退屈撃退戦略が意

図表 9-11

退屈撃退戦略の実行スコアと店舗の利益との間には負の相関関係が存在する

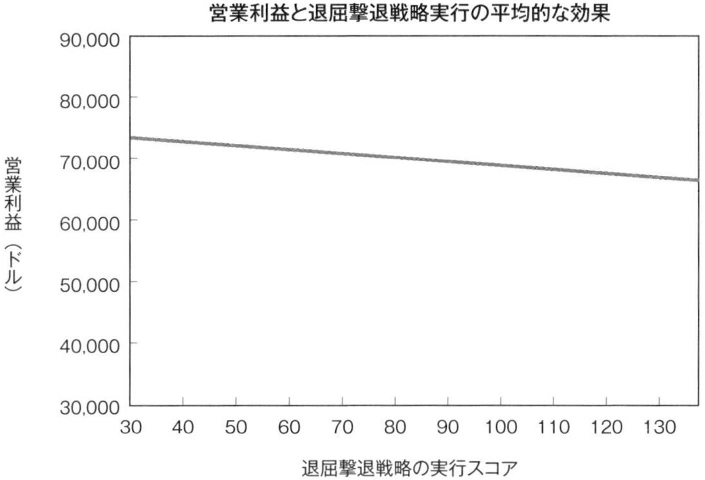

営業利益と退屈撃退戦略実行の平均的な効果
90,000
80,000
70,000
60,000
50,000
40,000
30,000
営業利益（ドル）
30
40
50
60
70
80
90
100
110
120
130
退屈撃退戦略の実行スコア

図したようには機能していないことを知りえたはずである。

顧客満足度（外部企業によって測定されている）は，退屈撃退戦略の実施の質によって正の影響を受けることをこの研究は発見した。したがって，顧客は戦略実行の質の違いに気づいていた。しかし，測定された顧客満足度は明確には利益の向上には転換されなかった。このことは，戦略自体が欠陥を有している可能性があることを示唆している。

より詳細な分析によると，図表 9-11 で示されている平均的な関係は，バランスト・スコアカードの変数間の複雑な関係を隠してしまう。調査チームは戦略実行の質と各店舗の従業員のスキルレベルの両方を反映する相互作用項を追加した（図表 9-9 において「能力評価」と名づけられている）。この相互作用項を回帰式に追加することによって，図表 9-12 に示されている発見事項が導かれた。従業員のスキルが高く，退屈撃退戦略を効果的に実施している店舗は，従業員のスキルは同様に高いけれども戦略を効果的に実施で

図表 9-12

退屈撃退戦略の実行スコアと店舗の業績との間の負の相関関係は，低スキルの従業員が原因である

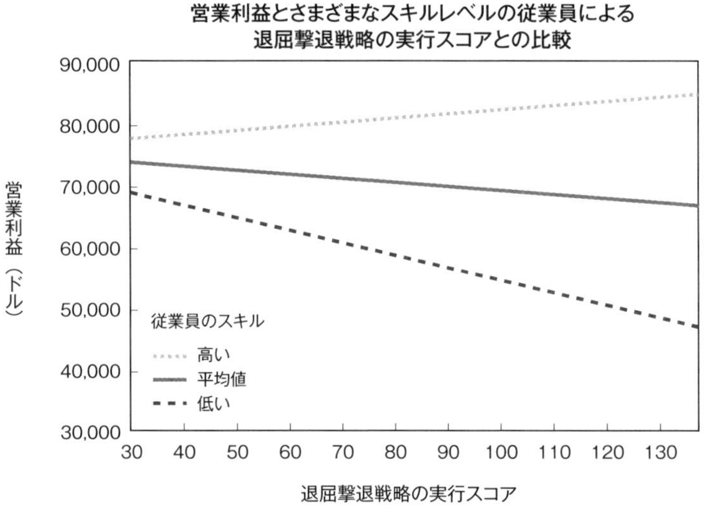
営業利益とさまざまなスキルレベルの従業員による
退屈撃退戦略の実行スコアとの比較
90,000
80,000
70,000
60,000
50,000
40,000
30,000
営業利益（ドル）
従業員のスキル
高い
平均値
低い
30
40
50
60
70
80
90
100
110
120
130
退屈撃退戦略の実行スコア

きていない店舗よりもかなり高い利益を得ている。逆に，従業員のスキルが平均か平均以下で，退屈撃退戦略を忠実に実施している店舗は，従業員のスキルが平均か平均以下で業務の効率性には注目しているが退屈撃退戦略を実施していない店舗よりも収益性においてはるかに劣っていた。

このように，戦略の成功は店舗の従業員のスキルに大きく依存していた。退屈撃退戦略の方針は守っていても経験の浅い従業員は，顧客に対するサービスが十分ではなく，業務が非効率であった。その結果，店舗の利益が低下していた。対照的に，経験豊富な従業員は，退屈撃退戦略という差別化された購買経験を生み出すと同時に，業務効率と顧客満足度を維持していた。

退屈撃退戦略に関するストア 24 の年次会議への情報提供に間に合うように公式の統計的分析が実施されてきたが，この分析からいくつか議論すべき興味深い論点が生じてきた。経営者は，戦略が成功するのは店舗の従業員の

スキルを高いレベルに向上できたときに限られることに気づいた。小売店の従業員の離職率が高いこと（通常は年200％を超えている）を考えると，すべての店舗で従業員のスキルレベルを向上させ，それを維持するのは不可能であると経営陣は判断したかもしれない。今回の場合には，経営陣はこの決定を実施する1年前に，退屈撃退戦略は放棄すべきという結論を出せたかもしれない。

また，店舗の従業員のスキルと戦略実行の成功とが密接に結びついていることを理解できたならば，ストア24は従業員の在職率を向上させ，全店舗の従業員のスキルレベルを最も優れた店舗の水準にまで向上させるために，人的資源に関する大規模な実施項目に着手したかもしれない。また，新規雇用の従業員が雇用直後でも退屈撃退戦略を効果的に実施するに十分なスキルを保持できるように，ストア24は新規雇用社員の訓練と指導に多くの時間（と金）を費やすことができたかもしれない。この場合には，同社は差別化戦略を継続し，最近では最も業績の優れた店舗（戦略実行の質が高く，従業員のスキルも高い店舗）だけが実現している利益の改善を享受したかもしれない。

ストア24の経験は，ある企業の戦略に関するフィードバックを得るためには，うまく機能しているバランスト・スコアカードから得たデータを用いるとよいことを示している。このようなデータを用いれば，その企業の戦略が効果的に実行されているかを検証できるようになる。ストア24のケースでは，戦略が効果的に実行されているか否かを知るために，退屈撃退スコアと店舗における「楽しめて刺激的な買い物経験」の顧客の認識との間の相関関係に加えて，退屈撃退基準に準拠しているか否かに関する店舗独自の得点が測定された。このデータを用いれば，戦略が有効であるか否かを検証できる。ストア24のケースにおいては，退屈撃退戦略の実施に関する得点が上昇しても，店舗の平均利益は向上しなかった。分析をさらに進めることによって，これまで見えなかった関係が示された。戦略が効果的に実行されるのは，従業員のスキルが高い店舗で実行された場合のみである。スキルの高い従業員は，迅速なレジ時間，優れたマーチャンダイジング，効果的な在庫管理といった効率的に業務を行うための要件と新戦略の要求とのバランスを

取っていた。

公式の統計的検証のための必要条件

　シアーズやストア24のケーススタディは，公式の戦略の推定や戦略の検証を可能にする特性を指摘している。第1に，これらの企業は期間当り多数の観測値を持っていた。シアーズは800の店舗についての月次データを持っていたし，ストア24は65から75の小売店についての四半期データを持っていた。部門横断的なデータについて有効で参考となる統計的分析を実施するためには，企業が大量の同質的なユニット（拠点であっても顧客であっても）を持つ必要があり，各ユニットが毎月（もしくは報告期間ごとに）すべてのデータのスコアカードを作成している必要がある。ある企業が観測値を1カ月に1セットしか入手できないとすると，たとえ単純な統計的分析であっても，実行のために十分なデータ（すなわち，24の観測値）を得るには少なくとも2年かかる。

　第2に，これらの企業は顧客満足度と顧客ロイヤルティ，プロセスの特性，従業員の態度とスキルに関するデータを各拠点から集計するための規律あるプロセスを持っていた。統計的検証および評価のためには，適切なデータを得ることが必要不可欠である。企業が主たるマネジメント・システムとしてバランスト・スコアカードやそれに類似した従業員・顧客・利益連鎖モデルを用いる場合には，データ収集が非常に重要な部分になってくる。次に，データはフィードバック，検証そして企業の戦略の学習のために利用できるようになる。ERPおよびビジネス・インテリジェンス（BI）のソフトウェアは，基礎となる取引からデータを収集し，使い勝手のよい形式でデータを蓄積し，データへの即時アクセスを可能にし，そして多くの場合，緻密な統計的分析および報告能力を組み込んでいる。

　最後の必要条件は，妥当かつ信用できる方法で，統計的分析を実行できる能力である。統計学を誤って用いたり，誤って解釈したりすることは簡単である。企業が戦略の仮説を検証するためにバランスト・スコアカードのデータを利用したいならば，統計モデルの構築，見積もり，検証において訓練が行き届き経験豊富な社内集団または外部のコンサルタントを利用すべきである。

外部データと競争情報の組み込み

　本章でこれまで提示された事例は，戦略を検討し，検証し，適応させるための内部データ――たとえば，製品と顧客に関する活動基準原価と収益性の報告書，バランスト・スコアカードのデータなど――の用途について考察してきた。それに加えて，企業が戦略について考察する場合には，外部データを組み込む必要がある。

　LGフィリップスLCD（LPL）は，LGとフィリップスの2社によって設立された韓国のジョイント・ベンチャーである。LPLはテレビ，情報技術，特殊なディスプレイに用いられるハイテクの液晶ディスプレイ（LCD）画面の設計・製造に関する戦略の仮説を評価し，調整するために，四半期ごとにBSC「ウォーゲーム」会議を実施している。経営幹部と各機能の企画部門のリーダーがこの会議に出席し，6つの重要な質問に取り組む。

1. われわれの戦略は適切であるか
2. われわれの戦略は，競合他社の戦略よりも優れているか
3. 社員全員が戦略を認識し，受け入れているか
4. 戦略を実行するために全力を尽くしているか
5. 戦略実行にともなうリスクは何か，またそのリスクに対してどのように対処しているか
6. 戦略を実行するための戦略シナリオを有しているか

　会議の前に，LPLの企画グループがウォーゲーム会議を実施すべき状況を選択する。その状況とは，既存の市場における直接の競合他社に対処するための新しい地域の市場への参入や，次世代の製品で推奨されるサプライヤーになるために主要な既存顧客もしくは潜在的な顧客に対する新戦略を導入することなどである。競合他社の戦略と能力，その地域の主要な顧客，そして外部，マクロ経済，市場の状況に関する参考情報は共有されている。

　ウォーゲーム会議は3日間にわたって実施される。さまざまなチームが

LPL の戦略，そして競合他社および顧客の想定される行動と反応について踏み込んだ議論を行う。さまざまな可能性のなかから，LPL は 2 つもしくは 3 つのシナリオを選択する。次に，その 1 つずつのシナリオについて，想定されるマーケットシェア，利益，キャッシュフローの予測を行う。最後に，ウォーゲーム会議の期間中に，LPL の経営幹部チームはシミュレーションされた市場のダイナミクス，想定される成果に照らして一連の行動を選択する。

戦略の調整が必要ならば，LPL は自社の戦略を更新し，行動計画を修正して新規の戦略を実行する。その後，全社的なアナウンスがなされる前に，月次の戦略検討会議において新しい戦略の方向性が議論される。また，ウォーゲーム会議で作成された戦略シナリオは，次期四半期以降の戦略実行指針としての役割を果たす。

ウォーゲーム会議を実行すると経営幹部チーム全員の積極的な参加が促され，最新の外部情報と内部情報を用いた戦略策定に携わらせる。ウォーゲーム会議はマーケティング，統計，経済学，シミュレーションの専門家を編成する。最終的に，経営幹部チームは，競合他社と顧客に関する大量の利用可能な情報および想定される反応を考察した後に，一連の特定の行動について同意する。LPL における戦略実行のプレミアムは，以下のとおりである。

LG フィリップス LCD における戦略実行のプレミアム

- 2001 年から 2007 年の間に，LPL 社の売上げは 18 億ドルから 155 億ドルへと 8 倍以上に増加した。
- 同社はこの 5 年間で，業界の 1 位もしくは 2 位にランクされるようになった。
- LPL 社は LCD 業界の各世代の製品を大量生産することにおいては，ディスプレイ業界では常に 1 位である。同社は現在，第 8 世代技術の工場を建設中であり，2009 年中盤には大量生産を開始する予定である。
- 同社は業界調査組織から，常に顧客満足賞を受賞している。

創発戦略

　ミンツバーグやハメルといった戦略の研究者は，トップダウンによる戦略の方向性の限界を強調している[16]。これらの研究者は，新規戦略に関する最も優れた考えのいくつかは企業の従業員から生まれてくると主張する。また，これらの研究者の考えによると，上級経営管理者の役割は，技術，プロセスおよび顧客に最も近い従業員が示唆する革新的なアイディアに常に気を配ることである。これらの示唆が公式の戦略の企画と検討プロセス以外から生まれてきたとしても，それは変わらない。これらの研究者の主張によると，従業員の示唆がインテルのメモリーチップからマイクロプロセッサへの転換の引き金となり，ホンダの重点がオートバイから自動車へ移行する引き金となり，3M社のポスト・イットの発売のきっかけになった。

　バランスト・スコアカードによる戦略マネジメント・システムは，その企業の戦略目標に関する従業員全員の共通理解を生み出すことを通じて，創発戦略を支援する。戦略を理解している従業員——そして組織の戦略の成功を促すように動機づけられている従業員——は，ギャップが戦略の実施にあるのか，それとも基礎となる仮説にあるのかを理解するのに非常に適した場所に位置している。それらの従業員は，新しい戦略アプローチがどこで優れた業績を生み出しているのかも明らかにする。

　以前の書籍において，著者たちはモービルUSマーケティング・リファイニング事業部の中間層の従業員が，ガソリン，潤滑油，コンビニエンス・ストアにおける商品の購入をより迅速かつ友好的にするスピードパスのアイディアをどのようにして考案したのかを述べた[17]。このアイディアより前に，従業員はバランスト・スコアカードという新しい卓越したコミュニケーション・プログラムを通じて，迅速で友好的なサービスという価値提案について学習していた。スピードパスは同社の戦略を大きく転換させるものではなかったが，モービルの価値提案を同様の戦略を有する競合他社と差別化する突破口となった。モービルの経営幹部チームはスピードパスというイノベーションの戦略上の重要性を認識し，年度の途中でバランスト・スコア

カードを修正して2つの新規の測定尺度を追加した。新しい測定尺度は，年度末までにスピードパスを取得した消費者の数とスピードパスの技術を給油ポンプに取りつけたモービルの小売店の比率であった。修正した戦略を迅速に実行することで，マーケットシェア，売上高成長率，利益率の持続的な向上に大きく貢献した。

　カナダ血液サービス（CBS）の卓越業務戦略会議の定期的な四半期の会議において，経営者と従業員は血液ドナーの行動について議論した。会議の参加者は，ある地域だけが非常に大量の献血を継続的に受けている理由を知りたかった。献血量は，BSCにおける重要な顧客の測定尺度であった。会議の出席者は，CBSの従業員が献血者に対して親切で個人的なアプローチを行っているために献血者数が高い水準で推移しているという仮説を策定した。この会議では，その地域の献血者に関するデータを横断的に分析するために特別なタスクフォースを結成した。統計的分析は従業員の仮説が妥当であることを証明した。また，この分析を通じてタスクフォースは献血者の維持率を向上させる従業員の特別な行動を明らかにした。スピードパスによるイノベーションと同様に，CBSの経営者は新しい行動を組み込むためにスコアカードを更新した。次に，CBSの経営者は修正されたスコアカードを従業員全員で共有し，数カ所の成功した部署からの洞察をCBSシステム全体の標準的な実務にすることができた。

業務と戦略の統合

　戦略マップとバランスト・スコアカードは，企業が戦略と業務とを統合するのに役立つ。また，これらのツールは経営者が視覚的かつ定量的な言葉で戦略を伝達するのに役立つ。これらのツールは戦略のビジネスユニットおよび機能ユニットへの落とし込みを促し，戦略を実行するための実施項目の識別と合理化を促進する。さらに，経営者は戦略の優先順位づけとプロセス改善とを統合し，資源キャパシティや業務予算および資本予算に関する意思決定と統合することができる。

　しかし，業務から戦略へ戻る関係はあまり注目されていない。図表9-13

図表9-13

3種類の経営検討会議の要約

	業務検討会議	戦略検討会議	戦略の検証と適応の会議
必要な情報	KPIのダッシュボード：週次，月次の財務要約	戦略マップとバランスト・スコアカードによる報告	戦略マップ，バランスト・スコアカード，ABCによる収益性報告，戦略の仮説，外部分析とSWOT分析，創発戦略の分析的研究
会議の頻度	月次，週2回，週次などビジネスサイクルに依存する。	月次	年次（変化の激しい業界では四半期ごと）
会議への出席者	部門や機能の従業員：財務検討の際には上級経営管理者も出席する。	上級経営管理者のチーム，戦略テーマの担当責任者，戦略管理室のトップ	上級経営管理者のチーム，戦略テーマの担当責任者，機能と企画の専門家，ビジネスユニットのトップ
会議の内容	業務上の問題（売上げの減少，配送の遅延，設備の停止，サプライヤーの諸問題）を明らかにし，解決する。	戦略の実施段階における諸問題，戦略的実施項目の進捗度	因果分析，製品系列やチャネルの収益性，外部環境の変化，創発戦略，そして新技術の開発にもとづく戦略の検証と適応
会議の目的	短期的な問題への対応，継続的改善の促進	戦略の微調整，中途における適応の実施	戦略の漸進的な改善・転換，戦略的計画および業務計画の確立，戦略目標の目標値の設定，戦略的実施項目およびその他の主要な自由裁量費用への支出の承認

は，第8章と第9章で提示した3種類の経営会議について要約したものである。これらの経営会議は，業務から戦略へのフィードバックを提供する。業務検討会議では，業務ダッシュボードからのデータを利用して業務をモニターおよび改善し，差し迫った諸問題を解決する。戦略検討会議は，当該年度の戦略実行結果をモニターする。また，変化する環境に順応させるために，戦略と実施項目とを調整する。これらの会議によって，組織は年度の途中でも，継続的に戦略実行の修正を行うことが可能になった。本章で述べた戦略の検証と適応の会議は，活動基準原価計算や業務データの統計的分析といったツールを用いて分析的研究のアウトプットを検討する。この会議において，経営者は戦略がどのように機能しているのか，そして戦略が本当に機

能しているのかを知ることができる。ABCモデルは戦略の欠陥を明らかにすることができる。たとえば，非効率なプロセス，収益性の低い製品や顧客，大量の未利用キャパシティなどである。この情報を有している経営者は，ねらいをつけたプロセスを改善し，価格の改定を行い，顧客関係性を修正すること，すなわち最終的には既存の赤字製品系列および赤字のマーケットセグメントを是正することによって欠点を是正する。

戦略マップの因果連鎖の重要性と因果関係の時間的な遅れを統計的に推定することによって，戦略の実行をいかに管理するかに関する正確な情報が経営者にもたらされる。経営者は従業員が生み出した提案も評価する。顧客との対話，プロセス能力の向上，新製品開発や顧客サービスのアイディアといった経験にもとづく知識を引き出すことができる。

要約

戦略の検証と適応は，通常は第2章で述べた年次の戦略構築会議において行われるはずである。戦略の検証と適応は戦略構築会議における戦略分析の一部であり，更新されたPESTEL分析，業界分析そしてSWOT分析に沿って行われる。ときには，この会議は当該年度中に明らかになった外部環境の大きな変化や業績の大幅な未達が原因で開催されることもある。または，この会議はバランスト・スコアカードの測定尺度にもとづいて実施された分析が，その企業の既存の戦略に欠陥があることを示したとき——本章のマネーセンターバンクやストア24の事例のように——に開催されることもある。この場合には，この企業は，自社で実施したあらゆる追加的な市場調査および競争業者に関する調査に加えて，業務データの慎重な分析から学んだことにもとづいて戦略を修正する。

もちろん，企業は戦略と業務とを統合し，業務から戦略に戻る一連の複雑なプロセスを組織化することは困難であると気づいている。本書で主張したさまざまなプロセスをすべて調整し，統合するに十分なモニタリングを行っている個人や部門など社内のどこにも存在しないことがわかってきた。そこで，第10章では新しい戦略管理室の役割について述べる。戦略管理室は経

営企画室を拡張したものである。戦略管理室は伝統的な経営企画室の役割を拡大しており，戦略に関する企画とその実行の双方を促すことができる。

【注】

(1) R.S. Kaplan and D.P. Norton, "Measuring the Strategic Readiness of Intangible Assets," *Harvard Business Review*（February 2004），pp.52-63（スコフィールド素子訳「バランス・スコアカードによる無形資産の価値評価」『DIAMOND ハーバード・ビジネス・レビュー』2004 年 5 月号）.

(2) この経験は，以下で報告されている。T. LoFrumento, "Using Customer Profitability Analytics to Execute a Client-Centric Strategy," *Balanced Scorecard Report*（March-April 2007），pp.3-5.

(3) R.S.Kaplan, "Kemps LLC: Introducing Time-Driven Activity-Based Costing," Case106-001（Boston: Harvard Business School, 2005）．

(4) この 20：80 の法則は，しばしばパレートの法則と呼ばれる。この名称は，200 年前の経済学者にちなんだものである。彼はイタリアの人口の 20％が，80％の所得を生み出していることを観察した。この関係は，その後も多くの経験的なデータセットで観察されてきたのである。

(5) R. S. Kaplan and V. G. Narayanan, "Measuring and Managing Customer Profitability," *Journal of Cost Management*（September –October 2001），pp.5-15.

(6) Kaplan, "Kemps LLC," pp.8-9.

(7) J. Heskett, T. O. Jones, G. W. Loveman, W. E. Sasser, and L. A. Schlesinger, "Putting the Service Profit Chain to Work," *Harvard Business Review*（March-April 1994），pp.164-174（小野譲司訳「サービス・プロフィット・チェーンの実践法」『DIAMOND ハーバード・ビジネス・レビュー』1994 年 6-7 月号），J. L. Heskett, W. E. Sasser, and L. A. Schlesinger, *The Service Profit Chain: How Leading Companies Link Profit and Growth to Loyalty, Satisfaction, and Value*, New York: The Free Press, 1997（島田陽介訳『カスタマー・ロイヤルティの経営 企業利益を高める CS 戦略』日本経済新聞社, 1998 年）．

(8) A. J. Rucci, S. P. Kirn, and R. T. Quinn, "The Employee- Customer-Profit Chain at Sears," *Harvard Business Review*（January-February 1998），pp.83-97（「シアーズ復活のシナリオ：顧客価値を生み続けるシステムの構築」『DIAMOND ハーバード・ビジネス』1998 年 9 月号）．

(9) 前掲論文を参照のこと。

(10) この発見は，F. Reichheld の論文である "The One Number You Need to Grow," *Harvard Business Review*, December, 2003 (松本直子訳「顧客ロイヤルティを測る究極の質問」『DIAMOND ハーバード・ビジネス・レビュー』2004 年 6 月号) や F. Reichheld, *The Ultimate Question: Driving Good Profits and True Growth*, Boston: Harvard Business School Press, 2006 にも再掲されている。

(11) 結果については，以下で報告されている。S.Kirn(2001), "Statistically Validating the Cause-and Effect Linkages in the Scorecard," Balanced Scorecard Collaborative Executive Conference, Boston, December, pp.11-12.

(12) ストア 24 の経験は，以下の文献から引用した。D. Campbell, "Putting Strategic Hypotheses to the Test with Cause-and-Effect Analysis," *Balanced Scorecard Report* (September-October, 2002), pp.15-16; S. Kulp, V. G. Narayanan, and Campbell, "Store24", Case 103-058 (Boston: Harvard Business School, 2003); and D. Campbell, S. Datar, S. Kulp and V. G. Narayanan, "Testing Strategy with Multiple Performance Measures: Evidence from a Balanced Scorecard at Store24," working paper 08-081, Harvard Business School, Boston, February, 2008.

(13) Kulp *et al.*, "Store24."

(14) 前掲論文 1 頁を参照のこと。

(15) Campbell *et al.*, "Testing Strategy with Multiple Performance Measures."

(16) H. Mintzberg and J. Waters, "Of Strategies, Deliberate and Emergent," *Strategic Management Journal*, 1985, pp.257-272. H.Mintzberg, "Crafting Strategy," *Harvard Business Review*, July-August, 1987, pp.66-74. (「秩序ある計画化から工芸的に練り上げる戦略へ」『DIAMOND ハーバード・ビジネス』1987 年 11 月号); G. Hamel, "Strategy as Revolution," *Harvard Business Review*, July-August, 1996, pp.69-82 (萩原貴子訳「革新の戦略 その 10 原則」『DIAMOND ハーバード・ビジネス』1997 年 2-3 月号).

(17) R. S. Kaplan and D. P. Norton, *The Strategy-Focused Organization*, Boston: Harvard Business School Press, 2000, p.52 (櫻井通晴監訳『戦略バランスト・スコアカード』東洋経済新報社, 2001 年).

第10章 戦略管理室
The Office of Strategy Management

本書ではこれまで，戦略と業務を連結する包括的かつ統合的なシステムについて述べてきた。このシステムは，複数の計画，コントロールおよびフィードバックのプロセス（図表10-1の中央部分）からなっており，まず第1段階として，経営幹部のリーダーシップ・チームがその企業のミッション，バリュー，ビジョンを再確認し，挑戦的なバリュー・ギャップを埋めるための戦略を構築するところからはじまる。

　リーダーシップ・チームは戦略が明確化され合意されたことを受け，第2段階として，その戦略をいくつかの戦略テーマに整理された戦略マップに落とし込んでいく。リーダーシップ・チームは，戦略マップの戦略目標ごとに尺度と目標値を選択する。次に，テーマの担当責任者と戦略テーマ別チームが実施項目ごとにポートフォリオを設定し，それらのポートフォリオに必要な財源である戦略的支出の承認を得る。

　第3段階は，企業が組織ユニットに戦略マップとスコアカードを落とし込み，各ユニットを戦略へと方向づける。戦略マップとスコアカードに落とし込むことで，ユニットごとの目標を達成することと，企業の優先順位や他のビジネスユニットの戦略と統合されていることとのバランスが明確化される。また，ここで企業は戦略を全従業員に伝達し人事プロセスを整合させることにより，従業員の個人目標，インセンティブ・プログラム，能力開発計画が戦略目標に沿ったものとなるようにする。

　戦略と業務のアラインメントは，第4段階からはじまる。ここで経営者は，戦略実行の成功に最も必要なプロセスの効率と応答性の改善はどこにあるかに重点をおいた事業計画を立てる。また，ここで経営者は，戦略的計画に組み込まれた販売・生産予測に沿った結果を出すのに必要となる資源キャパシティ確保のための支出を承認する。

　次に企業は，業務ダッシュボードという新しい報告システムと，さまざまな経営会議に情報を提供するための戦略スコアカードを実践に移していく。第5段階では，業務と戦略の実行をモニターしフィードバックを提供する業務検討会議および戦略検討会議，第6段階では，第1段階の戦略構築プロセスに学習や新しい情報をフィードバックするための戦略の検証と適応の会議を開く。

図表 10-1

典型的なマネジメントシステムは，統合されていない多くの孤立したサブシステムから成っている。

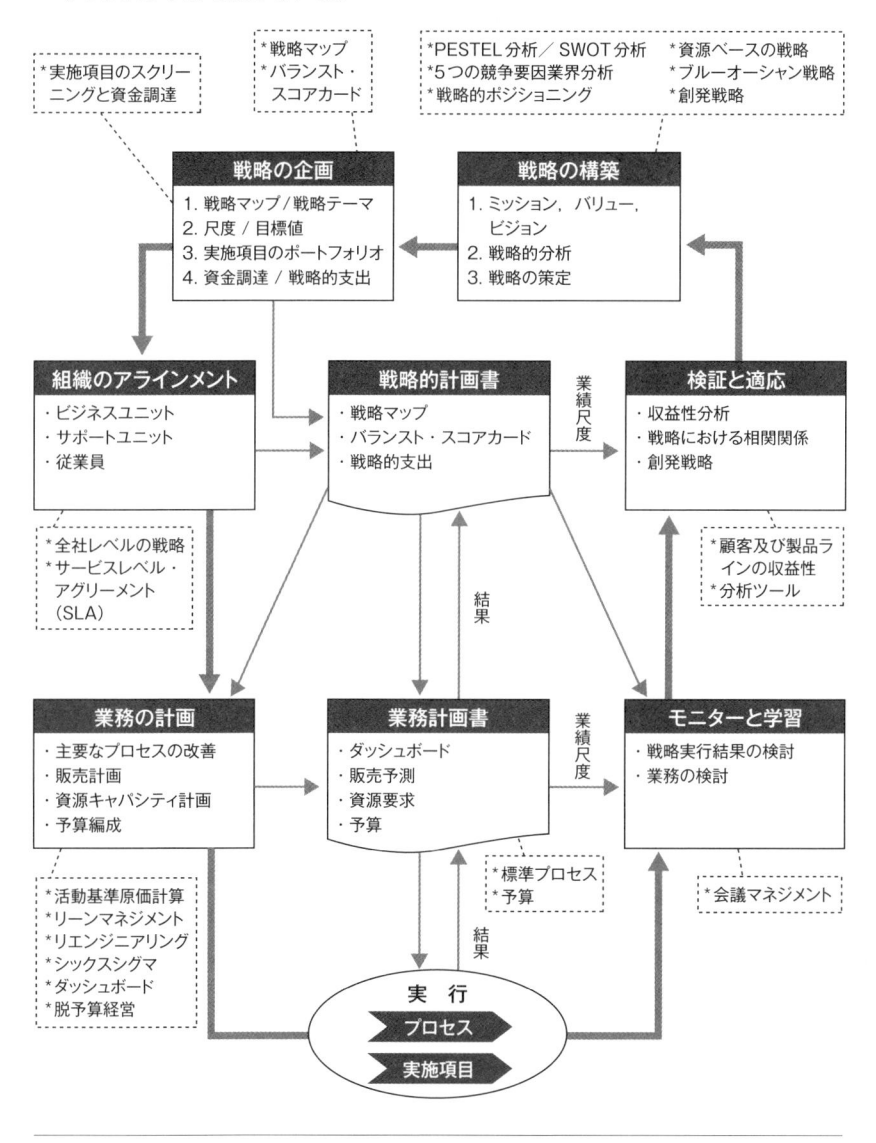

```
*実施項目のスクリー        *戦略マップ          *PESTEL分析／SWOT分析    *資源ベースの戦略
 ニングと資金調達         *バランスト・         *5つの競争要因業界分析    *ブルーオーシャン戦略
                          スコアカード         *戦略的ポジショニング    *創発戦略
```

戦略の企画
1. 戦略マップ／戦略テーマ
2. 尺度／目標値
3. 実施項目のポートフォリオ
4. 資金調達／戦略的支出

戦略の構築
1. ミッション，バリュー，ビジョン
2. 戦略的分析
3. 戦略の策定

組織のアラインメント
- ビジネスユニット
- サポートユニット
- 従業員

戦略的計画書
- 戦略マップ
- バランスト・スコアカード
- 戦略的支出

検証と適応
- 収益性分析
- 戦略における相関関係
- 創発戦略

業績尺度

```
*全社レベルの戦略                                  *顧客及び製品ラ
*サービスレベル・                                   インの収益性
 アグリーメント                                    *分析ツール
 (SLA)
```

業務の計画
- 主要なプロセスの改善
- 販売計画
- 資源キャパシティ計画
- 予算編成

業務計画書
- ダッシュボード
- 販売予測
- 資源要求
- 予算

モニターと学習
- 戦略実行結果の検討
- 業務の検討

業績尺度　　　結果

```
*活動基準原価計算              *標準プロセス         *会議マネジメント
*リーンマネジメント             *予算
*リエンジニアリング
*シックスシグマ
*ダッシュボード
*脱予算経営
```

結果

実　行
- プロセス
- 実施項目

このようなさまざまなマネジメント・プロセスは，バラバラになったりあるいは孤立しやすい。これまで企業は，本書で取り上げてきた図表 10-1 中の外側にあるさまざまなマネジメント・ツールをすでにいろいろと取り入れている。しかし，それらのツールを効果的に統合できていない。

バランスト・スコアカード殿堂入りしている企業のなかには，戦略マネジメント・プロセスの間をより適切に統合するために，新しい組織や機能を導入している会社も多い。これらの企業では，新組織のトップに「組織変革担当副社長」「業績管理担当副社長」「ビジネスエクセレンス担当副社長」などさまざまな肩書をつけていたが，われわれは，この重要な機能を**戦略管理室**（Office of Strategy Management；OSM）」と呼ぶことにした。

企業にはなぜ戦略管理室が必要なのか？

戦略管理室は，機能ユニットやビジネスユニットの垣根を越えて戦略と業務のアラインメントをとるために，活動を統合し調整する。そのため戦略管理室は，日次ないし週次で行われる業務ダッシュボードと業務検討会議，月次で行われる戦略マップ，スコアカード，戦略的実施項目の更新と戦略検討会議，そして四半期あるいは年次で行われる戦略の検証と適応の会議のための外部環境の把握と分析調査といった異なる頻度で遂行される計画，実行，統制の多種多様なプロセスすべての同期を保つ複雑な時計のデザイナーと見なすことができる。

また，戦略管理室はオーケストラのリーダーともいえる。演奏される音楽のクリエーターやプロデューサーになることはないが，エグゼティブチーム，ビジネスユニット，地域ユニット，（財務，人事，IT などの）サポートユニット，戦略テーマ別チーム，各部門，そして最終的には従業員一人ひとりといった異なる組織のすべてのプレイヤーたちが，それぞれが自らのパートをプレイしながらも，ともに美しい音楽を奏でるように一致団結して企業戦略を実行できるように全体をまとめるのが戦略管理室である。

戦略マネジメントのために新しい職位を用意する必要性に異議を唱える人たちは，効果的な戦略実行には，CEO とビジネスユニットの長が責任を持

つことが必要だと指摘している。著者たちも同意見である。われわれは戦略管理室に，戦略の構築あるいは戦略の実行に対する責任を負わせるつもりはさらさらない。どちらかといえば，この戦略管理室は米国陸軍司令官の参謀長に似ている。

　戦争や戦闘に勝つための戦略を構築し，その責任を負うのは司令官である。しかし，司令官には，ほぼ常に参謀長がついている。大抵の場合，階級はいくつか下になるが，司令官の時間と関心を最大限に活用するのが参謀長である。参謀長が戦略を立てたり作戦戦術を立てたりすることはないし，作戦の遂行を承認する権限や責任もない。その代わり，司令官の会議の予定や会議に出席すべき人物を決めたり，会議に出席してメモを取ったりする。きちんとアクションが行われるようにフォローアップを行う。さらに，すべての情報，人員，フォローアップが，司令官の戦略・戦術の効果的な実行のために準備されるように司令官の時間を最大限有効に活用するのが参謀長の役割である。

戦略管理室の役割を定義するケーススタディ：カナダ血液サービス

　エグゼティブチームがさまざまな戦略マネジメント・プロセスを全体として適切に行うためには，小規模の専門家集団が参謀長と似たようであるがもう少し発展的な形の仕事を行うのが適していると著者たちは考える。ではここで，一つのケーススタディを見てみよう。以下は，カナダ血液サービスのCEOグラハム・シャーが，なぜバランスト・スコアカードの導入後ただちに戦略管理室を創設したかについて語ったものである。

> 　CEOとして，私には，自分が立てた野心的な戦略検討課題を実行するなかで直面している問題があります。まず，外部からの要求や関係者に応えるための時間と，内部の変革に集中しリードするための能力のバランスです。他のCEOと同じように，私も取締役会に報告します。また一方で，（カナダの12の州と準州から）公的資金を提供されている機関として，カナダ血液サービスの"法人株主"，つまりこれらの管轄区域の厚生責任者，そして彼らが指導する行政官僚に十分な配慮を行わな

ければならないのです。さらに，われわれのような公共性の高い機関，また国民の信頼を保ち続けることが存在の前提となる機関では，対外的なステークホルダーの要求に重点的に取り組むことが求められます。

多くの人々は，CEOというのは，自分の組織に簡単かつ直接的に影響力を発揮できるものと考えています。しかし現実には，どのCEOも，自分の組織に直接的な影響を与えるのに苦労しています。指揮統制しようと努力しても，せいぜい経営トップの権威を失墜させるのが関の山なのです。一番効果的なのは，CEOとしての私が，直接的に自分の影響力を行使せずに，幹部たちがそれぞれの部門を指揮管理できるように権限委譲し環境を整える形をとることです。私がなすべきことは組織の雰囲気作りを行い，戦略検討課題を明示し，皆に伝え，それが実行に移されるようにすること，ただし，何についても直接自分が指示をしないことです。

さらに厄介な問題として，多くのCEOを困らせているのが情報で，特に悪いニュースに途中でフィルターを掛けられてしまうことです。わがカナダ血液サービスの現況に関する最もタイムリーで有効な情報が私のところまで届かないことがよくあります。特に，激しい変化が絶え間なく起きているときはそうです。最初の頃，経営会議では情報の質に関する議論が頻繁に戦わされました。情報の分析や解釈と比べて，それは明らかに戦略実行の方法としてはスマートではなく，経営会議のやり方としても非常に時間のかかるものでした。

そして，私は気づいたのです。戦略管理室が促進するバランスト・スコアカードをベースとしたマネジメント・システムこそ，私が直面する3つの難問（限られた時間，経営幹部の自覚のなさと不適切な実施項目，重要な情報が上ってこないこと）を解決できるものではないか，と。バランスト・スコアカードは，経営幹部たちに権限を与えるものであり，その領域を侵害し弱体化させるものではありません。そして私の目の前に来る前にすべての経営幹部レベルにおいて整理された適切な業績管理情報が，私にもたらされるというわけです。経営の大半は，真実の探求です。バランスト・スコアカードのおかげで，私は，新しい戦略の実行

のための時宜を得たフィルターの掛からない情報を，容易にかつ直接的に手に入れられるのです。

　早急に変革を成し遂げたかった私は，バランスト・スコアカード導入のごく初期に戦略管理室を創設しました。この戦略管理室は，私とエグゼティブチームにとって，私が目指すところの全組織的な変革が成功裏に実行されることを保証する重要な資源です。また，私は戦略管理室をCEO直属にしました。そうすることで戦略検討課題におけるこの新設部門の重要性を強調したのです。とはいえ，私に報告するだけで，他との明らかな結びつきや関係が定義されていなければ，その効果も半減してしまいます。私は，わがカナダ血液サービスの変革を上からの押しつけではなく，内部からの変革にしたかったのです。そこで，戦略管理室と他の2人の重要な経営幹部（CFOとCOO）との間にも，「点線」を結ばせることにしました。最終的に，CFOとCOOがチェンジ・アジェンダの手助けをすることになるからです。

　われわれは戦略管理室を3名の専任スタッフではじめました。リーダーは，戦略管理室の重要性をかんがみて，経営幹部マネジメント・チームの一員でもあるバイス・プレジデントにしました。彼女は戦略がすべてのコアプロセスに統合されるようリードし促進する立場にあります。戦略管理室のリーダーの下に2名，組織の日々の管理や，多数の仕事の流れや機能横断チームの管理，会議のリードやファシリテーション，バランスト・スコアカードや戦略志向の組織の実務やツールの教育，そして問題や業績，測定尺度についての分析を担当するスタッフをおいています。これで，戦略管理室のリーダー，そしてこれから先の数年間に大掛かりな組織変革に取り組むことになる経営幹部チームのメンバーにとって完璧なサポート体制となるはずです。

　カナダ血液サービスにおいては，戦略実行のためにバランスト・スコアカードの導入が不可欠だったと私は考えますが，バランスト・スコアカードだけでは不十分です。戦略管理室があってこそ十分足り得るのです。戦略管理室は，われわれが今後数年間かけて行うチェンジ・アジェンダを成功に導くための重要な補完的要素なのです。カナダ血液サービ

スにおける戦略管理室は，単なる組織構造の変更ではありません。私は，この戦略管理室が根本的にわれわれの考え方を変え，計画の仕方を変え，そしてビジネスのやり方や業績管理の方法までをも変えるものと考えています [1]。

下記のリストは，カナダ血液サービスが戦略の実行によって享受している戦略実行のプレミアムの一部である。

カナダ血液サービスにおける戦略実行のプレミアム

- 最後の受診経験において総合的に満足としたドナーの割合が，86%（2005年8月）からに93%（2006年12月）に増えた。
- 同期間で，満足度について1から10までのスケールのうち10点の最高点をつけたドナーの割合が，26%から43%に上がった。
- カナダ血液サービスの製品およびサービスについて総合的に満足とした病院の割合は，94%（2005年4月）から98%（2007年5月）に上がった。同期間で，満足度に最高点をつけた病院の割合は17%から29%になった。
- 2005年から2007年までの間に，製造工程で保存される赤血球の歩留まりが20%改善し，300万ドル以上の節約になった。
- 国内におけるオーダー充足率は，2002年の80%から2006年には98%に上がった。

本章ではこれから，カナダ血液サービスの経験を踏まえ，企業を効果的な戦略実行に導くために戦略管理室が担うさまざまな役割について説明する。

戦略管理室：設計者，プロセスの担当責任者，インテグレーター

戦略管理室は，図表10-2のように，さまざまな役割と責任を担っている [2]。

図表10-2
戦略管理室：役割と責任

戦略管理室の役割	戦略管理プロセス	戦略管理室の責任者
設計者	1. 戦略管理の枠組みと慣行の明示	
	2. 戦略管理プロセスの設計	
プロセスの担当責任者	1. 戦略の構築	
	2. 戦略の企画	
	3. 組織のアラインメント	
	4. 戦略の検証と適応	
インテグレーター	1. 業務計画・予算との結合関係	CFO
	2. 主要な業務プロセスとの結合関係	COO
	3. 人事，IT，サポート機能との結合関係	HRO, CIO
	4. 戦略のコミュニケーション	CC
	5. 戦略的実施項目の管理	PMO
	6. ベストプラクティスの共有	CKO

注：
- ▭ 戦略管理室がプロセスを運営する
- |他者名| 戦略管理室が戦略を他者が運営するプロセスにリンクさせる

- CFO ：最高財務責任者
- HRO ：人事担当役員
- CIO ：最高情報責任者
- CKO ：最高ナレッジ責任者
- CC ：コーポレートコミュニケーション
- PMO ：プログラムマネジメントオフィス
- COO ：最高執行責任者

　まず**設計者**として，戦略管理室は本書にある枠組みを利用し，戦略の不足部分や運営管理プロセスを設計しマネジメント・システムに組み込む。この時，すべての計画・実行・フィードバックプロセスがしかるべく行われ，それらが循環的なシステムとして連携するようにさせるのが戦略管理室である。

　戦略管理室はまた，戦略構築，戦略企画，シニアマネジメントの戦略検討会議の取り纏めといった複数の戦略・業務管理プロセスについての**プロセス**

の担当責任者の役割も担う。企業にとってこれらのプロセスの多くは初めての経験である。これらのプロセスは既存のビジネスユニットや機能ユニットの境界を超えるため、その責任者を戦略管理室が担うのは当然といえる。戦略実行のさまざまな役割を戦略管理室に任せることで、既存の部門や機能ユニットの責任を侵害することなく経営実務におけるギャップを埋めることができる。

最後に、戦略管理室は既存のさまざまな活動の**インテグレーター**でもある。しかしこの役割をこなすのは難しい。なぜなら、すでに予算編成、コミュニケーション、人事計画、業績管理、IT計画、実施項目管理、ベスト・プラクティスの共有といったプロセスを、組織ユニットや機能ユニットが主要な責務として担っているからである。戦略管理室はこれらのプロセスが戦略と整合性を持ったものとなるように、現在の責任者に働きかけなければならないからである。

次の項では、戦略管理室の設計者、プロセスの担当責任者、システムのインテグレーターについて、さらに詳しく解説する。

設計者としての戦略管理室

戦略実行の中心をなす予算編成、従業員の業績管理、戦略的計画といった多くのプロセスは、その組織の異なる部署で運営され、異なる時期に実行され、また、異なる枠組みや言語、慣習を用いている。このようにプロセスが互いに孤立している点が、効果的な戦略実行の主な障害となっている。さらに、前にも述べたとおり、重要な戦略実行プロセスのなかには、まったく実行されないものさえあるかもしれない。

戦略管理室は、一つに統合された循環的な戦略の企画・業務実行システムの枠組みと各種プロセスの設計者である。その役割には、欠けている戦略実行プロセスを導入し、マネジメント・プロセスに秩序をもたらして、それが分裂したり不完全にならないようにすることが含まれる。これが、不足する部分を設計してシステムのなかに組み込み、すべての構成要素が摩擦を生じることなく同期して適切な場所にあって役割を果たすようにするという、戦略管理室の「時計屋」的役割である。

図表10-3

戦略マネジメント：統合された循環型のプロセス

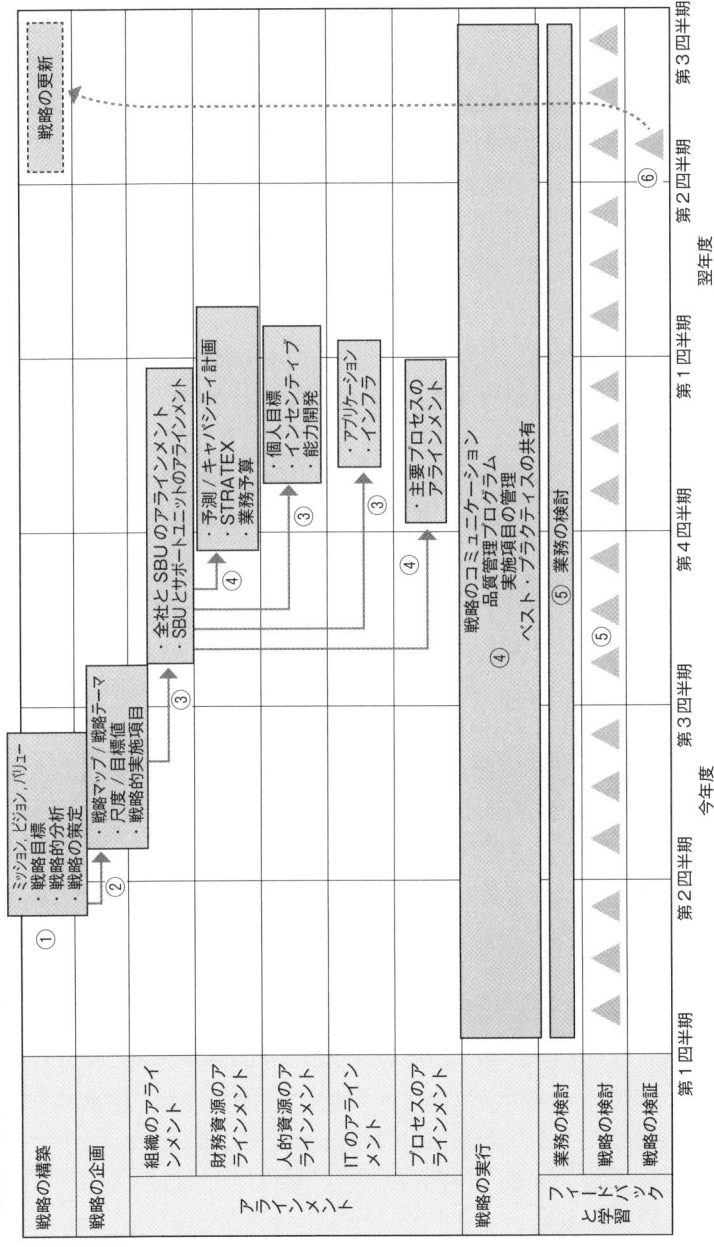

段階	第1四半期	第2四半期	第3四半期	今年度 第4四半期	第1四半期	第2四半期 翌年度	第3四半期
戦略の構築	① ・ミッション、ビジョン、バリュー ・戦略目標 ・戦略的分析 ・戦略の策定						戦略の更新
戦略の企画		② ・戦略マップ/戦略テーマ ・尺度/目標値 ・戦略的実施項目					
アラインメント 組織のアラインメント			③ 全社とSBUのアラインメント SBUとサポートユニットのアラインメント				
財務資源のアラインメント				④ ・予測/キャパシティ計画 ・STRATEX ・業務予算			
人的資源のアラインメント				③ ・個人目標 ・インセンティブ ・能力開発			
ITのアラインメント				③ ・アプリケーション ・インフラ			
プロセスのアラインメント				④ ・主要プロセスの アラインメント			
戦略の実行	④ 戦略のコミュニケーション 品質管理プログラム 実施項目の管理 ベスト・プラクティスの共有						
フィードバックと学習 業務の検討	⑤ 業務の検討 ▲ ▲ ▲ ▲ ▲ ▲ ▲ ▲ ▲ ▲ ▲						
戦略の検討					⑥ ▲		
戦略の検証							

(注) 数字は戦略管理システムの各ステージを表す。

第10章 戦略管理室 355

戦略管理室は，図表10-3に示したような戦略実行プロセスの順序や結合関係を構築する。通常，戦略サイクルは第2四半期の初めに再開される。これは，企画グループが年次戦略構築会議のための調査や準備に取り掛かる時期である。この戦略構築会議において，上級経営幹部チームは，企業の戦略，戦略マップ，スコアカードを更新する。戦略会議終了後，戦略管理室はビジネスユニットあるいはサポートユニットの戦略を企業全体やその他のユニットの戦略と連携させるプロセスを開始する。そうすることで，プロセス管理の優先順位もまた，バランスト・スコアカードのプロセス測定尺度における改善目標の達成に合わせて決まるようになるからである。

第3四半期には，戦略管理室は財務部門の資源計画と予算編成プロセスのなかで，戦略の実行を可能にし予測されるプロセス改善とも合致した，ビジネスユニットおよびサポートユニットの計画と，業務予算および資本予算が必ず作成されるようにする。第4四半期では，戦略管理室は人事部と協力して，従業員が翌年の個人目標を立てる手助けをし，従業員の能力開発計画を調整し，そして従業員のインセンティブプランを検討する。

これらの年次プロセスを順次実施するのと並行して，戦略管理室は，戦略のコミュニケーション，業務および戦略の検討，戦略的実施項目の管理，ベスト・プラクティスの共有といった管理と学習のプロセスが継続しているように監督する。戦略管理室は，これらすべてのプロセスをモニタリングして，これらが適切に行われるように，何か足りないものがあれば取り入れ，プロセス間のあるべき結合関係を構築する。

現実的には，建築家が新しい建物を設計するのとは違い，新しいマネジメント・システムの導入をはじめる前に，図表10-3にあるような構造のすべてが確立されるわけではない。このようなプロセスや新しい管理スケジュールは，2年から3年をかけて進化させるのが一般的である。初めのうち，戦略管理室はバランスト・スコアカード導入のリーダー役であり，経営幹部チームが最初の戦略マップとスコアカードを作り上げる手助けをし，さらに，戦略を展開させ，企業全体に戦略が行き渡るようにファシリテートするのが主要な任務である。

マネジャーが戦略マップやスコアカードを使って戦略を説明したり測定す

ることに慣れてきたら，戦略管理室は図表10-3にあるような包括的な戦略マネジメント・システムへの移行を手助けする。進化したプロセスとしてこの図のような構造を念頭においておくことで，戦略管理室がマネジメント・システムの多様な構成要素を統一性のある形で実施していくのに役立つはずである。

プロセスの担当責任者としての戦略管理室

　戦略管理室は，以下のような戦略実行プロセスの責任を継続的に担っていかなければならない。

戦略の構築　通常，年次戦略会議の計画と推進に付随するPESTEL分析，SWOT分析，市場分析および競争分析の準備などの戦略構築プロセスは，既存の戦略企画ユニットの責務となっている。だが，戦略の構築は，年に1度の恒例行事ではいけない。何しろ，バランスト・スコアカードなどからの業績評価尺度は，企業戦略の前提条件の妥当性を検証するための証拠を提供し続けるからである。月次に行われている戦略検討会議で，エグゼティブチームはそれらの前提条件について話し合い，戦略，戦略評価尺度あるいは戦略的実施項目を必要に応じて微調整することができる。

　ほとんどの企画ユニットは，第8章で説明した月次の戦略検討会議のサイクルに非常に素早く適応できることがわかっている。追加となるプロセスは，戦略企画の担当者がずっと担ってきた仕事の延長線上にあり，それを補うものに過ぎないからである。戦略の構築と実行の間に人為的に区別あるいは仕切りをおくよりも，戦略の構築と実行の各プロセスは，戦略管理室のなかという一つの組織で行うことをお勧めする。実際，戦略企画部門を発展させ，戦略の構築とその実行を促進する責任を担う，より包括的な戦略管理室にするよう促している。

戦略の企画　スコアカードのプロセスに責任を持つ戦略管理室は，年次戦略企画会議で決められたあらゆる変更を，企業の戦略マップとバランスト・スコアカードに反映させていく。エグゼティブチームが次年度の戦略目標と尺

度を承認した後，戦略管理室は経営幹部をコーチし，スコアカード尺度ごとに業績目標値を選定させ，目標達成に必要な戦略的実施項目を特定させる。

　戦略管理室はまた，組織内の用語や尺度の定義を標準化し，スコアカードの報告システムを選択・管理し，スコアカードのデータの完全性を監視する。スコアカードの一次データの収集を戦略管理室が行う必要はないが，データを収集，報告，承認するプロセスは監督しなければならない。最後に，戦略管理室はスコアカードに中心的に関わる組織として，各ユニットがスコアカードを構築するプロジェクトのコンサルティングを行い，戦略マップとスコアカードの構築に関する教育を行う。

組織のアラインメント　戦略管理室は，組織全体に戦略とスコアカードを縦横に展開するために，第5章で説明した各プロセスを監督する。ビジネスユニットおよびサポートユニットから提出された戦略とスコアカードが，相互に，また企業戦略と結びついているかどうかを確認する。この役割において戦略管理室は，全社レベルのシナジーから得られるものを企業に気づかせる。

戦略の検討　第8章では，エグゼティブチームが戦略の業績を検討し，戦略とその実行を調整する新しい形の戦略検討会議について解説した。この検討会議を運営するのが戦略管理室の中心的機能の一つである。戦略管理室は，CEOに対して事前に簡単なまとめを行い，最近のスコアカードにおいて特定された戦略課題について説明する。これにより，議題が，短期的な財務業績の検討と危機管理ではなく，戦略の検討と学習を中心に進められるようにする。

　戦略管理室は戦略テーマの担当責任者と連携し，テーマの担当責任者がそのテーマの目標と戦略的実施項目のポートフォリオについての実績をどう評価し，青，黄，赤に色分けしているのかを把握しておき，エグゼティブチームが会議の前に目を通せるような紙か電子ファイル，あるいは両方の要約資料を用意しておく。

　会議の冒頭には，以前の会議で提案された行動計画の進捗について，戦略

管理室が簡単な報告を行う。また，提案されたすべての新しい行動計画を記録し，それらの計画が確実に実施されるように，担当のマネジャーや部門のフォローアップを行う。これは，先の軍隊のたとえで述べた"参謀長"の機能にあたる。

戦略の適応　第9章では，リーダーシップ・チームが戦略の検証と適応の会議について述べたが，この会議には，企画部門でこれまで伝統的に行われてきた外部環境分析および競争分析に加えて，年次戦略会議での新しい意見も必要になる。企業内で行われる競争分析には，現在では，既存の戦略の実績についての分析まで含む必要がある。それらの分析では，製品ライン，顧客，チャネル，地域の収益性についての活動基準原価計算や，戦略マップの因果関係を予測・検討するための統計分析といったツールを使用する。

　製品，顧客，チャネルに関する詳細な損益の計算は，財務部門が行う仕事というのが理にかなっている。だが，統計的に戦略との結合関係を予測，検討するための高度な分析には，新しい能力が必要となってくるであろう。組織中から集められたバランスト・スコアカードのデータ分析を行う組織能力を構築する拠点には，戦略管理室がふさわしい。なぜなら戦略管理室は，年次戦略更新会議の席上で，詳細な損益の計算結果や戦略の実績に関する分析を提示することができるからである。

インテグレーターとしての戦略管理室

　既存の多様なマネジメント・プロセスでは，戦略についての情報が提供され，整合性がなければならない。多くの企業において戦略的計画は，予算編成や業務計画とは別に行われている。そこで戦略管理室は，一般に財務部門が行っている直近の計画と予算編成を，戦略的優先事項と連携させる。また，効果的な戦略実行には全従業員の積極的な参加が必要である。そこで戦略管理室は，戦略が皆にきちんと伝わり，またそれを従業員が自分のものと考えるようにする。

　無形の資産から価値を生み出す方法を表したものが戦略であるから，戦略管理室は戦略からはじまり人的資源や情報技術の獲得と強化の計画にいたる

までの結合関係を調整しなければならない。戦略的実施項目をも効果的に管理されるようにしなければならない。最後に，戦略管理室は，ナレッジマネジメントのプロセスが，戦略プロセスを強化するようなベスト・プラクティスの共有に焦点を当てているかを確認する必要がある。

戦略と財務資源計画・予算編成との結合関係　財務部門は予算編成と各部門への資金配分を監督している。ビジネスユニットや機能ユニットの予算に加えて，企業の財務資源の計画には，機能横断的な戦略的実施項目のために承認された支出，すなわち戦略的支出を含んでいる必要がある。

　また，ビジネスユニットの収益，キャパシティ，費用，収益性の予測を含む財務業績の直近の目標は，全社の収益成長と収益性の目標を達成し，戦略構築当初に明確化したバリュー・ギャップを埋めることができなければならない。さらに戦略管理室は，ビジネスユニットの計画が戦略的計画に必要な資源キャパシティを確保するのに十分でかつ過度ではないことも監督する。つまり，戦略管理室は財務部門とともにビジネスユニットの利益計画と資源キャパシティ計画を保証し，業績目標と戦略目標を整合させる。

重要な機能別サポート部門の計画と資源の整合性　戦略的計画と財務の結合関係を調整することに加えて，戦略管理室は，その他の機能部門の計画を，戦略実行に連携させる。特に重要なのは人事部門とIT部門であるが，原則的に，研究開発，不動産管理，購買，ロジスティクス，環境，マーケティング，営業などすべての機能ユニットは戦略実行の成功に貢献するから，各部門の計画にもそれら貢献の仕方を織り込む必要がある。戦略管理室は，これらの機能部門とともに行動し，機能ユニットの戦略が，全社とビジネスユニットの戦略と連携するようにコンサルティングを行い統合させる役割を担う。

　たとえば，従業員のモチベーション，教育，業績に対する主な責任は人事部門にあることを考えてみてほしい。一般に，年に1度従業員の業績評価を行い，個人目標の設定，トレーニング，能力開発，インセンティブや報酬制度の管理をする責任は人事部門にある。戦略管理室は，人事部門がこれらの

活動を，全社とビジネスユニットの戦略目標と整合性がとれるやり方で行うようにする。

戦略のコミュニケーション　第5章でも述べたとおり，従業員が戦略に貢献するためには，戦略，目標値，実施項目を効果的に従業員に伝えることが非常に重要である。バランスト・スコアカードのユーザーであるキヤノンは，内部コミュニケーション・プロセスを「戦略の民主化」と呼び，キヤノンの戦略管理室は，すべてのビジネスユニットとサポートユニットで，会社の戦略とスコアカードについての理解の促進を積極的にはかっている。戦略コミュニケーションの仕事が既存の内部コミュニケーション部門に任された場合，戦略管理室は編集担当者的役割を果たすようになる。そして発信されるメッセージの内容を見て，戦略が正しく伝えられるかどうかを見届ける。社内にこのような内部コミュニケーションを担う部署がなかったり，また部署があっても知識が不足していたり戦略をあまり重視していないような場合には，戦略管理室が戦略とスコアカードを従業員に伝えるプロセスの担当責任者となる。

　戦略管理室はまた，CEOが戦略に関するメッセージを発信する際に，これを念入りに作る手助けをする。なぜなら，従業員一人ひとりに対する最も効果的な戦略の伝達経路の一つは，CEOから直接話を聞くことだからである。最後に，この戦略を伝達する責任の一環として，戦略管理室はスコアカードと業績をあげるという従業員の役割についての教育が従業員の研修プログラムに盛り込まれるように，人事部門と協力して調整をはかる。

戦略的実施項目の管理　第4章では，戦略的実施項目の選択，合理化，管理のプロセスについて広範囲にわたる解説をした。企業が戦略的実施項目の選択と管理を行うに当たって戦略テーマの担当責任者と戦略テーマ別チームを採用する場合，戦略管理室は，戦略的実施項目の進捗状況と業績に関する情報を集め，戦略検討会議の前にその情報を経営幹部チームに報告するプロセスをモニターする。

　テーマの担当責任者や戦略テーマ別チームを採用しない企業の場合，戦略

管理室がチームを管理し戦略的実施項目の選択と合理化を行うプロセスを担当するという既定のメカニズムとなる。戦略管理室は，その実施項目を実行するのに適したユニットや機能があれば，その部署に責任を持ってもらう。ユニット横断的ないし機能横断的な実施項目については戦略管理室が管理し，その実行に必要な人材と財源が確保されるようにする。

戦略と重要な業務プロセスとの結合関係　戦略はまた，業務プロセスを通じて実行される。戦略マップによって，戦略にとって最も重要なプロセスが特定されるので，そのプロセスを分析，再設計，管理する。戦略管理室は，戦略テーマ別チームや地域のライン管理者，品質管理部門などとともに，戦略にとって重要なプロセスの業績向上のために，必要な資源や組織的な支援が提供されているかどうかをチェックする。

ベスト・プラクティスの共有　戦略管理室は，戦略のために最も有効なベスト・プラクティスを共有することに焦点を当てたナレッジマネジメントを実現する必要がある。ベンチマークを不適切に採用すると，その企業の戦略の可能性を十分に引き出さなくなってしまう。なかにはすでに学習とナレッジの共有が最高ナレッジ責任者あるいは最高学習責任者の責務となっている会社もある。このようなケースでは，戦略管理室はこれらの責任者の組織と調整を行う必要がある。しかし，そのような機能が存在しない場合は，戦略管理室が先頭に立って，組織内にアイディアやベスト・プラクティスの浸透をはからなければならない。

戦略管理室の位置づけと人員配置

　戦略の実行には通常，CEOだけしか権限委譲できないレベルの変革の遂行が含まれている。また戦略管理室が最も効果を発揮できるのも，CEOに直属の場合である。セントメリーズ・ダルース・クリニック・ヘルスシステムで戦略アラインメントの取締役を務めるバーバラ・ポッサンの報告によると，自らが推進する実施項目への抵抗を乗り越えられたのは，マネジャーた

ちが，COO と CEO にバーバラが直接つながっていることを知ったからだという。戦略管理室が財務部門や企画部門の奥に埋もれていたら，上級経営幹部から，戦略マネジメントの実施項目について，バーバラの場合と同じような敬意や注目を得ることは難しい。

したがって，一番簡単な解決方法は，司令官の参謀長のように CEO 直属の戦略管理室を持つことである。だがもし戦略管理室が強力な機能部門のなかから生まれたのなら，その戦略管理室は，通常は CFO あるいは戦略企画担当バイス・プレジデントなど，その部門の長に報告することになる。しかし場合によっては，CEO と直接やり取りをすることもある。

メキシコの保険会社グルポ・ナシオナル・プロビンシアル（GNP）では，戦略管理室は CEO と CFO 両方の下にある。CEO と CFO との週次の会議の議題，また会社の 6 名のトップエグゼクティブとの拡大週次会議の議題を決めるのは戦略管理室である。GNP の戦略管理室はまた，2 つの主要なビジネスユニットと 9 つのサポートユニットのマネジャー，そして主要な戦略的実施項目の責任者で構成される 20 名のバランスト・スコアカード担当のマネジャーとマトリックス関係にある。この関係のおかげで，戦略管理室はビジネスユニットやサポートユニットで行われる戦略的計画を調整できる。

これまでわれわれは，戦略管理室の 2 つのモデルの進化を見てきたわけであるが，モービル，シグナ・プロパティ・アンド・カジュアルティ，クラウン・キャッスル，キヤノンなどの企業でも，戦略管理室は集権的な本社部門である。かなり最近の例では，戦略管理室が，本社スタッフとして働く 1, 2 名とビジネスユニットやサポートユニットごとに選ばれた戦略マネジメント責任者 1 名のネットワークとなっている。このようなモデルケースでは，戦略管理室は集権化された本社スタッフ部門というよりは，ネットワーク組織に近い。ネットワークでつながった戦略管理室は，全社にわたって戦略実行をリードする人々となり，本社の戦略テーマを各ビジネスユニットやサポートユニットの現場に合わせて実施する手助けを行う。

本社にある部門にしても，戦略管理室の規模は大きい必要はない。われわれの目的は，新しい官僚機構を作ることではないからである。売上げが 5 億ドルから 50 億ドル程度，従業員数が 1000 名から 1 万名程度の会社で，す

でに本社レベルの戦略企画機能を担っている従業員を含めても，戦略管理室の人員は10名もいない。

戦略管理室の人員配置

　戦略管理室を創設するのに，新しく人材を雇う必要はない。企画部門や財務部門でバランスト・スコアカードの導入を指揮したマネジャーたちを戦略管理室の立ち上げスタッフとするのが普通である。また，その他に品質管理，人事，ITなどのスタッフ部門からの人材を活用してもよい。

　どの部署から来たかより大切なことは，戦略管理室担当のマネジャーがこの組織にもたらす能力である。そのなかでもきわめて重要な能力は，ビジネスに精通しており，戦略的思考ができ，コミュニケーション能力に優れていて，プロジェクトマネジメントの経験があること，さらに率先垂範でき，優先順位づけができて協調性があり，上級経営幹部からも一目置かれていることである。

　おそらくそのなかでも最も重要な能力は，変革推進者としての能力である。リーダーシップと戦略実行には変革が求められる。多くの企業にとって，予算編成をマネジメント・システムの中心に据えるやり方から，戦略マップとスコアカードへ移行することはすなわち，財務主導から，顧客やプロセス，従業員主導への移行をともなう。新しい戦略を成功させるために必要となるかなり大きな変革に対しては，それまでのやり方に慣れて快適と感じている人々からは抵抗もあろう。戦略管理室がCEOやリーダーシップ・チームの効果的な代理人であるためには，そのメンバーは変革の阻害要因である「サイレント・キラー 訳注1」(3)について知っておく必要がある。また戦略管理室担当のマネジャーは，それらの阻害要因を乗り越えられるだけのスキルがあり，尊敬され，影響力を持っていなければならない。

　比較的低いポジションのマネジャーでも，戦略管理室で2年も経つと，目

| 訳注1 | サイレント・キラーとは，直訳すると静かな殺人者だが，高血圧症を示す。高血圧症では，初期には自覚症状があまりないなど症状が表に現れにくいが，進行すると心臓病や脳卒中にもつながり，死をもたらす可能性を高めることから，このように呼ぶ。ここでは，物言わぬ抵抗勢力の意味であろう。 |

を見張るような才能を開花させるという報告が，複数の企業からなされている。また，これらの報告では，戦略管理室に配属された人員は社員数の純増にはならないとも述べている。それは，この組織改編に関連した多くの計画，管理プロセスの合理化や集約や，かつてデータ収集や報告に従事していたスタッフの削減のためである。しかしながら，戦略管理室のためを考えて，「価値が創造されるのは戦略実行の成功からであって，企画担当者やデータ収集担当者の人数を減らしてコストを節約することではない」という価値提案をしておく。

戦略管理室のケーススタディ：セローノ社
　セローノはヨーロッパ最大で世界第3位のバイオ企業である[4]。生殖医療分野では世界的なリーダーであり，神経学，代謝と成長，多発性硬化症と乾癬の治療といった分野では強力な市場ポジションを獲得している。本社はスイスのジュネーブにあり，従業員は世界45カ国で5000名を超える。2007年1月，セローノはメルク社に買収されてメルク・セローノ社として再編され，メルクKGaAの一事業部門となった。セローノの戦略管理室は，メルクによる買収までセローノの戦略実行の成功において重要な役割を果たした。

セローノ戦略管理の主たる役割　1991年，長年セローノ社のCEOを務めてきたファビオ・ベルタレッリは，小さな部署を設置した。ベルタレッリ直属のこの部署の名称はMTH室（"Make Things Happen"，「何かを起こすこと」）である。ベルタレッリは，セローノをフットワークが軽く官僚的でない組織にする方法を探していたのであった。MTH室の主要な仕事は，CEOレベルの決定がどう実行に移されているかを追跡することだった。
　1995年，新しくCEOとなったファビオの息子のアーネスト・ベルタレッリは，このMTH室の守備範囲を拡大した。戦略企画と業績管理の強化もこのMTH室に任せることにした。アーネストは10名からなる経営幹部管理会を設置した。この会議体は研究，製品開発，財務，営業といった主要な本社機能で構成された。アーネストはMTH室に対して，経営幹部管理会によ

る集権的な計画と機能横断的マネジメント・プロセスを支援させた。

　多くの製薬会社と同じように，セローノの戦略もまた，新製品を5年から15年の歳月をかけて上市するという大規模かつ複雑なプロジェクトを通して実行されていた。このようなプロジェクトは，さまざまな機能の調整が必要となる。2000年にセローノは，このマネジメント・システムの対象を，機能横断プロジェクトと年度業務予算の中央集権的管理という範囲から拡大することを決定した。この決定は，MTH室を新しい戦略管理室に変貌させた。この組織は，本社管理担当シニア・バイス・プレジデントのローランド・バウマンに率いられ全社プロジェクトの管理，公式の戦略的計画，バランスト・スコアカード，戦略マップまでをも扱うようになった。

　セローノの戦略管理室は，戦略実行の管理において，いくつかの役割（図表10-4参照）を果たしている。

　ストラテジスト：戦略はその組織のビジョンと目的を明らかにする。通常，戦略の視野にあるのは約5年である。戦略と計画は毎年見直されるとはいえ，ビジョンと目的が更新されるのは，現行のビジョンが達成されたときだけである。戦略は事業計画（図表10-5参照）で具現化されている。現在は，多発性硬化症，女性の生殖医療，小児の成長ホルモン，乾癬という4つの中核的事業ドメインがあるが，このドメインは毎年更新される。この事業計画は，新しい薬剤・分子・技術の獲得方法を定義し，調査（発見），新製品開発，事業開発の計画を含んでいる。この企業グループ全体の計画には4つの独立した事業計画が統合されている。このような計画を設定するのは戦略管理室ではない。戦略管理室の役割は，各事業が計画を準備しスケジュールどおりに提出するのを監督することである。

　バランスト・スコアカード（BSC）：あらゆる戦略はバランスト・スコアカードに変換される。戦略管理室は，すべてのマネジャーにバランスト・スコアカードについて教育し，世界中でバランスト・スコアカードが実行される手助けをする。そうすることで，組織の各部署でもバランスト・スコアカードを活用できるようになり，数字は正確になり，バランスト・スコア

図表 10-4

セローノ戦略管理室：主要な役割と責任

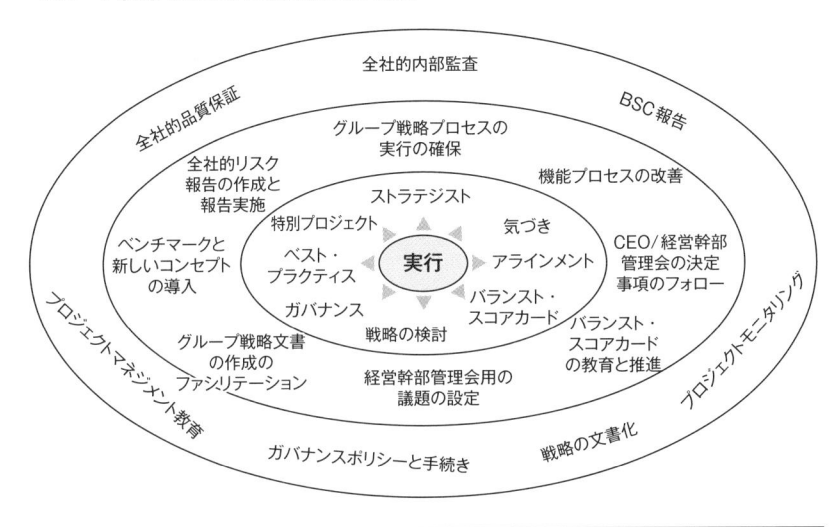

（最外円）
- 全社的品質保証
- 全社的内部監査
- BSC報告
- プロジェクトマネジメント教育
- プロジェクトモニタリング
- ガバナンスポリシーと手続き
- 戦略の文書化

（中円）
- 全社的リスク報告の作成と報告実施
- グループ戦略プロセスの実行の確保
- 機能プロセスの改善
- ベンチマークと新しいコンセプトの導入
- CEO/経営幹部管理会の決定事項のフォロー
- グループ戦略文書の作成のファシリテーション
- 戦略の検討
- 経営幹部管理会用の議題の設定
- バランス・スコアカードの教育と推進

（内円：実行）
- ストラテジスト
- 特別プロジェクト
- 気づき
- ベスト・プラクティス
- アラインメント
- ガバナンス
- バランス・スコアカード

カードの研究と実践が進み，バランスト・スコアカードの根底にある精神が組織全体に行き渡るようになる。「CFO が財務諸表を作成するように，われわれはバランスト・スコアカードを作成する」とは，バウマンが語ったとおりである[5]。

アラインメント：戦略管理室は，プロセスを戦略に方向づけるために，さまざまな部署と協力する。たとえば，バランスト・スコアカードは，機能部門に高レベルの尺度と目標を提供し，それらは従業員の個人目標と直接結合することになる。だからこそ従業員が 5000 名でも，個人目標だけではなく組織の業績に結合して変動する賃金体系が可能なのである。

戦略検討：経営幹部管理会は，月次で戦略実行の進捗を検討する会議を開く。戦略管理室は，その会議のスケジュール，議題と内容を作成する。また戦略管理室は，経営幹部管理会と CEO によるすべての意思決定をフォロー

図表 10-5

セローノ戦略管理室は，戦略を活動に落とし込む年次サイクル全体を管理する

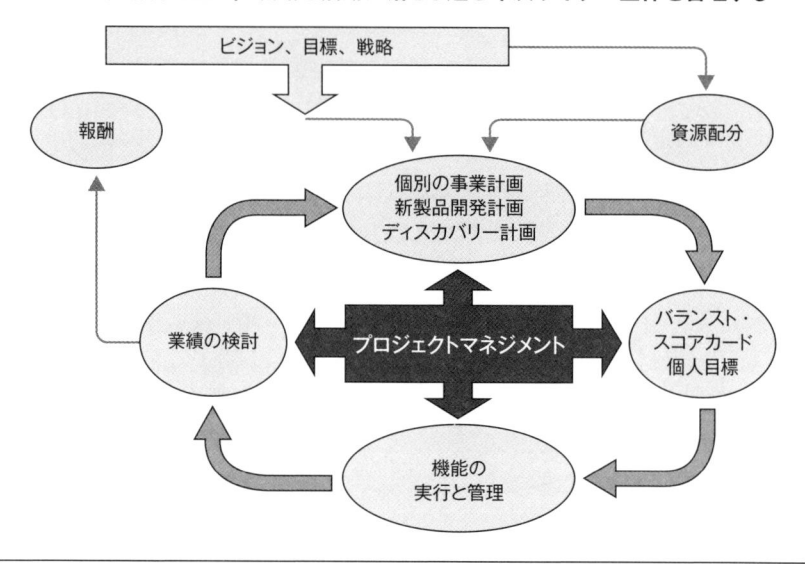

[図：中央に「プロジェクトマネジメント」を配置し，「ビジョン、目標、戦略」から「個別の事業計画／新製品開発計画／ディスカバリー計画」へ，そして「バランスト・スコアカード／個人目標」「機能の実行と管理」「業績の検討」「報酬」「資源配分」へと循環する年次サイクル図]

し，確実に実行されるようにする。必要ならば，戦略管理室はフォローアップ会議を開催し，それをサポートする。

特別プロジェクト：セローノでは，主要なプロジェクトの管理こそが戦略マネジメントの基礎になっている。なぜなら，これを行うには機能横断的な調整が常に必要なため，戦略管理室には，バウマンが述べたように「機能横断プロジェクトの管理プロセスの守護者」としての責任がある[6]。戦略管理室は，戦略マネジメント・プロセスのルールを明確にする。また，すべての戦略的実施項目のチェックポイント，マイルストーン，目標，現状についての全社的なデータベースを維持する。この戦略マネジメント・プロセスの合理化を目的として最近改善された戦略管理室の役割には，2個から8個のプロジェクトを「クラスター」と呼ばれる戦略的実施項目にグループ化するというものがある。そうすることで，経営幹部管理会は一見何の関係もないよ

うな個別のプロジェクトのスコアよりも，少数の大規模な戦略実施項目を検討できるようになる。

セローノ戦略管理室の組織構造　セローノ戦略管理室はたった4人で構成されている。室員はコーディネーターであり，他の人たちの取組みを促進するファシリテーターである。5000名を超える従業員に影響力を発揮するためには，戦略管理室のメンバーがそのための能力を持っていることが必要である。バウマンは，この戦略管理室設置の際，室員に次のような特性を求めた。

- **大局的なものの考え方**：これは細部にこだわり仕事が行き詰まることを防ぐ。
- **ネットワーク構築，活用のスキルと影響力**：すべての仕事は，階層的な力に頼らずに他の人々を通じて行わなければならない。
- **プロジェクトマネジメントのスキル**：セローノの戦略的な仕事のほとんどにプロジェクトが絡んでいる。
- **機能横断的ビジネススキル**：機能の間には高い壁があり，チームとして一緒に仕事をするための支援が必要となる。
- **起業家的姿勢**：戦略実行には何らかの新しい開拓が必要となる。

戦略管理室長のローレンス・ガンティとバウマンは，戦略管理室のメンバーに必要な最も重要な能力を実行力だとした。「私たちは非常に実際的な集団なのです。ただ企画や分析を行うことより私たちが重視しているのは，ものごとをなしとげることですから」[7]とガンティは語った。

セローノにおける戦略実行のプレミアムを以下にまとめている。

> **セローノ社における戦略実行のプレミアム**
>
> - セローノ社の収益と利益は，1999年以来毎年，2ケタ成長を続けてきた。その年間収益はヨーロッパの他のバイオテクノロジー業界の競合会社の3倍である。
> - セローノ社の多発性硬化症のための代表的製品であるRebifは，2004年の大ヒット商品となり，11億ドルを売り上げた。
> - 当社は，バランスト・スコアカードの導入以降，業務効率を測定する売上高総利益率は86％まで向上した。
> - セローノ社は最近の3年間で，臨床開発前の化合物数を2倍に増やした。この尺度は，医療におけるニーズが充足されていない市場への新製品導入能力を評価するものである。
> - 当社は，組織文化をより実績重視に変革した。

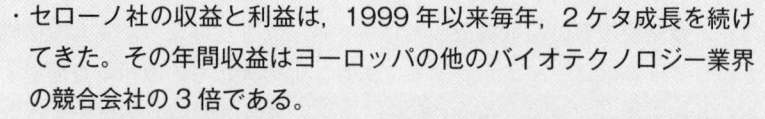

そのような業績が達成できた要因を，たとえば戦略管理室であるというようにどれか一つに絞るのは難しいが，いまでは，経営幹部管理会はより多くの時間を戦略と業績評価に使い，セローノは全社にわたって優先事項をより円滑に調整し，全組織階層で以前より戦略や方針の透明性が増したことは，ほとんどの経営幹部が認めるところである。従業員は，戦略に貢献できるよう権限委譲され，その貢献に見合った報酬が得られる。機能横断的マネジメント・プロセスは，部門間の高い壁を壊し効率を高めた。バウマンの結論は次のとおりである。

> 3，4年前，わが社の経営幹部は，細かな業務に多くの時間をとられていました。しかしいまでは，戦略と業務管理をきちんと峻別できる能力を得ています。もう混乱することはありません。5000名の従業員はわれわれの立案した戦略を理解し，この戦略にもとづいて日々実行していることを確信しています。
>
> 戦略管理室の設置は，変革への強い願望がベースになければなりませ

ん。戦略管理室は，それ自体一つの経営変革のプロジェクトです。［戦略実行が］長期的に持続するかどうかはCEOの支援があるかないかで決まりますが，プロセスを正しく実行することもまた重要なのです[8]。

要約

リーダーシップと戦略の策定はいまだに一つのアートである。著者たちはすばらしいリーダーシップや輝かしい戦略の例を研究しそれを称賛しているが，それらを創り出す系統だったプロセスはいまだ不明である。優れたリーダーシップと（必ずしも輝かしいものでなくても）それなりによい戦略に恵まれた会社のために，世界中の何百もの企業で証明されたベスト・プラクティスの統合的な組合せを特定した。これらは，われわれの戦略実行の成功確率を劇的に向上させている。

これらのベスト・プラクティスは，最近現れてきた戦略マネジメントに焦点を当てた専門的機能の基礎となる一連の知識となっている。著者たちは，この一連の知識にもとづいて，戦略管理室にこれらの戦略実行プロセスを管理・調整する責任と権限を与えることを提案する。

戦略実行のプロセスは，これまでの章で詳しく述べてきた6段階の循環型のマネジメント・システムに組み込まれている。これを要約すると以下のようになる。

1. 戦略の構築（第2章）
2. 戦略の企画（第3章および第4章）
3. 組織ユニットと従業員のアラインメント（第5章）
4. 業務計画の構築（第6章および第7章）
5. 業務検討会議と戦略検討会議を通じたモニタリングと学習（第8章）
6. 戦略の検証と適応（第9章）

これらのプロセスは異なる時期に実施される。その多くは既存の組織ユニットによって実行される。設計者としての戦略管理室は，企業がこの包括

的なマネジメント・システムを同時進行できるように促進する。プロセスの担当責任者として，新しく導入された戦略実行プロセスのうちのいくつか，たとえば第2，第3，第5，第6段階について主に責任を持つ。同時に，プロセスの第1段階も責任に組み込まれる。インテグレーターとしての戦略管理室は，財務，人事，IT，品質管理，コミュニケーション，ナレッジマネジメントなどの専門家たちが行っているプロセスと戦略目標との整合性を確保する。

　戦略実行のなかでこれまで「失われた環」であった戦略管理室は，いくつかの新しいマネジメント・プロセスを管理し，既存のバラバラになっているプロセスを結びつけ連携させる。そうすることで，多くの企業が自ら立案した戦略から戦略実行のプレミアムを獲得できるようになる。CEOたちは，卓越した戦略だが組織の人間が理解も実行もできないよりも，それなりに立派な戦略を完璧に実行できるほうがよいことに気づいている。完璧に実行するには，戦略実行を継続的に改善し続けるために役立つ包括的なマネジメント・システムが必要である。戦略管理室はCEOと経営幹部チームメンバーの時間と関心を最大限に活用し，戦略実行を成功させるために本書で説明した複数の管理プロセスの同期を維持する。

　本書で著者たちが示した提案に従う会社は，完璧なマネジメント・システムを手にすることになる。それは明確な戦略目標を設定し，その目標に見合った資源を配分し，業務活動に優先順位をつけ，業務と戦略への決定事項の影響を迅速に把握し，必要ならば，戦略目標を更新できるようにするマネジメント・システムである。この循環型のマネジメント・システムがあれば，経営幹部は戦略と業務の両方を管理し，両者の間のバランスをうまく処理できるようになる。

【注】
(1) G. Sher, "How to Wield Influence and Stay Informed" *Harvard Business Review*, October 2005, p.78.
(2) この章の考え方はもともと，『ハーバード・ビジネス・レビュー』誌に掲載されたR. S. キャプランとD. P. ノートンの『戦略管理室』("Office of Strategy

Management") による。そしてこれは，北米およびヨーロッパの民間，公共，非営利の組織による戦略管理室ワーキンググループとともに行った著者たちの研究を通して深められてきた。
(3) M. Beer and R. Eisenstat, "The Silent Killers of Strategy Implementation and Learning," *Sloan Management Review*, Summer 2000, pp.29-40.
(4) 詳細については以下の文献を参照。A. Field, "Catalyst for Global Growth: The Strategy Management Office at Serono," *Balanced Scorecard Report*, January-February 2006, pp.10-12.
(5) Roland Baumann, "Strategic Management: Turning Concept into Reality," Sustaining Winning Performance: *Balanced Scorecard Leadership Conference*, Boston, July 12-14, 2006.
(6) *ibid.*
(7) *ibid.*
(8) *ibid.*

監訳者あとがき

　本書『戦略実行のプレミアム』(*The Execution Premium*) は，キャプランとノートンが提唱したバランスト・スコアカードの集大成として著された書籍である。キャプランとノートンは本書を含めてこれまで5冊の書籍を著した。彼らの第1冊目の著書『バランス　スコアカード』(*Balanced Scorecard*) は戦略的業績評価システムの構築の仕方を明らかにするものであった。第2冊目の著書『戦略バランスト・スコアカード』(*The Strategy-Focused Organization*) は，戦略実行のマネジメント・システムを著したものであり，戦略マップとBSCを詳細に検討した。第3冊目の著書『戦略マップ』(*Strategy Maps*) は，戦略テーマを企業価値創造のプロセスと位置づけ，戦略テーマによる戦略マップの構築を提案した。また，人的資産，情報資産，組織資産からなる無形の資産 (intangibles) のマネジメントとして，レディネス評価を明らかにした。第4冊目の著書『BSCによるシナジー戦略』(*Alignment*) は，企業戦略へのBSCの役立ちとしてシナジー戦略を説いた。

　本書でキャプランとノートンが主張したかったのは，従来ばらばらだった戦略の策定と実行のシステムとツールを1つにまとめて，循環型のマネジメント・システムとして統合すべきであるという点にある。戦略の策定から実行までを統合してはじめて，戦略実行のプレミアムが実現できる。この循環型のマネジメント・システムとは，以下の6つのステージからなる。このステージにしたがって，本書は各章が構成されている。

　ステージ1　戦略の構築 (第2章)
　ステージ2　戦略の企画 (第3, 4章)
　ステージ3　組織のアラインメント (第5章)
　ステージ4　業務の計画 (第6, 7章)
　ステージ5　モニターと学習 (第8章)
　ステージ6　検証と適応 (第9章)

　循環型のマネジメント・システムを提案するために，本書にはこれまで

い，業務管理に関しては，日本の経営慣行を取り入れていることにこの著書の1つの特色を見ることができる。監訳者たちはかねてよりBSCを適用した戦略の実行との関連で方針管理の有効性を主張してきたが，本書では方針管理を業務管理との関連で述べていることが注目に値する。

業務計画の中心的な手法として用いられてきた予算制度に関して，伝統的な予算制度を問題視する運動がある。それが脱予算経営 (beyond budgeting) である。予算は，コストの割に効果が少ないとか，パフォーマンス・スラックが起きたり，イノベーションを阻害したり，あるいは環境変化に適応しないといった欠点がある。そこで，予算に代わって，ローリング予測，BSC，ABC，投資権限の下部移譲を行っている事例を紹介することで脱予算経営の動向を考察している。ただ，脱予算経営が日本の経営者の支持を得ることができるかは，議論があるところである。

第3の戦略管理室に関しては，循環型のマネジメント・システムをサポートする組織の設置を提案している。戦略を構築し，戦略を企画し，戦略に組織を方向づけ，戦略を検討し，戦略を検証し適応することに責任を持って担当するのが戦略管理室である。戦略管理室の役割には，設計者，プロセスの担当責任者，インテグレーターという3つの機能がある。これらを担当する組織が企業の中には存在しないため，戦略実行のプロセスを担当する責任者として戦略管理室という新たな組織を提案しているのである。監訳者の1人も大学病院でのBSCの適用において，類似の組織を設けており，日本企業でもこの組織は大いに検討に値するといえよう。

本書の翻訳にあたって，翻訳担当者間，あるいは監訳者を交えて訳語をどうするかで度重なる議論を行った。とりわけ新たな用語については，全員で忌憚のない意見を交わした。訳語で議論となった点を明らかにしておきたい。

第1に，plan the strategy, strategic plan, strategy planning, それにstrategic planningの訳である。strategic planningには，R. N. アンソニーのフレームワーク (Robert N. Anthony, *Planning and Control Systems, a Framework for Analysis*, Division of Research, 1965, 高橋吉之助訳)『経営管理システムの基礎』(ダイヤモンド社，1968) で戦略的計画という定訳がある。一方，キャプランと

キャプランとノートンが述べてこなかった新たな主張点が随所に見受けられる。そのなかでも，戦略の構築，業務の計画，戦略管理室（第10章）は特筆に値する。

第1の戦略の構築（strategy development）は，戦略策定をアートとしてではなく，システマティックに行うプロセスである。これまでのキャプランとノートンの著書では，戦略策定を所与として，戦略策定のプロセスを可視化する戦略マップおよび戦略の達成度を測定するBSCを中心に議論が展開されてきた。本書では，循環型のマネジメント・システムを提唱するために，戦略の構築をより突っ込んで考察している。

本書で戦略構築という新たな用語を用い，戦略論で使われてきた戦略策定（strategy formulation）と区別している点に彼らの主張の1つを見ることができる。キャプランとノートンによれば，戦略構築は3つの構築プロセスからなる。プロセス1は，戦略策定のガイドラインづくりとして，ミッション，バリュー，ビジョンを明確化するプロセスである。プロセス2は，戦略課題を明らかにするものとして，戦略的分析による内部環境と外部環境を分析するプロセスである。プロセス3は戦略を策定するプロセスである。多様なツールを用いて戦略をアートとして策定するのではなく，公式のプロセスを踏んでシステマティックに構築すべきであるとしている。

第2の業務の計画は，戦略実行にとって非常に重要なステージである。キャプランとノートンは，戦略を実行するには，「どこに魚がいるのか」と「どのように魚を捕まえるのか」のいずれもが重要であるという。BSCは「どこに魚がいるのか」を明らかにできるが，「どのように魚を捕まえるのか」については答えてくれない。どのように捕まえるかを教えてくれるのが戦略の策定と業務の計画である。戦略実行のプレミアムを生むには，戦略の業務への落とし込みもまた重要である。業務の計画としては，方針管理やダッシュボードなどを紹介している。

方針管理では，上司と部下のキャッチボールによって目標設定がなされる。BSCの戦略目標をキャッチボールによって業務計画に落とし込む事例が紹介されている。また，ダッシュボードによって現場の業績を把握し，業務検討を行う事例が紹介されている。方針管理といいキャッチボールとい

ノートンは，strategic plan を計画書という意味で用いている。そこで，strategic planning と strategic plan を戦略的計画と戦略的計画書と訳出した。また，strategy planning と plan the strategy は戦略企画もしくは戦略の企画という用語を新たに設定した。

　strategic planning と plan the strategy の訳語をどうするかは，翻訳開始時からの焦点の1つであった。この訳語に関連して，2つの意見が対立した。1つの意見は，策定された戦略にもとづく戦略的計画で，両者は同義であるとする。最近のアンソニーとゴビンダラジャンの教科書でも strategic planning のなかに戦略の修正を含めていることから，戦略的計画の拡張概念と解するべきであるとする。いま1つの見解は，plan the strategy は，戦略的計画をいかに行うかの戦略の企画を意味し，その内容は第3章の内容である戦略マップの作成と尺度と目標値の選定からなるとする。一方，戦略的計画については，キャプランは1965年に発表されたアンソニーのフレームワーク（翻訳は1968年）で描かれたものには限定されず，戦略的実施項目までを含む拡張した内容からなるとする。その主張の背景には，日本でも戦略的管理会計の研究がここまで進展した現在では，アンソニーのフレームワークに代わる経営管理システムの新たな体系を構築すべき時期にあるという主張がある。検討を加えた結果，意見の相違は最後まで残ったが，plan the strategy の訳語としては，「戦略の企画」の訳語を当てることにした。

　第2に，formulate the strategy あるいは strategy formulation と strategy development の訳語である。ミンツバーグらの訳書『戦略サファリ』（東洋経済新報社，1999）で strategy formation は戦略形成，ホファー＝シェンデルの訳書『戦略策定』（千倉書房，1981）で strategy formulation は戦略策定という定訳がある。strategy formulation には戦略策定という定訳を当てた。一方，キャプランとノートンが新たに用いた strategy development は戦略の構築と訳出した。アートによって戦略策定するのではなく，strategy development には，公式のプロセスによって戦略を構築するという意味を持つようにも思われる。

　第3は，mission, values, vision の訳語である。values を価値観と訳出するのは，他の翻訳書，たとえば R. パレットの訳書『バリュー・マネジメント』

(春秋社，2005)にもあるように定訳の感がある。しかし今回の翻訳では，mission, values, vision とか，MVV という表現があるように，3つの用語が一緒になって意味をなすと考えられる。そのため，values だけを価値観と表現すると日本語として違和感があるので，ミッション，バリュー，ビジョンとカタカナで統一した。

第4は，会議体の名称である。第1章の訳注でも指摘したとおり，operational review meetings と operational control meetings は業務検討会議に統一して訳出した。また，strategy management meetings, strategy review meetings, strategy management review meetings は，すべて戦略検討会議と訳出した。本書でこのように多様な呼称が用いられているのは，会社によって会議の名称が異なっているからであろうが，読者の便宜のためには統一的な名称が望ましいと判断したからである。

ところで，会議体の名称も悩ましい問題であった。業務検討会議は問題ないが，戦略検討会議というと戦略を検討する会議体のように受け取られかねないという意見があった。戦略の検討，すなわち戦略の検証と適応は戦略の構築に関わる問題である。他方，戦略の実行を検討する会議を戦略検討会議とすると誤解を生むからである。この点は第8章で詳細に議論されているので，新たに本文には別の表現を用いずに直訳してもそれほど問題はないという見解を重視して，戦略検討会議とした。

第5に，closed loop management system という表現がある。日本語の感覚では，クローズドはオープンに対する用語として，閉鎖的なマイナスの語感がある。しかし，キャプランとノートンは closed loop を循環して継続していくというプラスの語感をもって使用している。そこで議論の結果，最終的には，循環型のマネジメント・システムと訳出することにした。

原典では一言も触れられてはいないが，キャプランはこの著書をバランスト・スコアカード研究の1つの集大成として執筆したと思われるところが見られる。本書の最も大きな特徴は，本書によってバランスト・スコアカードと戦略マップの全体系が理解できることにあるともいえよう。

原著が上梓される前の2007年12月には，第1章から第4章までが事前に送付されてきた。そのため，出版前に数人で周到な検討を加え，第4章ま

での素訳を終えることで，著書 The Execution Premium の特徴や問題点を検討することができた。いざ出版されてみると大幅な修正が加えられ，まったく白紙の状態で翻訳を始めることになったが，この検討が後々大いに役立ったと思われる。

　2008年7月初旬に原著が出版されてから約半年の間，十分な時間をかけて翻訳を行ってきた。8月中旬までに最初の翻訳を終了させた。この翻訳原稿を監訳者が見直して改めて用語の統一を図り，翻訳原稿を推敲した。練り上げた翻訳原稿を9月に2泊3日の合宿を開いて全員で議論した。その議論を踏まえて修正した原稿を専修大学の大学院の授業で内容面からの検討を加えた。疑問が出たらできる限り全員が集まって検討を行った。メールで意見を交換したことも何度となくある。翻訳作業が終わりに近づき，大変だった翻訳作業もいまとなっては楽しい思い出である。ただ，翻訳を担当していただいた先生方には，最後まで大変なご苦労をいただいた。この場を借りてその労をねぎらいたい。

　翻訳を依頼されてから約1年，東洋経済新報社の井坂康志氏には大変お世話になった。昨年の1月末にはすべての原稿が完成するとか，4月末には原稿が届くというので期待して首を長くして待った。結果としては原著が出版されるまで原稿を手に入れることはできなかった。その間のハーバード・ビジネススクール出版との交渉ではずいぶんご迷惑をかけた。ここに記して感謝の意を表したい。

2009年1月

監訳者　櫻井通晴

伊藤和憲

索　引

【数字・A～Z】

20対80の法則　317, 343
3M　339
ABC（活動基準原価計算）　9
　――による価値連鎖分析　61
　――によるコストと費用の予測　242, 243
　――の起源　319
　業務計画と――　234
　時間適用――　→時間適用ABC
AT&Tカナダ　77, 292, 295
BMWグループのファイナンシャル・サービス　290
BP（ブリティッシュ・ペトロリウム）　5
BSC　→バランスト・スコアカード
『BSCによるシナジー戦略』　v, vi, 156
CAPEX　→資本支出
CBS　→カナダ血液サービス
CEO
　――の直面する課題　349, 352
　――のリーダーシップ　25, 26
　戦略管理室と――　362, 363
COE（卓越した研究拠点）　133, 136
COSO　65, 66, 83
CSF　214
EBITDA　115, 329
EFQM　7-9, 196, 202, 211
ERPシステム　147, 244
EVA（経済的付加価値）　66, 119, 186
FBI（米国連邦捜査局）　54, 55
GEMS　→モトローラGEMS
HSBCレイル　76, 295, 298, 302
ICM（インフォメーション・コミュニケーション・モバイル）　205-208
IMA　7
ISO（国際標準化機構）　65
LGC　→ラクスファー・ガス・シリンダー

LGフィリップスLCD（LPL）　69, 337, 338
MBO（目標管理）　5
MRP　252, 253
MVCI　→マリオット・バケーション・クラブ・インターナショナル
MVV（ミッション，ビジョン，バリュー）ステートメント　8, 47, 58
NYPD　→ニューヨーク市警
OASステートメント　72, 73
OPEX　→業務費用
OSM　→戦略管理室
PDCAサイクル　20
PESTEL　12, 22, 59, 60, 314
PPMM　34, 35
RDEI（研究開発効率指標）　214
ROI（投資利益率）　119
SAS　275, 288
SLA　→サービスレベル・アグリーメント
STRATEX　→戦略的支出
SWOT　8, 61-65
TCB　→タイ・カーボン・ブラック
TDABC　→時間適用ABC
TDカナダトラスト　218-224
TFS　→タワートン・ファイナンシャル・サービス
TQM（総合的品質管理）　9, 17, 65, 197, 208

【あ行】

アイソム，ゲリー　52
アカウンタビリティ　→会計責任
　ノルディアの――　38
アカウント・シェア　89-90, 121
アーサー，マイケル　52, 133
アースリンク　49-50
アームストロング，クリス　219

アラインメント　10, 11, 15, 16, 367
　　——における落とし込み　160, 161,
　　　164-167
　　——におけるCEO　26
　　サポートユニットの——　15, 167-170
　　垂直的——　159, 160, 166, 167, 190
　　水平的——　159-160, 190
　　従業員の——　16
　　ビジネスユニットの——　15, 154-167
　　プロセスとしての——　172
市岡進（ススム・サム・イチオカ）　29,
　　110
イネーブラー　99
イノベーション　89-92, 100, 101, 106
因果関係　104
　　目標値設定のための——の活用　112
インセンティブ報酬　5, 173, 183-186
インタラクティブ・システム　204
インディゴ　49
インテグレーター　25, 354
インテル　78, 339
ヴァイズ, ステファン　3
ヴィレール, ソフィー・ド　289
ウェルズ・ファーゴ　51, 52, 77, 127
ウォーゲーム・シミュレーション　8,
　　337, 338
影響要因にもとづく計画設定　239-242
エドビンソン, スベン　38
エバース, バーニー　231
落とし込み　164-167
オラクル・ラテンアメリカ　274, 288
オールドリッジ, ピーター　75, 76, 302

【か行】

回帰分析　114
会計責任→アカウンタビリティ
　　——と資金調達　138
　　戦略的実施項目に対する——　124,
　　　125, 138, 144-148
カイゼン　9
価格決定　319-321
学習　19-21, 356
学習する組織　65
学習と成長の視点　121
　　——の仮説　310
　　——のシナジー　157
　　コンシューマー・バンクにおける——
　　　106-108
　　サポートユニットにおける——　170
　　SWOT分析における——　62-64
　　戦略テーマにおける——　88
　　ラックスファー・ガス・シリンダーに
　　　おける——　94
価値観　187
価値創造プロセス　88, 89
価値提案　197
価値連鎖分析　60, 61
活動基準原価計算→ABC
カトゥーシ, ビル　292, 294
ガードゥー, ジョージ　97
ガードゥー・スティール・グループ　97
ガートナーグループ　67
カナダ血液サービス（CBS）　53, 54
　　——における落とし込み　163-166
　　——における戦略管理室　349-352
　　——における戦略検討会議　288, 290
　　——の戦略的実施項目　132, 133
株主価値　169
環境
　　——の評価　12
　　——分析→PESTEL
　　外部——　12
　　戦略の検証と適応における——　21-
　　　22, 312, 313
　　内部——　12
完全へのギャップ　115
ガンティ, ローレンス　369
キーコープ　187-189
規模の経済　157
キャッチボール　8, 9, 205-207
キヤノン　363
キャリア計画　187
キャンベル, デニス　xi
競合他社

――に関する情報 273, 274
――の評価 59, 60
業績評価 9, 230
共創経験 68
競争優位のフレームワーク 8, 66
共通技術 159
業務検討会議 20, 272-287
業務の計画 10, 16-19, 194-257
業務の卓越性のテーマ 105, 170, 197-200, 340-342
業務費用（OPEX） 19, 140, 236-256
業務予算 18, 19
クラウン・キャッスル 363
クランフィールド大学 7
クリステンセン, クレイ 78
クリンク, ジャック 175, 176
グリーン, ジム 317, 319
グルポ・ナシオナル・プロビンシアル (GNP) 363
グローバル・インシュランス 250
グローブ, アンディ 78
経営幹部会 288, 289
経済的付加価値→EVA
ケイパビリティ 159
ケネディ, ジョン・F 51
ケンプス 316-321
コア・コンピタンス 8, 65, 69, 96
　　――の定義 192
　　シナジーと―― 157
コア・バリュー 48, 49
顧客
　　――関係性管理 9
　　――管理の戦略テーマ 126
　　――とミクロ経済学 314
　　――の識別 69
　　――のシナジー 157, 158
　　――の収益性 255-257, 265-269, 315-321
　　――のロイヤルティ 310
　　――満足 310, 321-327
　　サポートユニットの―― 169
　　プロセス改善と―― 207, 208

ベンチマーキングにおける―― 113-114
顧客価値提案 13, 88, 89
顧客関係重視戦略 328
顧客の視点 88, 89, 119-121
　　コンシューマー・バンクにおける―― 107
　　SOWT分析における―― 62, 63
　　プロセス・マネジメントと―― 197-200
固定費管理 234
コードン, ボブ 328
コナー・コーポレーション 273, 274
コリスとモンゴメリー 156
コンシューマー・バンク 105-108
コンバインド・レシオ 108, 109
コンピテンシー 188, 189
コンプスタット 279-283

【さ行】

サイファート, パム 295
財務の視点 119
　　外部ベンチマーキングにおける―― 113
　　サポートユニットにおける―― 169
　　SWOT分析における―― 62-64
財務のシナジー 157
サイモンズ, ロバート 204
サウスウエスト航空 68, 73
サービスマネジメント・プロフィットチェーン 321-327
サービスレベル・アグリーメント 168, 169, 216
差別化戦略 69
サポートユニット 15, 160, 170-172
暫定的尺度 74
サンドバッグ効果 117, 122
資金調達 14
　　――の承認 254-255
　　自由裁量原価への―― 141, 142
　　戦略的実施項目に対する―― 138-142

トップダウンによる―― 141
　　リコーにおける―― 142-144
シアーズ 321-327
ジェニーン，ハロルド 230, 231
シェル 69
時間適用 ABC 18, 236-269, 315-321
シグナ傷害火災保険 50, 52, 77, 108, 109, 363
資源キャパシティ計画 18, 195, 236-257, 262-266, 360
資源ベースの見方 65, 69
シックスシグマ 9, 17, 65, 196, 204
シナジー 157-159, 190
シナリオ・プランニング 8, 69
シネティックス 212
資本支出 18, 138-142, 251-257
シミュレーション 8
シャー，グラハム 53, 349-352
ジャストインタイム 196
シャーロット市 295
収益モデル 240
従業員
　　――のアラインメント 16, 173-190
　　――のキャパシティ・コストレート 261, 262
　　――の収益性 321-327
　　――のスコアカード 184, 185
　　――の動機づけ 173-190
　　――の能力開発 186-190
　　――の個人目標 173, 183, 184, 367
自由裁量原価 253-255
重点分野 13, 50-51
重要成功要因→ CSF
重要なプロセス 13, 17, 18, 195-212
ジュリアーニ，ルドルフ 279, 282
情報資本 311
シルク・ドゥ・ソレイユ 68
診断的システム 205
人的資本 13, 157, 311
垂直的アラインメント 160, 166, 167, 190
垂直的統合 73

水平的アラインメント 160
スキル 187
スタットオイル 231-232, 254-255
ステージゲート 277
ストア 24 79, 328-336
ストラテジスト 366
スプリント・ネクステル 274, 288
スベンスカ商業銀行 231
スローン，アルフレッド 230
ゼネラル・モータース (GM) 230
セローノ 149, 365-371
全社的リスクマネジメント (ERM) 65
セントメリーズ・ダルース・クリニック・ヘルスシステム 362
戦略
　　――と業務活動のリンク 10-22, 340-342
　　――の企画 10, 13-15, 86-118, 357, 358
　　――の構築 357
　　――の策定 12
　　――の設計者 24, 355-357
　　――の伝達 173-183, 192
　　――のモニタリング 10
　　――への方向づけ 10, 15, 16
戦略課題 64-65
戦略管理室 (OSM) vii, 22-25, 346-372
戦略検討会議 20, 274, 287-292, 358-359, 367-368
戦略実行 4-8, 10-22
戦略実行のプレミアム 3, 27-39, 30, 33, 38, 71, 92, 137, 183, 189, 209, 210, 211, 226, 303, 338, 352, 370
戦略修正 74-76
戦略的支出 (STRATEX) 14, 140-143, 254
戦略的実施項目 124-150
戦略的職務群 167
戦略的チェンジ・アジェンダ 12, 45, 52-55
戦略的プロセス 202-205, 310
戦略的分析 12, 59-65

戦略テーマ　13, 87
　──による戦略マップの作成　87-102
　──の落とし込み　160-167
　──の構築　10-13, 44-80
　──の担当責任者　14, 20, 144-148
　──のリーダーシップ　144
　──別チーム　14, 145
　──を支援する実施項目　127-129
　ノルディアの──　38
　ブラジルの経済発展における──　97-102
　ラクスファー・ガス・シリンダーの──　93-96
　リコーの──　110-112
　リーズ大学の──　133, 134
戦略転換　74-80
戦略の検証と適応の会議　11, 21, 22, 274, 310-343
『戦略バランスト・スコアカード』　v, 156
戦略評議会　290
戦略フィット　130, 131
戦略方向性ステートメント　73-75
『戦略マップ』　v, 104
戦略マップ　13, 119-121
　──によるビジネスユニットのアラインメント　160
　──の検討　310-312
　──の構築　13, 86-102
　サポートユニット──　169
戦略マネジメント　3, 44
戦略目標　74
創発戦略　65, 339, 340
測定尺度　113, 185
組織資本　311
組織ユニット　154-192

【た行】

タイ・カーボン・ブラック（TCB）　208
高い目標　50-52, 116-118
卓越した研究拠点→COE
ダッシュボード　9, 17, 24, 216-224, 227, 276
脱予算経営運動　9, 231, 232
タワートン・ファイナンシャル・サービス（TFS）　242-269
タンタナヤ，ジョージ　318
ダンラップ，アル　231
チェース銀行　80
知識　186, 187
ディアー，ジョン　56
適応　11, 21, 22, 327-335
テキサス・イーストマン　283, 286
データ
　──収集　336
　──の統計的分析　327-336
　外部──の取り込み　337, 338
　業務検討会議と──　306, 307
　戦略検討会議と──　78, 306, 307
　戦略の検証と適応の会議と──　314-315, 327-336
転換戦略　74-80
動機づけ　v, 5, 173
統計的分析　327-336
投資管理　235, 236
ドットコム・ブーム　77

【な行】

内部統制　66
ニューヨーク市警　279-283
ヌムール　56-58, 92, 93
ネオシステム　89, 90
ネスト　232
能力開発　186, 187
ノルディア　33-38, 141, 231

【は行】

バウマン，ロバート　366-369
破壊的イノベーション　65
破壊的戦略　8
ハグストローム，ミカエル　276
バーニング・プラットフォーム　77
ハーバード・ビジネス・スクール　72
ハマー，マイケル　2

ハメル, ゲリー 339
バランスト・スコアカード
　——と戦略管理室 366, 367
　——とビジネスユニットのアラインメント 159, 160
　——におけるキャッチボール 206
　——における戦略的なプロセスと不可欠なプロセス 202-205
　——に関する尺度の選定 102-104
　——の構築 158
　——殿堂入り 27-38
　仮説の検証と—— 310-312
　業務計画と—— 234
　サポートユニットと—— 167
　SWOT 分析と—— 62, 63
　戦略検討会議における—— 290
バリュー 48
バリュー・ギャップ 105-112, 346
バリュー・ステートメント 48-50
バリューチェーン 61
バリューベースト・マネジメント(価値創造経営) 65-69
パレートの法則→20対80の法則
範囲 72, 73
販売計画 243-245
販売予測→予測
ビジネス・インテリジェンス 9
ビジネス・ユニット
　——におけるシナジー 157
　——のアラインメント 15, 154-167
　サポートユニットと—— 167-170
ビジョナリー戦略 2
ビジョン・ステートメント 50-52
ビスタ・リテール 115, 116, 224
必須活動 74
ヒルサイド・ファミリー・オブ・エージェンシー 225, 226
品質改善プログラム 197, 202-212
フィードバック 273, 313
　業務の—— 314-344
フェルナンデス, ジョゼ・オーガスト・コーホ 101

不可欠なプロセス 202-205
不適合品質コスト 207
ブラウン, ドナルドソン 230
ブラジル全国産業連盟 97, 98, 117, 118
ブラットン, ウィリアム 279
ブルーオーシャン戦略 8, 65, 68-89
プロセスの視点 87, 88, 121, 216-218
プロセスのシナジー 157
分析モデリング 9
ヘイワード, トニー 5
ベイン・アンド・カンパニー 46, 66
ベスト・プラクティス 45
　——の共有 224-226
　シナジーと—— 159
　従業員の能力開発の—— 187
　戦略伝達の—— 177
ベルタレッリ, アーネスト 365
ベルタレッリ, ファビオ 365
ベンチマーキング 113, 114
方向づけ→アラインメント
方針管理 8, 208
ポジショニング 65
ボシュロム 67
細江康彦(サム・ホソエ) 29
ボクスネス, ビャルテ 231, 232
ボーセン, トーマス 232
ポーター, マイケル 2
ポッサン, バーバラ 362
ポルシェ・インダストリーズ 290
ホール・フーズ 48, 49
ボレアリス 231-236
ホンダ 339

【ま行】

マクダウェル, シェリル 274
マリオット・バケーション・クラブ・インターナショナル 2-4, 27, 74, 75, 78, 79, 160, 162, 177
マルコム・ボルドリッジ国家品質賞 8, 9, 196
マルチネス, アーサー 322
ミクロ経済学 314

ミッション・ステートメント　48
三菱東京 UFJ 銀行　71, 72, 174, 175
皆川邦仁（クニ・ミナカワ）　30
ミューラー, ロバート　54-56
ミンツバーグ, ヘンリー　339
メイプル, ジャック　279-281
命令と統制　230
メロン・ファイナンシャル　175
目標　72
　――設定　104-118
　――達成のための戦略的実施項目　124-127
　――とプロセス・マネジメント　212-216
　――による管理→MBO
　従業員の――　173, 356
　リーズ大学の――　134-136
持ち株会社　160, 161
モトローラ GEMS　209-211
モニターグループ　4
モニタリング　10, 19-21, 148, 272
モビスター　210-212
モービル US マーケティング・リファイニング　77, 116, 117, 339, 363
モンテーロ, アーマンド　97

【や行】

優位性　72, 73
予算（業務費用，資本支出，戦略的支出の項目も参照のこと）　9, 230-236
　――と戦略のリンク　5, 18, 19
　――における戦略資金の調達　138-142
　――の機能　230
　――の弱点　231
　――の定義　252
　業務――　19
　資本――　→資本予算

吉田勝美（カツミ・カーク・ヨシダ）　28
予測　9, 195
　コストと費用の――　242, 243
　資源キャパシティの――　245-251
　自由裁量原価の――　253-255
　販売――　18, 237-243
　予算における――　231
　ローリング――　232-234, 237-243

【ら行】

ラックスファー・ガス・シリンダー (LGC)　31-33, 93-96, 145, 146
リエンジニアリング　17, 197
リコー・コーポレーション　28, 29, 78, 109-112, 142-144, 225, 303-306
リジェダイ, アーン　38
リーズ大学　51, 109-138
リーダーシップ　25
　――と戦略転換　77
　――と戦略伝達プログラム　183
　――の役割　25-27, 53
　チェンジ・アジェンダと――　52-56
流通　241
リーン生産　65
リーンマネジメント　196
例外による管理　205
ローコスト航空　197-200, 216
ローズ, ジョン　32, 33, 93, 96, 145
ロッキード・マーチン　178, 183
ロード, ケルビン　102
ローリング財務予測　34, 36, 37, 233, 235, 237, 239, 257

【わ行】

ワールドコム　231

訳者紹介

《監訳者》

櫻井通晴（さくらい　みちはる）［監訳，日本の読者への序文，はじめに，謝辞担当］
城西国際大学客員教授（専任），専修大学名誉教授。商学博士。㈱SRA監査役，(独)情報処理推進機構（通称IPA）監事，東京医科大学経営企画部長（以上，非常勤）。
主要著書に『管理会計 第四版』（同文舘出版，2009年），『レピュテーション・マネジメント』（中央経済社，2008年）『バランスト・スコアカード 改訂版』（同文舘出版，2008年），『企業価値創造の管理会計』（［編著］同文舘出版，2007年），『ソフトウエア管理会計（第2版）』（白桃書房，2006年），『コーポレート・レピュテーション』（中央経済社，2005年），『企業価値創造のためのABC，バランスト・スコアカード』（［編著］同文舘出版，2002年），『管理会計辞典』（［編者］同文舘出版，2000年），『新版 間接費の管理』（中央経済社，1998年）等。
ハーバード大学ビジネススクール・フルブライト上級客員研究員。ロンドン大学大学院（LSE）客員教授，放送大学客員教授，早稲田大学大学院商学研究科・アジア太平洋研究科客員教授，日本原価計算研究学会会長，日本学術振興会専門研究員，公認会計士第二次試験・第三次試験委員，産業構造審議会委員，電気事業審議会委員，NTTドコモ監査役等を歴任。

伊藤和憲（いとう　かずのり）［監訳，第1章担当］
1954年生まれ。慶應義塾大学大学院工学研究科博士後期課程単位取得。博士（経営学）。
現在，専修大学商学部教授。
単著に，『グローバル管理会計』（同文舘出版，2004年），『戦略の管理会計』（中央経済社，2007年）。共著に，『キャッシュフロー管理会計』（中央経済社，1999年），『ABCの基礎とケーススタディ』（東洋経済新報社，2000年），『企業価値創造のためのABCとバランスト・スコアカード』（同文舘出版，2002年），『企業価値創造の管理会計』（同文舘出版，2007年）。監訳に，『コーポレート・レピュテーション──測定と管理』（ダイヤモンド社，2005年），『戦略マップ』（ランダムハウス講談社，2005年），『BSCによるシナジー戦略』（ランダムハウス講談社，2007年）。

《訳者》

新江孝（あらえ　たかし）［第2章担当］
1963年生まれ。日本大学大学院商学研究科博士後期課程単位取得。博士（経営学）。
現在，日本大学商学部教授。
著書・論文に，『戦略管理会計研究』（同文舘出版，2005年），『企業価値創造の管理会計』（櫻井通晴・伊藤和憲編著，分担執筆，2007年），「戦略的コスト・マネジメント概念の検討——その問題意識と課題」『会計学研究』第23号（2009年3月）等。

大西淳也（おおにし　じゅんや）［第3章担当］
1963年生まれ。東京大学法学部卒業。大蔵省入省，ハーバード大学客員研究員，スカンジナビア国際経営大学院（デンマーク）E*MBA修了。
現在，信州大学経済学部経済学科教授（財務省研究休職・出向），財務省財務総合政策研究所コンサルティング・フェロー。
論文に，「管理会計のコスト管理手法（ABC）で公的部門の効率化を」『ESP』2003.5，「デンマークの病院経営改革とリーン・マネジメント」『信大経済学論集』No.58，2008，「管理会計のレピュテーション・マネジメントと行政の信頼性」『信大経済学論集』No.59，2008，「管理会計の行政への活用にあたっての考察」『信大経済学論集』No.60，2009。

藤倉仁（ふじくら　ひとし）［第4章担当］
1942年生まれ。慶應義塾大学法学部卒業。
現在，ジェイ・エフ・コンサルティング株式会社代表取締役。
日本ユニシス㈱にてシステム開発部長，コンサルティング室長を経て現職。「経営戦略策定」「システム化計画策定」のコンサルティング及びERP導入等の大プロジェクトをPMI認定PMPとしてプロジェクトマネジメントを専門とする。

内山哲彦（うちやま　あきひこ）［第5章担当］
1971年生まれ。慶應義塾大学大学院商学研究科博士後期課程単位取得。
現在，千葉大学法経学部准教授。
論文に，「日本企業における成果主義と会計情報との係わり——人事管理指向と業績管理指向を視点にしたマネジメント・コントロールの検討」『原価計算研究』（Vol.32 No.2，2008年），「成果主義における会計的業績評価尺度利用に関する実態」『原価計算研究』（Vol.31 No.1，2007年）等。

山田義照（やまだ　よしてる）［第6章担当］
1969年生まれ。専修大学大学院経営学研究科博士後期課程修了。博士（経営学）。
現在，玉川大学工学部マネジメントサイエンス学科准教授。
論文に，「BSCと方針管理における役割期待とその関係――戦略プロセスとの関連を中心に」『原価計算研究』（原価計算学会）Vol.29 No.1, 2005年。

岩田弘尚（いわた　ひろなお）［第7章，索引担当］
1975年生まれ。専修大学大学院経営学研究科博士後期課程修了。博士（経営学）。
現在，東京国際大学商学部専任講師。
著書に，『企業価値創造の管理会計』（［共著］同文舘出版，2007年），『企業価値創造のためのABCとバランスト・スコアカード』（［共著］同文舘出版，2002年）。

小酒井正和（こざかい　まさかず）［第8章担当］
1972年生まれ。専修大学大学院経営学研究科博士後期課程単位取得。博士（経営学）。
現在，玉川大学工学部マネジメントサイエンス学科准教授。
著書に，『BSCによる戦略志向のIT投資マネジメント』（白桃書房，2008年），『IT投資マネジメントの発展』（松島桂樹編著，分担執筆，白桃書房，2007）等。

青木章通（あおき　あきみち）［第9章担当］
1969年生まれ。慶應義塾大学大学院商学研究科博士後期課程単位取得。
現在，専修大学経営学部准教授。
著書・論文に，『企業価値創造の管理会計』（［共著］同文舘出版，2007年），「対人的サービス産業における管理会計情報の有用性――需要管理に主眼を置いた管理会計の方向性の検討」『会計』（2007年2月号）等。

伊藤武志（いとう　たけし）［第10章担当］
1968年生まれ。ノースウェスタン大学ケロッグ経営大学院修士課程修了。
現在，東京大学人工物工学研究センター客員研究員。
都市銀行，経営コンサルティング・研修会社（取締役）を経て現職。経営戦略，経営管理，管理会計分野を専門とする。現在は現職にて，組織における共創を研究。
著書に，『バランスト・スコアカードによる戦略マネジメント』等，訳書に『システム・シンキング』『GE式ワークアウト』等がある。

バランスト・スコアカードによる 戦略実行のプレミアム
2009年4月2日 発行

監訳者　櫻井通晴／伊藤和憲
　　　　さくらい みちはる　い とうかずのり
　　　　発行者　柴生田晴四
　　　〒103-8345
発行所　東京都中央区日本橋本石町1-2-1　東洋経済新報社
　　　電話 東洋経済コールセンター03(5605)7021　　振替00130-5-6518
　　　　　　　　　　　　　　　　　　印刷・製本　丸井工文社

本書の全部または一部の複写・複製・転訳載および磁気または光記録媒体への入力等を禁じます。これらの許諾については小社までご照会ください。
〈検印省略〉落丁・乱丁本はお取替えいたします。
Printed in Japan　　ISBN 978-4-492-55639-9　　http://www.toyokeizai.net/